无穷维哈密顿系统及其算法应用教育部重点实验室
内蒙古自治区应用数学中心

资助出版

高 等 数 学

下 册

主　编　阿拉坦仓　毕力格图
副主编　乌日柴胡　梁胡义乐　玉　林
　　　　秀　峰　　陶格斯

陕西师范大学出版总社　西安

目 录

第 8 章 空间解析几何初步 ... 1
8.1 空间坐标系 ... 1
8.1.1 空间直角坐标系 ... 1
8.1.2 空间柱面坐标系 ... 2
8.1.3 空间球面坐标系 ... 3
习题 8-1 ... 3
8.2 空间向量 ... 4
8.2.1 向量及其表示法 ... 4
8.2.2 向量运算 ... 5
习题 8-2 ... 20
8.3 曲面及其方程 ... 21
8.3.1 曲面方程的概念 ... 21
8.3.2 曲面研究的基本问题 ... 22
8.3.3 旋转曲面 ... 23
8.3.4 柱面 ... 24
习题 8-3 ... 26
8.4 曲线及其方程 ... 26
8.4.1 空间曲线方程的概念 ... 26
8.4.2 空间曲线的一般方程 ... 27
8.4.3 空间曲线的参数方程 ... 28
8.4.4 空间曲线在坐标面上的投影 ... 29
习题 8-4 ... 30

8.5 平面及其方程 ································· 31
8.5.1 平面的点法式方程 ······················ 31
8.5.2 平面的一般方程 ························ 33
8.5.3 两平面的夹角 ·························· 34
习题 8-5 ····································· 36
8.6 空间直线及其方程 ····························· 37
8.6.1 直线的点向式方程和参数方程 ············ 37
8.6.2 直线的一般方程 ························ 38
8.6.3 两直线的夹角 ·························· 40
8.6.4 直线与平面的关系 ······················ 41
8.6.5 杂例 ·································· 42
习题 8-6 ····································· 44
8.7 二次曲面及其方程 ····························· 46
习题 8-7 ····································· 48
总复习题 8 A 组 ································· 49
总复习题 8 B 组 ································· 51

第9章 多元函数微分学 ····························· 53
9.1 多元函数的基本概念 ··························· 53
9.1.1 n 维空间的基本概念 ··················· 53
9.1.2 多元函数 ······························ 57
习题 9-1 ····································· 59
9.2 多元函数极限 ································· 60
9.2.1 多元函数极限的定义 ···················· 60
9.2.2 多元函数的连续性 ······················ 63
习题 9-2 ····································· 65
9.3 偏导数 ······································· 66
9.3.1 偏导数的定义及其运算 ·················· 66
9.3.2 高阶偏导数 ···························· 69
习题 9-3 ····································· 71
9.4 多元函数全微分 ······························· 73
9.4.1 全微分的定义 ·························· 73

  9.4.2 全微分在近似计算中的应用 ·· 77
 习题 9-4 ·· 78
 9.5 多元复合函数的求导法则 ·· 79
  9.5.1 一元函数与多元函数复合的情形 ·· 80
  9.5.2 多元函数与多元函数复合的情形 ·· 82
  9.5.3 多元函数微分形式不变性 ·· 86
 习题 9-5 ·· 87
 9.6 隐函数的求导法则 ·· 88
 习题 9-6 ·· 93
 9.7 多元函数微分学的几何应用 ·· 94
  9.7.1 空间曲线的切线与法平面 ·· 94
  9.7.2 曲面的切平面与法线 ·· 99
 习题 9-7 ·· 101
 9.8 方向导数与梯度 ·· 102
  9.8.1 方向导数 ·· 102
  9.8.2 梯度 ·· 104
 习题 9-8 ·· 106
 9.9 多元函数的泰勒(Taylor)展开式 ·· 106
 习题 9-9 ·· 108
 9.10 多元函数的极值与最值及其求法 ·· 109
  9.10.1 极值的概念 ·· 109
  9.10.2 极值存在的条件 ·· 109
  9.10.3 最大值、最小值 ·· 112
  9.10.4 多元函数的条件极值——拉格朗日乘数法 ································ 113
 习题 9-10 ·· 117
 9.11 最小二乘法 ·· 118
 习题 9-11 ·· 120
 总复习题 9 A 组 ·· 121
 总复习题 9 B 组 ·· 122

第 10 章 重积分 ·· 124
 10.1 二重积分的概念与性质 ·· 124

　　　　10.1.1　二重积分的概念 ·· 124
　　　　10.1.2　二重积分的基本性质 ······································· 128
　习题 10 - 1 ··· 129
　10.2　二重积分的计算 ·· 130
　　　　10.2.1　利用直角坐标系计算二重积分 ···························· 130
　　　　10.2.2　利用极坐标系计算二重积分 ······························ 136
　　　　10.2.3　二重积分的换元法 ·· 139
　习题 10 - 2 ··· 141
　10.3　三重积分 ··· 143
　　　　10.3.1　三重积分的概念 ·· 143
　　　　10.3.2　在直角坐标系中计算三重积分 ···························· 144
　　　　10.3.3　三重积分的变量替换 ·· 146
　习题 10 - 3 ··· 151
　10.4　重积分的应用 ··· 152
　　　　10.4.1　几何应用——曲面面积 ····································· 152
　　　　10.4.2　重积分在力学中的应用 ····································· 154
　习题 10 - 4 ··· 158
　总复习题 10　A 组 ··· 158
　总复习题 10　B 组 ··· 160

第 11 章　曲线积分与曲面积分 ··· 163
　11.1　第一类曲线积分 ·· 163
　　　　11.1.1　第一类曲线积分的概念与性质 ···························· 163
　　　　11.1.2　第一类曲线积分的计算 ····································· 165
　习题 11 - 1 ··· 167
　11.2　第二类曲线积分 ·· 168
　　　　11.2.1　第二类曲线积分的概念与性质 ···························· 168
　　　　11.2.2　第二类曲线积分的计算 ····································· 170
　　　　11.2.3　两类曲线积分之间的联系 ·································· 173
　习题 11 - 2 ··· 175
　11.3　格林公式及其应用 ··· 175
　　　　11.3.1　格林公式 ··· 175

  11.3.2　平面上曲线积分与路径无关的条件 …………………………… 179
  11.3.3　二元函数的全微分求积 …………………………………………… 181
  *11.3.4　曲线积分的基本定理 …………………………………………… 184
习题 11 - 3 ……………………………………………………………………………… 185
11.4　第一类曲面积分 ………………………………………………………………… 186
  11.4.1　第一类曲面积分的概念与性质 …………………………………… 186
  11.4.2　第一类曲面积分的计算 …………………………………………… 187
习题 11 - 4 ……………………………………………………………………………… 191
11.5　第二类曲面积分 ………………………………………………………………… 192
  11.5.1　第二类曲面积分的概念与性质 …………………………………… 192
  11.5.2　第二类曲面积分的计算 …………………………………………… 195
  11.5.3　两类曲面积分之间的联系 ………………………………………… 198
习题 11 - 5 ……………………………………………………………………………… 200
11.6　高斯公式　*通量与散度 ……………………………………………………… 201
  11.6.1　高斯公式 …………………………………………………………… 201
  *11.6.2　沿任意闭曲面的曲面积分为零的条件 ………………………… 204
  *11.6.3　通量与散度 ………………………………………………………… 205
习题 11 - 6 ……………………………………………………………………………… 207
11.7　斯托克斯公式　*环流量与旋度 ……………………………………………… 208
  11.7.1　斯托克斯公式 ……………………………………………………… 208
  *11.7.2　空间曲线积分与路径无关的条件 ……………………………… 211
  *11.7.3　环流量与旋度 ……………………………………………………… 212
习题 11 - 7 ……………………………………………………………………………… 214
总复习题 11　A 组 …………………………………………………………………… 215
总复习题 11　B 组 …………………………………………………………………… 217

第 12 章　无穷级数 …………………………………………………………………… 219
12.1　数项级数 ………………………………………………………………………… 219
  12.1.1　数项级数的概念和性质 …………………………………………… 219
  12.1.2　柯西收敛准则 ……………………………………………………… 227
习题 12 - 1 ……………………………………………………………………………… 228
12.2　正项级数 ………………………………………………………………………… 229
  12.2.1　比较判别法 ………………………………………………………… 230

12.2.2 达朗贝尔判别法与柯西判别法 ········· 232
12.2.3 柯西积分判别法 ········· 235
习题 12-2 ········· 235
12.3 任意项级数 ········· 236
12.3.1 交错级数的敛散性 ········· 236
12.3.2 绝对收敛与条件收敛 ········· 238
习题 12-3 ········· 241
12.4 绝对收敛级数的性质 ········· 241
12.4.1 结合律 ········· 241
12.4.2 交换律 ········· 241
12.4.3 分配律（级数的乘法、无穷乘法） ········· 243
习题 12-4 ········· 245
12.5 函数项级数 ········· 246
12.5.1 函数项级数的定义 ········· 246
12.5.2 函数项级数的一致收敛性及其判别法 ········· 247
习题 12-5 ········· 256
12.6 幂级数 ········· 257
12.6.1 幂级数的定义 ········· 257
12.6.2 幂级数的收敛半径与收敛域 ········· 257
12.6.3 幂级数的运算与和函数的性质 ········· 261
12.6.4 初等函数的幂级数展开 ········· 264
12.6.5 幂级数的一致收敛性 ········· 271
12.6.6 函数的幂级数展开式的应用 ········· 271
习题 12-6 ········· 274
12.7 傅里叶级数 ········· 275
12.7.1 三角级数　三角函数系的正交性 ········· 276
12.7.2 函数展开成傅里叶级数 ········· 278
12.7.3 正弦级数与余弦级数 ········· 282
习题 12-7 ········· 286
总复习题 12 A 组 ········· 287
总复习题 12 B 组 ········· 288

第8章 空间解析几何初步

解析几何的基本思想是用代数的方法研究几何. 在平面解析几何中, 通过坐标法把平面上的点与有序数组对应起来, 把平面图形和方程对应起来, 空间解析几何也是按类似的方法建立起来的.

本章先介绍空间坐标系, 引入向量和向量的运算, 再利用坐标表示向量的运算, 最后介绍曲线、曲面的有关内容.

8.1 空间坐标系

为了确定空间一点的位置, 需建立空间点与有序数组间的联系.

8.1.1 空间直角坐标系

过空间一定点 O, 作三条互相垂直的数轴, 这些数轴都以 O 为原点且有相同的度量单位, 这三条数轴分别叫作 x 轴(横轴)、y 轴(纵轴)、z 轴(竖轴), 统称为坐标轴. 它们构成一个空间直角坐标系, 称为 $Oxyz$ 坐标系. 如果将右手的大拇指和食指分别指着 x 轴和 y 轴的正方向, 则中指所指的方向为 z 轴的正方向. 这样的三条坐标轴构成的空间直角坐标系称为右手坐标系, 点 O 称为坐标原点. 否则称为左手坐标系.

任意两条坐标轴可确定一个平面, 如 x 轴和 y 轴确定 xOy 面, 依次类推, y 轴和 z 轴确定 yOz 面, z 轴和 x 轴确定 zOx 面, 这三个面统称为坐标面. 三个坐标面把空间分为八个部分, 每个部分称为一个卦限, xOy 平面上方的四部分依次是Ⅰ、Ⅱ、

Ⅲ、Ⅳ四个卦限，xOy 平面下方的四部分依次是Ⅴ、Ⅵ、Ⅶ、Ⅷ四个卦限(图8-1).

取定空间直角坐标系后，就可建立空间点与数组间的对应关系.

设 M 为空间的一点，过点 M 分别作垂直于三条坐标轴的平面，它们与 x 轴、y 轴、z 轴的交点分别为 P、Q、R(图8-2). 设 P、Q、R 三点在三条轴上的坐标依次为 x、y、z. 这样，空间点 M 就唯一地确定了一个有序数组 (x,y,z)，称 (x,y,z) 为点 M 的直角坐标，其中 x 为点 M 的横坐标，y 为点 M 的纵坐标，z 为点 M 的竖坐标，记为 $M(x,y,z)$.

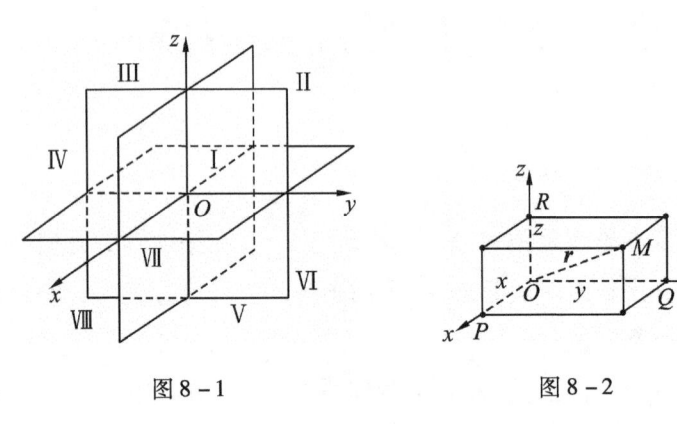

图8-1

图8-2

反过来，给定有序数组 (x,y,z)，依次在 x 轴、y 轴、z 轴上取与 x、y、z 相应的点 P、Q、R，再过点 P、Q、R 分别作垂直于 x 轴、y 轴、z 轴的平面，则这三个平面的交点 M，就是以有序数组 (x,y,z) 为坐标的点.

8.1.2 空间柱面坐标系

设 $M(x,y,z)$ 为空间的一点，并设点 M 在 xOy 面上的投影 P 的极坐标是 ρ,θ，则这样的三个有序数 $\rho、\theta、z$ 称为点 M 的柱面坐标(图8-3)，这里规定 $\rho、\theta、z$ 的变化范围为

$$0 \leqslant \rho < \infty,$$
$$0 \leqslant \theta \leqslant 2\pi,$$
$$-\infty < z < +\infty.$$

三组坐标面分别为：

$\rho =$ 常数，是以 z 轴为中心轴的圆柱面；

$\theta =$ 常数，是过 z 轴的半平面；

$z =$ 常数，是与 xOy 面平行的平面.

显然，点 M 的直角坐标与柱面坐标的关系为

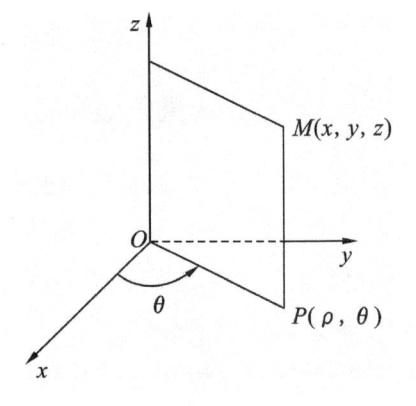

图8-3

$$\begin{cases} x = \rho\cos\theta, \\ y = \rho\sin\theta, \\ z = z. \end{cases}$$

8.1.3 空间球面坐标系

设 $M(x,y,z)$ 为空间的一点,则点 M 也可以用这样三个有序的数 r、φ 和 θ 来确定,其中 r 为原点 O 与点 M 之间的距离,φ 为有向线段(即有方向的线段)$\overrightarrow{OM}$ 与 z 轴正方向所夹的角,θ 为从 z 轴正方向来看从 x 轴逆时针方向转到有向线段 $\overrightarrow{OP}$ 的角,这里的点 P 为点 M 在 xOy 面上的投影(图 8-4). 这样的三个数 r、φ 和 θ 称为点 M 的球面坐标,这里 r、φ 和 θ 的变化范围为

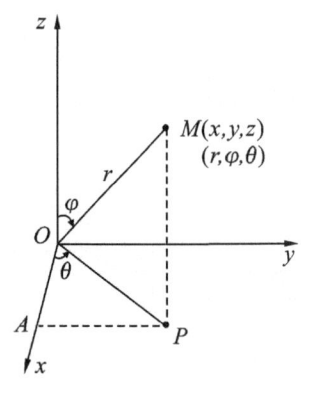

$$\begin{cases} 0 \leq r < \infty, \\ 0 \leq \varphi \leq \pi, \\ 0 \leq \theta \leq 2\pi. \end{cases}$$

图 8-4

三组坐标面分别为:

$r =$ 常数,是以原点为球心、r 为半径的球面;

$\varphi =$ 常数,是以原点为顶点、z 轴为中心轴的圆锥面;

$\theta =$ 常数,是过 z 轴的半平面.

设点 P 为点 M 在 xOy 面上的投影,点 A 为点 P 在 x 轴上的投影,则

$$OA = x, \quad AP = y, \quad PM = z.$$

又

$$OP = r\sin\varphi, \quad PM = r\cos\varphi.$$

因此,点 M 的直角坐标与球面坐标的关系为

$$\begin{cases} x = OP\cos\theta = r\sin\varphi\cos\theta, \\ y = OP\sin\theta = r\sin\varphi\sin\theta, \\ z = r\cos\varphi. \end{cases}$$

习题 8-1

1. 在空间直角坐标系中,作出下列各点:

$(1,2,3)$,$(-1,0,2)$,$(-1,-3,2)$,$(2,-1,2)$,$(2,0,0)$,$(0,-1,1)$,$(0,-2,0)$.

2. 求点 $M_0(x_0,y_0,z_0)$ 关于坐标轴、坐标面和坐标原点对称的点.

3. 在空间直角坐标系中,指出下列各点在哪一卦限?
$$A(1,2,-3),B(2,-3,4),C(2,-3,4),D(-2,-3,-1).$$

4. 在坐标面上和坐标轴上的点的坐标各有什么特征？指出下列各点的位置:
$$A(3,3,0),B(0,3,2),C(2,0,0),D(0,-2,0).$$

5. 自点 $M_0(x_0,y_0,z_0)$ 分别作各坐标轴和坐标面的垂线,写出各垂足的坐标.

6. 过点 $M_0(x_0,y_0,z_0)$ 分别作平行于 z 轴的直线和平行于 xOy 面的平面,问在它们上面的点的坐标各有什么特点?

7. 一边长为 a 的正方体放置在 xOy 面上,其底面的中心在坐标原点,底面的顶点在 x 轴和 y 轴上,求它各顶点的坐标.

8.2 空间向量

8.2.1 向量及其表示法

客观世界中存在既有大小,又有方向的一类量,例如位移、速度、加速度、力、力矩等,这一类量叫作向量(或矢量).

常用有向线段,即一条有方向的线段来表示向量. 有向线段的长度和方向分别表示向量的大小和方向. 以 A 为起点、B 为终点的有向线段所表示的向量记为 $\overrightarrow{AB}$(图 8-5). 有时也用黑体字母(书写时,在字母上面加箭头)来表示向量,例如 $\boldsymbol{a}$、$\boldsymbol{v}$、$\boldsymbol{F}$ 或 $\vec{a}$、$\vec{v}$、$\vec{F}$ 等.

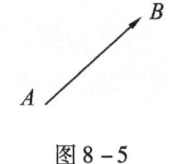

图 8-5

在实际问题中,有的向量与其起点有关,有的向量与其起点无关. 由于一切向量的共性是它们既有大小又有方向,因此在这里只研究与起点无关的向量,并称其为自由向量(简称向量),即只考虑向量的大小和方向,而不考虑它的起点的位置.

如果两个向量 $\boldsymbol{a}$ 和 $\boldsymbol{b}$ 的大小相等,且方向相同,则称向量 $\boldsymbol{a}$ 和 $\boldsymbol{b}$ 是相等的,记作 $\boldsymbol{a}=\boldsymbol{b}$. 也就是说,经过平行移动后完全重合的向量是相等的. 向量 $\boldsymbol{a}$ 和 $\boldsymbol{b}$ 的方向相同或相反时称 $\boldsymbol{a}$ 和 $\boldsymbol{b}$ 是平行的,记作 $\boldsymbol{a}//\boldsymbol{b}$.

向量的大小称为向量的模. 向量 $\overrightarrow{AB}$、$\boldsymbol{a}$ 和 $\vec{a}$ 的模依次记作 $|\overrightarrow{AB}|$、$|\boldsymbol{a}|$ 和 $|\vec{a}|$. 模等于 1 的向量称为单位向量. 模等于零的向量称为零向量,记作 $\boldsymbol{0}$ 或 $\vec{0}$. 零向量的起点和终点重合,它的方向可以看成是任意的.

8.2.2 向量运算

1. 向量的加减法

设有两个向量 a 与 b，任取一点 A，作 $\overrightarrow{AB} = a$，再以点 B 为起点作 $\overrightarrow{BC} = b$，连接 AC（图8-6），则向量 $\overrightarrow{AC} = c$ 称为向量 a 与 b 的和，记为 $a + b$，即 $c = a + b$.

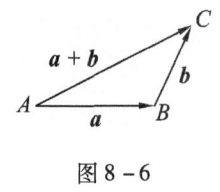

图8-6

这种作两向量之和的方法称为向量相加的三角形法则.

根据力学中关于力的合成法则，也可以定义求两向量和的平行四边形法则，即当向量 a 与 b 不平行时，作 $\overrightarrow{AB} = a$，$\overrightarrow{AD} = b$，以 AB、AD 为边作平行四边形 $ABCD$，连接对角线 AC（图8-7），则显然向量 $\overrightarrow{AC}$ 等于向量 a 与 b 的和 $a + b$.

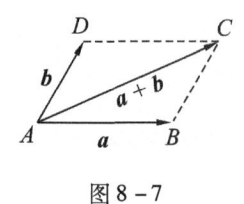

图8-7

向量的加法符合下列运算规律：

(1) 交换律：$a + b = b + a$；

(2) 结合律：$(a + b) + c = a + (b + c)$.

事实上，根据向量加法的三角形法则（图8-7），有
$$a + b = \overrightarrow{AB} + \overrightarrow{BC} = \overrightarrow{AC} = c,$$
$$b + a = \overrightarrow{AD} + \overrightarrow{DC} = \overrightarrow{AC} = c,$$

所以符合交换律. 又如图8-8所示，先作 $a + b$ 再加上 c，可得和 $(a + b) + c$，若 a 与 $b + c$ 相加，则得同一个向量，所以符合结合律.

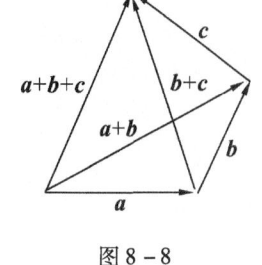

图8-8

由于向量的加法满足交换律和结合律，故 n 个向量相加可写成

$$a_1 + a_2 + \cdots + a_n,$$

并按三角形法则，可得 n 个向量相加的加法如下：以前一个向量的终点为起点，相继作向量 $a_1, a_2, \cdots, a_n$，再以第一个向量的起点为起点，最后一个向量的终点为终点作一个向量，这个向量即为所求的和. 如图8-9所示，有

$$s = a_1 + a_2 + a_3 + a_4 + a_5.$$

图8-9

设 a 为一向量，与 a 的模相同而方向相反的向量叫作 a 的负向量，记作 $-a$. 由此，我们规定两个向量 b 与 a 的差

$$b - a = b + (-a).$$

即向量 b 上加向量 $-a$，便得 b 与 a 的差 $b - a$（图8-10）.

特别地，当 $b = a$ 时，有

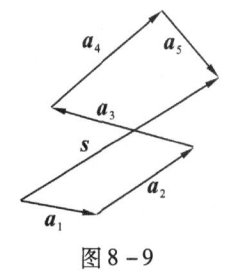

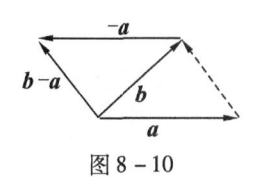

图8-10

$$a - a = a + (-a) = 0.$$

显然,任给向量$\overrightarrow{AB}$及点 O,有

$$\overrightarrow{AB} = \overrightarrow{AO} + \overrightarrow{OB} = \overrightarrow{OB} - \overrightarrow{OA},$$

所以若把向量 a 与 b 移到同一起点 O,那么从 a 的终点 A 向 b 的终点 B 所引向量$\overrightarrow{AB}$是向量 b 与 a 的差 $b - a$(图 8 - 11).

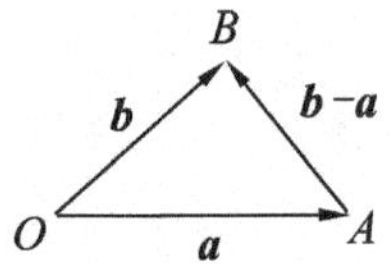

图 8 - 11

2. 向量与数的乘法

向量 a 与实数 λ 的乘积记作 λa,规定 λa 是一个向量,它的模为

$$|\lambda a| = |\lambda||a|,$$

它的方向为当 $\lambda > 0$ 时与 a 相同,当 $\lambda < 0$ 时与 a 相反.

当 $\lambda = 0$ 时,$|\lambda a| = 0$,即 λa 为零向量,这时它的方向可以是任意的.

特别地,当 $\lambda = \pm 1$ 时,有

$$1a = a, (-1)a = -a.$$

向量与数的乘法满足下列运算规律:

(1) 结合律:$\lambda(\mu a) = \mu(\lambda a) = (\lambda\mu)a.$

由向量与数的乘法可知,向量 $\lambda(\mu a)$、$\mu(\lambda a)$、$(\lambda\mu)a$ 都是平行且方向相同的向量,而且

$$|\lambda(\mu a)| = |\mu(\lambda a)| = |(\lambda\mu)a| = |\lambda\mu||a|,$$

所以

$$\lambda(\mu a) = \mu(\lambda a) = (\lambda\mu)a.$$

(2) 分配律:

$$(\lambda + \mu)a = \lambda a + \mu a,$$
$$\lambda(a + b) = \lambda a + \lambda b.$$

同理可证这个规律,这里从略.

向量的加减法和数乘统称为向量的线性运算.

例 1 设平行四边形 $ABCD$ 对角线的交点为 M,$\overrightarrow{AB} = a$,$\overrightarrow{AD} = b$,试用 a 和 b 表示向量$\overrightarrow{MA}$、$\overrightarrow{MB}$、$\overrightarrow{MC}$ 和 $\overrightarrow{MD}$(图 8 - 12).

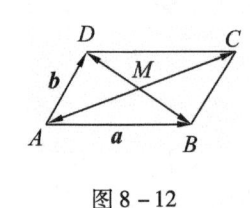

解 由于平行四边形的对角线互相平分,所以

$$a + b = \overrightarrow{AC} = 2\overrightarrow{AM},$$

即

$$-(a + b) = 2\overrightarrow{MA},$$

于是

图 8 - 12

$$\overrightarrow{MA} = -\frac{1}{2}(\boldsymbol{a}+\boldsymbol{b}).$$

因为 $\overrightarrow{MC} = -\overrightarrow{MA}$，所以 $\overrightarrow{MC} = \frac{1}{2}(\boldsymbol{a}+\boldsymbol{b})$.

又因为 $-\boldsymbol{a}+\boldsymbol{b} = \overrightarrow{BD} = 2\overrightarrow{MD}$，所以 $\overrightarrow{MD} = \frac{1}{2}(\boldsymbol{b}-\boldsymbol{a})$.

由于 $\overrightarrow{MB} = -\overrightarrow{MD}$，所以 $\overrightarrow{MB} = \frac{1}{2}(\boldsymbol{a}-\boldsymbol{b})$.

设 $\boldsymbol{e}_a$ 表示与非零向量 $\boldsymbol{a}$ 同方向的单位向量，那么根据向量与数的乘法的规定，由于 $|\boldsymbol{a}|>0$，所以 $|\boldsymbol{a}|\boldsymbol{e}_a$ 与 $\boldsymbol{e}_a$ 的方向相同，即 $|\boldsymbol{a}|\boldsymbol{e}_a$ 与 $\boldsymbol{a}$ 的方向相同. 又因为 $|\boldsymbol{a}|\boldsymbol{e}_a$ 的模是

$$|\boldsymbol{a}||\boldsymbol{e}_a| = |\boldsymbol{a}|\cdot 1 = |\boldsymbol{a}|,$$

即 $|\boldsymbol{a}|\boldsymbol{e}_a$ 与 $\boldsymbol{a}$ 的模也相同，因此，

$$\boldsymbol{a} = |\boldsymbol{a}|\boldsymbol{e}_a.$$

我们规定，当 $\lambda \neq 0$ 时，$\dfrac{\boldsymbol{a}}{\lambda} = \dfrac{1}{\lambda}\boldsymbol{a}$. 由此，上式又可写成

$$\frac{\boldsymbol{a}}{|\boldsymbol{a}|} = \boldsymbol{e}_a.$$

即非零向量除以它的模是一个与原向量同方向的单位向量.

由于向量 $\lambda\boldsymbol{a}$ 与 $\boldsymbol{a}$ 平行，因此常用向量与数的乘积来表示两个向量的平行关系. 即有如下定理.

定理 1 设向量 $\boldsymbol{a} \neq \boldsymbol{0}$，则向量 $\boldsymbol{a} /\!/ \boldsymbol{b}$ 的充要条件是存在唯一的实数 λ，使得 $\boldsymbol{b} = \lambda\boldsymbol{a}$.

证明 充分性. 若存在唯一的实数 λ，使得 $\boldsymbol{b} = \lambda\boldsymbol{a}$，则 $\boldsymbol{b}$ 与 $\lambda\boldsymbol{a}$ 平行，而 $\lambda\boldsymbol{a}$ 与 $\boldsymbol{a}$ 平行，故 $\boldsymbol{b}$ 与 $\boldsymbol{a}$ 平行.

必要性. 设 $\boldsymbol{a} /\!/ \boldsymbol{b}$. 取 $|\lambda| = \dfrac{|\boldsymbol{b}|}{|\boldsymbol{a}|}$，当 $\boldsymbol{b}$ 与 $\boldsymbol{a}$ 同向时 λ 取正值，当 $\boldsymbol{b}$ 与 $\boldsymbol{a}$ 反向时 λ 取负值，即有 $\boldsymbol{b} = \lambda\boldsymbol{a}$. 因为此时 $\boldsymbol{b}$ 与 $\lambda\boldsymbol{a}$ 同向，且

$$|\lambda\boldsymbol{a}| = |\lambda||\boldsymbol{a}| = \frac{|\boldsymbol{b}|}{|\boldsymbol{a}|}|\boldsymbol{a}| = |\boldsymbol{b}|.$$

再证实数 λ 的唯一性. 设 $\boldsymbol{b} = \lambda\boldsymbol{a}$，又设 $\boldsymbol{b} = \mu\boldsymbol{a}$，两式相减可得

$$(\lambda - \mu)\boldsymbol{a} = \boldsymbol{0},$$

即 $|\lambda - \mu||\boldsymbol{a}| = 0$. 因 $|\boldsymbol{a}| \neq 0$，故 $|\lambda - \mu| = 0$，即 $\lambda = \mu$.

3. 向量的投影

(1) 空间两轴的夹角.

设点 S 为空间两轴 l_1 和 l_2 的交点,在两轴所决定的平面上,把 l_1 或 l_2 绕点 S 旋转,使它的正向与另一轴的正方向重合时所需旋转的角度,称为 l_1 和 l_2 间的夹角,记为 $(\widehat{l_1,l_2})$ 或 $(\widehat{l_2,l_1})$. 一般将两轴之间的夹角限定在 0 与 π 间,且不分轴的顺序.

若两轴 l_1' 和 l_2' 不相交,则可从空间的任意一点 S 引两轴 l_1、l_2,使分别与 l_1'、l_2' 平行,且有相同的指向,l_1、l_2 的夹角就为 l_1'、l_2' 间的夹角(图 8-13).

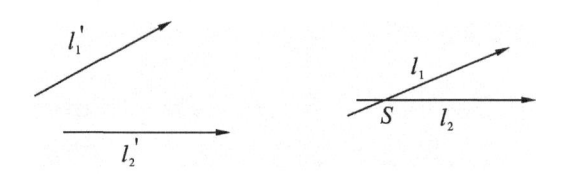

图 8-13

空间的轴 l 与向量 $\boldsymbol{a}$ 之间的夹角,我们用轴 l 与另一个方向跟向量 $\boldsymbol{a}$ 的正方向一致的轴之间的角来定义.

同样两向量 $\boldsymbol{a}$、$\boldsymbol{b}$ 之间的夹角用两轴 l、l' 之间的角来定义,这两轴的正方向分别与 $\boldsymbol{a}$、$\boldsymbol{b}$ 的正方向一致,向量 $\boldsymbol{a}$、$\boldsymbol{b}$ 间的夹角记作 $(\widehat{\boldsymbol{a},\boldsymbol{b}})$ 或 $(\widehat{\boldsymbol{b},\boldsymbol{a}})$.

(2)空间点与向量在轴上的投影.

设已知空间的点 A,通过点 A 作平面 α 垂直于轴 l,则平面 α 与轴 l 的交点 A' 称为点 A 在轴 l 上的投影(图 8-14).

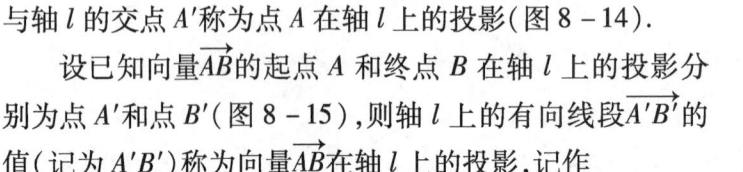

设已知向量 $\overrightarrow{AB}$ 的起点 A 和终点 B 在轴 l 上的投影分别为点 A' 和点 B'(图 8-15),则轴 l 上的有向线段 $\overrightarrow{A'B'}$ 的值(记为 $A'B'$)称为向量 $\overrightarrow{AB}$ 在轴 l 上的投影,记作

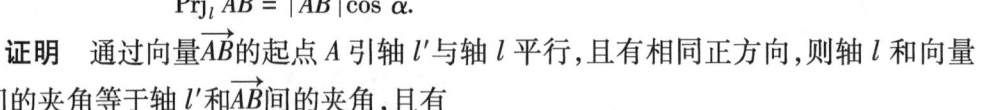

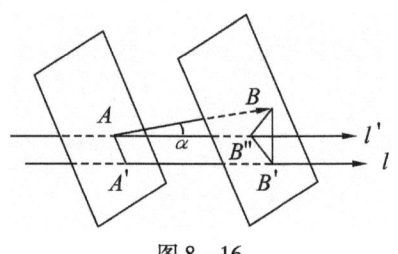

$$\text{Prj}_l \overrightarrow{AB} = A'B',$$

轴 l 叫作投影轴.

图 8-14

图 8-15

定理 2 向量 $\overrightarrow{AB}$ 在任何轴 l 上的投影等于向量的模乘以轴与此向量间的夹角 α 的余弦,即

$$\text{Prj}_l \overrightarrow{AB} = |\overrightarrow{AB}|\cos\alpha.$$

证明 通过向量 $\overrightarrow{AB}$ 的起点 A 引轴 l' 与轴 l 平行,且有相同正方向,则轴 l 和向量 $\overrightarrow{AB}$ 间的夹角等于轴 l' 和 $\overrightarrow{AB}$ 间的夹角,且有

$$\text{Prj}_l \overrightarrow{AB} = \text{Prj}_{l'} \overrightarrow{AB}.$$

由图 8-16 有

$$\text{Prj}_{l'} \overrightarrow{AB} = AB'' = |\overrightarrow{AB}|\cos\alpha,$$

所以,

$$\text{Prj}_l \overrightarrow{AB} = |\overrightarrow{AB}|\cos\alpha.$$

图 8-16

当 α 为锐角时,投影为正;

当 α 为钝角时,投影为负;

当 α 为直角时,投影为 0.

按投影的定义,向量 a 在直角坐标系 $Oxyz$ 中的坐标 a_x、a_y、a_z 就是 a 在三条坐标轴上的投影,即

$$a_x = \mathrm{Prj}_x \boldsymbol{a}, a_y = \mathrm{Prj}_y \boldsymbol{a}, a_z = \mathrm{Prj}_z \boldsymbol{a},$$

或记作

$$a_x = (\boldsymbol{a})_x, a_y = (\boldsymbol{a})_y, a_z = (\boldsymbol{a})_z.$$

由此可知,向量的投影与坐标具有相同的性质:

性质 1 $\mathrm{Prj}_l \boldsymbol{a} = |\boldsymbol{a}| \cos \varphi [$即$(\boldsymbol{a})_l = |\boldsymbol{a}| \cos \varphi]$,其中 φ 为向量 $\boldsymbol{a}$ 与轴 l 的夹角;

性质 2 $\mathrm{Prj}_l (\boldsymbol{a} + \boldsymbol{b}) = \mathrm{Prj}_l \boldsymbol{a} + \mathrm{Prj}_l \boldsymbol{b} [$即$(\boldsymbol{a} + \boldsymbol{b})_l = (\boldsymbol{a})_l + (\boldsymbol{b})_l]$;

性质 3 $\mathrm{Prj}_l (\lambda \boldsymbol{a}) = \lambda \mathrm{Prj}_l \boldsymbol{a} [$即$(\lambda \boldsymbol{a})_l = \lambda (\boldsymbol{a})_l]$.

4. 向量的分解与向量的坐标

设向量 $\overrightarrow{OM}$ 的起点 O 是直角坐标系的原点,而终点 M 的坐标为 $OP = x, OQ = y, OR = z$(图 8 – 17).

考察折线 $OPAM$ 和线段 OM,由向量的加法法则得

$$\overrightarrow{OM} = \overrightarrow{OP} + \overrightarrow{PA} + \overrightarrow{AM}$$
$$= \overrightarrow{OP} + \overrightarrow{OQ} + \overrightarrow{OR},$$

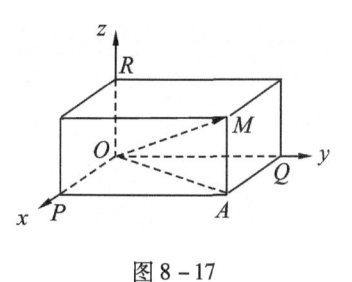

图 8 – 17

向量 $\overrightarrow{OP}$、$\overrightarrow{OQ}$、$\overrightarrow{OR}$ 叫作向量 $\overrightarrow{OM}$ 在坐标轴上的分向量.

在坐标轴 Ox、Oy、Oz 上以 O 为起点分别取三个单位向量,其方向与坐标轴的正方向相同,并分别以 $\boldsymbol{i}$、$\boldsymbol{j}$、$\boldsymbol{k}$ 表示,称这三个单位向量为基本单位向量.

点 M 的坐标是 $OP = x, OQ = PA = y, OR = AM = z$;因此 $\overrightarrow{OP}$、$\overrightarrow{OQ}$、$\overrightarrow{OR}$ 正是向量 $\overrightarrow{OM}$ 在三条坐标轴上的投影. 又 $\overrightarrow{OM}$ 在坐标轴上的分向量为

$$\overrightarrow{OP} = x\boldsymbol{i}, \overrightarrow{OQ} = y\boldsymbol{j}, \overrightarrow{OR} = z\boldsymbol{k}.$$

所以

$$\overrightarrow{OM} = \overrightarrow{OP} + \overrightarrow{OQ} + \overrightarrow{OR} = x\boldsymbol{i} + y\boldsymbol{j} + z\boldsymbol{k},$$

式中 x、y、z 是向量 $\overrightarrow{OM}$ 在坐标轴上的投影. 在向量的起点为原点 O 的情况下,x、y、z 也正是向量的终点 M 的坐标.

一般地,如果向量 $\boldsymbol{a}$ 在 x 轴、y 轴、z 轴上的投影依次为 x、y、z,则其在 x 轴、y 轴、z 轴上的分向量为 $x\boldsymbol{i}$、$y\boldsymbol{j}$、$z\boldsymbol{k}$,故有

$$\boldsymbol{a} = x\boldsymbol{i} + y\boldsymbol{j} + z\boldsymbol{k}.$$

x、y、z 称为 $\boldsymbol{a}$ 的坐标,记为 $\boldsymbol{a} = (x, y, z)$.

利用向量的坐标,可得向量的线性运算如下:

设 $\boldsymbol{a} = (a_x, a_y, a_z)$,$\boldsymbol{b} = (b_x, b_y, b_z)$,即
$$\boldsymbol{a} = a_x \boldsymbol{i} + a_y \boldsymbol{j} + a_z \boldsymbol{k},\ \boldsymbol{b} = b_x \boldsymbol{i} + b_y \boldsymbol{j} + b_z \boldsymbol{k}.$$

利用向量线性运算的运算律,有
$$\boldsymbol{a} + \boldsymbol{b} = (a_x + b_x)\boldsymbol{i} + (a_y + b_y)\boldsymbol{j} + (a_z + b_z)\boldsymbol{k},$$
$$\boldsymbol{a} - \boldsymbol{b} = (a_x - b_x)\boldsymbol{i} + (a_y - b_y)\boldsymbol{j} + (a_z - b_z)\boldsymbol{k},$$
$$\lambda \boldsymbol{a} = \lambda a_x \boldsymbol{i} + \lambda a_y \boldsymbol{j} + \lambda a_z \boldsymbol{k}\ (\lambda\ \text{为实数}).$$

即
$$\boldsymbol{a} + \boldsymbol{b} = (a_x + b_x,\ a_y + b_y,\ a_z + b_z),$$
$$\boldsymbol{a} - \boldsymbol{b} = (a_x - b_x,\ a_y - b_y,\ a_z - b_z),$$
$$\lambda \boldsymbol{a} = (\lambda a_x,\ \lambda a_y,\ \lambda a_z).$$

由此可见,对向量进行线性运算,只需对向量的各个坐标分别进行相应的运算就可以了.

定理 1 指出,当向量 $\boldsymbol{a} \neq \boldsymbol{0}$ 时,向量 $\boldsymbol{b} /\!/ \boldsymbol{a}$ 相当于 $\boldsymbol{b} = \lambda \boldsymbol{a}$,坐标表示式为
$$(b_x, b_y, b_z) = \lambda (a_x, a_y, a_z),$$
这也就相当于向量 $\boldsymbol{b}$ 与 $\boldsymbol{a}$ 对应的坐标成比例,即
$$\frac{b_x}{a_x} = \frac{b_y}{a_y} = \frac{b_z}{a_z}.$$

当 a_x、a_y、a_z 有一个为零,例如 $a_x = 0, a_y、a_z \neq 0$ 时上式应理解为
$$\begin{cases} b_x = 0, \\ \dfrac{b_y}{a_y} = \dfrac{b_z}{a_z}; \end{cases}$$

当 a_x、a_y、a_z 有两个为零,例如 $a_x = a_y = 0, a_z \neq 0$ 时上式应理解为
$$\begin{cases} b_x = 0, \\ b_y = 0. \end{cases}$$

例 2 求解以向量为未知元的线性方程组
$$\begin{cases} 5\boldsymbol{x} - 3\boldsymbol{y} = \boldsymbol{a}, \\ 3\boldsymbol{x} - 2\boldsymbol{y} = \boldsymbol{b}, \end{cases}$$
其中 $\boldsymbol{a} = (2, 1, 2)$,$\boldsymbol{b} = (-1, 1, -2)$.

解 第一个式子乘以 2 减去第二式子乘以 3,可得
$$\boldsymbol{x} = 2\boldsymbol{a} - 3\boldsymbol{b},$$
由第二个式子可得
$$\boldsymbol{y} = \frac{1}{2}(3\boldsymbol{x} - \boldsymbol{b}).$$

将 a、b 的坐标表示式代入得
$$x = 2(2,1,2) - 3(-1,1,-2) = (7,-1,10),$$
$$y = \frac{1}{2}[3(7,-1,10) - (-1,1,-2)] = (11,-2,16).$$

例 3 已知两点 $A(x_1,y_1,z_1)$、$B(x_2,y_2,z_2)$ 及实数 $\lambda \neq -1$，在 AB 所在直线上求一点 M，使 $\overrightarrow{AM} = \lambda \overrightarrow{MB}$.

解 如图 8 – 18 所示，由于
$$\overrightarrow{AM} = \overrightarrow{OM} - \overrightarrow{OA}, \overrightarrow{MB} = \overrightarrow{OB} - \overrightarrow{OM},$$
因此
$$\overrightarrow{OM} - \overrightarrow{OA} = \lambda(\overrightarrow{OB} - \overrightarrow{OM}),$$
从而
$$\overrightarrow{OM} = \frac{1}{1+\lambda}(\overrightarrow{OA} + \lambda \overrightarrow{OB}).$$

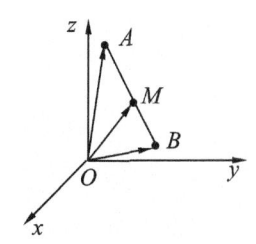

图 8 – 18

将 $\overrightarrow{OA}$、$\overrightarrow{OB}$ 的坐标代入得
$$\overrightarrow{OM} = \left(\frac{x_1 + \lambda x_2}{1+\lambda}, \frac{y_1 + \lambda y_2}{1+\lambda}, \frac{z_1 + \lambda z_2}{1+\lambda} \right),$$
这就是点 M 的坐标.

本例中的点 M 叫作有向线段 AB 的 λ 分点. 特别地，当 $\lambda = 1$ 时，得线段 AB 的中点为
$$M\left(\frac{x_1 + x_2}{2}, \frac{y_1 + y_2}{2}, \frac{z_1 + z_2}{2} \right).$$

5. 向量的模、方向角、方向余弦

(1) 向量的模与两点间的距离公式.

设 $r = (x,y,z)$，作 $\overrightarrow{OM} = r$，如图 8 – 17 所示，有
$$r = \overrightarrow{OM} = \overrightarrow{OP} + \overrightarrow{OQ} + \overrightarrow{OR},$$
按勾股定理可得
$$|r| = |OM| = \sqrt{|OP|^2 + |OQ|^2 + |OR|^2}.$$
由 $\overrightarrow{OP} = x\boldsymbol{i}, \overrightarrow{OQ} = y\boldsymbol{j}, \overrightarrow{OR} = z\boldsymbol{k}$ 得
$$|OP| = |x|, \ |OQ| = |y|, \ |OR| = |z|,$$
于是可得向量的模的坐标表示式为 $|r| = \sqrt{x^2 + y^2 + z^2}$.

设点 $A(x_1,y_1,z_1)$ 和点 $B(x_2,y_2,z_2)$，则点 A 与点 B 间的距离 $|AB|$ 就是向量 $\overrightarrow{AB}$ 的模. 由
$$\overrightarrow{AB} = \overrightarrow{OB} - \overrightarrow{OA} = (x_2,y_2,z_2) - (x_1,y_1,z_1)$$
$$= (x_2 - x_1, y_2 - y_1, z_2 - z_1),$$

即得 A、B 两点间的距离

$$|AB| = |\overrightarrow{AB}| = \sqrt{(x_2-x_1)^2 + (y_2-y_1)^2 + (z_2-z_1)^2}.$$

例 4 求证以 $M_1(4,3,1)$、$M_2(7,1,2)$、$M_3(5,2,3)$ 为顶点的三角形是等腰三角形.

解 因为

$$|M_1M_2| = \sqrt{(7-4)^2 + (1-3)^2 + (2-1)^2} = \sqrt{14},$$

$$|M_2M_3| = \sqrt{(5-7)^2 + (2-1)^2 + (3-2)^2} = \sqrt{6},$$

$$|M_3M_1| = \sqrt{(4-5)^2 + (3-2)^2 + (1-3)^2} = \sqrt{6},$$

所以 $|M_2M_3| = |M_3M_1|$，即 $\triangle M_1M_2M_3$ 为等腰三角形.

例 5 在 z 轴上求与两点 $A(-3,1,7)$ 和 $B(3,5,-2)$ 等距离的点.

解 因为所求的点 M 在 z 轴上，所以设该点为 $M(0,0,z)$，依题意有

$$|MA| = |MB|,$$

即

$$\sqrt{(-3-0)^2 + (1-0)^2 + (7-z)^2} = \sqrt{(3-0)^2 + (5-0)^2 + (-2-z)^2}.$$

两边平方，解得

$$z = \frac{7}{6}.$$

因此，所求的点为 $M\left(0,0,\frac{7}{6}\right)$.

例 6 已知两点 $A(4,0,5)$ 和 $B(6,1,3)$，求与 $\overrightarrow{AB}$ 方向相同的单位向量 $\boldsymbol{e}_{\overrightarrow{AB}}$.

解 因为

$$\overrightarrow{AB} = \overrightarrow{OB} - \overrightarrow{OA} = (6,1,3) - (4,0,5) = (2,1,-2),$$

所以

$$|\overrightarrow{AB}| = \sqrt{2^2 + 1^2 + (-2)^2} = 3.$$

于是

$$\boldsymbol{e}_{\overrightarrow{AB}} = \frac{\overrightarrow{AB}}{|\overrightarrow{AB}|} = \frac{1}{3}(2,1,-2).$$

(2) 方向角与方向余弦.

非零向量 $\boldsymbol{r}$ 与三条坐标轴的夹角 α,β,γ 称为向量 $\boldsymbol{r}$ 的方向角. 由图 8-19 可见，设 $\overrightarrow{OM} = \boldsymbol{r} = (x,y,z)$，由于 x 是有向线段 $\overrightarrow{OP}$ 的值，$MP \perp OP$，故

$$\cos \alpha = \frac{x}{|\overrightarrow{OM}|} = \frac{x}{|\boldsymbol{r}|},$$

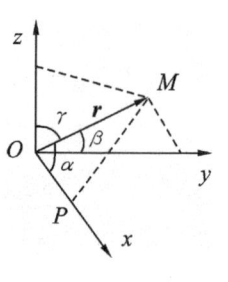

图 8-19

类似可知

$$\cos\beta = \frac{y}{|\boldsymbol{r}|}, \quad \cos\gamma = \frac{z}{|\boldsymbol{r}|}.$$

从而

$$(\cos\alpha, \cos\beta, \cos\gamma) = \left(\frac{x}{|\boldsymbol{r}|}, \frac{y}{|\boldsymbol{r}|}, \frac{z}{|\boldsymbol{r}|}\right) = \frac{1}{|\boldsymbol{r}|}(x,y,z) = \frac{\boldsymbol{r}}{|\boldsymbol{r}|} = \boldsymbol{e}_r.$$

$\cos\alpha$、$\cos\beta$、$\cos\gamma$ 称为向量 $\boldsymbol{r}$ 的方向余弦. 上式表明,以向量 $\boldsymbol{r}$ 的方向余弦为坐标的向量就是与 $\boldsymbol{r}$ 同方向的单位向量 $\boldsymbol{e}_r$. 并由此得

$$\cos^2\alpha + \cos^2\beta + \cos^2\gamma = 1.$$

例7 已知两点 $A(2,2,-\sqrt{2})$ 和 $B(1,3,0)$,计算向量 $\overrightarrow{AB}$ 的模、方向余弦和方向角.

解 $\overrightarrow{AB} = (1-2, 3-2, 0+\sqrt{2}) = (-1, 1, \sqrt{2})$,

$$|\overrightarrow{AB}| = \sqrt{(-1)^2 + 1^2 + (\sqrt{2})^2} = \sqrt{1+1+2} = \sqrt{4} = 2;$$

$$\cos\alpha = -\frac{1}{2}, \cos\beta = \frac{1}{2}, \cos\gamma = \frac{\sqrt{2}}{2};$$

$$\alpha = \frac{2\pi}{3}, \beta = \frac{\pi}{3}, \gamma = \frac{\pi}{4}.$$

例8 设点 A 位于第 I 卦限,向量 $\overrightarrow{OA}$ 与 x 轴、y 轴的夹角依次为 $\frac{\pi}{3}$ 和 $\frac{\pi}{4}$,且 $|\overrightarrow{OA}| = 8$,求点 A 的坐标.

解 已知 $\alpha = \frac{\pi}{3}, \beta = \frac{\pi}{4}$. 由关系式 $\cos^2\alpha + \cos^2\beta + \cos^2\gamma = 1$ 得

$$\cos^2\gamma = 1 - \left(\frac{1}{2}\right)^2 - \left(\frac{\sqrt{2}}{2}\right)^2 = \frac{1}{4},$$

因点 A 在第 I 卦限,知 $\cos\gamma > 0$,故

$$\cos\gamma = \frac{1}{2}.$$

于是

$$\overrightarrow{OA} = |\overrightarrow{OA}|\boldsymbol{e}_{\overrightarrow{AB}} = 8\left(\frac{1}{2}, \frac{\sqrt{2}}{2}, \frac{1}{2}\right) = (4, 4\sqrt{2}, 4),$$

这就是点 A 的坐标.

例9 设正方体的一条对角线为 OM,一条棱为 OA,且 $|OA| = a$,求 $\overrightarrow{OA}$ 在 $\overrightarrow{OM}$ 方向上的投影 $\mathrm{Prj}_{\overrightarrow{OM}}\overrightarrow{OA}$.

解 如图 8-20 所示,记 $\angle MOA = \varphi$,有

$$\cos\varphi = \frac{|OA|}{|OM|} = \frac{1}{\sqrt{3}},$$

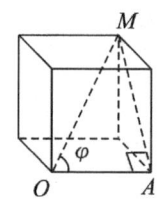

于是

$$\operatorname{Prj}_{\overrightarrow{OM}}\overrightarrow{OA} = |\overrightarrow{OA}|\cos\varphi = \frac{a}{\sqrt{3}}.$$

图 8-20

6. 两向量的数量积

设一物体在常力 $\boldsymbol{F}$ 的作用下,沿与 $\boldsymbol{F}$ 夹角为 θ 的直线移动,位移为 $\boldsymbol{s}$,则力 $\boldsymbol{F}$ 所做的功为 $W = |\boldsymbol{F}||\boldsymbol{s}|\cos\theta$.

从这个问题中可看出,有时要对两个向量 $\boldsymbol{a}$ 和 $\boldsymbol{b}$ 作这样的运算,运算的结果是一个数,它等于 $|\boldsymbol{a}|$、$|\boldsymbol{b}|$ 及它们的夹角 θ 的余弦的乘积,称它为向量 $\boldsymbol{a}$ 与 $\boldsymbol{b}$ 的数量积,记作 $\boldsymbol{a}\cdot\boldsymbol{b}$(图 8-21),即

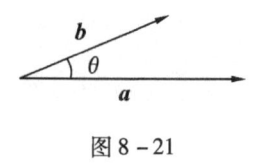

图 8-21

$$\boldsymbol{a}\cdot\boldsymbol{b} = |\boldsymbol{a}||\boldsymbol{b}|\cos\theta.$$

根据这个定义,上述问题中的力所做的功 W 是力 $\boldsymbol{F}$ 与位移 $\boldsymbol{s}$ 的数量积,即

$$W = \boldsymbol{F}\cdot\boldsymbol{s}.$$

由于 $|\boldsymbol{b}|\cos\theta = |\boldsymbol{b}|\cos(\widehat{\boldsymbol{a},\boldsymbol{b}})$ 是向量 $\boldsymbol{b}$ 在向量 $\boldsymbol{a}$(当 $\boldsymbol{a}\neq\boldsymbol{0}$ 时)的方向上的投影,用 $\operatorname{Prj}_{\boldsymbol{a}}\boldsymbol{b}$ 来表示这个投影,便有

$$\boldsymbol{a}\cdot\boldsymbol{b} = |\boldsymbol{a}|\operatorname{Prj}_{\boldsymbol{a}}\boldsymbol{b},$$

同理,当 $\boldsymbol{b}\neq\boldsymbol{0}$ 时有

$$\boldsymbol{a}\cdot\boldsymbol{b} = |\boldsymbol{b}|\operatorname{Prj}_{\boldsymbol{b}}\boldsymbol{a}.$$

即两向量的数量积等于其中一个向量的模与另一个向量在此向量的方向上的投影的乘积.

由数量积的定义可得:

(1) $\boldsymbol{a}\cdot\boldsymbol{a} = |\boldsymbol{a}|^2$.

因为夹角 $\theta = 0$,所以

$$\boldsymbol{a}\cdot\boldsymbol{a} = |\boldsymbol{a}|^2\cos 0 = |\boldsymbol{a}|^2.$$

(2) 对于两个非零向量 $\boldsymbol{a}$、$\boldsymbol{b}$,如果 $\boldsymbol{a}\cdot\boldsymbol{b} = 0$,那么 $\boldsymbol{a}\perp\boldsymbol{b}$;反之,如果 $\boldsymbol{a}\perp\boldsymbol{b}$,那么 $\boldsymbol{a}\cdot\boldsymbol{b} = 0$.

已知 $|\boldsymbol{a}|\neq 0$,$|\boldsymbol{b}|\neq 0$,如果 $\boldsymbol{a}\cdot\boldsymbol{b} = 0$,则 $\cos\theta = 0$,从而 $\theta = \frac{\pi}{2}$,即 $\boldsymbol{a}\perp\boldsymbol{b}$;反之,如果 $\boldsymbol{a}\perp\boldsymbol{b}$,那么 $\theta = \frac{\pi}{2}$,$\cos\theta = 0$,于是 $\boldsymbol{a}\cdot\boldsymbol{b} = |\boldsymbol{a}||\boldsymbol{b}|\cos\theta = 0$.

由于可认为零向量与任何向量垂直,因此,上面的结论可以叙述为:向量 $\boldsymbol{a}\perp\boldsymbol{b}$ 的充分必要条件是 $\boldsymbol{a}\cdot\boldsymbol{b} = 0$.

数量积符合下列运算规律:

(1) 交换律:$a \cdot b = b \cdot a$.

证明 根据定义有
$$a \cdot b = |a||b|\cos(\widehat{a,b}), b \cdot a = |b||a|\cos(\widehat{b,a}),$$

而
$$|b||a| = |a||b|, \cos(\widehat{a,b}) = \cos(\widehat{b,a})$$

所以
$$a \cdot b = b \cdot a.$$

(2) 分配律:$(a+b) \cdot c = a \cdot c + b \cdot c$.

证明 当 $c = 0$ 时,上式显然成立;当 $c \neq 0$ 时,有
$$(a+b) \cdot c = |c|\mathrm{Prj}_c(a+b).$$

由投影性质 2 可知
$$\mathrm{Prj}_c(a+b) = \mathrm{Prj}_c a + \mathrm{Prj}_c b,$$

所以
$$(a+b) \cdot c = |c|(\mathrm{Prj}_c a + \mathrm{Prj}_c b) = |c|\mathrm{Prj}_c a + |c|\mathrm{Prj}_c b = a \cdot c + b \cdot c.$$

(3) 结合律:$(\lambda a) \cdot b = \lambda(a \cdot b), \lambda$ 为实数.

证明 当 $b = 0$ 时,上式显然成立;当 $b \neq 0$ 时,由投影性质 3 可得
$$(\lambda a) \cdot b = |b|\mathrm{Prj}_b(\lambda a) = |b|\lambda \mathrm{Prj}_b a = \lambda|b|\mathrm{Prj}_b a = \lambda(a \cdot b).$$

利用上面的结合律和交换律,易得
$$a \cdot (\lambda b) = \lambda(a \cdot b) \text{ 及 } (\lambda a) \cdot (\mu b) = \lambda\mu(a \cdot b).$$

这是因为
$$a \cdot (\lambda b) = (\lambda b) \cdot a = \lambda(b \cdot a) = \lambda(a \cdot b);$$
$$(\lambda a) \cdot (\mu b) = \lambda[a \cdot (\mu b)] = \lambda[\mu(a \cdot b)] = \lambda\mu(a \cdot b).$$

例 10 试用向量证明三角形的余弦定理.

证明 设在 $\triangle ABC$ 中,$\angle BCA = \theta$(图 8-22),$|BC| = a$, $|CA| = b, |AB| = c$,要证
$$c^2 = a^2 + b^2 - 2ab\cos\theta.$$

记 $\overrightarrow{CB} = a, \overrightarrow{CA} = b, \overrightarrow{AB} = c$,则有
$$c = a - b,$$

从而
$$|c|^2 = c \cdot c = (a-b) \cdot (a-b) = a \cdot a + b \cdot b - 2a \cdot b,$$

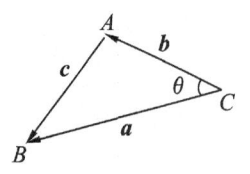

图 8-22

$$= |\boldsymbol{a}|^2 + |\boldsymbol{b}|^2 - 2|\boldsymbol{a}||\boldsymbol{b}|\cos(\widehat{\boldsymbol{a},\boldsymbol{b}}).$$

由 $|\boldsymbol{a}| = a, |\boldsymbol{b}| = b, |\boldsymbol{c}| = c$ 及 $(\widehat{\boldsymbol{a},\boldsymbol{b}}) = \theta$, 即得

$$c^2 = a^2 + b^2 - 2ab\cos\theta.$$

接下来推导数量积的坐标表达式.

设 $\boldsymbol{a} = a_x\boldsymbol{i} + a_y\boldsymbol{j} + a_z\boldsymbol{k}, \boldsymbol{b} = b_x\boldsymbol{i} + b_y\boldsymbol{j} + b_z\boldsymbol{k}$. 按数量积的运算规律可得

$$\begin{aligned}\boldsymbol{a} \cdot \boldsymbol{b} &= (a_x\boldsymbol{i} + a_y\boldsymbol{j} + a_z\boldsymbol{k}) \cdot (b_x\boldsymbol{i} + b_y\boldsymbol{j} + b_z\boldsymbol{k}) \\ &= a_x\boldsymbol{i} \cdot (b_x\boldsymbol{i} + b_y\boldsymbol{j} + b_z\boldsymbol{k}) + a_y\boldsymbol{j} \cdot (b_x\boldsymbol{i} + b_y\boldsymbol{j} + b_z\boldsymbol{k}) + a_z\boldsymbol{k} \cdot (b_x\boldsymbol{i} + b_y\boldsymbol{j} + b_z\boldsymbol{k}) \\ &= a_xb_x\boldsymbol{i} \cdot \boldsymbol{i} + a_xb_y\boldsymbol{i} \cdot \boldsymbol{j} + a_xb_z\boldsymbol{i} \cdot \boldsymbol{k} + a_yb_x\boldsymbol{j} \cdot \boldsymbol{i} + a_yb_y\boldsymbol{j} \cdot \boldsymbol{j} + a_yb_z\boldsymbol{j} \cdot \boldsymbol{k} + \\ &\quad a_zb_x\boldsymbol{k} \cdot \boldsymbol{i} + a_zb_y\boldsymbol{k} \cdot \boldsymbol{j} + a_zb_z\boldsymbol{k} \cdot \boldsymbol{k}.\end{aligned}$$

因为 $\boldsymbol{i}、\boldsymbol{j}$ 和 $\boldsymbol{k}$ 互相垂直, 所以 $\boldsymbol{i} \cdot \boldsymbol{j} = \boldsymbol{j} \cdot \boldsymbol{k} = \boldsymbol{k} \cdot \boldsymbol{i} = 0, \boldsymbol{j} \cdot \boldsymbol{i} = \boldsymbol{k} \cdot \boldsymbol{j} = \boldsymbol{i} \cdot \boldsymbol{k} = 0$. 又因为 $\boldsymbol{i}、\boldsymbol{j}$ 和 $\boldsymbol{k}$ 的模均为 1, 所以 $\boldsymbol{i} \cdot \boldsymbol{i} = \boldsymbol{j} \cdot \boldsymbol{j} = \boldsymbol{k} \cdot \boldsymbol{k} = 1$. 因而得

$$\boldsymbol{a} \cdot \boldsymbol{b} = a_xb_x + a_yb_y + a_zb_z,$$

这就是数量积的坐标表达式.

因为 $\boldsymbol{a} \cdot \boldsymbol{b} = |\boldsymbol{a}||\boldsymbol{b}|\cos\theta$, 所以当 $\boldsymbol{a}$ 与 $\boldsymbol{b}$ 都不是零向量时, 有

$$\cos\theta = \frac{\boldsymbol{a} \cdot \boldsymbol{b}}{|\boldsymbol{a}||\boldsymbol{b}|}.$$

将数量积和向量的模的坐标表达式代入上式, 就得

$$\cos\theta = \frac{a_xb_x + a_yb_y + a_zb_z}{\sqrt{a_x^2 + a_y^2 + a_z^2}\sqrt{b_x^2 + b_y^2 + b_z^2}},$$

这就是两个向量的夹角余弦的坐标表达式.

例 11 已知三点 $M(2,0,1)、A(1,0,0)、B(3,1,1)$, 求 $\angle AMB$.

解 作向量 $\overrightarrow{MA}$ 及 $\overrightarrow{MB}$, $\angle AMB$ 就是向量 $\overrightarrow{MA}$ 与 $\overrightarrow{MB}$ 的夹角. 这里

$$\overrightarrow{MA} = (-1,0,-1), \overrightarrow{MB} = (1,1,0),$$

从而

$$\overrightarrow{MA} \cdot \overrightarrow{MB} = (-1) \times 1 + 0 \times 1 + (-1) \times 0 = -1,$$

$$|\overrightarrow{MA}| = \sqrt{(-1)^2 + 0^2 + (-1)^2} = \sqrt{2}, |\overrightarrow{MB}| = \sqrt{1^2 + 1^2 + 0^2} = \sqrt{2}.$$

代入两向量夹角余弦的表达式, 得

$$\cos\angle AMB = \frac{\overrightarrow{MA} \cdot \overrightarrow{MB}}{|\overrightarrow{MA}||\overrightarrow{MB}|} = \frac{-1}{\sqrt{2} \cdot \sqrt{2}} = -\frac{1}{2}.$$

由此得

$$\angle AMB = \frac{2\pi}{3}.$$

7. 两向量的向量积

设 O 为杠杆 L 的支点,有一个与杠杆夹角为 θ 的力 $\boldsymbol{F}$ 作用在杠杆的 P 点上(图 8-23). 由力学知识知,力 $\boldsymbol{F}$ 对支点的力矩是一个向量 $\boldsymbol{M}$,它的模

$$|\boldsymbol{M}| = |OQ||\boldsymbol{F}| = |\overrightarrow{OP}||\boldsymbol{F}|\sin\theta,$$

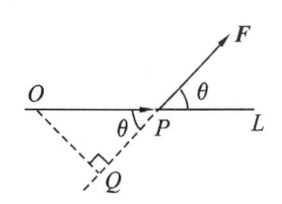

而 $\boldsymbol{M}$ 的方向垂直于 $\overrightarrow{OP}$ 与 $\boldsymbol{F}$ 所决定的平面,$\boldsymbol{M}$ 的指向按右手规则由 $\overrightarrow{OP}$ 以不超过 π 的角转向 $\boldsymbol{F}$ 来确定,即当右手的四个手指由 $\overrightarrow{OP}$ 以不超过 π 的角转向 $\boldsymbol{F}$ 握拳时,大拇指的指向是力矩 $\boldsymbol{M}$ 的指向(图 8-24).

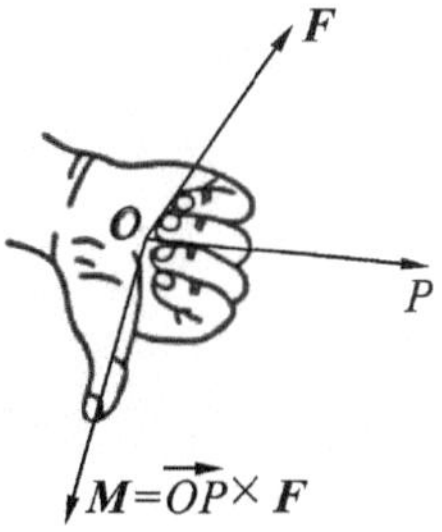

这种按上面的规则,由两个已知向量来确定另一个向量的情况,在其他物理问题中也会遇到. 于是可从中抽象出两个向量的向量积概念.

设向量 $\boldsymbol{c}$ 由两个向量 $\boldsymbol{a}$ 与 $\boldsymbol{b}$ 按以下方式定出:

$\boldsymbol{c}$ 的模 $|\boldsymbol{c}| = |\boldsymbol{a}||\boldsymbol{b}|\sin\theta$,其中 θ 为 $\boldsymbol{a}$、$\boldsymbol{b}$ 间的夹角;$\boldsymbol{c}$ 的方向垂直于 $\boldsymbol{a}$ 与 $\boldsymbol{b}$ 所决定的平面(即 $\boldsymbol{c}$ 既垂直于 $\boldsymbol{a}$,又垂直于 $\boldsymbol{b}$),$\boldsymbol{c}$ 的指向按右手规则从 $\boldsymbol{a}$ 转向 $\boldsymbol{b}$ 来确定(图 8-25),向量 $\boldsymbol{c}$ 称为向量 $\boldsymbol{a}$ 与 $\boldsymbol{b}$ 的向量积,记为 $\boldsymbol{a} \times \boldsymbol{b}$,即

$$\boldsymbol{c} = \boldsymbol{a} \times \boldsymbol{b}.$$

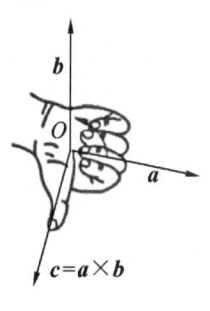

按此定义,上面的力矩 $\boldsymbol{M}$ 等于 $\overrightarrow{OP}$ 与 $\boldsymbol{F}$ 的向量积,即

$$\boldsymbol{M} = \overrightarrow{OP} \times \boldsymbol{F}.$$

图 8-23

图 8-24

图 8-25

由向量积的定义可以推得:

(1) $\boldsymbol{a} \times \boldsymbol{a} = \boldsymbol{0}$.

因为夹角 $\theta = 0$,所以 $|\boldsymbol{a} \times \boldsymbol{a}| = |\boldsymbol{a}|^2 \sin 0 = 0$.

(2) 对于两个非零向量 $\boldsymbol{a}$、$\boldsymbol{b}$,如果 $\boldsymbol{a} \times \boldsymbol{b} = \boldsymbol{0}$,那么 $\boldsymbol{a} /\!/ \boldsymbol{b}$;反之,如果 $\boldsymbol{a} /\!/ \boldsymbol{b}$,那么 $\boldsymbol{a} \times \boldsymbol{b} = \boldsymbol{0}$.

因为如果 $\boldsymbol{a} \times \boldsymbol{b} = \boldsymbol{0}$,由于 $|\boldsymbol{a}| \neq \boldsymbol{0}$,$|\boldsymbol{b}| \neq \boldsymbol{0}$,那么必有 $\sin\theta = 0$,于是 $\theta = 0$ 或 π,即 $\boldsymbol{a} /\!/ \boldsymbol{b}$;反之,如果 $\boldsymbol{a} /\!/ \boldsymbol{b}$,那么 $\theta = 0$ 或 π,于是 $\sin\theta = 0$,从而 $|\boldsymbol{a} \times \boldsymbol{b}| = 0$,即 $\boldsymbol{a} \times \boldsymbol{b} = \boldsymbol{0}$.

可以认为零向量与任何向量都是平行的,因此结论可叙述为:向量 $\boldsymbol{a} /\!/ \boldsymbol{b}$ 的充分必要条件是 $\boldsymbol{a} \times \boldsymbol{b} = \boldsymbol{0}$.

向量积符合下列运算规律:

(1) $\boldsymbol{b} \times \boldsymbol{a} = -\boldsymbol{a} \times \boldsymbol{b}$.

因为按右手规则从 $\boldsymbol{b}$ 转向 $\boldsymbol{a}$ 定出的方向与从 $\boldsymbol{a}$ 转向 $\boldsymbol{b}$ 定出的方向恰好相反. 它表明向量积不满足交换律.

(2) 分配律:$(a+b)\times c = a\times c + b\times c.$

(3) 向量积还符合如下的结合律:
$$(\lambda a)\times b = a\times(\lambda b) = \lambda(a\times b),\lambda\text{ 为实数}.$$

接下来推导向量积的坐标表达式.

设 $a = a_x i + a_y j + a_z k, b = b_x i + b_y j + b_z k$,那么,按上述的运算规律可得

$$\begin{aligned}a\times b &= (a_x i + a_y j + a_z k)\times(b_x i + b_y j + b_z k)\\ &= a_x i\times(b_x i + b_y j + b_z k) + a_y j\times(b_x i + b_y j + b_z k) + a_z k\times(b_x i + b_y j + b_z k)\\ &= a_x b_x i\times i + a_x b_y i\times j + a_x b_z i\times k + a_y b_x j\times i + a_y b_y j\times j + a_y b_z j\times k +\\ &\quad a_z b_x k\times i + a_z b_y k\times j + a_z b_z k\times k.\end{aligned}$$

因为 $i\times i = j\times j = k\times k = 0, i\times j = k, j\times k = i, k\times i = j, j\times i = -k, k\times j = -i, i\times k = -j$,所以

$$a\times b = (a_y b_z - a_z b_y)i + (a_z b_x - a_x b_z)j + (a_x b_y - a_y b_x)k.$$

利用三阶行列式,上式可以写成

$$a\times b = \begin{vmatrix} i & j & k \\ a_x & a_y & a_z \\ b_x & b_y & b_z \end{vmatrix}.$$

例 12 已知 △ABC 的顶点分别是 $A(1,2,3)$、$B(2,-1,5)$ 和 $C(3,2,-5)$,求 △ABC 的面积.

解 根据向量积的定义,可知 △ABC 的面积

$$S_{\triangle ABC} = \frac{1}{2}|\overrightarrow{AB}||\overrightarrow{AC}|\sin\angle A = \frac{1}{2}|\overrightarrow{AB}\times\overrightarrow{AC}|.$$

由于 $\overrightarrow{AB} = (1,-3,2), \overrightarrow{AC} = (2,0,-8)$,因此

$$\overrightarrow{AB}\times\overrightarrow{AC} = \begin{vmatrix} i & j & k \\ 1 & -3 & 2 \\ 2 & 0 & -8 \end{vmatrix} = 24i + 12j + 6k,$$

于是

$$S_{\triangle ABC} = \frac{1}{2}|24i + 12j + 6k| = \frac{1}{2}\sqrt{24^2 + 12^2 + 6^2} = 3\sqrt{21}.$$

8. 向量的混合积

设已知三个向量 a、b 和 c. 先作两向量 a 和 b 的向量积 $a\times b$,把所得到的向量 $a\times b$ 与第三个向量 c 再作数量积 $(a\times b)\cdot c$,称此数为三个向量 a、b、c 的混合积,记作 $[abc]$.

接下来推出混合积的坐标表示式.

设 $\boldsymbol{a} = a_x\boldsymbol{i} + a_y\boldsymbol{j} + a_z\boldsymbol{k}, \boldsymbol{b} = b_x\boldsymbol{i} + b_y\boldsymbol{j} + b_z\boldsymbol{k}, \boldsymbol{c} = c_x\boldsymbol{i} + c_y\boldsymbol{j} + c_z\boldsymbol{k}$，因为

$$\boldsymbol{a} \times \boldsymbol{b} = \begin{vmatrix} \boldsymbol{i} & \boldsymbol{j} & \boldsymbol{k} \\ a_x & a_y & a_z \\ b_x & b_y & b_z \end{vmatrix} = \begin{vmatrix} a_y & a_z \\ b_y & b_z \end{vmatrix}\boldsymbol{i} - \begin{vmatrix} a_x & a_z \\ b_x & b_z \end{vmatrix}\boldsymbol{j} + \begin{vmatrix} a_x & a_y \\ b_x & b_y \end{vmatrix}\boldsymbol{k},$$

再按数量积的坐标表示式得

$$\begin{aligned}[\boldsymbol{abc}] &= (\boldsymbol{a} \times \boldsymbol{b}) \cdot \boldsymbol{c} \\ &= c_x\begin{vmatrix} a_y & a_z \\ b_y & b_z \end{vmatrix} - c_y\begin{vmatrix} a_x & a_z \\ b_x & b_z \end{vmatrix} + c_z\begin{vmatrix} a_x & a_y \\ b_x & b_y \end{vmatrix} \\ &= \begin{vmatrix} a_x & a_y & a_z \\ b_x & b_y & b_z \\ c_x & c_y & c_z \end{vmatrix}.\end{aligned}$$

混合积的几何意义：向量的混合积$[\boldsymbol{abc}] = (\boldsymbol{a} \times \boldsymbol{b}) \cdot \boldsymbol{c}$是这样一个数，它的绝对值表示以向量$\boldsymbol{a}$、$\boldsymbol{b}$、$\boldsymbol{c}$为棱的平行六面体的体积. 如果向量$\boldsymbol{a}$、$\boldsymbol{b}$、$\boldsymbol{c}$组成右手系（即$\boldsymbol{c}$的指向按右手规则从$\boldsymbol{a}$转向$\boldsymbol{b}$来确定），则混合积的符号是正的；如果$\boldsymbol{a}$、$\boldsymbol{b}$、$\boldsymbol{c}$组成左手系（即$\boldsymbol{c}$的指向按左手规则从$\boldsymbol{a}$转向$\boldsymbol{b}$来确定），则混合积的符号是负的.

事实上，设$\overrightarrow{OA} = \boldsymbol{a}, \overrightarrow{OB} = \boldsymbol{b}, \overrightarrow{OC} = \boldsymbol{c}$. 按向量积的定义，向量积$\boldsymbol{a} \times \boldsymbol{b} = \boldsymbol{f}$是一个向量，它的模在数值上等于以向量$\boldsymbol{a}$和$\boldsymbol{b}$为边所作平行四边形$OADB$的面积，它的方向垂直于这平行四边形的平面，且当$\boldsymbol{a}$、$\boldsymbol{b}$、$\boldsymbol{c}$组成右手系，向量$\boldsymbol{f}$与向量$\boldsymbol{c}$朝着这平面的同侧（图8-26）；当$\boldsymbol{a}$、$\boldsymbol{b}$、$\boldsymbol{c}$组成左手系时，向量$\boldsymbol{f}$与向量$\boldsymbol{c}$朝着这平面的异侧. 所以，若设$\boldsymbol{f}$与$\boldsymbol{c}$的夹角为$\alpha$，那么当$\boldsymbol{a}$、$\boldsymbol{b}$、$\boldsymbol{c}$组成右手系时，$\alpha$为锐角；当$\boldsymbol{a}$、$\boldsymbol{b}$、$\boldsymbol{c}$组成左手系时，$\alpha$为钝角.

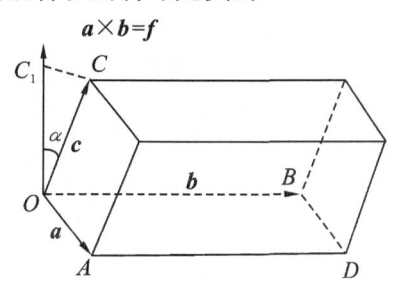

图 8-26

由于

$$[\boldsymbol{abc}] = (\boldsymbol{a} \times \boldsymbol{b}) \cdot \boldsymbol{c} = |\boldsymbol{a} \times \boldsymbol{b}||\boldsymbol{c}|\cos\alpha,$$

所以当$\boldsymbol{a}$、$\boldsymbol{b}$、$\boldsymbol{c}$组成右手系时，$[\boldsymbol{abc}]$为正；当$\boldsymbol{a}$、$\boldsymbol{b}$、$\boldsymbol{c}$组成左手系时，$[\boldsymbol{abc}]$为负.

因为以向量$\boldsymbol{a}$、$\boldsymbol{b}$、$\boldsymbol{c}$为棱的平行六面体的底（平行四边形$OADB$）的面积S在数值上等于$|\boldsymbol{a} \times \boldsymbol{b}|$，它的高$h$等于向量$\boldsymbol{c}$在向量$\boldsymbol{f}$上的投影的绝对值，即

$$h = |\text{Prj}_f\boldsymbol{c}| = |\boldsymbol{c}||\cos\alpha|,$$

所以平行六面体的体积

$$V = Sh = |\boldsymbol{a} \times \boldsymbol{b}||\boldsymbol{c}|\cos\alpha = |[\boldsymbol{abc}]|.$$

由混合积的几何意义知,若混合积$[abc]\neq 0$,则能以a、b、c三向量为棱构成平行六面体,从而a、b、c三向量不共面;反之,若a、b、c三向量不共面,则必能以a、b、c为棱构成平行六面体,从而$[abc]\neq 0$. 于是有下述结论:

三向量a、b、c共面(即把它们的起点移到同一点时,它们的终点和公共起点在一个平面上)的充分必要条件是它们的混合积$[abc]=0$,即

$$\begin{vmatrix} a_x & a_y & a_z \\ b_x & b_y & b_z \\ c_x & c_y & c_z \end{vmatrix}=0.$$

例 13 已知一四面体的顶点$A_k(x_k,y_k,z_k)(k=1,2,3,4)$,求该四面体的体积.

解 由立体几何知,以向量$\overrightarrow{A_1A_2}$、$\overrightarrow{A_1A_3}$和$\overrightarrow{A_1A_4}$为棱的平行六面体的体积等于四面体的体积V的六倍. 因而

$$V=\frac{1}{6}|[\overrightarrow{A_1A_2}\quad\overrightarrow{A_1A_3}\quad\overrightarrow{A_1A_4}]|.$$

由于

$$\overrightarrow{A_1A_2}=(x_2-x_1,y_2-y_1,z_2-z_1),$$
$$\overrightarrow{A_1A_3}=(x_3-x_1,y_3-y_1,z_3-z_1),$$
$$\overrightarrow{A_1A_4}=(x_4-x_1,y_4-y_1,z_4-z_1),$$

所以

$$V=\pm\frac{1}{6}\begin{vmatrix} x_2-x_1 & y_2-y_1 & z_2-z_1 \\ x_3-x_1 & y_3-y_1 & z_3-z_1 \\ x_4-x_1 & y_4-y_1 & z_4-z_1 \end{vmatrix},$$

上式中符号的选择必须与行列式的符号一致.

例 14 证明四点$A(1,1,1)$、$B(4,5,6)$、$C(2,3,3)$、$D(10,15,17)$共面.

证明 A、B、C、D四点共面相当于$\overrightarrow{AB}$、$\overrightarrow{AC}$、$\overrightarrow{AD}$三向量共面,这里

$$\overrightarrow{AB}=(3,4,5),\overrightarrow{AC}=(1,2,2),\overrightarrow{AD}=(9,14,16).$$

由此可得

$$[\overrightarrow{AB}\quad\overrightarrow{AC}\quad\overrightarrow{AD}]=\begin{vmatrix} 3 & 4 & 5 \\ 1 & 2 & 2 \\ 9 & 14 & 16 \end{vmatrix}=0,$$

按三向量共面的充分必要条件可知,$\overrightarrow{AB}$、$\overrightarrow{AC}$、$\overrightarrow{AD}$三向量共面.

习题 8-2

1. 设$u=a+b-2c$,$v=-a-3b+c$,试用a、b、c表示$2u-3v$.

2. 如果平面上一个四边形的对角线互相平分,试用向量证明它是平行四边形.

3. 把 $\triangle ABC$ 的 BC 边五等分,设分点依次为 D_1、D_2、D_3、D_4,再把各分点与点 A 连接,试以 $\overrightarrow{AB} = c$、$\overrightarrow{BC} = a$ 表示向量 $\overrightarrow{D_1A}$、$\overrightarrow{D_2A}$、$\overrightarrow{D_3A}$ 和 $\overrightarrow{D_4A}$.

4. 已知两点 $D_1(2,0,1)$ 和 $D_2(-1,1,0)$,试用坐标表示式表示向量 $\overrightarrow{D_1D_2}$ 及 $-2\overrightarrow{D_1D_2}$.

5. 试证明以三点 $A(4,1,9)$、$B(10,-1,6)$、$C(2,4,3)$ 为顶点的三角形是等腰直角三角形.

6. 设已知两点 $D_1\left(2,\dfrac{\sqrt{2}}{2},\dfrac{1}{2}\right)$ 和 $D_2(3,0,2)$,计算向量 $\overrightarrow{D_1D_2}$ 的模、方向余弦和方向角.

7. 设向量的方向余弦分别满足:(1) $\cos\alpha = 0$;(2) $\cos\beta = 1$;(3) $\cos\alpha = \cos\beta = 0$. 问这些向量与坐标轴或坐标面的关系如何?

8. 设向量 r 的模是 2,它与 u 轴的夹角是 $\dfrac{\pi}{6}$,求 r 在 u 轴上的投影.

9. 一向量的终点在点 $B(1,-1,4)$,它在 x 轴、y 轴和 z 轴上的投影依次为 4,-4 和 7. 求这向量的起点 A 的坐标.

10. 设 $u = 4i + 3j + 5k, v = -2i + 4j + 7k$ 和 $p = 5i - j - 4k$,求向量 $a = 3u + 4v - 2p$ 在 x 轴上的投影及在 y 轴上的分向量.

11. 设 $u = 2i - j + 2k, v = 3i + 2j - k$,求:
(1) $u \cdot v$ 及 $u \times v$;(2) $(-2u) \cdot 3v$ 及 $u \times 2v$;(3) u、v 的夹角的余弦.

12. 设 a、b、c 为单位向量,且满足 $a + b + c = 0$,求 $a \cdot b + b \cdot c + c \cdot a$.

13. 已知 $A(1,-1,2)$、$B(3,3,1)$ 和 $C(3,1,3)$,求与 $\overrightarrow{AB}$、$\overrightarrow{BC}$ 同时垂直的单位向量.

14. 设 $a = (3,5,-2), b = (2,1,4)$,问 λ 与 μ 有怎样的关系,能使得 $\lambda a + \mu b$ 与 z 轴垂直?

15. 试用向量证明不等式:
$$\sqrt{a_1^2 + a_2^2 + a_3^2}\sqrt{b_1^2 + b_2^2 + b_3^2} \geq |a_1b_1 + a_2b_2 + a_3b_3|,$$
其中 a_1、a_2、a_3、b_1、b_2、b_3 为任意实数,并指出等号成立的条件.

8.3 曲面及其方程

8.3.1 曲面方程的概念

任何曲面或曲线都可看作点的几何轨迹.

如果曲面 S 与三元方程
$$F(x,y,z)=0 \qquad (1)$$
有如下关系：

(1) 曲面 S 上任意点的坐标都满足方程(1)；

(2) 不在曲面 S 上点的坐标都不满足方程(1)，

那么方程(1)就称为曲面 S 的方程，而曲面 S 称为方程(1)的图形(图 8-27).

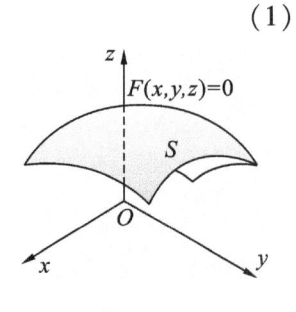

图 8-27

8.3.2 曲面研究的基本问题

关于曲面的研究有两个基本问题：

(1) 已知一个曲面作为点的几何轨迹时，建立该曲面的方程；

(2) 已知坐标之间的一个方程时，研究该方程所表示的曲面的形状.

以下是建立一种特殊曲面——球面方程的例子，属于基本问题(1).

例 1 求动点到定点 $M_0(x_0,y_0,z_0)$ 的距离为 R 的轨迹方程.

解 设轨迹上动点为 $M(x,y,z)$ (图 8-28)，依题意
$$|M_0M|=R,$$
即
$$\sqrt{(x-x_0)^2+(y-y_0)^2+(z-z_0)^2}=R,$$
故
$$(x-x_0)^2+(y-y_0)^2+(z-z_0)^2=R^2, \qquad (2)$$

这就是球面上的点的坐标所满足的方程. 而不在球面上的点的坐标都不满足这一方程. 所以方程(2)就是以 $M_0(x_0,y_0,z_0)$ 为球心、R 为半径的球面方程.

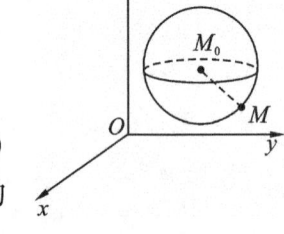

图 8-28

如果球面在原点，那么 $x_0=y_0=z_0=0$，从而球面方程为
$$x^2+y^2+z^2=R^2.$$

下面举例说明由已知方程研究它所表示的曲面的问题.

例 2 研究方程 $x^2+y^2+z^2-4x+2y=0$ 表示怎样的曲面.

解 通过配方可以得
$$(x-2)^2+(y+1)^2+z^2=5.$$

与(2)式比较可知，原方程表示球心在点 $M_0(2,-1,0)$、半径为 $R=\sqrt{5}$ 的球面.

一般地，如下形式的三元二次方程 ($A\neq 0$)
$$A(x^2+y^2+z^2)+Dx+Ey+Fz+G=0$$
都可通过配方研究它的图形. 其图形可能是一个球面、点或虚轨迹.

下面讨论旋转曲面. 旋转曲面是基本问题(1)的例子.

8.3.3 旋转曲面

一条平面曲线绕该平面上一条定直线旋转一周而形成的曲面称为旋转曲面. 该定直线称为旋转轴.

下面建立 yOz 面上曲线 C 绕 z 轴旋转所成曲面的方程.

给定 yOz 面上曲线 C,它的方程为
$$f(y,z) = 0,$$
把这个曲线绕 z 轴旋转一周,就得到一个以 z 轴为旋转轴的旋转曲面(图 8 - 29). 可如下求得它的方程.

设 $M_1(0,y_1,z_1)$ 为曲线 C 上的任一点,则有
$$f(y_1,z_1) = 0. \tag{3}$$
当曲线 C 绕 z 轴旋转时,点 M_1 绕 z 轴到另一个点 $M(x,y,z)$,这时 $z = z_1$ 保持不变,且 M 点到 z 轴的距离
$$d = \sqrt{x^2 + y^2} = |y_1|.$$
将 $z_1 = z, y_1 = \pm\sqrt{x^2 + y^2}$,代入(3)式,就有
$$f(\pm\sqrt{x^2 + y^2}, z) = 0, \tag{4}$$
这就是所求旋转曲面的方程.

由此可知,在曲线 C 的方程 $f(y,z) = 0$ 中将 y 改成 $\pm\sqrt{x^2 + y^2}$,便得曲线 C 绕 z 轴旋转所成的旋转曲面的方程.

同理,曲线 C 绕 y 轴旋转所成的旋转曲面的方程为
$$f(y, \pm\sqrt{x^2 + z^2}) = 0. \tag{5}$$

例 3 试建立顶点在原点,旋转轴为 z 轴,半顶角为 α 的圆锥面方程.

解 如图 8 - 30 所示,圆锥面可看成由直线 L 绕 z 轴旋转一周所得到的旋转曲面.

在 yOz 坐标面上,直线 L 的方程为
$$z = y\cot\alpha, \tag{6}$$
因为旋转轴为 z 轴,所以只要将(6)中的 y 改成 $\pm\sqrt{x^2 + y^2}$,便得圆锥面的方程
$$z = \pm\sqrt{x^2 + y^2}\cot\alpha,$$
或
$$z^2 = a^2(x^2 + y^2), \tag{7}$$
其中 $a = \cot\alpha$.

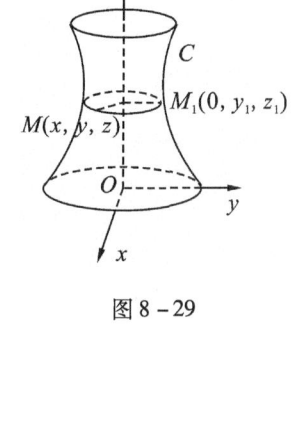

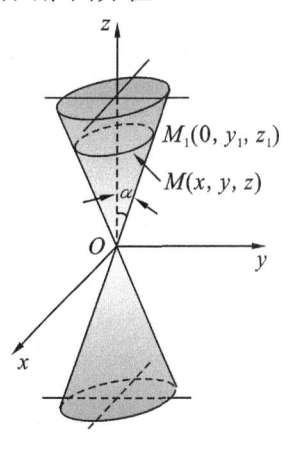

图 8 - 29

图 8 - 30

显然,圆锥面上任意点 M 的坐标一定满足方程(7). 如果点 M 不在圆锥面上,那么直线 OM 与 z 轴的夹角就不等于 α,于是点 M 的坐标就不满足方程(7).

例 4 求坐标面 xOz 上的双曲线 $\dfrac{x^2}{a^2} - \dfrac{z^2}{c^2} = 1$ 分别绕 x 轴和 z 轴旋转一周所生成的旋转曲面的方程.

解 绕 x 轴旋转所成的旋转曲面叫作旋转双叶双曲面(图 8-31),它的曲面方程为

$$\frac{x^2}{a^2} - \frac{y^2 + z^2}{c^2} = 1.$$

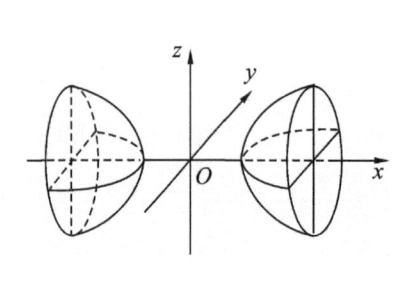

图 8-31

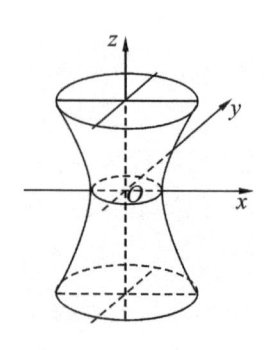

图 8-32

绕 z 轴旋转所成的旋转曲面叫作旋转单叶双曲面(图 8-32),它的曲面方程为

$$\frac{x^2 + y^2}{a^2} - \frac{z^2}{c^2} = 1.$$

下面讨论柱面. 柱面和 8.7 中要讨论的二次曲面是基本问题(2)的例子.

8.3.4 柱面

例 5 分析方程 $x^2 + y^2 = R^2$ 表示怎样的曲面.

解 在 xOy 面上,$x^2 + y^2 = R^2$ 表示圆心在原点,半径为 R 的圆 C. 在圆 C 上任取一点 $M_1(x, y, 0)$,过此点作平行于 z 轴的直线 L,对任意 z,$M(x, y, z)$ 的坐标也满足方程 $x^2 + y^2 = R^2$. 这就是说,凡是通过 xOy 面内圆 $x^2 + y^2 = R^2$ 上一点 $M_1(x, y, 0)$,且平行于 z 轴的直线 L 都在该曲面上,因此该曲面可看作是由平行于 z 轴的直线 L 沿 xOy 面上的圆 $x^2 + y^2 = R^2$ 移动而形成的. 该曲面叫作圆柱面(图 8-33),xOy 面上的圆 $x^2 + y^2 = R^2$ 叫作它的准线,平行于 z 轴的直线 L 叫作它的母线.

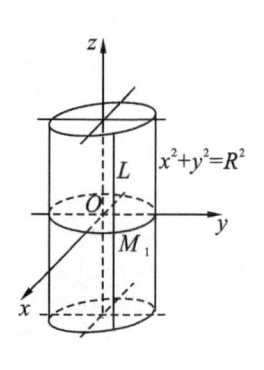

图 8-33

一般地,直线 L 沿定曲线 C 平行移动形成的轨迹称为**柱面**. 定曲线 C 叫作柱面的

准线,动直线 L 叫作柱面的母线.

由上面的讨论可知,不含 z 的方程 $x^2 + y^2 = R^2$ 在空间直角坐标系中表示母线平行于 z 轴,准线是 xOy 面上的圆 $x^2 + y^2 = R^2$.

类似地,方程 $y^2 = 2x$ 表示母线平行于 z 轴的柱面,它的准线是 xOy 面上的抛物线 $y^2 = 2x$,该柱面叫作抛物柱面(图 8 – 34).

又如,方程 $x - y = 0$ 表示母线平行于 z 轴的柱面,其准线是 xOy 面上的直线 $x - y = 0$,所以它是过 z 轴的平面(图 8 – 35).

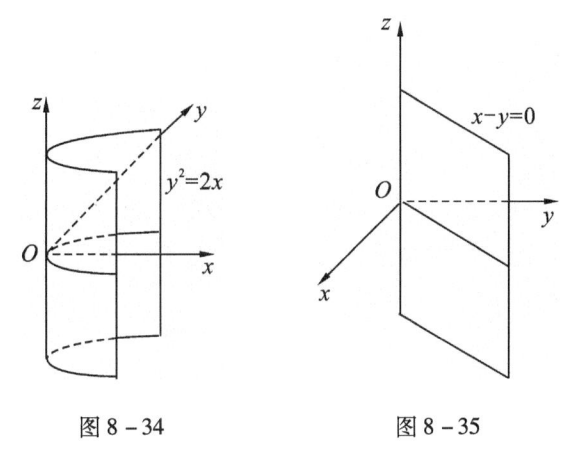

图 8 – 34　　　　图 8 – 35

方程 $\dfrac{x^2}{a^2} + \dfrac{y^2}{b^2} = 1$ 表示母线平行于 z 轴的柱面,它的准线是 xOy 面上的椭圆 $\dfrac{x^2}{a^2} + \dfrac{y^2}{b^2} = 1$,该柱面叫作椭圆柱面(图 8 – 36).

一般地,只含 x、y 而缺 z 的方程 $F(x, y) = 0$ 在空间直角坐标系中表示母线平行于 z 轴的柱面,其准线是 xOy 面上的曲线 $C: F(x, y) = 0$(图 8 – 37).

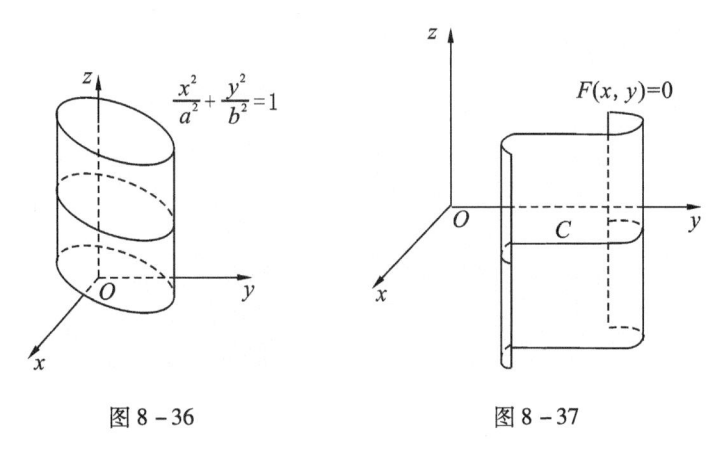

图 8 – 36　　　　图 8 – 37

类似可知,只含 x、z 而缺 y 的方程 $H(z, x) = 0$ 和只含 y、z 而缺 x 的方程 $G(y, z) = 0$ 分别表示母线平行于 y 轴和 x 轴的柱面.

习题 8-3

1. 将 xOy 坐标面上的抛物线 $y^2 = 2x$ 绕 x 轴旋转一周,求所生成的旋转曲面的方程.

2. 将 xOz 坐标面上的圆 $x^2 + z^2 = 4$ 绕 z 轴旋转一周,求所生成的旋转曲面的方程.

3. 将 yOz 坐标面上的双曲线 $4y^2 - 9z^2 = 36$ 分别绕 z 轴及 y 轴旋转一周,求所生成的旋转曲面的方程.

4. 一球面过原点及 $A(4,0,0)$、$B(1,3,0)$ 和 $C(0,0,-4)$ 三点,求球面的方程及球心的坐标和半径.

5. 建立以点 $(-1,3,2)$ 为球心,且通过坐标原点的球面方程.

6. 方程 $x^2 + y^2 + z^2 - x + 2y + 4z = 0$ 表示什么曲面?

7. 求与坐标原点 O 及点 $(2,3,4)$ 的距离之比为 $1:2$ 的点的全体所组成的曲面的方程,它表示怎样的曲面?

8. 画出下列各方程所表示的曲面:

(1) $\left(x - \dfrac{a}{2}\right)^2 + y^2 = \left(\dfrac{a}{2}\right)^2$; (2) $-\dfrac{x^2}{16} + \dfrac{y^2}{9} = 1$;

(3) $\dfrac{x^2}{9} + \dfrac{z^2}{16} = 1$; (4) $z = 1 - x^2$.

9. 指出下列方程在平面解析几何中和空间解析几何中分别表示什么图形:

(1) $x = 3$; (2) $y = x + 2$;

(3) $x^2 + y^2 = 9$; (4) $x^2 - y^2 = 1$.

10. 说明下列旋转曲面是怎样形成的:

(1) $\dfrac{x^2}{4} + \dfrac{y^2}{9} + \dfrac{z^2}{9} = 1$; (2) $x^2 - \dfrac{y^2}{9} + z^2 = 1$;

(3) $x^2 - y^2 - z^2 = 1$; (4) $(z-3)^2 = x^2 + y^2$.

8.4 曲线及其方程

8.4.1 空间曲线方程的概念

空间曲线可以看作两个曲面 S_1、S_2 的交线. 设

$$F(x,y,z) = 0 \text{ 和 } G(x,y,z) = 0$$

分别是这两个曲面 S_1、S_2 的方程,它们的交线为 C(图 8-38).因为曲线 C 上任何点的坐标同时满足这两个曲面 S_1、S_2 的方程,所以应满足方程组

$$\begin{cases} F(x,y,z)=0, \\ G(x,y,z)=0. \end{cases} \quad (1)$$

反过来,如果点 M 不在曲线 C 上,那么它不可能同时在两个曲面 S_1、S_2 上,所以它的坐标不满足方程组(1).因此,曲线 C 可以用方程组(1)来表示.方程组(1)就叫作空间曲线 C 的方程,而曲线 C 就叫作方程组(1)的图形.

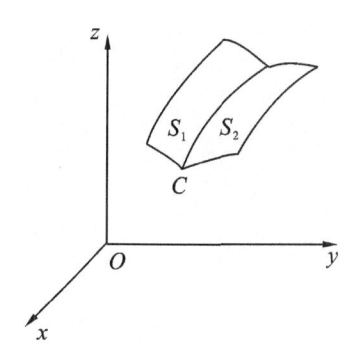

图 8-38

8.4.2 空间曲线的一般方程

方程组(1)也叫作空间曲线 C 的一般方程.

例 1 方程组

$$\begin{cases} x^2+y^2=1, \\ 2x+3z=6 \end{cases}$$

表示怎样的曲线?

解 方程组中第一个方程表示圆柱面,它的母线平行于 z 轴,准线是 xOy 面上的圆心在原点 O、半径为 1 的圆.第二个方程表示柱面,其母线平行于 y 轴,由于它的准线是 zOx 面上的直线,因此它是一个平面.那么方程组表示上述平面与圆柱面的交线 C,如图 8-39 所示.

例 2 方程组

$$\begin{cases} z=\sqrt{a^2-x^2-y^2}, \\ x^2+y^2-ax=0 \end{cases}$$

表示怎样的曲线?

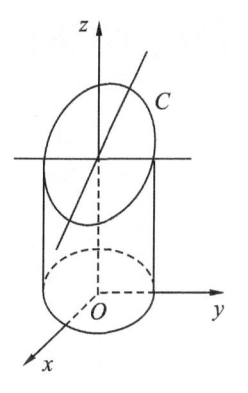

图 8-39

解 方程组中第一个方程表示上半球面,其球心在坐标原点 O,半径为 a.对第二个方程进行配方可得

$$\left(x-\frac{a}{2}\right)^2+y^2=\left(\frac{a}{2}\right)^2,$$

故第二个方程表示圆柱面,其母线平行于 z 轴,准线是 xOy 面上的圆,圆心在点 $\left(\frac{a}{2},0\right)$,半径为 $\frac{a}{2}$.那么方程组表示上述半球面与圆柱面的交线 C,如图 8-40 所示.

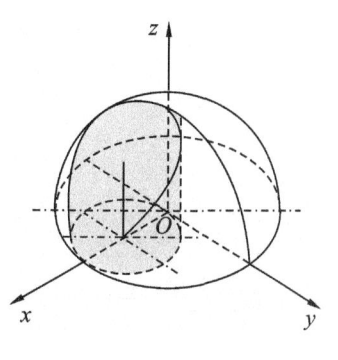

图 8-40

8.4.3 空间曲线的参数方程

也可用参数形式表示空间的一条曲线 C，只要将 C 上动点的坐标 x、y 和 z 表示成参数 t 的函数：

$$\begin{cases} x = x(t), \\ y = y(t), \\ z = z(t). \end{cases} \tag{2}$$

当给定 $t = t_1$ 时，就得到 C 上的一个点 (x_1, y_1, z_1)；随着 t 的变动便可得曲线 C 上的全部点. 方程组(2)称为空间曲线的参数方程.

例 3 如果空间一点 M 在圆柱面 $x^2 + y^2 = a^2$ 上以角速度 ω 绕 z 轴旋转，同时又以线速度 v 沿平行于 z 轴的正向上升（其中 ω 和 v 都是常数），那么点 M 构成的图形叫作螺旋线. 试建立其参数方程.

解 取时间 t 为参数. 设当 $t = 0$ 时，动点位于 x 轴上的一点 $A(a, 0, 0)$ 处. 经过时间 t，动点由 A 运动到 $M(x, y, z)$（图 8-41）. 记 M 在 xOy 面上的投影为 $M'(x, y, 0)$. 由于动点在圆柱面上以角速度 ω 绕 z 轴旋转，所以经过时间 t，$\angle AOM' = \omega t$. 从而

$$x = |OM'| \cos \angle AOM' = a\cos \omega t,$$
$$y = |OM'| \sin \angle AOM' = a\sin \omega t.$$

由于动点同时以线速度 v 沿平行于 z 轴的正方向上升，所以

$$z = M'M = vt.$$

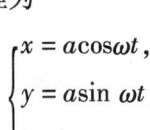

因此螺旋线的参数方程为

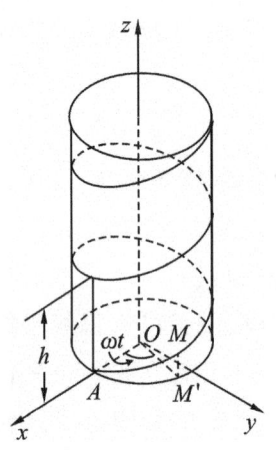

$$\begin{cases} x = a\cos \omega t, \\ y = a\sin \omega t, \\ z = vt. \end{cases}$$

图 8-41

也可以用其他变量作参数. 例如令 $\theta = \omega t$，则螺旋线的参数方程可写为

$$\begin{cases} x = a\cos \theta, \\ y = a\sin \theta, \\ z = b\theta. \end{cases}$$

这里 $b = \dfrac{v}{\omega}$，而参数为 θ.

螺旋线是实践中常用的曲线. 例如，平头螺丝钉的外缘曲线就是螺旋线.

例 4 将下列曲线的一般方程化为参数方程：

(1) $\begin{cases} x^2 + y^2 = 1, \\ 2x + 3z = 6; \end{cases}$ (2) $\begin{cases} z = \sqrt{a^2 - x^2 - y^2}, \\ x^2 + y^2 - ax = 0. \end{cases}$

解 (1) 根据第一方程引入参数,得所求参数方程为

$$\begin{cases} x = \cos t, \\ y = \sin t, \\ z = \dfrac{1}{3}(6 - 2\cos t). \end{cases} \quad (0 \leqslant t \leqslant 2\pi)$$

(2) 将第二方程变形为 $\left(x - \dfrac{a}{2}\right)^2 + y^2 = \dfrac{a^2}{4}$,故所求参数方程为

$$\begin{cases} x = \dfrac{a}{2} + \dfrac{a}{2}\cos t, \\ y = \dfrac{a}{2}\sin t, \\ z = a\sqrt{\dfrac{1}{2} - \dfrac{1}{2}\cos t}. \end{cases} \quad (0 \leqslant t \leqslant 2\pi)$$

8.4.4 空间曲线在坐标面上的投影

设空间曲线 C 的一般方程为(1),下面来研究由方程组(1)消去变量 z 后所得到的方程

$$H(x, y) = 0. \tag{3}$$

由于方程(3)是由方程组(1)消去 z 后得到的结果,因此当 x、y 和 z 满足方程组(1)时,前两个数 x、y 必定满足方程(3),这说明曲线 C 上的所有点都在由方程(3)所表示的曲面上.

由 8.3 知道,方程(3)表示一个母线平行于 z 轴的柱面.由上面的讨论可知,这柱面必定包含曲线 C.以曲线 C 为准线、母线平行于 z 轴(即垂直于 xOy 面)的柱面称为曲线 C 关于 xOy 面的投影柱面,投影柱面与 xOy 面的交线称为空间曲线 C 在 xOy 面上的投影曲线,简称投影.因此,方程(3)所表示的柱面必定包含投影柱面,而方程

$$\begin{cases} H(x, y) = 0, \\ z = 0 \end{cases}$$

所表示的曲线必定包含空间曲线 C 在 xOy 面上的投影.

同理,消去方程组(1)中的变量 x 或变量 y,再分别和 $x = 0$ 或 $y = 0$ 联立,就可以得到包含曲线 C 在 yOz 面或 xOz 面上的投影的曲线方程:

$$\begin{cases} R(y, z) = 0, \\ x = 0, \end{cases} \text{或} \begin{cases} G(x, z) = 0, \\ y = 0. \end{cases}$$

例5 曲线 C 的方程为 $\begin{cases} x^2+y^2+z^2=1, \\ x^2+(y-1)^2+(z-1)^2=1, \end{cases}$ 求曲线 C 在 xOz 面上的投影方程.

解 先求包含交线 C 而母线平行于 y 轴的柱面方程. 因此要由方程组中消去 y, 为此可先从方程组的第一个方程减去第二个方程并化简, 得到
$$y+z=1.$$
再以 $y=1-z$ 代入方程组中的任一个方程后可得所求的柱面方程为
$$x^2+2z^2-2z=0.$$
这就是曲线 C 关于 xOz 面的投影柱面方程, 于是曲线 C 在 xOz 面上的投影方程是
$$\begin{cases} x^2+2z^2-2z=0, \\ y=0. \end{cases}$$

例6 设一个立体由上半球面 $z=\sqrt{4-x^2-y^2}$ 和锥面 $z=\sqrt{3(x^2+y^2)}$ 所围成(图 8-42), 求它在 xOy 面上的投影.

解 半球面和锥面的交线为
$$C: \begin{cases} z=\sqrt{4-x^2-y^2}, \\ z=\sqrt{3(x^2+y^2)}. \end{cases}$$
由此方程组消去 z, 得到 $x^2+y^2=1$. 这是一个母线平行于 z 轴的圆柱面, 这就是交线 C 关于 xOy 面的投影柱面, 因此交线 C 在 xOy 面上的投影曲线为
$$\begin{cases} x^2+y^2=1, \\ z=0. \end{cases}$$

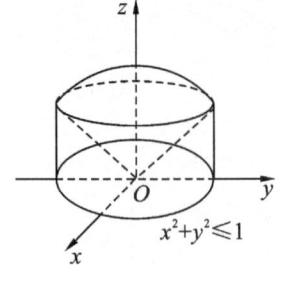

图 8-42

这是 xOy 面上的一个圆, 于是所求立体在 xOy 面上的投影, 就是该圆在 xOy 面上所围的部分
$$x^2+y^2 \leqslant 1.$$

在重积分和曲面积分的计算中, 往往需要确定一个立体或曲面在坐标面上的投影, 这时要利用投影柱面和投影曲线.

习题 8-4

1. 画出下列曲线在第 I 卦限内的图形:

(1) $\begin{cases} x=2, \\ y=1; \end{cases}$ (2) $\begin{cases} z=\sqrt{4-x^2-y^2}, \\ x-y=0; \end{cases}$

(3) $\begin{cases} y^2 + z^2 = a^2, \\ x^2 + z^2 = a^2. \end{cases}$

2. 指出下列方程组在平面解析几何中与空间解析几何中分别表示什么图形:

(1) $\begin{cases} y = 5x + 1, \\ y = 2x - 3; \end{cases}$

(2) $\begin{cases} \dfrac{x^2}{9} + \dfrac{y^2}{16} = 1, \\ y = 4. \end{cases}$

3. 分别求母线平行于 x 轴及 y 轴而且通过曲线 $\begin{cases} 2x^2 + y^2 + z^2 = 16, \\ x^2 + z^2 - y^2 = 0 \end{cases}$ 的柱面方程.

4. 求球面 $x^2 + y^2 + z^2 = 25$ 与平面 $x + z = 1$ 的交线在 xOy 面上的投影的方程.

5. 将下列曲线的一般方程化为参数方程:

(1) $\begin{cases} x^2 + y^2 + z^2 = 16, \\ y = x; \end{cases}$

(2) $\begin{cases} (x-1)^2 + y^2 + z^2 = 4, \\ z = 0. \end{cases}$

6. 求螺旋线 $\begin{cases} x = a\cos\theta, \\ y = a\sin\theta, \\ z = b\theta \end{cases}$ 在三个坐标面上的投影曲线的直角坐标方程.

7. 求上半球面 $0 \leqslant z \leqslant \sqrt{4 - x^2 - y^2}$ 与圆柱体 $x^2 + y^2 \leqslant ax (a > 0)$ 的公共部分在 xOy 面和 xOz 面上的投影.

8. 求旋转抛物面 $z = x^2 + y^2 (0 \leqslant z \leqslant 9)$ 在三个坐标面上的投影.

8.5 平面及其方程

本节介绍特殊的曲面——平面.

8.5.1 平面的点法式方程

如果一非零向量垂直于一平面,则称此向量为该平面的法向量. 易知,平面上的任意向量均与该平面的法向量垂直.

因为过空间一点可以作而且只能作一个平面垂直于一已知直线,所以当平面 Π 上一点 $M_0(x_0, y_0, z_0)$ 和它的一个法向量 $\boldsymbol{n} = (A, B, C)$ 为已知时,平面 Π 的位置就完全确定了. 下面建立平面 Π 的方程.

设 $M(x, y, z)$ 是平面 Π 上的任意一点(图 8-43). 则向量 $\overrightarrow{M_0M}$ 必与平面 Π 的法向量 $\boldsymbol{n}$ 垂直,即它们的数量积

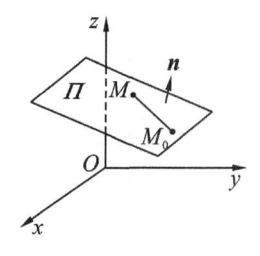

图 8-43

$$\boldsymbol{n} \cdot \overrightarrow{M_0M} = 0.$$

因为 $\boldsymbol{n} = (A,B,C)$，$\overrightarrow{M_0M} = (x-x_0, y-y_0, z-z_0)$，所以有
$$A(x-x_0) + B(y-y_0) + C(z-z_0) = 0. \tag{1}$$

这就是平面 Π 上任意一点 M 的坐标 x、y、z 所满足的方程.

反过来，如果 $M(x,y,z)$ 不在平面 Π 上，那么向量 $\overrightarrow{M_0M}$ 与法向量 $\boldsymbol{n}$ 不垂直，从而 $\boldsymbol{n} \cdot \overrightarrow{M_0M} \neq 0$，即不在平面 Π 上的点 M 的坐标 x、y、z 不满足方程(1).

由此可知，平面 Π 上任一点的坐标 x、y、z 都满足方程(1)；不在平面 Π 上的点的坐标都不满足方程(1). 这样，方程(1)就是平面 Π 的方程，而平面 Π 就是方程(1)的图形. 因为方程(1)是由平面 Π 上的一点 $M_0(x_0, y_0, z_0)$ 及它的一个法向量 $\boldsymbol{n} = (A, B, C)$ 确定的，所以方程(1)叫作平面的**点法式方程**.

例1 求过点 $(2, -3, 0)$ 且以 $\boldsymbol{n} = (-1, 2, -3)$ 为法向量的平面的方程.

解 根据平面的点法式方程(1)，得所求平面的方程为
$$-(x-2) + 2(y+3) - 3z = 0,$$
即
$$x - 2y + 3z - 8 = 0.$$

例2 求过三点 $M_1(2, -1, 4)$、$M_2(1, 3, -2)$ 和 $M_3(0, 2, 3)$ 的平面 Π 的方程.

解 先求平面 Π 的法向量 $\boldsymbol{n}$. 因为向量 $\boldsymbol{n}$ 与向量 $\overrightarrow{M_1M_2}$ 和 $\overrightarrow{M_1M_3}$ 都垂直，所以可取它们的向量积为 $\boldsymbol{n}$. 又 $\overrightarrow{M_1M_2} = (-1, 4, -6)$，$\overrightarrow{M_1M_3} = (-2, 3, -1)$，从而
$$\boldsymbol{n} = \overrightarrow{M_1M_2} \times \overrightarrow{M_1M_3}$$
$$= \begin{vmatrix} \boldsymbol{i} & \boldsymbol{j} & \boldsymbol{k} \\ -1 & 4 & -6 \\ -2 & 3 & -1 \end{vmatrix} = 14\boldsymbol{i} + 11\boldsymbol{j} + 5\boldsymbol{k}.$$

根据平面的点法式方程(1)得所求平面的方程为
$$14(x-2) + 11(y+1) + 5(z-4) = 0,$$
即
$$14x + 11y + 5z - 37 = 0.$$

此平面的**三点式方程**也可写成
$$\begin{vmatrix} x-2 & y+1 & z-4 \\ -1 & 4 & -6 \\ -2 & 3 & -1 \end{vmatrix} = 0.$$

一般情况下，过三点 $M_k(x_k, y_k, z_k)$ $(k=1,2,3)$ 的平面方程为
$$\begin{vmatrix} x-x_1 & y-y_1 & z-z_1 \\ x_2-x_1 & y_2-y_1 & z_2-z_1 \\ x_3-x_1 & y_3-y_1 & z_3-z_1 \end{vmatrix} = 0.$$

特别地,当平面与三坐标轴的交点分别为
$$P(a,0,0), Q(0,b,0), R(0,0,c)$$
时,平面方程为
$$\frac{x}{a}+\frac{y}{b}+\frac{z}{c}=1 \ (a,b,c\neq 0),$$
此式称为平面的**截距式方程**.

8.5.2 平面的一般方程

因为平面的点法式方程(1)是 x、y、z 的一次方程,而任意一平面都可以用它上面的一点及它的法向量来确定,所以任意一平面都可以用三元一次方程来表示.

反过来,设有三元一次方程
$$Ax+By+Cz+D=0. \tag{2}$$
我们任取满足该方程的一组数 x_0、y_0、z_0,即
$$Ax_0+By_0+Cz_0+D=0. \tag{3}$$
把上述两等式相减,得
$$A(x-x_0)+B(y-y_0)+C(z-z_0)=0. \tag{4}$$
把它和平面的点法式方程(1)作比较可知,方程(4)是通过点 $M_0(x_0,y_0,z_0)$ 且以 $\boldsymbol{n}=(A,B,C)$ 为法向量的平面方程. 但方程(1)与方程(4)同解,这是因为由(2)减去(3)即得(4),又由(4)加上(3)就得(2). 由此可知,任一三元一次方程(2)的图形总是一个平面. 方程(2)称为**平面的一般方程**,其中 x、y、z 的系数就是该平面的一个法向量 $\boldsymbol{n}$ 的坐标,即 $\boldsymbol{n}=(A,B,C)$.

对于一些特殊的三元一次方程,应熟悉它们的图形的特点.

当 $D=0$ 时,方程(2)变为 $Ax+By+Cz=0$,它表示一个通过原点的平面.

当 $A=0$ 时,方程(2)变为 $By+Cz+D=0$,法向量 $\boldsymbol{n}=(0,B,C)$ 垂直于 x 轴,方程表示一个平行于(或包含)x 轴的平面.

同样,方程 $Ax+Cz+D=0$ 和 $Ax+By+D=0$ 分别表示一个平行于(或包含)y 轴和 z 轴的平面.

当 $A=B=0$ 时,方程(2)变为 $Cz+D=0$ 或 $z=-\dfrac{D}{C}$,法向量 $\boldsymbol{n}=(0,0,C)$ 同时垂直于 x 轴和 y 轴,方程表示一个平行(或重合)于 xOy 面的平面.

同样,方程 $Ax+D=0$ 和 $By+D=0$,分别表示一个平行(或重合)于 yOz 面和 xOz 面的平面.

例3 求通过 y 轴和点 $(4,-3,-1)$ 的平面方程.

解 因平面通过 y 轴,从而它的法向量垂直于 y 轴,于是法向量在 y 轴上的投影为零,即 $B=0$,又原点在 y 轴上,从而平面通过原点,于是 $D=0$.

设所求平面方程为
$$Ax + Cz = 0.$$
代入已知点 $(4,-3,-1)$ 得
$$C = 4A.$$
代入所设方程化简得所求平面方程为
$$x + 4z = 0.$$

8.5.3 两平面的夹角

两平面的法向量的夹角(通常指锐角或直角)称为两平面的夹角.

设平面 Π_1 和 Π_2 的法向量分别为 $\boldsymbol{n}_1 = (A_1, B_1, C_1)$ 和 $\boldsymbol{n}_2 = (A_2, B_2, C_2)$,则平面 Π_1 和 Π_2 的夹角 θ(图 8-44)应是 $(\widehat{\boldsymbol{n}_1, \boldsymbol{n}_2})$ 和 $(\widehat{-\boldsymbol{n}_1, \boldsymbol{n}_2}) = \pi - (\widehat{\boldsymbol{n}_1, \boldsymbol{n}_2})$ 两者中的锐角或直角. 因此 $\cos\theta = |\cos(\widehat{\boldsymbol{n}_1, \boldsymbol{n}_2})|$,按两向量夹角余弦的坐标表示式,平面 Π_1 和平面 Π_2 的夹角 θ 可由

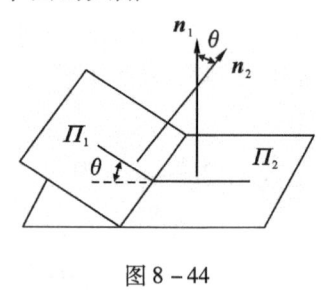

$$\cos\theta = \frac{|A_1 A_2 + B_1 B_2 + C_1 C_2|}{\sqrt{A_1^2 + B_1^2 + C_1^2}\sqrt{A_2^2 + B_2^2 + C_2^2}} \tag{5}$$

来确定.

图 8-44

从两向量垂直、平行的充分必要条件可得到以下结论:

Π_1、Π_2 互相垂直的充要条件是 $A_1 A_2 + B_1 B_2 + C_1 C_2 = 0$;

Π_1、Π_2 互相平行或重合的充要条件是 $\dfrac{A_1}{A_2} = \dfrac{B_1}{B_2} = \dfrac{C_1}{C_2}$.

例 4 求两平面 $2x - y + z - 6 = 0$ 和 $x + y + 2z - 5 = 0$ 的夹角.

解 由公式(5)有
$$\cos\theta = \frac{|2 \times 1 + (-1) \times 1 + 1 \times 2|}{\sqrt{2^2 + (-1)^2 + 1^2}\sqrt{1^2 + 1^2 + 2^2}} = \frac{1}{2},$$
因此所求夹角 $\theta = \dfrac{\pi}{3}$.

例 5 一平面通过两点 $M_1(1,1,1)$ 和 $M_2(0,2,-2)$ 且垂直于平面 $\Pi: x + y + z = 0$,求其方程.

解 设所求平面的法向量为

$$\boldsymbol{n} = (A, B, C).$$

则所求平面方程为

$$A(x-1) + B(y-1) + C(z-1) = 0. \tag{6}$$

因为 $\overrightarrow{M_1M_2} = (-1, 1, -3)$ 在所求平面上,故它必垂直于 $\boldsymbol{n}$,所以有

$$-A + B - 3C = 0, \tag{7}$$

又因为所求平面与已知平面 $\Pi: x + y + z = 0$ 垂直,所以

$$A + B + C = 0. \tag{8}$$

由(7)(8)得到

$$A = -2C, B = C,$$

代入(6)可得

$$-2C(x-1) + C(y-1) + C(z-1) = 0 \ (C \neq 0),$$

约去 C 得

$$-2(x-1) + (y-1) + (z-1) = 0,$$

即

$$2x - y - z = 0,$$

这就是所求的平面方程.

例6 设 $P_0(x_0, y_0, z_0)$ 是平面 $Ax + By + Cz + D = 0$ 外一点,求 P_0 到此平面的距离 d.

解 设平面法向量为 $\boldsymbol{n}$,在平面上取一点 $P_1(x_1, y_1, z_1)$,则 P_0 到平面的距离(图8-45)为

$$d = |\text{Prj}_{\boldsymbol{n}} \overrightarrow{P_1P_0}| = \frac{|\overrightarrow{P_1P_0} \cdot \boldsymbol{n}|}{|\boldsymbol{n}|}.$$

而

$$\boldsymbol{n} = (A, B, C), \overrightarrow{P_1P_0} = (x_0 - x_1, y_0 - y_1, z_0 - z_1),$$

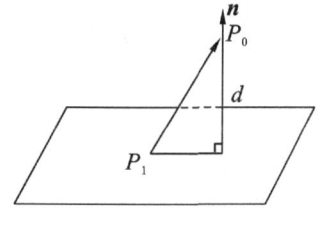

图8-45

得

$$\frac{|\overrightarrow{P_1P_0} \cdot \boldsymbol{n}|}{|\boldsymbol{n}|} = \frac{|A(x_0 - x_1) + B(y_0 - y_1) + C(z_0 - z_1)|}{\sqrt{A^2 + B^2 + C^2}}$$

$$= \frac{|Ax_0 + By_0 + Cz_0 - (Ax_1 + By_1 + Cz_1)|}{\sqrt{A^2 + B^2 + C^2}}$$

因为 $Ax_1 + By_1 + Cz_1 + D = 0$,所以

$$\frac{|\overrightarrow{P_1P_0} \cdot \boldsymbol{n}|}{|\boldsymbol{n}|} = \frac{|Ax_0 + By_0 + Cz_0 + D|}{\sqrt{A^2 + B^2 + C^2}}.$$

由此得到 $P_0(x_0, y_0, z_0)$ 到平面 $Ax + By + Cz + D = 0$ 的距离公式

$$d = \frac{|Ax_0 + By_0 + Cz_0 + D|}{\sqrt{A^2 + B^2 + C^2}}. \tag{9}$$

例7 求点$(2,1,1)$到平面$x + y - z + 1 = 0$的距离d.

解 利用公式(9)得
$$d = \frac{|1 \times 2 + 1 \times 1 - 1 \times 1 + 1|}{\sqrt{1^2 + 1^2 + (-1)^2}} = \frac{3}{\sqrt{3}} = \sqrt{3}.$$

习题 8-5

1. 求过点$(-1,0,3)$且与平面$2x - 5y + 7z - 6 = 0$平行的平面方程.

2. 求过点$P_0(1,5,-2)$且与连接坐标原点及点P_0的线段OP_0垂直的平面方程.

3. 求过$P_1(1,0,-1)$、$P_2(-1,-1,1)$和$P_3(1,-1,2)$三点的平面方程.

4. 指出下列各平面的特殊位置,并画出各平面:

　(1)$x = 0$;　　　　　　　　　　　(2)$2y - 1 = 0$;

　(3)$2x - y - 6 = 0$;　　　　　　　(4)$y + z = 1$;

　(5)$x - 3z = 0$.

5. 求平面$2x - y + z + 3 = 0$与各坐标面的夹角的余弦.

6. 一平面过点$(2,0,-1)$且平行于向量$\boldsymbol{a} = (0,1,1)$和$\boldsymbol{b} = (1,-1,0)$,试求其平面方程.

7. 求三平面$x + 3y + z - 1 = 0$,$2x - y - z = 0$,$-x + 2y + 2z = 3$的交点.

8. 分别按下列条件求平面方程:

　(1)平行于xOy面且经过点$(2,5,-3)$;

　(2)通过x轴和点$(3,-1,3)$;

　(3)平行于y轴且经过两点$(2,0,-1)$和$(3,1,1)$.

9. 求点$(1,3,0)$到平面$x - y + 2z - 5 = 0$的距离.

10. 判断下列各对平面的位置关系:

　(1)$2x - 3y + z - 1 = 0$ 与 $5x + y - 7 = 0$;

　(2)$x + 2y - z + 3 = 0$ 与 $2x + 4y - 2z - 1 = 0$;

　(3)$2x - 3y + z - 1 = 0$ 与 $5x + y - 7z = 0$.

11. 求两平面间的夹角:

　(1)$4x + 2y + 4z - 7 = 0$ 与 $3x - 4y = 0$;

　(2)$x - y + z + 1 = 0$ 与 $2x - y - 3z + 5 = 0$.

8.6 空间直线及其方程

8.6.1 直线的点向式方程和参数方程

假如已知一点和一个非零的向量,那么通过已知点且平行已知向量的直线在空间的位置就可以完全确定,已知向量叫作这直线的**方向向量**.

已知向量 $s=(m,n,p)$ 和点 $M_0(x_0,y_0,z_0)$,求通过 M_0 且与向量 s 平行的直线 L 的方程(图 8-46).

若点 $M(x,y,z)$ 在直线 L 上,则 $\overrightarrow{M_0M}/\!/s$;反之,若 $\overrightarrow{M_0M}/\!/s$,则点 M 必在直线 L 上,故点 M 在直线 L 上的充要条件是 $\overrightarrow{M_0M}/\!/s$,由 8.2.2 节中的定理 1 知,存在实数 t,使 $\overrightarrow{M_0M}=ts$,即

$$\begin{cases} x-x_0=mt, \\ y-y_0=nt, \\ z-z_0=pt, \end{cases} \quad (1)$$

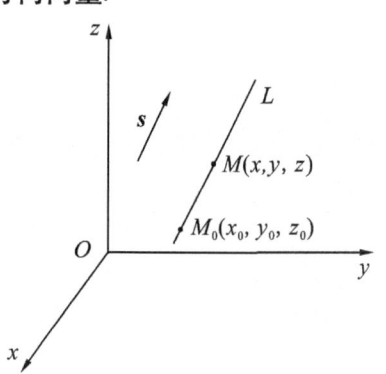

图 8-46

所以

$$\begin{cases} x=x_0+mt, \\ y=y_0+nt, \\ z=z_0+pt, \end{cases} \quad (2)$$

式中实数 t 叫作参数,当 t 取遍所有实数值时,(2)式所确定的 (x,y,z) 就给出直线上所有的点,这组方程叫作**直线的参数方程**.

由方程组(2)消去 t,得到

$$\frac{x-x_0}{m}=\frac{y-y_0}{n}=\frac{z-z_0}{p}, \quad (3)$$

这组方程叫作**直线的点向式方程**.

式中 (x_0,y_0,z_0) 表示直线上的已知点,$s=(m,n,p)$ 表示直线的方向向量,凡与 m、n、p 成比例的任何一组数都叫作直线的一组**方向数**. 应指出,我们规定 s 为非零向量,即 m、n、p 不全为零,但其中某一个或两个可以为零,比如若 $m=0$,此时(3)式中分母出现了零,因(3)式是由(2)式消去参数 t 得到的,当 $m=0$ 时,由(2)式即有 $x=x_0$,故(3)式此时即成

$$\begin{cases} x - x_0 = 0, \\ \dfrac{y - y_0}{n} = \dfrac{z - z_0}{p}. \end{cases} \quad (4)$$

即(3)式中某一分母为零,其相应分子也应为零;如 m、n、p 中有两个为零时,则它们相应的两个分子都为零.

例1 求过点 $(1,2,3)$ 且分别以 $s_1 = (1,1,1)$, $s_2 = (1,0,1)$, $s_3 = (1,0,0)$ 为方向向量的三条直线的点向式方程.

解 三条直线分别为

$$L_1: \dfrac{x-1}{1} = \dfrac{y-2}{1} = \dfrac{z-3}{1}.$$

$$L_2: \dfrac{x-1}{1} = \dfrac{y-2}{0} = \dfrac{z-3}{1},$$

即

$$\begin{cases} y - 2 = 0, \\ \dfrac{x-1}{1} = \dfrac{z-3}{1}. \end{cases}$$

$$L_3: \dfrac{x-1}{1} = \dfrac{y-2}{0} = \dfrac{z-3}{0},$$

即

$$\begin{cases} y - 2 = 0, \\ z - 3 = 0. \end{cases}$$

8.6.2 直线的一般方程

直线的点向式方程(3)由三个分式相等而构成,但实际上它只含有两个独立方程,因为如果把第一个分式与第三个分式相等算一个等式,第二个分式和第三个分式相等又算一个等式,那么一、二两个等式的相等即可由上述两个等式导出,不再是一个新的等式,所以从(3)式实际上只能产生两个方程,例如当 $p \neq 0$ 时,它可改写成

$$\begin{cases} \dfrac{x - x_0}{m} = \dfrac{z - z_0}{p}, \\ \dfrac{y - y_0}{n} = \dfrac{z - z_0}{p}. \end{cases} \quad (3')$$

这两个方程都是一次方程,因而都表示平面.凡坐标 (x,y,z) 同时满足这两个方程的点,即是这两个平面的公共点,也就是这两个平面交线上的点.反之,这两个平面交线上的点,它的坐标应同时满足此两式.因此,当直线方程写成(3')式时,就是把直线理解为两个平面的交线.

一般,两个一次方程联立起来,构成一个联立方程组

$$\begin{cases} A_1x + B_1y + C_1z + D_1 = 0, \\ A_2x + B_2y + C_2z + D_2 = 0 \end{cases} \tag{5}$$

表示一条直线,它是平面 $A_1x + B_1y + C_1z + D_1 = 0$ 和平面 $A_2x + B_2y + C_2z + D_2 = 0$ 的交线,这样的方程叫作**直线的一般方程**. 这里需要注意,如果 $\dfrac{A_1}{A_2} = \dfrac{B_1}{B_2} = \dfrac{C_1}{C_2}$,则两平面平行;如果 $\dfrac{A_1}{A_2} = \dfrac{B_1}{B_2} = \dfrac{C_1}{C_2} = \dfrac{D_1}{D_2}$,则两平面重合,(5)式就不表示一条直线了.

下面讨论怎样把直线的一般方程(5)(两方程系数不成比例)化成点向式方程.

首先求出这直线上的任意一点 (x_0, y_0, z_0). 为此可先取定 x_0、y_0、z_0 中的某一个,代入(5)式中的两个方程,其余两个变量可由这两个联立方程确定.

其次,求这直线的方向数或方向向量 $\boldsymbol{s} = (m, n, p)$. 又方程(5)中两平面的法向量为 $\boldsymbol{n}_1 = (A_1, B_1, C_1)$,$\boldsymbol{n}_2 = (A_2, B_2, C_2)$,因此所求直线垂直于这两个平面的法向量,即 $\boldsymbol{s} \perp \boldsymbol{n}_1$,$\boldsymbol{s} \perp \boldsymbol{n}_2$,因此有关系式

$$\begin{cases} A_1m + B_1n + C_1p = 0, \\ A_2m + B_2n + C_2p = 0. \end{cases}$$

因 m、n、p 不能同时为零,从这两个关系式所确定的关于 m、n、p 的解,可由下列比例式求得

$$\frac{m}{\begin{vmatrix} B_1 & C_1 \\ B_2 & C_2 \end{vmatrix}} = \frac{n}{\begin{vmatrix} C_1 & A_1 \\ C_2 & A_2 \end{vmatrix}} = \frac{p}{\begin{vmatrix} A_1 & B_1 \\ A_2 & B_2 \end{vmatrix}}.$$

例2 试求直线

$$\begin{cases} x + 2y + 3z - 6 = 0, \\ 2x + 3y - 4z - 1 = 0 \end{cases}$$

的点向式方程.

解 设 $M_0(x_0, y_0, z_0)$ 为直线上的一点. 令 $z_0 = 0$,则直线方程化为

$$\begin{cases} x_0 + 2y_0 = 6, \\ 2x_0 + 3y_0 = 1, \end{cases}$$

由此解得 $x_0 = -16$,$y_0 = 11$. 所以求出直线上一点为 $(-16, 11, 0)$.

又令直线的方向数为 m、n、p,则

$$\frac{m}{\begin{vmatrix} 2 & 3 \\ 3 & -4 \end{vmatrix}} = \frac{n}{\begin{vmatrix} 3 & 1 \\ -4 & 2 \end{vmatrix}} = \frac{p}{\begin{vmatrix} 1 & 2 \\ 2 & 3 \end{vmatrix}},$$

即

$$\frac{m}{-17} = \frac{n}{10} = \frac{p}{-1},$$

所以所求直线的点向式方程为

$$\frac{x+16}{-17} = \frac{y-11}{10} = \frac{z-0}{-1}.$$

8.6.3 两直线的夹角

两直线的方向向量的夹角(通常指锐角或直角)称为两直线的夹角.

设直线 L_1 与 L_2 的点向式方程为

$$L_1: \frac{x-x_1}{m_1} = \frac{y-y_1}{n_1} = \frac{z-z_1}{p_1},$$

$$L_2: \frac{x-x_2}{m_2} = \frac{y-y_2}{n_2} = \frac{z-z_2}{p_2}.$$

记 $s_1 = (m_1, n_1, p_1)$, $s_2 = (m_2, n_2, p_2)$, 则 L_1 与 L_2 的夹角 φ 应是 $(\widehat{-s_1, s_2}) = \pi - (\widehat{s_1, s_2})$ 和 $(\widehat{s_1, s_2})$ 两者中的锐角或直角. 因此 $\cos\varphi = |\cos(\widehat{s_1, s_2})|$, 按两向量夹角余弦的坐标表示式, 直线 L_1 和直线 L_2 的夹角 φ 可由

$$\cos\varphi = \frac{|m_1 m_2 + n_1 n_2 + p_1 p_2|}{\sqrt{m_1^2 + n_1^2 + p_1^2}\sqrt{m_2^2 + n_2^2 + p_2^2}} \tag{6}$$

来确定.

从两向量垂直、平行的充分必要条件可推得下列结论:

两直线 L_1、L_2 互相垂直的充要条件是 $m_1 m_2 + n_1 n_2 + p_1 p_2 = 0$;

两直线 L_1、L_2 互相平行的充要条件是 $\frac{m_1}{m_2} = \frac{n_1}{n_2} = \frac{p_1}{p_2}$.

例 3 求以下两直线的夹角

$$L_1: \frac{x-1}{1} = \frac{y}{-4} = \frac{z+3}{1},$$

$$L_2: \begin{cases} x+y+2=0, \\ x+2z=0. \end{cases}$$

解 直线 L_1 的方向向量为 $s_1 = (1, -4, 1)$; 平面 $x+y+2=0$ 的法向量为 $\boldsymbol{n}_1 = (1,1,0)$, 平面 $x+2z=0$ 的法向量为 $\boldsymbol{n}_2 = (1,0,2)$, 故直线 L_2 的方向向量为

$$s_2 = \begin{vmatrix} i & j & k \\ 1 & 1 & 0 \\ 1 & 0 & 2 \end{vmatrix} = (2, -2, -1).$$

设直线 L_1 与 L_2 的夹角为 φ, 则由公式(6)有

$$\cos\varphi = \frac{|1\times 2 + (-4)\times(-2) + 1\times(-1)|}{\sqrt{1^2+(-4)^2+1^2}\sqrt{2^2+(-2)^2+(-1)^2}} = \frac{\sqrt{2}}{2},$$

故
$$\varphi = \frac{\pi}{2}.$$

8.6.4 直线与平面的关系

设直线的方程为
$$L: \frac{x-x_0}{m} = \frac{y-y_0}{n} = \frac{z-z_0}{p},$$

平面的方程是
$$\Pi: Ax + By + Cz + D = 0.$$

当直线与平面不垂直时,直线和它在平面上的投影直线所成的锐角,称为直线与平面的夹角. 当直线与平面垂直时,规定直线与平面的夹角为 $\frac{\pi}{2}$.

设直线的方向向量 $s = (m,n,p)$ 与平面的法向量 $n = (A,B,C)$ 的夹角为 θ(图8-47),则直线与平面的夹角 φ 等于 $\frac{\pi}{2} - \theta$ 或 $-\frac{\pi}{2} + \theta$.

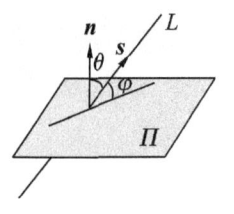

图 8-47

由于
$$\sin\varphi = \pm\sin\left(\frac{\pi}{2} - \theta\right)$$
$$= \pm\cos\theta = |\cos\theta|,$$

所以得到
$$\sin\varphi = \frac{|\boldsymbol{n}\cdot\boldsymbol{s}|}{|\boldsymbol{n}||\boldsymbol{s}|} \frac{|Am+Bn+Cp|}{\sqrt{A^2+B^2+C^2}\sqrt{m^2+n_2+p^2}}.$$

若直线与平面垂直,则直线的方向向量与平面的法向量平行,因此直线与平面垂直的充要条件是 $\frac{A}{m} = \frac{B}{n} = \frac{C}{p}$.

若直线与平面平行,则直线的方向向量与平面的法向量垂直,因此直线与平面平行的充要条件是 $Am + Bn + Cp = 0$.

当直线与平面相交时,可求交点的坐标.

设 $M_0(x_0,y_0,z_0)$ 为直线上的已知点,$M(x,y,z)$ 为直线与平面的交点,直线的参数方程为

$$\begin{cases} x = x_0 + mt, \\ y = y_0 + nt, \\ z = z_0 + pt. \end{cases}$$

将它们代入平面方程中得
$$A(x_0 + mt) + B(y_0 + nt) + C(z_0 + pt) + D = 0,$$
即
$$(Am + Bn + Cp)t = -(Ax_0 + By_0 + Cz_0 + D).$$

若 $Am + Bn + Cp \neq 0$,则由上式求得
$$t = -\frac{Ax_0 + By_0 + Cz_0 + D}{Am + Bn + Cp},$$

将 t 值代入直线的参数方程中,即得直线与平面的交点的坐标.

若 $Am + Bn + Cp = 0, Ax_0 + By_0 + Cz_0 + D \neq 0$,则直线与平面平行,直线与平面没有交点.

若 $An + Bn + Cp = 0$,且 $Ax_0 + By_0 + Cz_0 + D = 0$,则直线在平面上.

例 4 求过点 $(2, -1, 3)$ 且与平面 $x - 3y + z - 4 = 0$ 垂直的直线方程.

解 取已知平面的法向量 $\boldsymbol{n} = (1, -3, 1)$ 为所求直线的方向向量,则直线的点向式方程为
$$\frac{x-2}{1} = \frac{y+1}{-3} = \frac{z-3}{1}.$$

例 5 求直线 $\dfrac{x-2}{1} = \dfrac{y-3}{2} = \dfrac{z-4}{1}$ 与平面 $2x + y + z - 6 = 0$ 的交点坐标.

解 将直线方程化为参数方程
$$x = 2 + t, y = 3 + 2t, z = 4 + t,$$
代入已知平面方程中得
$$2(2 + t) + (3 + 2t) + (4 + t) - 6 = 0.$$
解得 $t = -1$,从而得到交点的坐标为 $(1, 1, 3)$.

8.6.5 杂例

例 6 求与两平面 $x - 4z = 3$ 和 $2x - y - 5z = 1$ 的交线平行且过点 $(-2, 1, 4)$ 的直线方程.

解法一 因为所求直线与两平面的交线平行,也就是直线的方向向量 $\boldsymbol{s}$ 一定同时与两平面的法向量 $\boldsymbol{n}_1$、$\boldsymbol{n}_2$ 垂直,所以可取
$$\boldsymbol{s} = \boldsymbol{n}_1 \times \boldsymbol{n}_2 = \begin{vmatrix} \boldsymbol{i} & \boldsymbol{j} & \boldsymbol{k} \\ 1 & 0 & -4 \\ 2 & -1 & -5 \end{vmatrix} = -(4\boldsymbol{i} + 3\boldsymbol{j} + \boldsymbol{k}),$$

因此所求直线方程为
$$\frac{x+2}{4} = \frac{y-1}{3} = \frac{z-4}{1}.$$

解法二 过点$(-2,1,4)$且与平面$x-4z=3$平行的平面方程为
$$x - 4z = -18.$$
过点$(-2,1,4)$且与平面$2x-y-5z=1$平行的平面方程为
$$2x - y - 5z = -25,$$
所求直线为上述两平面的交线,故其方程为
$$\begin{cases} x - 4z = -18, \\ 2x - y - 5z = -25. \end{cases}$$

例7 求过点$(1,1,4)$且与直线$\dfrac{x+1}{-3} = \dfrac{y}{-1} = \dfrac{z-1}{2}$垂直相交的直线方程.

解 先作一平面过点$(1,1,4)$且垂直于已知直线,那么这平面的方程应为
$$-3(x-1) - (y-1) + 2(z-4) = 0. \tag{7}$$
再求已知直线与平面的交点. 已知直线的参数方程为
$$x = -1 - 3t, y = -t, z = 1 + 2t. \tag{8}$$
将(8)代入(7)中,求得$t = -\dfrac{1}{14}$,从而求得交点为$\left(-\dfrac{11}{14}, \dfrac{1}{14}, \dfrac{12}{14}\right)$.

以点$(1,1,4)$为起点,点$\left(-\dfrac{11}{14}, \dfrac{1}{14}, \dfrac{12}{14}\right)$为终点的向量
$$\left(-\frac{11}{14} - 1, \frac{1}{14} - 1, \frac{12}{14} - 4\right) = -\frac{1}{14}(25, 13, 44)$$
是所求直线的一个方向向量,故所求直线的方程为
$$\frac{x-1}{25} = \frac{y-1}{13} = \frac{z-4}{44}.$$

有时用平面束的方程解题比较方便,下面介绍它的方程.

设直线L由方程组
$$\begin{cases} A_1 x + B_1 y + C_1 z + D_1 = 0, & (9) \\ A_2 x + B_2 y + C_2 z + D_2 = 0 & (10) \end{cases}$$
所确定,其中系数A_1、B_1、C_1与A_2、B_2、C_2不成比例. 我们建立三元一次方程
$$A_1 x + B_1 y + C_1 z + D_1 + \lambda(A_2 x + B_2 y + C_2 z + D_2) = 0, \tag{11}$$
其中λ为任意常数. 因为A_1、B_1、C_1与A_2、B_2、C_2不成比例,所以对于任意一个值,方程(11)的系数:$A_1 + \lambda A_2$、$B_1 + \lambda B_2$、$C_1 + \lambda C_2$不全为零,从而方程(11)表示一个平面,若一点在直线L上,则点的坐标必同时满足方程(9)和(10),因而也满足方程(11),故方程(11)表示通过直线L的平面,且对应于不同的λ值,方程(11)表示通过直线L

的不同平面. 反之,通过直线 L 的任何平面[除平面(10)外]都包含在方程(11)所表示的一族平面内. 通过定直线的所有平面的全体称为平面束,而方程(11)就作为通过直线 L 的平面束的方程[实际上,方程(11)表示缺少平面(10)的平面束].

例 8 求直线 $\begin{cases} x+y-z-1=0, \\ x-y+z+1=0 \end{cases}$ 在平面 $x+y+z=0$ 上的投影直线的方程.

解 过直线 $\begin{cases} x+y-z-1=0, \\ x-y+z+1=0 \end{cases}$ 的平面束的方程为

$$(x+y-z-1)+\lambda(x-y+z+1)=0,$$

即

$$(1+\lambda)x+(1-\lambda)y+(-1+\lambda)z+(-1+\lambda)=0, \tag{12}$$

其中 λ 为待定常数. 其与平面 $x+y+z=0$ 垂直的条件是

$$(1+\lambda)\cdot 1+(1-\lambda)\cdot 1+(-1+\lambda)\cdot 1=0,$$

即

$$1+\lambda=0,$$

由此得

$$\lambda=-1.$$

代入(12)式,得投影平面的方程为

$$2y-2z-2=0,$$

即

$$y-z-1=0.$$

所以投影直线的方程为

$$\begin{cases} y-z-1=0, \\ x+y+z=0. \end{cases}$$

习题 8-6

1. 求通过下列各对点的直线:
   (1) $A(3,5,-2), B(1,3,4)$;
   (2) $A(-2,1,-3), B(-1,-2,-3)$;
   (3) $A(1,1,2), B(1,1,3)$.

2. 求过点 $A(3,0,-1)$ 且平行于直线 $\begin{cases} x+2z-4=0, \\ y+3z-5=0 \end{cases}$ 的直线方程.

3. 求过点 $(2,-1,1)$ 且平行于直线 $\dfrac{x-3}{2}=\dfrac{y}{1}=\dfrac{z-1}{5}$ 的直线方程.

4. 用点向式方程及参数方程表示直线
$$\begin{cases} x - y + z - 1 = 0, \\ 2x + y + z = 4. \end{cases}$$

5. 求过点 $(1,0,-3)$ 且垂直于直线 $\begin{cases} x - y + 2z - 3 = 0, \\ 3x + 5y - 2z + 1 = 0 \end{cases}$ 的平面方程.

6. 求过点 $(-1,0,4)$ 且平行于平面 $3x - 4y + z - 10 = 0$ 又与直线 $\dfrac{x+1}{3} = \dfrac{y-3}{1} = \dfrac{z}{2}$ 相交的直线方程.

7. 求直线 $\begin{cases} 5x - 3y + 3z - 9 = 0, \\ 3x - 2y + z - 1 = 0 \end{cases}$ 与直线 $\begin{cases} 2x + 2y - z + 23 = 0, \\ 3x + 8y + z - 18 = 0 \end{cases}$ 的夹角的余弦.

8. 证明直线 $\begin{cases} x + 2y - z - 7 = 0, \\ -2x + y + z - 7 = 0 \end{cases}$ 与直线 $\begin{cases} 3x + 6y - 3z - 8 = 0, \\ 2x - y - z = 0 \end{cases}$ 平行.

9. 求过点 $(0,2,4)$ 且与两平面 $x + 2z - 1 = 0$ 和 $y - 3z - 2 = 0$ 平行的直线方程.

10. 求过点 $(2,1,-1)$ 且通过直线 $\dfrac{x-2}{5} = \dfrac{y+3}{2} = \dfrac{z-1}{1}$ 的平面方程.

11. 求直线 $\begin{cases} x + y + 3z = 0, \\ x - y - z = 0 \end{cases}$ 与平面 $x - y - z + 1 = 0$ 的夹角.

12. 试确定下列各组中的直线和平面间的关系:

(1) $\dfrac{x+3}{-2} = \dfrac{y+4}{-7} = \dfrac{z}{3}$ 和 $4x - 2y - 2z = 3$;

(2) $\dfrac{x}{3} = \dfrac{y}{-2} = \dfrac{z}{7}$ 和 $3x - 2y + 7z = 8$;

(3) $\dfrac{x-2}{3} = \dfrac{y+2}{1} = \dfrac{z-3}{-4}$ 和 $x + y + z = 3$.

13. 求过点 $(2,1,1)$ 而与两直线 $\begin{cases} x + 2y - z + 1 = 0, \\ x - y + z - 1 = 0 \end{cases}$ 和 $\begin{cases} 2x - y + z = 0, \\ x - y + z = 0 \end{cases}$ 平行的平面方程.

14. 求点 $(2,-1,3)$ 到直线 $\begin{cases} x + y - z + 1 = 0, \\ 2x - y + z - 4 = 0 \end{cases}$ 的距离.

15. 设 M_0 是直线 L 外一点,M 是直线 L 上任意一点,且直线的方向向量为 s,试证明:点 M_0 到直线 L 的距离

$$d = \dfrac{|\overrightarrow{M_0M} \times s|}{|s|}.$$

8.7 二次曲面及其方程

把三元二次方程 $F(x,y,z)=0$ 所表示的曲面称为二次曲面,把平面称为一次曲面.

二次曲面有九种,适当选取空间直角坐标系,可得它们的标准方程.下面就九种二次曲面的标准方程来讨论二次曲面的形状.

(1) 椭圆锥面 $\dfrac{x^2}{a^2}+\dfrac{y^2}{b^2}=z^2$.

以垂直于 z 轴的平面 $z=t$ 截此曲面,当 $t=0$ 时得一点 $(0,0,0)$;当 $t\neq0$ 时,得平面 $z=t$ 上的椭圆

$$\frac{x^2}{(at)^2}+\frac{y^2}{(bt)^2}=1.$$

当 t 变化时,上式表示一族长短轴比例不变的椭圆,当 $|t|$ 从大到小并变为 0 时,这族椭圆从大到小并缩为一点. 综合上述讨论,可得椭圆锥面的形状如图 8-48 所示.

平面 $z=t$ 与曲面 $F(x,y,z)=0$ 的交线称为截痕. 通过综合截痕的变化来了解曲面形状的方法称为截痕法.

我们还可以用伸缩变形的方法来得出椭圆锥面(1)的形状.

先说明 xOy 平面上的图形伸缩变形的方法.

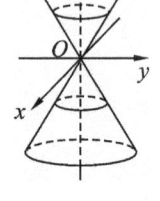

图 8-48

在 xOy 平面上,把点 $M(x,y)$ 变为 $M'(x,\lambda y)$,从而把点 M 的轨迹 C 变为 M' 的轨迹 C',称为把图形 C 沿 y 轴方向伸缩 λ 倍变成图形 C'. 假如 C 为曲线 $F(x,y)=0$,点 $M(x_1,y_1)\in C$,点 M 变为点 $M'(x_2,y_2)$,其中 $x_2=x_1$,$y_2=\lambda y_1$,即 $x_1=x_2$,$y_1=\dfrac{1}{\lambda}y_2$,因点 $M\in C$,有 $F(x_1,y_1)=0$,故 $F\left(x_2,\dfrac{1}{\lambda}y_2\right)=0$,因此点 $M'(x_2,y_2)$ 的轨迹 C' 的方程为 $F\left(x,\dfrac{1}{\lambda}y\right)=0$. 例如把圆 $x^2+y^2=a^2$ 沿轴方向伸缩 $\dfrac{b}{a}$ 倍,就变为椭圆 $\dfrac{x^2}{a^2}+\dfrac{y^2}{b^2}=1$(图 8-49).

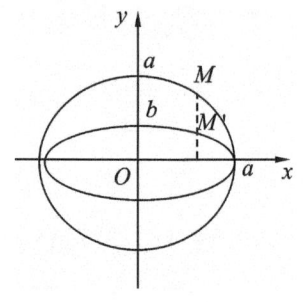

图 8-49

类似地,把空间图形沿 y 轴方向伸缩 $\dfrac{b}{a}$ 倍,圆锥面 $\dfrac{x^2+y^2}{a^2}=z^2$(图 8-30)就变为椭

圆锥面 $\dfrac{x^2}{a^2}+\dfrac{y^2}{b^2}=z^2$ (图 8-48).

利用圆锥面(旋转曲面)的伸缩变形来得出椭圆锥面的形状,这种方法是研究曲面形状的一种较方便的方法.

(2) 椭球面 $\dfrac{x^2}{a^2}+\dfrac{y^2}{b^2}+\dfrac{z^2}{c^2}=1$.

把 xOz 面上的椭圆 $\dfrac{x^2}{a^2}+\dfrac{z^2}{c^2}=1$ 绕 z 轴旋转,所得曲面称为旋转椭球面,其方程为 $\dfrac{x^2+y^2}{a^2}+\dfrac{z^2}{c^2}=1$. 再把旋转椭球面沿 y 轴方向伸缩 $\dfrac{b}{a}$ 倍,便得椭球面(2)的形状,如图 8-50 所示.

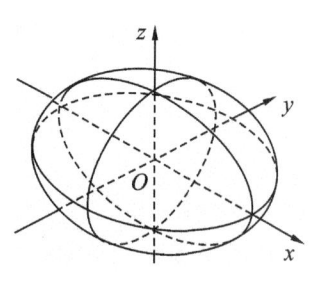

图 8-50

当 $a=b=c$ 时,方程(2)变为 $x^2+y^2+z^2=a^2$,这是球心在原点、半径为 a 的球面,显然,球面是旋转椭球面的特殊情形,旋转椭球面是椭球面的特殊情形. 把球面 $x^2+y^2+z^2=a^2$ 沿 z 轴方向伸缩 $\dfrac{c}{a}$ 倍,即得旋转椭球面 $\dfrac{x^2+y^2}{a^2}+\dfrac{z^2}{c^2}=1$;再沿 y 轴方向伸缩 $\dfrac{b}{a}$ 倍,即得椭球面(2).

(3) 单叶双曲面 $\dfrac{x^2}{a^2}+\dfrac{y^2}{b^2}-\dfrac{z^2}{c^2}=1$.

把 xOz 面上的双曲线 $\dfrac{x^2}{a^2}-\dfrac{z^2}{c^2}=1$ 绕 z 轴旋转,得旋转单叶双曲面 $\dfrac{x^2+y^2}{a^2}-\dfrac{z^2}{c^2}=1$ (图 8-32). 把此旋转曲面沿 y 轴方向伸缩 $\dfrac{b}{a}$ 倍,即得单叶双曲面(3).

(4) 双叶双曲面 $\dfrac{x^2}{a^2}-\dfrac{y^2}{b^2}-\dfrac{z^2}{c^2}=1$.

把 xOz 面上的双曲线 $\dfrac{x^2}{a^2}-\dfrac{z^2}{c^2}=1$ 绕 x 轴旋转,得旋转双叶双曲面 $\dfrac{x^2}{a^2}-\dfrac{y^2+z^2}{c^2}=1$ (图 8-31). 把此旋转曲面沿 y 轴方向伸缩 $\dfrac{b}{c}$ 倍,即得双叶双曲面(4).

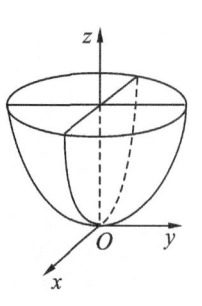

图 8-51

(5) 椭圆抛物面 $\dfrac{x^2}{a^2}+\dfrac{y^2}{b^2}=z$.

把 xOz 面上的抛物线 $\dfrac{x^2}{a^2}=z$ 绕 z 轴旋转,所得曲面叫作旋转抛物面(图 8-51). 把此旋转曲面沿 y 轴方向伸缩 $\dfrac{b}{a}$ 倍,即得椭圆抛物面(5).

(6) 双曲抛物面 $\dfrac{x^2}{a^2}-\dfrac{y^2}{b^2}=z$.

双曲抛物面又称马鞍面,我们用截痕法来讨论它的形状.

用平面 $x=t$ 截此曲面,所得截痕 l 为平面 $x=t$ 上的抛物线

$$-\frac{y^2}{b^2}=z-\frac{t^2}{a^2},$$

此抛物线开口朝下,其顶点坐标为

$$x=t, y=0, z=\frac{t^2}{a^2}.$$

当 t 变化时,l 的形状不变,位置只作平移,而 l 的顶点的轨迹 L 为平面 $y=0$ 上的抛物线

$$z=\frac{x^2}{a^2}.$$

因此,以 l 为母线,L 为准线,母线 l 的顶点在准线 L 上滑动,且母线做平行移动,这样得到的曲面便是双曲抛物面(6),如图 8-52 所示.

还有三种二次曲面是以三种二次曲线为准线的柱面

$$\frac{x^2}{a^2}+\frac{y^2}{b^2}=1, \frac{x^2}{a^2}-\frac{y^2}{b^2}=1, x^2=ay,$$

依次称为椭圆柱面、双曲柱面、抛物柱面. 柱面的形状在 8.3 中已经讨论,这里不再赘述.

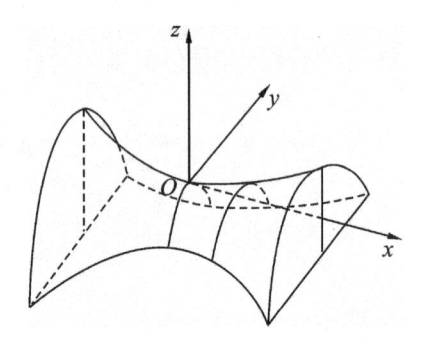

图 8-52

习题 8-7

1. 设一动点到两定点距离之比为一常数,求此动点的轨迹,并说明此轨迹是什么曲面.

2. 在空间直角坐标系下,下列方程所表示的图形是什么?

(1) $x^2+4y^2-4=0$;

(2) $z^2+y^2=-z$;

(3) $z=x^2-2x+1$.

3. 已知柱面的母线的方向为 $(2,1,-1)$,准线为

$$\begin{cases} y^2 - 4x = 0, \\ z = 0, \end{cases}$$

求此柱面方程.

4. 已知锥面的顶点为 $(4, 0, -3)$，准线为

$$\begin{cases} \dfrac{x^2}{25} + \dfrac{y^2}{9} = 1, \\ z = 0, \end{cases}$$

求此锥面方程.

5. 试考察曲面

$$\dfrac{x^2}{9} + \dfrac{y^2}{25} + \dfrac{z^2}{4} = 1$$

(1) 在平面 $x = 0$ 上；   (2) 在平面 $x = 2$ 上；
(3) 在平面 $y = 0$ 上；   (4) 在平面 $z = 1$ 上

的截痕，并写出这些截痕的方程.

6. 方程 $x^2 - y^2 = 2z$ 表示什么曲面？求出它在各平面 $x = 0, x = 1, y = 0, y = 1, z = 0, z = 1$ 上的截痕的方程.

7. 画出下列方程所表示的曲面：
(1) $4x^2 + y^2 - z^2 = 4$；   (2) $x^2 - y^2 - 4z^2 = 4$.

总复习题 8　A 组

1. 填空：
(1) 设在坐标系 $[O; \boldsymbol{i}, \boldsymbol{j}, \boldsymbol{k}]$ 中点 A 和点 M 的坐标依次为 (x_0, y_0, z_0) 和 (x, y, z)，则在 $[A; \boldsymbol{i}, \boldsymbol{j}, \boldsymbol{k}]$ 坐标系中，点 M 的坐标为 _____，向量 $\overrightarrow{OM}$ 的坐标为 _____；
(2) 设实数 $\lambda_1, \lambda_2, \lambda_3$ 不全为 0，使 $\lambda_1 \boldsymbol{a} + \lambda_2 \boldsymbol{b} + \lambda_3 \boldsymbol{c} = \boldsymbol{0}$，则三个向量 $\boldsymbol{a}, \boldsymbol{b}, \boldsymbol{c}$ 是 _____ 的；
(3) 设 $\boldsymbol{a} = (2, 1, 2), \boldsymbol{b} = (2, -1, 5), \boldsymbol{c} = \boldsymbol{b} - \lambda \boldsymbol{a}$ 且 $\boldsymbol{c} \perp \boldsymbol{a}$，则 $\lambda =$ _____；
(4) 设 $|\boldsymbol{a}| = 3, |\boldsymbol{b}| = 4, |\boldsymbol{c}| = 5$ 且满足 $\boldsymbol{a} + \boldsymbol{b} + \boldsymbol{c} = \boldsymbol{0}$，则 $|\boldsymbol{a} \times \boldsymbol{b} + \boldsymbol{b} \times \boldsymbol{c} + \boldsymbol{c} \times \boldsymbol{a}| =$ _____.

2. 下列两题中给出了四个结论，从中选出一个正确的结论：
(1) 设直线 L 的方程为 $\begin{cases} x - y + z = 1, \\ 2x + y + z = 4, \end{cases}$ 则 L 的参数方程为 _____；

A. $\begin{cases} x = 1 - 2t, \\ y = 1 + t, \\ z = 1 + 3t \end{cases}$ B. $\begin{cases} x = 1 - 2t, \\ y = -1 + t, \\ z = 1 + 3t \end{cases}$ C. $\begin{cases} x = 1 - 2t, \\ y = 1 - t, \\ z = 1 + 3t \end{cases}$ D. $\begin{cases} x = 1 - 2t, \\ y = -1 - t, \\ z = 1 + 3t \end{cases}$

(2)下列结论中,错误的是_____.

A. $z + 2x^2 + y^2 = 0$ 表示椭圆抛物面

B. $x^2 + 2y^2 = 1 + 2z^2$ 表示双叶双曲面

C. $x^2 + y^2 - (z-3)^2 = 0$ 表示圆锥面

D. $y^2 = 3x$ 表示抛物柱面

3. 已知 $\triangle ABC$ 的顶点为 $A(3,2,1)$、$B(5,4,-7)$ 和 $C(-1,1,2)$,求从顶点 C 所引中线的长度.

4. 设 $\triangle ABC$ 的三边 $\overrightarrow{BC} = \boldsymbol{a}$、$\overrightarrow{CA} = \boldsymbol{b}$、$\overrightarrow{AB} = \boldsymbol{c}$,三边中点依次为 D、E、F,试用向量 $\boldsymbol{a}$、$\boldsymbol{b}$、$\boldsymbol{c}$ 表示 $\overrightarrow{BE}$、$\overrightarrow{CF}$、$\overrightarrow{AD}$,并证明
$$\overrightarrow{BE} + \overrightarrow{CF} + \overrightarrow{AD} = \boldsymbol{0}.$$

5. 试用向量证明三角形两边中点的连线平行于第三边,且长度等于第三边长度的一半.

6. 设 $|\boldsymbol{a}| = \sqrt{3}, |\boldsymbol{b}| = 1, (\widehat{\boldsymbol{a},\boldsymbol{b}}) = \dfrac{\pi}{6}$,求向量 $\boldsymbol{a} + \boldsymbol{b}$ 与 $\boldsymbol{a} - \boldsymbol{b}$ 的夹角.

7. 设 $\boldsymbol{a} = (2,-3,1), \boldsymbol{b} = (1,-2,3), \boldsymbol{c} = (1,-1,1)$,向量 $\boldsymbol{r}$ 满足 $\boldsymbol{r} \perp \boldsymbol{a}, \boldsymbol{r} \perp \boldsymbol{b}$,$\text{Prj}_{\boldsymbol{c}}\boldsymbol{r} = 14$,求 $\boldsymbol{r}$.

8. 设 $\boldsymbol{a} = (-1,3,2), \boldsymbol{b} = (2,-3,-4), \boldsymbol{c} = (-3,12,6)$,证明三向量 $\boldsymbol{a}$、$\boldsymbol{b}$、$\boldsymbol{c}$ 共面,并用 $\boldsymbol{a}$ 和 $\boldsymbol{b}$ 表示 $\boldsymbol{c}$.

9. 已知动点 $M(x,y,z)$ 到 xOy 平面的距离与点 M 到点 $(2,-1,1)$ 的距离相等,求点 M 的轨迹的方程.

10. 指出下列旋转曲面的一条母线和旋转轴:

(1) $z = 2(x^2 + y^2)$;　　　　　　(2) $\dfrac{x^2}{16} + \dfrac{y^2}{9} + \dfrac{z^2}{16} = 1$;

(3) $z^2 = 6(x^2 + y^2)$;　　　　　　(4) $x^2 - \dfrac{y^2}{9} - \dfrac{z^2}{9} = 1$.

11. 求通过点 $A(1,0,0)$ 和 $B(0,0,3)$ 且与 xOy 面成 $\dfrac{\pi}{3}$ 角的平面的方程.

12. 设一平面垂直于平面 $z = 0$,并通过从点 $(1,-1,1)$ 到直线 $\begin{cases} y - z + 1 = 0, \\ x = 0 \end{cases}$ 的垂线,求此平面的方程.

13. 已知点 $A(1,0,0)$ 及点 $B(0,2,1)$,试在 z 轴上求一点 C,使 $\triangle ABC$ 的面积最小.

14. 求曲线 $\begin{cases} z = 2 - x^2 - y^2, \\ z = (x-1)^2 + (y-1)^2 \end{cases}$ 在三个坐标面上的投影曲线的方程.

15. 求锥面 $z = \sqrt{x^2 + y^2}$ 与柱面 $z^2 = 2x$ 所围立体在三个坐标面上的投影.

总复习题 8 B 组

1. 与两直线 $\begin{cases} x = 1, \\ y = -1 + t, \\ z = 2 + t, \end{cases}$ $\dfrac{x+1}{1} = \dfrac{y+2}{2} = \dfrac{z-1}{1}$ 都平行，且过原点的平面方程为 _____.

2. 过点 $M(1,2,-1)$ 且与直线 $\begin{cases} x = -t + 2, \\ y = 3t - 4, \\ z = t - 1 \end{cases}$ 垂直的平面方程为 _____.

3. 由曲线 $\begin{cases} 3x^2 + 2y^2 = 12, \\ z = 0 \end{cases}$ 绕 y 轴旋转一周而得到的旋转曲面在点 $(0, \sqrt{3}, \sqrt{2})$ 处的指向外侧的单位法向量为 _____.

4. 设 $(\boldsymbol{a} \times \boldsymbol{b}) \cdot \boldsymbol{c} = 2$，则 $[(\boldsymbol{a} + \boldsymbol{b}) \times (\boldsymbol{b} + \boldsymbol{c})] \cdot (\boldsymbol{c} + \boldsymbol{a}) = $ _____.

5. 设一平面经过原点及点 $(6, -3, 2)$，且与平面 $4x - y + 2z = 8$ 垂直，则此平面方程为 _____.

6. 点 $(2, 1, 0)$ 到平面 $3x + 4y + 5z = 0$ 的距离为 _____.

7. 曲线 $\begin{cases} x = t - \sin t, \\ y = 1 - \cos t \end{cases}$ 在 $t = \dfrac{3\pi}{2}$ 对应点处的切线在 y 轴上的截距为 _____.

8. 已知两条直线的方程 $L_1: \dfrac{x-1}{1} = \dfrac{y-2}{0} = \dfrac{z-3}{-1}$，$L_2: \dfrac{x+2}{2} = \dfrac{y-1}{1} = \dfrac{z}{1}$，则求过 L_1 且平行于 L_2 的平面方程.

9. 已知点的直角坐标 $A(1, 0, 0)$、$B(0, 1, 1)$，线段 AB 绕 z 轴旋转一周所成的旋转曲面为 S，求由 S 及两平面 $z = 0$、$z = 1$ 所围成立体的体积.

10. 设直线 $l: \begin{cases} x + y + b = 0, \\ x + ay - z - 3 = 0 \end{cases}$ 在平面 Π 上，而平面 Π 与曲面 $z = x^2 + y^2$ 相切于点 $(1, -2, 5)$，求 a、b 之值.

11. 求直线 $L: \dfrac{x-1}{1} = \dfrac{y}{1} = \dfrac{z-1}{-1}$ 在平面 $x - y + 2z - 1 = 0$ 上的投影直线 l_0 的方程，并求 l_0 绕 y 轴旋转一周所成曲面的方程.

12. 椭球面 S_1 是椭圆 $\dfrac{x^2}{4} + \dfrac{y^2}{3} = 1$ 绕 x 轴旋转而成，圆锥面 S_2 是由过点 $(4, 0)$ 且与

椭圆 $\dfrac{x^2}{4}+\dfrac{y^2}{3}=1$ 相切的直线绕 x 轴旋转而成.

(1) 求 S_1 及 S_2 的方程;

(2) 求 S_1 与 S_2 之间的立体的体积.

13. 设一平面经过原点及 $(6,-3,2)$,且与平面 $4x-y+2z=8$ 垂直,则求此平面的方程.

14. 已知两条直线的方程 $L_1:\dfrac{x-1}{1}=\dfrac{y-5}{-2}=\dfrac{z+8}{1}$,$L_2:\begin{cases}x-y=6,\\ 2y+z=3,\end{cases}$ 则 L_1 与 L_2 的夹角为( ).

A. $\dfrac{\pi}{6}$ B. $\dfrac{\pi}{4}$ C. $\dfrac{\pi}{3}$ D. $\dfrac{\pi}{2}$

15. 设有直线 $L:\begin{cases}x+3y+2z+1=0,\\ 2x-y-10z+3=0\end{cases}$ 及平面 $\varPi:4x-2y+z-2=0$,则直线 L( ).

A. 平行于 $\varPi$ B. 在 $\varPi$ 上   C. 垂直于 $\varPi$ D. 与 $\varPi$ 斜交

第9章 多元函数微分学

数学是探究变化的科学系统. 前面我们学习的内容主要是一元函数的微分学知识. 但在现实世界和诸多实际问题中,通常会遇到多因素问题,因此我们有必要研究一元、二元、……、n 元函数问题及其相互之间的关系.

从本章开始,我们学习含有两个或两个以上自变量的函数,即多元函数的微分学. 一元函数微分学的多数概念和性质都能相应地推广到多元函数领域里面来,但又因自变量的增多导致基本概念内涵与外延、性质与规则的变化. 我们将主要研究二元函数,并从二元函数相应地推广到多元函数领域里面去,关注它们之间的内在联系与本质区别.

9.1 多元函数的基本概念

9.1.1 n 维空间的基本概念

1. n 维空间与点集

通常,我们称数轴上的点为一维空间点,可用一个实数 (x) 来表示,一切实数的集合 $\{x \mid x \in \mathbf{R}\}$ 称之为一维空间(记作 $\mathbf{R}$),即一维空间的实数与数轴上的点一一对应;坐标平面上的点为二维空间点,可用有序实数组 (x,y) 来表示,一切有序实数组的集合 $\{(x,y) \mid x \in \mathbf{R}, y \in \mathbf{R}\}$ 称之为二维空间(记作 $\mathbf{R}^2 = \mathbf{R} \times \mathbf{R}$),二维空间的有序实数组与坐标平面上的点一一对应;空间直角坐标系 $O-xyz$ 所在空间里的点为三维空间点,可用有序实数组 (x,y,z) 来表示,一切有序实数组的集合 $\{(x,y,z) \mid x \in \mathbf{R}, y \in \mathbf{R}, z \in \mathbf{R}\}$ 称之为三维空间(记作 $\mathbf{R}^3 = \mathbf{R} \times \mathbf{R} \times \mathbf{R}$),三维空间的有序实数组与坐标空间里

的点一一对应. 同理,一切有序实数组的集合 $\{(x_1,x_2,x_3,\cdots,x_n) | x_i \in \mathbf{R}, i = 1,2,\cdots,n\}$ 称之为 n 维空间(记作 $\mathbf{R}^n = \mathbf{R} \times \mathbf{R} \times \cdots \times \mathbf{R}$),$n$ 维空间的有序实数组与坐标空间里的点一一对应. 简而言之,受 n 个不同条件限制的点称之为 n 维空间点.

2. 平面点集与空间点集

为了方便起见,二维空间 $\mathbf{R}^2 = \mathbf{R} \times \mathbf{R}$ 的子集,即 $M = \{(x,y) | (x,y)$ 满足条件 $P\}$ 称之为"平面点集",三维空间 $\mathbf{R}^3 = \mathbf{R} \times \mathbf{R} \times \mathbf{R}$ 的子集,即 $M = \{(x,y,z) | (x,y,z)$ 满足条件 $P\}$ 称之为"空间点集". 例如:

(1) 全平面:$\mathbf{R}^2 = \{(x,y) | -\infty < x < +\infty, -\infty < y < +\infty\}$;

(2) 圆盘:$C = \{(x,y) | x^2 + y^2 \leq r^2\}$,如图 9-1(a)所示;

(3) 矩形盘:$\{(x,y) | a \leq x \leq b, c \leq y \leq d\}$,记作 $S = [a,b] \times [c,d]$,如图 9-1(b)所示.

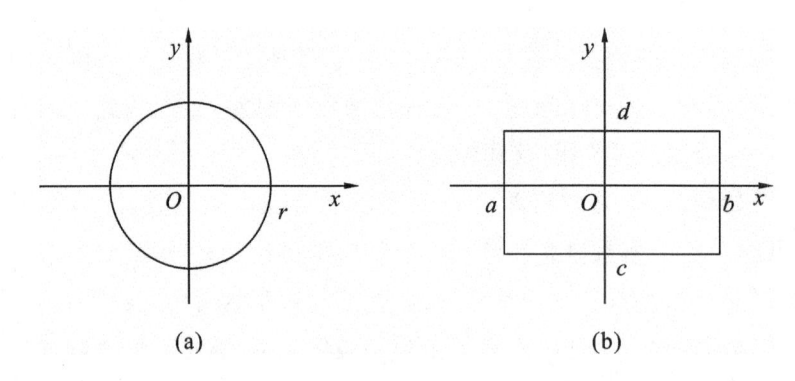

图 9-1

3. 邻域

我们在 2.1.2 里学过一维空间的邻域这一概念,即所谓 a 的 δ 邻域是指 $\{x | a - \delta < x < a + \delta\}$,记作 $U(a,\delta)$;所谓 a 的 δ 去心邻域是指 $\{x | a - \delta < x < a + \delta, x \neq a\}$,记作 $\overset{\circ}{U}(a,\delta)$. 下面我们学习二维空间邻域.

设 $\mathbf{R}^2$ 中任意两点 $P_1(x_1,y_1)$ 与 $P_2(x_2,y_2)$ 之间的距离为
$$\rho(P_1,P_2) = \sqrt{(x_1 - x_2)^2 + (y_1 - y_2)^2}.$$

设 $\mathbf{R}^n$ 中任意两点 $P_1(x_1,x_2,\cdots,x_n)$ 与 $P_2(y_1,y_2,\cdots,y_n)$ 之间的距离为
$$\rho(P_1,P_2) = \sqrt{(x_1 - y_1)^2 + (x_2 - y_2)^2 + \cdots + (x_n - y_n)^2}.$$

设 $P_0(x_0,y_0)$ 为平面上一定点,凡满足与 P_0 的距离小于 $\delta(\delta > 0)$ 的点构成的平面点集称之为 P_0 的 δ(**圆形**)**邻域**(图 9-2),记为 $U(P_0,\delta)$. 即
$$U(P_0,\delta) = \{(x,y) \mid \sqrt{(x - x_0)^2 + (y - y_0)^2} < \delta, \delta > 0\}$$
或

$$U(P_0,\delta) = \{(x,y) \mid \rho(P,P_0) < \delta, \delta > 0\}.$$

以点 $P_0(x_0,y_0)$ 为中心,以 $2\delta(\delta>0)$ 为边长的正方形内所有点构成的平面点集称之为 P_0 的 δ(**方形**)**邻域**(图 9-3),记为 $U(P_0,\delta)$. 即

$$U(P_0,\delta) = \{(x,y) \mid |x-x_0| < \delta, |y-y_0| < \delta, \delta > 0\}.$$

图 9-2

图 9-3

说明:在 $P_0(x_0,y_0)$ 的邻域 $U(P_0,\delta)$ 内去掉点 P_0 自身,则称之为点 P_0 的去心邻域,记作 $\mathring{U}(P_0,\delta)$.

4. 点的分类

(1)**内点**:设 $E \subset \mathbf{R}^2$, $P_0(x_0,y_0) \in E$,若存在点 P_0 的某一个 δ 邻域 $U(P_0,\delta)$,使 $U(P_0,\delta) \subset E$,则称点 P_0 是 E 的**内点**[图 9-4(a)].

(2)**外点**:设 $E \subset \mathbf{R}^2$,若存在点 P_0 的某一个 δ 邻域 $U(P_0,\delta)$, $\forall P \in U(P_0,\delta)$ 都有 $P \notin E$,则称点 P_0 是 E 的**外点**[图 9-4(b)].

(3)**边界点**:设 $E \subset \mathbf{R}^2$,若点 P_0 的任意 δ 邻域 $U(P_0,\delta)$ 内既有属于 E 的点,又有不属于 E 的点,则称点 P_0 是 E 的**边界点**. E 的所有边界点称为 E 的**边界**[图 9-4(c)].

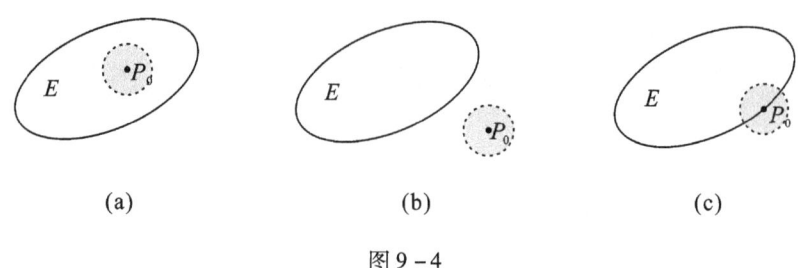

(a)　　　　　(b)　　　　　(c)

图 9-4

(4)**聚点**:设 $E \subset \mathbf{R}^2$,若点 P_0 的任意 δ 邻域 $U(P_0,\delta)$ 内,总含有 E 中的(无穷多个)点,则称点 P_0 是 E 的**聚点**.

(5)**有界集与无界集**:设 $E \subset \mathbf{R}^2$,若存在原点 O 的某个 δ 邻域 $U(O,\delta)$,使 $E \subset U(O,\delta)$,则称 E 是**有界集**;否则,则称 E 是**无界集**.

例如:

(1) $E = \{(x,y) \mid x^2 + y^2 < 1\}$,是以原点为圆心的单位圆内部的所有点,$E$ 中的

所有点都是 E 的内点;单位圆周 $x^2+y^2=1$ 上的所有点都是 E 的边界点;单位圆周 $x^2+y^2=1$ 是 E 的边界. 很显然,E 是有界集. 单位圆外,即满足 $x^2+y^2>1$ 的点是 E 的外点.

(2) $E=\{(x,y)|2\leqslant x^2+y^2<9\}$,是以原点为圆心,半径分别是 $\sqrt{2}$ 与 3 的两个圆周之间的圆环内部和半径为 $\sqrt{2}$ 的圆周上的所有点的集合. 显然,满足 $2<x^2+y^2<9$ 的点 (x,y) 为 E 的内点;满足 $x^2+y^2<2$ 或 $x^2+y^2>9$ 的点 (x,y) 为 E 的外点;而满足 $x^2+y^2=2$ 或 $x^2+y^2=9$ 的点 (x,y) 为 E 的边界点. 但是,圆周 $x^2+y^2=2$ 上的点(边界点)属于 E,而 $x^2+y^2=9$ 上的点(边界点)不属于 E.

(3) 若 $E=\{(x,y)|0<x^2+y^2\leqslant 1\}$,则 $(0,0)$ 既是边界点又是聚点,但不属于 E. 而单位圆周 $x^2+y^2=1$ 上的每个点既是边界点又是聚点,且属于 E. 所以聚点可属于 E,也可不属于 E.

5. 区域

(1) 开集:若 E 的任意点都是 E 的内点,则称 E 为**开集**.

(2) 闭集:若 E 的所有聚点都在 E 内,则称 E 为**闭集**.

(3) 连通集:若点集 E 内任意两点,都可用属于 E 的折线连接起来,则称 E 为**连通集**,否则称为非连通集,如图 9-5 所示.

(a)　　　　　　　　(b)

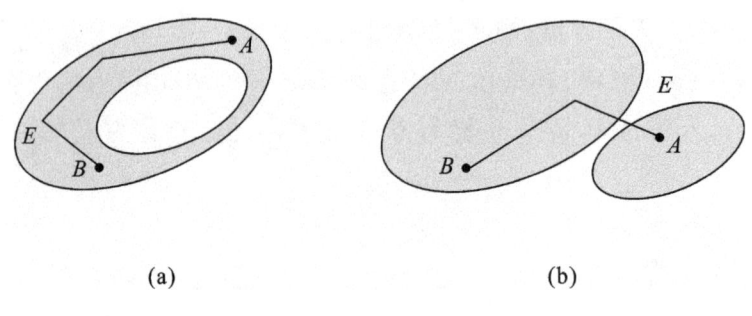

图 9-5

(4) 开区域:连通的开集称为**开区域**.

(5) 闭区域:开区域添上它的边界所构成的集合称为**闭区域**.

例如:

$\{(x,y)|x^2+y^2<2\}$ 是有界开区域,如图 9-6(a)所示.

$\{(x,y)|x>0,y>0\}$ 是无界开区域,如图 9-6(b)所示.

$\{(x,y)|x^2+y^2\leqslant 2\}$ 是有界闭区域,如图 9-6(c)所示.

$\{(x,y)|x\geqslant 0,y\geqslant 0\}$ 是无界闭区域,如图 9-6(d)所示.

(a)

(b)

(c)

(d)

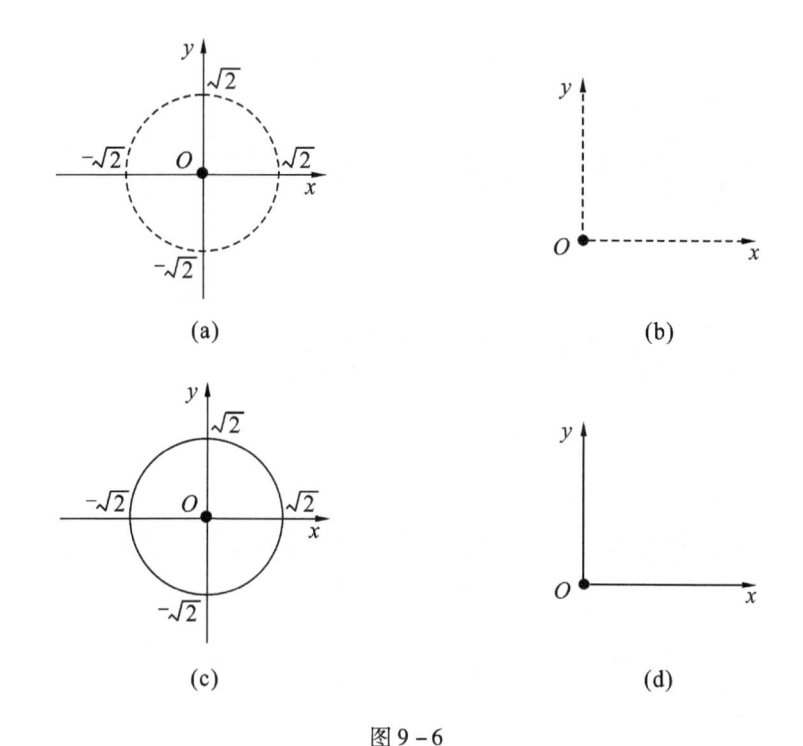

图 9-6

9.1.2 多元函数

在诸多现实世界以及实际问题中,经常会遇到多个变量之间的依赖关系,这种依赖关系即是函数关系.

例如:圆锥体的体积 $V = \frac{1}{3}\pi R^2 h$,其中 R 是圆锥体的底面半径、h 是高,对任意 $(R,h) \in \{(R,h) | R>0, h>0\}$ 都存在唯一一个 V 与它对应,即一个变量 V 是依赖于其他两个变量 R、h 的变化而变化的,是二对一的二元关系.

定义 1 设 D 是 $\mathbf{R}^2$ 的一个非空子集,如果对于 D 内的任意有序实数对或点 $P(x,y)$,按照对应关系 f 在 $\mathbf{R}$ 中都存在唯一确定的实数 z 与之对应,则称 f 是定义在 D 上的二元函数,通常记作

$$z = f(x,y), (x,y) \in D \text{ 或 } z = f(P), P \in D,$$

其中称点集 D 为函数 f 的定义域,x 和 y 为自变量,z 为因变量.与自变量 x 和 y 对应的因变量 z 的值,称为函数 f 在点 $P(x,y)$ 处的函数值,记作 $f(x,y)$,即 $z=f(x,y)$.函数值的集合称为函数 f 的值域,通常记作 $f(D)$,

$$f(D) = \{z | z = f(x,y), (x,y) \in D\} \subset \mathbf{R}.$$

说明:若一个用算式表示的函数没有明确指出定义域,则该函数的定义域默认为使算式有意义的所有的点 (x,y) 构成的集合,称为自然定义域.

例如：$z=xy\sin(x+y)$，$z=\ln(2x^2+y^2+7)$，$z=\arccos(x^2+y^2-2x+2)$.

定义 2 设 D 是 $\mathbf{R}^n$ 的一个非空子集，如果对于 D 内的任意有序实数组或点 $P(x_1,x_2,\cdots,x_n)$，按照对应关系 f 在 $\mathbf{R}$ 中都存在唯一确定的实数 y 与之对应，则称 f 是定义在 D 上的 n 元函数，通常记作

$$y=f(x_1,x_2,\cdots,x_n),(x_1,x_2,\cdots,x_n)\in D \text{ 或 } y=f(P),P\in D,$$

其中称点集 D 为函数 f 的定义域，$x_1,x_2,\cdots,x_n$ 为自变量，y 为因变量. 与自变量 x_1，$x_2,\cdots,x_n$ 对应的因变量 y 的值，称为函数 f 在点 $P(x_1,x_2,\cdots,x_n)$ 处的函数值，记作 $f(x_1,x_2,\cdots,x_n)$，即 $y=f(x_1,x_2,\cdots,x_n)$. 函数值的集合称为函数 f 的值域，通常记作

$$f(D)=\{y|y=f(x_1,x_2,\cdots,x_n),(x_1,x_2,\cdots,x_n)\in D\}\subset \mathbf{R}.$$

例如：$\omega=xyz\sin(x+y+z)$，$y=\ln(2x_1^2+x_2^2+x_3^2+1)$，$y=\arcsin(x_1^2+x_2^2-x_3^2+x_4^2-x_5^2-3)$.

例 1 求下列函数的定义域：

(1) $f(x,y)=\dfrac{x^3-2xy+y^2}{x^2+y^2}$.

(2) $f(x,y,z)=\dfrac{1}{\sqrt{1-x^2-y^2-z^2}}$.

(3) $f(x,y)=\ln(x^2+y^2-1)+\sqrt{2-x^2-y^2}$.

(4) $F(x,y)=\dfrac{x+2y-\arcsin(3-x^2-y^2)}{\sqrt{x-y^2}}$.

解 (1) 由题意可知，$x^2+y^2\neq 0$，故所求定义域为

$$D=\{(x,y)|x^2+y^2\neq 0, x\in\mathbf{R},y\in\mathbf{R}\}.$$

(2) 由题意可知，$1-x^2-y^2-z^2>0$，即 $x^2+y^2+z^2<1$，故函数的定义域是以原点为中心的单位球内的所有点，即

$$D=\{(x,y,z)|x^2+y^2+z^2<1, x\in\mathbf{R},y\in\mathbf{R},z\in\mathbf{R}\}.$$

(3) 由题意可知，$x^2+y^2-1>0$，且 $2-x^2-y^2\geq 0$，故所求定义域为

$$D=\{(x,y)|1<x^2+y^2\leq 2, x\in\mathbf{R},y\in\mathbf{R}\}.$$

即函数 $f(x,y)$ 的定义域是以原点为中心，半径分别是 1 与 $\sqrt{2}$ 的环形区域 D，圆周 $x^2+y^2=1$ 不属于区域 D，圆周 $x^2+y^2=2$ 属于区域 D，如图 9-7 所示.

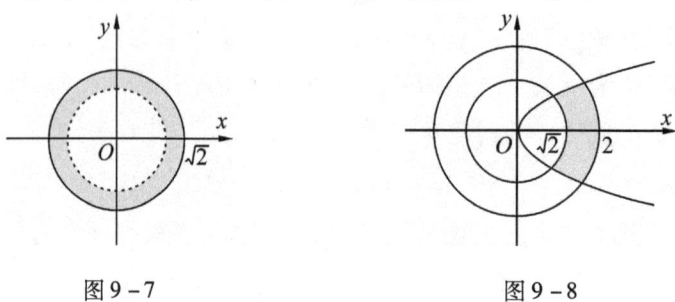

图 9-7

图 9-8

(4) 由题意可知,$|3-x^2-y^2| \leq 1$,且 $x-y^2 > 0$,故所求定义域为(图 9-8)
$$D = \{(x,y) | 2 \leq x^2+y^2 \leq 4, x > y^2, x \in \mathbf{R}, y \in \mathbf{R}\}.$$

例 2 设 $f\left(x+y, \dfrac{y}{x}\right) = x^2 - y^2$,求 $f(x,y)$.

解 设 $x+y = u, \dfrac{y}{x} = v$,则 $x = \dfrac{u}{1+v}, y = \dfrac{uv}{1+v}$,

于是有
$$f(u,v) = \left(\dfrac{u}{1+v}\right)^2 - \left(\dfrac{uv}{1+v}\right)^2,$$

即
$$f(x,y) = \left(\dfrac{x}{1+y}\right)^2 - \left(\dfrac{xy}{1+y}\right)^2.$$

若 $z = f(x,y)$ 的定义域为 D,对于 D 内任意一点 $P(x,y)$ 有对应的值 $z = f(x,y)$,将三者看作空间直角坐标系 $Oxyz$ 中点的坐标. 因此,对于 D 内任意一点 P,其坐标为 (x,y),按照 $z = f(x,y)$,就有空间中的一点 $M(x,y,z)$ 相对应,当 $P(x,y)$ 在 D 内变动时,点 $M(x,y,z)$ 就在空间中变动,点 M 的轨迹就是函数 $z = f(x,y)$ 的图形. 一般来说,它是一张曲面,这就是二元函数的几何表示,如图 9-9 所示.

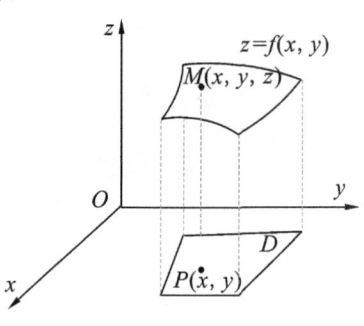

图 9-9

习题 9-1

1. 描绘下列平面区域,并指出它是开区域、闭区域、有界区域还是无界区域:
(1) $\{(x,y) | x^2 > y\}$;
(2) $\{(x,y) | x^2 - y^2 \leq 1\}$;
(3) $\{(x,y) | |xy| \leq 1\}$;
(4) $\{(x,y) | |x+y| < 1\}$;
(5) $\{(x,y) | |x|+|y| \leq 1\}$;
(6) $\{(x,y) | |x|+y \leq 1\}$.

2. 描绘空间区域(体)的图象,并指出它是开区域还是闭区域:
(1) $V_1 = \{(x,y,z) | x^2+y^2+z^2 \leq 4\}$;
(2) $V_2 = \left\{(x,y,z) \left| \dfrac{x^2}{a^2}+\dfrac{y^2}{b^2}+\dfrac{z^2}{c^2} < 1\right.\right\}$;
(3) $V_3 = \{(x,y,z) | x^2+y^2 < a^2, |z| \leq h\}$;
(4) $V_4 = \{(x,y,z) | x^2+y^2 < z, z < 2\}$;
(5) $V_5 = \{(x,y,z) | |x|+|y|+|z| \leq 1\}$.

3. 求下列函数在指定点的函数值：

(1) 若 $f(x,y) = xy + \dfrac{x}{y}$，求 $f\left(\dfrac{1}{2}, 3\right)$ 与 $f(1, -1)$；

(2) 若 $f(x,y) = \dfrac{x^2 - y^2}{2xy}$，求 $f(y,x), f(-x, -y), f\left(\dfrac{1}{x}, \dfrac{1}{y}\right), \dfrac{f(x+h, y) - f(x, y)}{h}$.

4. 若 $z = f\left(\dfrac{y}{x}, y\right) = \dfrac{y^2 + 2x}{y^2 - 2x}$，求 $f(x, y)$.

5. 试证函数 $F(x,y) = \ln x \cdot \ln y$ 满足关系式 $F(x, y, uv) = F(x \cdot u) + F(x \cdot v) + F(y \cdot u) + F(y \cdot v)$.

9.2 多元函数极限

9.2.1 多元函数极限的定义

1. 二元函数的极限

与利用极限、连续概念刻画一元函数的变化趋势及性态一样，讨论二元函数 $z = f(x,y)$ 在自变量的某个变化过程中的变化趋势及性态，即二元函数的极限问题. 在平面上，点 $P(x,y)$ 趋向于定点 $P_0(x_0, y_0)$ 的路径是多种多样的，但不论点 $P(x,y)$ 趋于定点 $P_0(x_0, y_0)$ 的路径有多复杂，总能够用点 $P(x,y)$ 到 $P_0(x_0, y_0)$ 的距离 $\rho = \sqrt{(x-x_0)^2 + (y-y_0)^2}$ 趋于 0 来表示 $(x,y) \to (x_0, y_0)$ 的极限过程.

定义 1 设二元函数 $z = f(x,y)$ 在点 $P_0(x_0, y_0)$ 的去心邻域 $\mathring{U}(P_0, \eta)$ 有定义，当动点 $P(x,y)$ 沿任一路径趋于定点 $P_0(x_0, y_0)$ 时，对应的函数值 $f(x,y)$ 总能无限趋近于一个常数 A，则称函数 $f(x,y)$ 在点 $P_0(x_0, y_0)$ 存在二重极限，极限为 A，记为

$$\lim_{\substack{x \to x_0 \\ y \to y_0}} f(x,y) = A$$

或

$$\lim_{(x,y) \to (x_0, y_0)} f(x,y) = A, \quad \lim_{\rho \to 0} f(x,y) = A,$$

其中 $\rho = \sqrt{(x-x_0)^2 + (y-y_0)^2}$.

用"$\varepsilon - \delta$"语言表述的定义：设函数 $z = f(x,y)$ 在点 $P_0(x_0, y_0)$ 的某一圆形去心邻域 $\mathring{U}(P_0, \eta)$ 有定义，若 $\exists A \in R, \forall P(x,y) \in \mathring{U}(P_0, \eta), \forall \varepsilon > 0, \exists \delta > 0$，当 $0 < \sqrt{(x-x_0)^2 + (y-y_0)^2} < \delta$ 时，总有

$$|f(x,y) - A| < \varepsilon$$

成立,则称 A 是函数 $f(x,y)$ 在点 $P_0(x_0,y_0)$ 的**二重极限**.

例1 设 $f(x,y)=(x^2+y^2)\sin\dfrac{1}{x^2+y^2}$,求证:$\lim\limits_{(x,y)\to(0,0)}f(x,y)=0$.

证明 已知函数 $f(x,y)$ 的定义域为 $D=\{(x,y)\mid x^2+y^2\neq 0\}$,点 $O(0,0)$ 为 D 的聚点. 又因为

$$|f(x,y)-0|=\left|(x^2+y^2)\sin\dfrac{1}{x^2+y^2}-0\right|\leqslant x^2+y^2,$$

可知,$\forall \varepsilon>0$,取 $\delta=\sqrt{\varepsilon}$,则当 $0<\sqrt{(x-0)^2+(y-0)^2}<\delta$ 时,

$$|f(x,y)-0|<\varepsilon$$

成立. 于是有

$$\lim\limits_{(x,y)\to(0,0)}f(x,y)=0.$$

例2 证明:$\lim\limits_{(x,y)\to(0,0)}\dfrac{x^2y}{x^2+y^2}=0$.

证明 已知函数 $f(x,y)$ 的定义域为 $D=\{(x,y)\mid x^2+y^2\neq 0\}$,点 $O(0,0)$ 为 D 的聚点. 又因为

$$|f(x,y)-0|=\left|\dfrac{x^2y}{x^2+y^2}\right|=\dfrac{1}{2}|x|\cdot\left|\dfrac{2xy}{x^2+y^2}\right|\leqslant\dfrac{1}{2}|x|<\sqrt{x^2+y^2},$$

可知,$\forall \varepsilon>0$,可取 $\delta=\varepsilon$,当 $0<\sqrt{(x-0)^2+(y-0)^2}<\delta$ 时,总有

$$\left|\dfrac{x^2y}{x^2+y^2}\right|=\dfrac{|x|}{2}\cdot\left|\dfrac{2xy}{x^2+y^2}\right|\leqslant\dfrac{|x|}{2}<\sqrt{x^2+y^2}<\varepsilon$$

成立. 于是有

$$\lim\limits_{(x,y)\to(0,0)}\dfrac{x^2y}{x^2+y^2}=0.$$

例3 设 $f(x,y)=\dfrac{xy}{x^2+y^2}$,$x^2+y^2\neq 0$,讨论 $\lim\limits_{(x,y)\to(0,0)}\dfrac{xy}{x^2+y^2}$ 是否存在.

解 当点 $P(x,y)$ 沿 x 轴趋于 $P_0(0,0)$ 时,$y=0$. 即

$$\lim\limits_{(x,y)\to(0,0)}f(x,y)=\lim\limits_{x\to 0}f(x,0)=0.$$

同理,当点 $P(x,y)$ 沿 y 轴趋于 $P_0(0,0)$ 时,$x=0$. 即

$$\lim\limits_{(x,y)\to(0,0)}f(x,y)=\lim\limits_{y\to 0}f(0,y)=0.$$

虽然沿两条特殊路径函数 $f(x,y)$ 都趋于 0,但我们还不能断定 $\lim\limits_{(x,y)\to(0,0)}f(x,y)$ 是存在的. 这是因为当点 $P(x,y)$ 沿直线 $y=kx$ 趋于 $P_0(0,0)$ 时,有

$$\lim\limits_{\substack{(x,y)\to(0,0)\\y=kx}}\dfrac{xy}{x^2+y^2}=\lim\limits_{x\to 0}\dfrac{kx^2}{x^2+k^2x^2}=\dfrac{k}{1+k^2}.$$

显然,它是随着直线的斜率 k 的不同而变动的,故极限不存在.

定义1给出的二元函数的极限$\lim\limits_{\substack{x\to x_0\\y\to y_0}}f(x,y)$是两个自变量$x$、$y$分别独立地以任意方式趋近于$x_0$、$y_0$,称为**二重极限**. 二元函数还有一种求极限问题,即两个自变量分别先后一个一个地取极限.

定义2 若先把y看作常数,当$x\to x_0$时,$f(x,y)$的极限存在,且$\lim\limits_{x\to x_0}f(x,y)=\phi(y)$;而当$y\to y_0$时,若$\phi(y)$的极限存在,且$\lim\limits_{y\to y_0}\phi(y)=A$,则称$A$为先对$x$、后对$y$的**累次极限**,记为

$$\lim_{y\to y_0}\lim_{x\to x_0}f(x,y)=A.$$

同样可以定义先对y、后对x的**累次极限**

$$\lim_{x\to x_0}\lim_{y\to y_0}f(x,y)=B.$$

一般来说,二重极限和累次极限是各自独立的概念,在存在性上相互没有必然的联系. 注意:

(1)两个累次极限都存在,且相等,但是二重极限可能不存在;

(2)两个累次极限都不存在,而二重极限可能存在.

定理1 若函数$f(x,y)$在点$P_0(x_0,y_0)$的二重极限和累次极限都存在,则

$$\lim_{(x,y)\to(x_0,y_0)}f(x,y)=\lim_{y\to y_0}\lim_{x\to x_0}f(x,y),$$

或

$$\lim_{(x,y)\to(x_0,y_0)}f(x,y)=\lim_{x\to x_0}\lim_{y\to y_0}f(x,y).$$

二元函数极限的定义,可相应地推广到n元函数上去.

2. 二元函数的极限运算

多元函数极限有着与一元函数极限类似的一些性质,即唯一性、局部有界性、极限保序性、柯西收敛准则等,这里不作介绍. 多元函数的极限运算与一元函数的极限运算法则相同.

定理2 若函数$f(x,y)$与$g(x,y)$在点$P_0(x_0,y_0)$存在极限,则

(1) $\lim\limits_{(x,y)\to(x_0,y_0)}[f(x,y)\pm g(x,y)]=\lim\limits_{(x,y)\to(x_0,y_0)}f(x,y)\pm\lim\limits_{(x,y)\to(x_0,y_0)}g(x,y)$;

(2) $\lim\limits_{(x,y)\to(x_0,y_0)}f(x,y)\cdot g(x,y)=\lim\limits_{(x,y)\to(x_0,y_0)}f(x,y)\cdot\lim\limits_{(x,y)\to(x_0,y_0)}g(x,y)$;

(3) $\lim\limits_{(x,y)\to(x_0,y_0)}\dfrac{f(x,y)}{g(x,y)}=\dfrac{\lim\limits_{(x,y)\to(x_0,y_0)}f(x,y)}{\lim\limits_{(x,y)\to(x_0,y_0)}g(x,y)}[g(x,y)\neq 0]$.

例4 计算极限$\lim\limits_{(x,y)\to(0,0)}\dfrac{\sin xy}{x}$.

解 $\lim\limits_{(x,y)\to(0,0)}\dfrac{\sin xy}{x}=\lim\limits_{(x,y)\to(0,0)}y\dfrac{\sin xy}{xy}=\lim\limits_{(x,y)\to(0,0)}y=0.$

例 5 计算极限 $\lim\limits_{(x,y)\to(0,1)}\dfrac{2-\sqrt{xy+4}}{xy}$.

解 $\lim\limits_{(x,y)\to(0,1)}\dfrac{2-\sqrt{xy+4}}{xy}$

$=\lim\limits_{(x,y)\to(0,1)}\dfrac{-xy}{xy(2+\sqrt{xy+4})}=\lim\limits_{(x,y)\to(0,1)}\dfrac{-1}{(2+\sqrt{xy+4})}=-\dfrac{1}{4}.$

9.2.2 多元函数的连续性

1. 多元函数连续的定义

在理解多元函数极限的概念基础上,不难理解多元函数的连续性及其相关知识.

定义 3 设二元函数 $z=f(x,y)$ 在点 $P_0(x_0,y_0)$ 及其邻域内有定义,若

$$\lim_{\substack{x\to x_0\\ y\to y_0}}f(x,y)=f(x_0,y_0)$$

或 $\lim\limits_{\substack{\Delta x\to 0\\ \Delta y\to 0}}[f(x_0+\Delta x,y_0+\Delta y)-f(x_0,y_0)]=0,$

即 $\forall \varepsilon>0, \exists \delta>0, \forall (x,y)\in U(P_0,\delta)$ 有

$$|f(x,y)-f(x_0,y_0)|<\varepsilon,$$

则称函数 $f(x,y)$ 在点 $P_0(x_0,y_0)$ 处连续. 若函数 $f(x,y)$ 在点 $P_0(x_0,y_0)$ 处不连续,则称点 $P_0(x_0,y_0)$ 为函数 $f(x,y)$ 的间断点.

若函数 $f(x,y)$ 在区域 D 上任意一点都连续,则称函数 $f(x,y)$ 在区域 D 上连续,或称函数 $f(x,y)$ 是区域 D 上的连续函数,函数 $f(x,y)$ 在区域 D 上的几何图形是空间中一张连续曲面.

例 6 设 $f(x,y)=\begin{cases}xy\dfrac{x^2-y^2}{x^2+y^2},&(x,y)\neq(0,0),\\ 0,&(x,y)=(0,0),\end{cases}$ 试证明 $f(x,y)$ 在原点处连续.

证明 任意给定正数 $\varepsilon>0$,可取 $\delta=\sqrt{\varepsilon}$,当

$$\rho=\sqrt{(x-0)^2+(y-0)^2}=\sqrt{x^2+y^2}<\delta$$

即 $x^2+y^2<\delta^2=\varepsilon$ 时,有

$$|f(x,y)-f(0,0)|=|f(x,y)|=|xy|\left|\dfrac{x^2-y^2}{x^2+y^2}\right|$$

$$\leq |xy|\leq\dfrac{1}{2}(x^2+y^2)\leq x^2+y^2<\varepsilon,$$

所以 $f(x,y)$ 在原点处连续.

例 7 （1）函数 $f(x,y)=\ln|1-x^2-y^2|$ 在圆周 $x^2+y^2=1$ 上没有定义,所以圆周

上的一切点都是它的间断点.

(2) 函数 $f(x,y) = \begin{cases} \dfrac{xy}{x^2+y^2}, & (x,y) \neq (0,0), \\ 0, & (x,y) = (0,0) \end{cases}$ 在点 $(0,0)$ 没有极限,故点 $(0,0)$ 是函数 $f(x,y)$ 的一个间断点.

2. 多元函数连续的性质

定理 3 若函数 $f(x,y)$ 与 $g(x,y)$ 在区域 D 上都是连续函数,则

$$f(x,y) \pm g(x,y), f(x,y) \cdot g(x,y), \frac{f(x,y)}{g(x,y)} [g(x,y) \neq 0]$$

均是区域 D 上的连续函数.

定理 4 设 $u = u(x,y), v = v(x,y)$ 都在点 (x_0, y_0) 连续,且 $u_0 = u(x_0, y_0), v_0 = v(x_0, y_0)$;又 $f(u,v)$ 在点 (u_0, v_0) 连续,则复合函数 $f[u(x,y), v(x,y)]$ 在点 (x_0, y_0) 连续.

3. 多元初等函数及其连续性

由常数及具有不同变量的一元基本初等函数经过有限次四则运算和有限次复合运算得到的多元函数称之为**多元初等函数**.

定理 5 任意多元初等函数在其定义域内都是连续函数.

例 8 求极限 $\lim\limits_{(x,y) \to (1,2)} \dfrac{xy}{x+y}$.

解 点 $P_0(1,2)$ 是二元初等函数 $f(x,y) = \dfrac{xy}{x+y}$ 定义域内的点.依据定理 5,函数在点 $P_0(1,2)$ 处连续.于是有

$$\lim_{(x,y) \to (1,2)} \frac{xy}{x+y} = f(1,2) = \frac{2}{3}.$$

例 9 求 $\lim\limits_{(x,y) \to (0,0)} \dfrac{\sqrt{xy+1}-1}{xy}$.

解 $\lim\limits_{(x,y) \to (0,0)} \dfrac{\sqrt{xy+1}-1}{xy} = \lim\limits_{(x,y) \to (0,0)} \dfrac{xy+1-1}{xy(\sqrt{xy+1}+1)}$

$= \lim\limits_{(x,y) \to (0,0)} \dfrac{1}{\sqrt{xy+1}+1} = \dfrac{1}{2}.$

以上运算的最后一步用到了二元函数 $\dfrac{1}{\sqrt{xy+1}+1}$ 在点 $(0,0)$ 的连续性.

说明:与闭区间上一元连续函数的性质相类似,在有界闭区域上连续的多元函数具有如下性质.

性质1(有界性) 若函数$f(x,y)$在有界闭区域D上连续,则它在D上有界,即存在常数$M>0$,对D上任意一点(x,y),有
$$|f(x,y)|\leq M.$$

性质2(最值性) 若函数$f(x,y)$在有界闭区域D上连续,则它在D上必有最大值和最小值,即存在$P_1,P_2\in D$,使得
$$f(P_1)=\max\{f(P)|P\in D\},\ f(P_2)=\min\{f(P)|P\in D\}.$$

性质3(介值定理) 若函数$f(x,y)$在有界闭区域D上连续,M与m分别是$f(x,y)$在D上的最大值和最小值,则对M与m间的任意数c,在D中至少存在一点$P_0(x_0,y_0)$,使$f(x_0,y_0)=c$,即在有界闭区域D上的多元连续函数必取得介于最大值和最小值之间的任何值.

定义4 设$f(x,y)$定义在区域D上,对任意给定的正数ε,总存在正数δ,对D上任意两点$P_1(x_1,y_1)$和$P_2(x_2,y_2)$,当$|x_1-x_2|<\delta$,$|y_1-y_2|<\delta$时,有
$$|f(x_1,y_1)-f(x_2,y_2)|<\varepsilon,$$
称函数$f(x,y)$在D上一致连续.

性质4(一致连续性定理) 在有界闭区域D上的多元连续函数必定在D上一致连续.

习题 9-2

1. 求下列各极限:

(1) $\lim\limits_{(x,y)\to(0,1)}\dfrac{1-xy}{x^2+y^2}$;

(2) $\lim\limits_{(x,y)\to(0,0)}\dfrac{3-\sqrt{xy+9}}{xy}$;

(3) $\lim\limits_{(x,y)\to(1,0)}\dfrac{\ln(x+e^y)}{\sqrt{x^2+y^2}}$;

(4) $\lim\limits_{(x,y)\to(2,0)}\dfrac{\tan xy}{y}$;

(5) $\lim\limits_{(x,y)\to(0,0)}\dfrac{xy}{\sqrt{2-e^{xy}}}$;

(6) $\lim\limits_{(x,y)\to(0,0)}\dfrac{1-\cos(x^2+y^2)}{(x^2+y^2)e^{x^2y^2}}$;

(7) $\lim\limits_{(x,y)\to(0,0)}\dfrac{xy}{\sqrt{2-e^{xy}}-1}$;

(8) $\lim\limits_{(x,y)\to(+\infty,e)}\left(1+\dfrac{1}{x}\right)^{\frac{x^2}{x+y}}$.

2. 证明下列极限不存在:

(1) $\lim\limits_{(x,y)\to(0,0)}\dfrac{x+y}{x-y}$;

(2) $\lim\limits_{(x,y)\to(0,0)}\dfrac{xy^2}{x^2y^2+(x-y)^2}$.

3. 函数$z=\dfrac{y^2+2x}{y^2-2x}$在何处是间断的?

4. 证明：$\lim\limits_{(x,y)\to(0,0)} f(x,y) = 0$.

（1）设 $f(x,y) = \dfrac{xy}{\sqrt{x^2+y^2}}$；

（2）设 $f(x,y) = xy\sin\dfrac{1}{x^2+y^2}$.

5. 证明：函数 $f(x,y) = (x+y)\sin\dfrac{1}{x}\sin\dfrac{1}{y}$ 的累次极限 $\lim\limits_{x\to 0}\lim\limits_{y\to 0} f(x,y)$ 和 $\lim\limits_{y\to 0}\lim\limits_{x\to 0} f(x,y)$ 不存在，但二重极限 $\lim\limits_{(x,y)\to(0,0)} f(x,y) = 0$.

6. 设函数 $f(x,y) = \begin{cases} \dfrac{x^2 y}{x^2+y^2}, & x^2+y^2 \neq 0, \\ 0, & x^2+y^2 = 0, \end{cases}$ 证明 $f(x,y)$ 在点 $(0,0)$ 不连续.

9.3 偏导数

在研究一元函数微分学时，我们从函数的变化率入手引入了导数的概念. 对于多元函数，同样需要讨论函数的变化率. 由于多元函数的自变量不止一个，函数值的变化量和自变量的变化量之间的关系要比一元函数复杂得多. 我们先讨论多元函数关于多个自变量中的某一个自变量变化，其他自变量固定不变而产生的变化率，进而引入多元函数对于某一自变量的偏导数概念.

9.3.1 偏导数的定义及其运算

定义 设函数 $z = f(x,y)$ 在点 $P_0(x_0, y_0)$ 的某个邻域内有定义，将自变量 y 固定，即令 $y = y_0$，当 x 在 x_0 处有增量 Δx 时，相应的函数值有增量

$$f(x_0 + \Delta x, y_0) - f(x_0, y_0),$$

若极限

$$\lim_{\Delta x \to 0} \frac{f(x_0+\Delta x, y_0) - f(x_0, y_0)}{\Delta x}$$

存在，则称此极限值为函数 $f(x,y)$ 在点 $P_0(x_0, y_0)$ 关于 x 的偏导数，记作

$$\left.\frac{\partial z}{\partial x}\right|_{\substack{x=x_0\\y=y_0}},\ \left.\frac{\partial f}{\partial x}\right|_{\substack{x=x_0\\y=y_0}},\ \left.z'_x\right|_{\substack{x=x_0\\y=y_0}} \text{ 或 } f'_x(x_0, y_0),$$

即

$$f'_x(x_0, y_0) = \lim_{\Delta x \to 0} \frac{f(x_0+\Delta x, y_0) - f(x_0, y_0)}{\Delta x}.$$

类似地，自变量 x 固定，即令 $x=x_0$，当 y 在 y_0 处有增量 Δy 时，相应的函数值增量为

$$f(x_0, y_0 + \Delta y) - f(x_0, y_0).$$

若极限

$$\lim_{\Delta y \to 0} \frac{f(x_0, y_0 + \Delta y) - f(x_0, y_0)}{\Delta y}$$

存在，称此极限为函数 $f(x,y)$ 在点 $P_0(x_0, y_0)$ 关于 y 的偏导数，记作

$$\left.\frac{\partial z}{\partial y}\right|_{\substack{x=x_0 \\ y=y_0}}, \ \left.\frac{\partial f}{\partial y}\right|_{\substack{x=x_0 \\ y=y_0}}, \ \left.z'_y\right|_{\substack{x=x_0 \\ y=y_0}} \text{或} f'_y(x_0, y_0),$$

即

$$f'_y(x_0, y_0) = \lim_{\Delta y \to 0} \frac{f(x_0, y_0 + \Delta y) - f(x_0, y_0)}{\Delta y}.$$

若函数 $z=f(x,y)$ 在区域 D 内每一点 (x,y) 对 x 的偏导数都存在，则此偏导数就是 x、y 的函数，称其为 $z=f(x,y)$ 对自变量 x 的偏导函数，记作

$$\frac{\partial z}{\partial x}, \ \frac{\partial f}{\partial x}, \ z'_x \text{ 或 } f'_x(x,y).$$

类似地，可以定义函数 $z=f(x,y)$ 对自变量 y 的偏导函数，记作

$$\frac{\partial z}{\partial y}, \ \frac{\partial f}{\partial y}, \ z'_y \text{ 或 } f'_y(x,y).$$

由定义可知，$f(x,y)$ 在点 (x_0, y_0) 处对 x 的偏导数 $f'_x(x_0, y_0)$ 显然就是偏导函数 $f'_x(x,y)$ 在点 (x_0, y_0) 处的函数值；$f'_y(x_0, y_0)$ 就是偏导函数 $f'_y(x,y)$ 在点 (x_0, y_0) 处的函数值. 当求 $z=f(x,y)$ 的偏导数时，由于此处只有一个自变量在变动，另一个自变量看作是固定的，所以仍旧是一元函数的微分法问题. 总而言之，求 $\frac{\partial f}{\partial x}$ 时，只要把 y 暂时看作常量而对 x 求导数；求 $\frac{\partial f}{\partial y}$ 时，只需把 x 暂时看作常量而对 y 求导.

偏导数的概念还可推广到二元以上的函数. 例如三元函数 $u=f(x,y,z)$ 在点 (x,y,z) 处对 x、y、z 的偏导数定义为：

$$f'_x(x,y,z) = \lim_{\Delta x \to 0} \frac{f(x+\Delta x, y, z) - f(x,y,z)}{\Delta x},$$

$$f'_y(x,y,z) = \lim_{\Delta y \to 0} \frac{f(x, y+\Delta y, z) - f(x,y,z)}{\Delta y},$$

$$f'_z(x,y,z) = \lim_{\Delta z \to 0} \frac{f(x, y, z+\Delta z) - f(x,y,z)}{\Delta z},$$

其中 (x,y,z) 是函数 $u=f(x,y,z)$ 定义域内的点. 它们的求法也仍旧是一元函数的微分法问题.

例1 设 $f(x,y) = x^2 + 3xy - y^2$，求 $f'_x(1,5)$ 和 $f'_y(2,3)$.

解 求 $\dfrac{\partial f}{\partial x}$ 时，把 y 看作常数，所以

$$\frac{\partial f}{\partial x} = 2x + 3y.$$

于是有
$$f'_x(1,5) = 2 \times 1 + 3 \times 5 = 17.$$

求 $\dfrac{\partial f}{\partial y}$ 时，把 x 看作常数，所以

$$\frac{\partial f}{\partial y} = 3x - 2y,$$

于是有
$$f'_y(2,3) = 3 \times 2 - 2 \times 3 = 0.$$

例2 求 $z = x^3 + x\cos 5y$ 的偏导数.

解 $\dfrac{\partial z}{\partial x} = 3x^2 + \cos 5y, \dfrac{\partial z}{\partial y} = -5x\sin 5y.$

例3 设 $z = x^y (x > 0, x \neq 1)$，求证：$\dfrac{x}{y}\dfrac{\partial z}{\partial x} + \dfrac{1}{\ln x}\dfrac{\partial z}{\partial y} = 2z.$

证明 因为 $\dfrac{\partial z}{\partial x} = yx^{y-1}, \dfrac{\partial z}{\partial y} = x^y \ln x.$ 所以

$$\frac{x}{y}\frac{\partial z}{\partial x} + \frac{1}{\ln x}\frac{\partial z}{\partial y} = \frac{x}{y}yx^{y-1} + \frac{1}{\ln x}x^y \ln x = x^y + x^y = 2z.$$

例4 设 $u = \ln(x^2 + y^2 + z^2)$，求 u'_x, u'_y, u'_z.

解 同二元函数的情形一样，有

$$u'_x = \frac{2x}{x^2+y^2+z^2}, u'_y = \frac{2y}{x^2+y^2+z^2}, u'_z = \frac{2z}{x^2+y^2+z^2}.$$

二元函数 $z = f(x,y)$ 在点 (x_0, y_0) 的偏导数有下述几何意义.

如图 9-10 所示，设 $M_0 = M[x_0, y_0, f(x_0, y_0)]$ 为曲面 $z = f(x,y)$ 上的一点，过 M_0 作平面 $y = y_0$，曲面 $z = f(x,y)$ 与平面 $y = y_0$ 的交线为曲线

$$\begin{cases} z = f(x,y), \\ y = y_0, \end{cases}$$

偏导数 $f'_x(x_0, y_0)$ 是该曲线在点 M_0 的切线 $M_0 T_x$ 对 x 轴的斜率（即切线与 x 轴正方向所成倾角 α 的正切）. 同样，偏导数 $f'_y(x_0, y_0)$ 是曲面被平面 $x = x_0$ 所截得的曲线在点 M_0 处的切线 $M_0 T_y$ 对 y 轴的斜率.

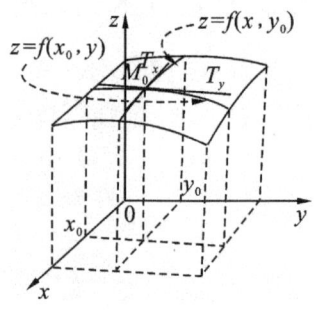

图 9-10

我们知道，若一元函数在某点有导数，则它在该点必然连续. 可是，对于多元函数

来说,即使各偏导数在某一点都存在,也不能保证函数在该点连续. 例如,对于函数

$$z = f(x,y) = \begin{cases} \dfrac{xy}{x^2+y^2}, & (x,y) \neq (0,0), \\ 0, & (x,y) = (0,0), \end{cases}$$

考察其在点(0,0)处的偏导数,我们可知

$$f'_x(0,0) = \lim_{\Delta x \to 0} \frac{f(\Delta x,0) - f(0,0)}{\Delta x} = 0,$$

$$f'_y(0,0) = \lim_{\Delta y \to 0} \frac{f(0,\Delta y) - f(0,0)}{\Delta y} = 0.$$

它在点(0,0)对 x 及对 y 的偏导数均为零,但我们前面在二元函数的连续性的学习中已知这个函数在点(0,0)并不连续.

9.3.2 高阶偏导数

若函数 $z = f(x,y)$ 在区域 D 内存在偏导函数

$$\frac{\partial z}{\partial x} = f'_x(x,y), \quad \frac{\partial z}{\partial y} = f'_y(x,y),$$

则在 D 内 $f'_x(x,y)$, $f'_y(x,y)$ 仍是 x、y 的二元函数. 若这两个函数关于自变量 x 和 y 的偏导数也存在,称这些偏导数为函数 $z = f(x,y)$ 的二阶偏导数. 也就是说,将函数 $\dfrac{\partial z}{\partial x}$ 再对 x 求偏导数,即 $\dfrac{\partial}{\partial x}\left(\dfrac{\partial z}{\partial x}\right)$ 是 $z = f(x,y)$ 的一个二阶偏导数,记为 $\dfrac{\partial^2 z}{\partial x^2}$. 按照对变量求导次序的不同,二元函数的二阶偏导数共有四种:

$$\frac{\partial}{\partial x}\left(\frac{\partial z}{\partial x}\right) = \frac{\partial^2 z}{\partial x^2} = f''_{xx}(x,y), \quad \frac{\partial}{\partial y}\left(\frac{\partial z}{\partial x}\right) = \frac{\partial^2 z}{\partial x \partial y} = f''_{xy}(x,y),$$

$$\frac{\partial}{\partial x}\left(\frac{\partial z}{\partial y}\right) = \frac{\partial^2 z}{\partial y \partial x} = f''_{yx}(x,y), \quad \frac{\partial}{\partial y}\left(\frac{\partial z}{\partial y}\right) = \frac{\partial^2 z}{\partial y^2} = f''_{yy}(x,y).$$

其中 $f''_{xy}(x,y)$ 和 $f''_{yx}(x,y)$ 称为二阶混合偏导数.

类似地,二阶偏导数的偏导数,称之为原函数的三阶偏导数. 二元函数 $z = f(x,y)$ 的三阶偏导数最多有八个:

$$f'''_{xxx}(x,y), f'''_{xxy}(x,y), f'''_{xyx}(x,y), f'''_{xyy}(x,y), f'''_{yxx}(x,y),$$

$$f'''_{yxy}(x,y), f'''_{yyx}(x,y), f'''_{yyy}(x,y).$$

一般地, $z = f(x,y)$ 的 $n-1$ 阶偏导数的偏导数称为 $z = f(x,y)$ 的 n 阶偏导数,二元函数 $z = f(x,y)$ 的 n 阶偏导数最多有 2^n 个. 二阶与二阶以上的偏导数统称为高阶偏导数.

例 5 求 $z = x^4 + y^4 + 4x^2 y^3$ 的二阶偏导数.

解
$$\frac{\partial z}{\partial x} = 4x^3 + 8xy^3, \quad \frac{\partial z}{\partial y} = 4y^3 + 12x^2 y^2;$$

$$\frac{\partial^2 z}{\partial x^2} = 12x^2 + 8y^3, \quad \frac{\partial^2 z}{\partial x \partial y} = 24xy^2,$$

$$\frac{\partial^2 z}{\partial y^2} = 12y^2 + 24x^2 y, \quad \frac{\partial^2 z}{\partial y \partial x} = 24xy^2.$$

例 6 求 $z = xe^x \sin y$ 的二阶偏导数.

解
$$\frac{\partial z}{\partial x} = (1+x)e^x \sin y, \quad \frac{\partial z}{\partial y} = xe^x \cos y,$$

$$\frac{\partial^2 z}{\partial x^2} = e^x \sin y + (1+x)e^x \sin y = (2+x)e^x \sin y,$$

$$\frac{\partial^2 z}{\partial x \partial y} = (1+x)e^x \cos y, \quad \frac{\partial^2 z}{\partial y^2} = -xe^x \sin y,$$

$$\frac{\partial^2 z}{\partial y \partial x} = e^x \cos y + xe^x \cos y = (1+x)e^x \cos y.$$

以上两例中都有 $\dfrac{\partial^2 z}{\partial x \partial y} = \dfrac{\partial^2 z}{\partial y \partial x}$, 即这些函数的二阶混合偏导数与求导的顺序无关. 这个性质是否对所有的函数都适合呢? 当然不是, 如函数

$$f(x,y) = \begin{cases} xy \dfrac{x^2 - y^2}{x^2 + y^2}, & x^2 + y^2 \neq 0, \\ 0, & x = 0, y = 0. \end{cases}$$

由偏导数定义, 有

$$f'_x(0,0) = \lim_{\Delta x \to 0} \frac{f(\Delta x, 0) - f(0,0)}{\Delta x} = 0,$$

$$f'_y(0,0) = \lim_{\Delta y \to 0} \frac{f(0, \Delta y) - f(0,0)}{\Delta y} = 0,$$

$$f'_x(0,y) = \lim_{\Delta x \to 0} \frac{f(\Delta x, y) - f(0,y)}{\Delta x} = \lim_{\Delta x \to 0} \frac{\Delta x y \dfrac{(\Delta x)^2 - y^2}{(\Delta x)^2 + y^2}}{\Delta x} = -y,$$

$$f'_y(x,0) = \lim_{\Delta y \to 0} \frac{f(x, \Delta y) - f(x,0)}{\Delta y} = \lim_{\Delta y \to 0} \frac{x \Delta y \dfrac{x^2 - (\Delta y)^2}{x^2 + (\Delta y)^2}}{\Delta y} = x,$$

因此

$$f'_{xy}(0,0) = \lim_{\Delta y \to 0} \frac{f'_x(0, \Delta y) - f'_x(0,0)}{\Delta y} = \lim_{\Delta y \to 0} \frac{-\Delta y}{\Delta y} = -1,$$

$$f'_{yx}(0,0) = \lim_{\Delta x \to 0} \frac{f'_x(\Delta x, 0) - f'_y(0,0)}{\Delta x} = \lim_{\Delta y \to 0} \frac{\Delta x}{\Delta x} = 1.$$

于是
$$f'_{xy}(0,0) \neq f'_{yx}(0,0).$$

此例说明,该函数在原点的两个偏导数 $f'_{xy}(0,0)$ 与 $f'_{yx}(0,0)$ 都存在但不相等. 那么什么情况下,二阶混合偏导数与求导的顺序无关呢?我们有下述定理.

定理 若函数 $f(x,y)$ 在点 $P_0(x_0, y_0)$ 的邻域 $U(P_0, \delta)$ 内有连续的二阶偏导数 $f'_{xy}(x,y)$ 和 $f'_{yx}(x,y)$,则 $f'_{xy}(x,y) = f'_{yx}(x,y)$.

上述定理可推广到二元以上多元函数的高阶混合偏导数上去,即混合偏导数在连续的条件下与求导的顺序无关.

例7 验证函数 $r = \sqrt{x^2 + y^2 + z^2}$ 满足方程
$$\frac{\partial^2 r}{\partial x^2} + \frac{\partial^2 r}{\partial y^2} + \frac{\partial^2 r}{\partial z^2} = \frac{2}{r}.$$

证明 因为
$$\frac{\partial r}{\partial x} = \frac{x}{\sqrt{x^2+y^2+z^2}}, \frac{\partial r}{\partial y} = \frac{y}{\sqrt{x^2+y^2+z^2}}, \frac{\partial r}{\partial z} = \frac{z}{\sqrt{x^2+y^2+z^2}},$$

$$\frac{\partial^2 r}{\partial x^2} = \frac{\sqrt{x^2+y^2+z^2} - x \cdot \dfrac{x}{\sqrt{x^2+y^2+z^2}}}{x^2+y^2+z^2} = \frac{y^2+z^2}{(x^2+y^2+z^2)^{\frac{3}{2}}} = \frac{y^2+z^2}{r^3},$$

$$\frac{\partial^2 r}{\partial y^2} = \frac{\sqrt{x^2+y^2+z^2} - y \cdot \dfrac{y}{\sqrt{x^2+y^2+z^2}}}{x^2+y^2+z^2} = \frac{x^2+z^2}{(x^2+y^2+z^2)^{\frac{3}{2}}} = \frac{x^2+z^2}{r^3},$$

$$\frac{\partial^2 r}{\partial z^2} = \frac{\sqrt{x^2+y^2+z^2} - z \cdot \dfrac{z}{\sqrt{x^2+y^2+z^2}}}{x^2+y^2+z^2} = \frac{x^2+y^2}{(x^2+y^2+z^2)^{\frac{3}{2}}} = \frac{x^2+y^2}{r^3},$$

因此
$$\frac{\partial^2 r}{\partial x^2} + \frac{\partial^2 r}{\partial y^2} + \frac{\partial^2 r}{\partial z^2} = \frac{2(x^2+y^2+z^2)}{r^3} = \frac{2}{r}.$$

习题 9-3

1. 求下列函数的偏导数:

(1) $z = x^3 y + \dfrac{x}{y}$;

(2) $z = \tan \dfrac{y}{x}$;

(3) $z = \dfrac{x}{\sqrt{x^2+y^2}}$;

(4) $z = \arctan \dfrac{x}{y}$;

(5) $z = x\sin(x+y) + \cos^2(xy)$;

(6) $z = e^{-\left(\frac{1}{x} + \frac{1}{y}\right)}$;

(7) $z = x^y$;

(8) $z = \ln(x^2 + y^2)$;

(9) $u = \left(\dfrac{x}{y}\right)^z$;

(10) $u = z^{xy}$;

(11) $u = x^{\frac{y}{z}}$;

(12) $u = \ln(x - y)^z$.

2. 求下列函数在给定点的偏导数:

(1) $z = \ln(x + \ln y)$,在 $(1, e)$ 点.

(2) $z = xy^2$,在 $(1, 2)$ 点.

3. 设 $T = 2\pi\sqrt{\dfrac{l}{g}}$,求证: $l\dfrac{\partial T}{\partial l} + g\dfrac{\partial T}{\partial g} = 0$.

4. 设 $z = \dfrac{e^x}{x - y}$,求证: $\dfrac{\partial z}{\partial x} + \dfrac{\partial z}{\partial y} = z$.

5. 曲线 $\begin{cases} z = \sqrt{1 + x^2 + y^2} \\ x = 1 \end{cases}$,在点 $(1, 1, \sqrt{3})$ 处的切线与 y 轴的正方向的夹角是多少?

6. 设 $f(x, y) = \begin{cases} \dfrac{xy}{x^2 + y^2}, & x^2 + y^2 \neq 0, \\ 0, & x^2 + y^2 = 0, \end{cases}$ 试用偏导数的定义求 $f'_x(0, 0)$ 和 $f'_y(0, 0)$.

7. 设 $f(x, y) = x + (y - 1)\arcsin\sqrt{\dfrac{x}{y}}$,求 $f'_x(x, 1)$.

8. 求下列函数的高阶偏导数:

(1) $z = x\ln(x + y)$,求 $\dfrac{\partial^2 z}{\partial x^2}$, $\dfrac{\partial^2 z}{\partial y^2}$ 和 $\dfrac{\partial^2 z}{\partial x \partial y}$;

(2) $z = x^3 \sin y + y^3 \sin x$,求 $\dfrac{\partial^3 z}{\partial x^2 \partial y}$;

(3) $u = e^{xyz}$,求 $\dfrac{\partial^2 u}{\partial x^2}$ 和 $\dfrac{\partial^3 u}{\partial x \partial y \partial z}$;

(4) $z = x\ln(xy)$,求 $\dfrac{\partial^3 z}{\partial x^2 \partial y}$ 及 $\dfrac{\partial^3 z}{\partial x \partial y^2}$.

9. 设 $f(x, y, z) = xy^2 + yz^2 + zx^2$,求 $f''_{xx}(0, 0, 1)$、$f''_{xz}(1, 0, 2)$、$f''_{yz}(0, -1, 0)$ 及 $f'''_{zzx}(2, 0, 1)$.

10. 验证:

(1) 函数 $y = e^{-kn^2 t}\sin nx$ 满足 $\dfrac{\partial y}{\partial t} = k\dfrac{\partial^2 y}{\partial x^2}$;

(2) 函数 $z = \ln\sqrt{x^2 + y^2}$ 满足方程 $\dfrac{\partial^2 z}{\partial x^2} + \dfrac{\partial^2 z}{\partial y^2} = 0$.

9.4 多元函数全微分

由偏导数的定义可知,二元函数 $z=f(x,y)$ 对某个自变量的偏导数表示当另一个自变量固定时,因变量相对于该自变量的变化率. 根据一元函数微分学中增量与微分的关系,可得

$$f(x+\Delta x,y)-f(x,y)\approx f'_x(x,y)\Delta x.$$
$$f(x,y+\Delta y)-f(x,y)\approx f'_y(x,y)\Delta y.$$

上面两式的左端分别叫作二元函数对 x 和对 y 的偏增量,而右端分别叫作二元函数对 x 和对 y 的偏微分.

在实际问题中,常常需要研究当各个自变量分别都取得增量时,相应的函数的增量 Δz 与自变量的增量之间有什么样的依赖关系. 全微分就是解决这类问题的有力工具. 下面就以二元函数为例进行讨论.

9.4.1 全微分的定义

1. 多元函数微分的定义

设函数 $z=f(x,y)$ 在点 $P(x,y)$ 的某邻域内有定义,$P'(x+\Delta x,y+\Delta y)$ 为这邻域内的任意一点,则称这两点的函数值之差 $f(x+\Delta x,y+\Delta y)-f(x,y)$ 为函数在点 $P(x,y)$ 对应于自变量增量 Δx 和 Δy 的全增量,记作 Δz,即

$$\Delta z=f(x+\Delta x,y+\Delta y)-f(x,y).$$

与一元函数的情形一样,我们希望用自变量增量的线性函数来近似表示函数的增量,且其中的误差是一个关于自变量增量的高阶无穷小量.

定义 设函数 $z=f(x,y)$ 在点 $P(x,y)$ 的某邻域内有定义,若函数在点 $P(x,y)$ 的全增量

$$\Delta z=f(x+\Delta x,y+\Delta y)-f(x,y)$$

可表示为

$$\Delta z=A\Delta x+B\Delta y+o(\rho),$$

其中 A 和 B 不依赖于 Δx 和 Δy 而仅与 x 和 y 有关,$\rho=\sqrt{(\Delta x)^2+(\Delta y)^2}$,则称函数 $z=f(x,y)$ 在点 (x,y) 可微分,而线性部分 $A\Delta x+B\Delta y$ 称为函数 $z=f(x,y)$ 在点 (x,y) 的全微分,记作 $\mathrm{d}z$,即

$$\mathrm{d}z=A\Delta x+B\Delta y.$$

若函数 $z=f(x,y)$ 在区域 D 内每一点都可微,则称函数 $z=f(x,y)$ 在区域 D 内

可微.

下面讨论二元函数可微与连续,可微与偏导数存在的关系,并可给出 A、B 与 $f(x,y)$ 的关系.

定理 1 若函数 $z=f(x,y)$ 在点 (x_0,y_0) 可微,则它在该点必连续.

证明 要证 $z=f(x,y)$ 在 (x_0,y_0) 连续,就是要证
$$\lim_{\substack{\Delta x\to 0\\ \Delta y\to 0}}[f(x_0+\Delta x,y_0+\Delta y)-f(x_0,y_0)]=0.$$

现在已知 $z=f(x,y)$ 在 (x_0,y_0) 可微,因而
$$\Delta z=f(x_0+\Delta x,y_0+\Delta y)-f(x_0,y_0)=A\Delta x+B\Delta y+o(\rho).$$

当 $\rho=\sqrt{(\Delta x)^2+(\Delta y)^2}\to 0$ 时有,
$$\lim_{\substack{\Delta x\to 0\\ \Delta y\to 0}}\Delta z=0.$$

因此,函数 $z=f(x,y)$ 在点 (x_0,y_0) 连续.

2. 多元函数微分的运算

定理 2(必要条件) 若函数 $z=f(x,y)$ 在点 (x_0,y_0) 可微,则它在点 (x_0,y_0) 处的两个偏导数都存在,并且有
$$dz=f'_x(x_0,y_0)dx+f'_y(x_0,y_0)dy.$$

证明 由函数 $z=f(x,y)$ 在点 (x_0,y_0) 可微可得
$$\Delta z=A\Delta x+B\Delta y+o(\rho).$$

取 $\Delta x\neq 0,\Delta y=0$ 时,上式转化为
$$f(x_0+\Delta x,y_0)-f(x_0,y_0)=A\Delta x+o(|\Delta x|)\ (\Delta x\to 0),$$

由此可得
$$\frac{f(x_0+\Delta x,y_0)-f(x_0,y_0)}{\Delta x}=A+\frac{o(|\Delta x|)}{\Delta x}\ (\Delta x\to 0),$$

等式两边同时取极限得
$$\lim_{\Delta x\to 0}\frac{f(x_0+\Delta x,y_0)-f(x_0,y_0)}{\Delta x}=\lim_{\Delta x\to 0}\left(A+\frac{o(|\Delta x|)}{\Delta x}\right)=A,$$

即
$$f'_x(x_0,y_0)=A.$$

同理可证
$$f'_y(x_0,y_0)=B.$$

因此
$$dz=f'_x(x_0,y_0)\Delta x+f'_y(x_0,y_0)\Delta y.$$

我们知道,一元函数在某点的导数存在是微分存在的充分必要条件. 但对于多元

函数来说,情形就不同了.当函数的各偏导数都存在时,虽然能形式地写出 $\frac{\partial z}{\partial x}\Delta x + \frac{\partial z}{\partial y}\Delta y$,但它与 Δz 之差并不一定是较 ρ 高阶的无穷小,因此它不一定是函数的全微分. 换句话说,各偏导数的存在只是全微分存在的必要条件而不是充分条件. 例如:考察函数 $f(x,y) = \begin{cases} \frac{xy}{x^2+y^2}, & (x,y) \neq (0,0), \\ 0, & (x,y) = (0,0) \end{cases}$ 在点 $(0,0)$ 处的偏导数及可微性. 由偏导数的定义我们可以得出:

$$f'_x(0,0) = \lim_{\Delta x \to 0} \frac{f(\Delta x, 0) - f(0,0)}{\Delta x} = 0,$$

同理可得 $f'_y(0,0) = 0$,因此在点 $(0,0)$ 处

$$\Delta z - [f'_x(0,0)\Delta x + f'_y(0,0)\Delta y] = \frac{\Delta x \Delta y}{(\Delta x)^2 + (\Delta y)^2}.$$

而 $\lim\limits_{\substack{\Delta x \to 0 \\ \Delta y \to 0}} \frac{\Delta x \Delta y}{(\Delta x)^2 + (\Delta y)^2}$ 不存在,所以也不可能成为比 ρ 更高阶的无穷小量. 故函数在点 $(0,0)$ 处不可微.

定理3(充分条件) 设函数 $z = f(x,y)$ 在点 (x,y) 的某个邻域内偏导数 $f'_x(x,y)$、$f'_y(x,y)$ 都存在,且这两个偏导数都在点 (x,y) 处连续,则函数 $z = f(x,y)$ 在点 (x,y) 可微.

证明 函数的全增量

$$\Delta z = f(x + \Delta x, y + \Delta y) - f(x,y)$$
$$= [f(x + \Delta x, y + \Delta y) - f(x + \Delta x, y)] + [f(x + \Delta x, y) - f(x,y)].$$

由于 $f'_x(x,y)$ 及 $f'_y(x,y)$ 在 (x,y) 及其邻域内都存在,所以当 Δx、Δy 充分小时,应用微分中值定理得

$$\Delta z = f'_y(x + \Delta x, y + \theta_1 \Delta y)\Delta y + f'_x(x + \theta_2 \Delta x, y)\Delta x,$$

其中 $0 < \theta_1 < 1, 0 < \theta_2 < 1$. 又根据 $f'_x(x,y)$ 及 $f'_y(x,y)$ 在点 (x,y) 连续,可知

$$\lim_{\substack{\Delta x \to 0 \\ \Delta y \to 0}} f'_y(x + \Delta x, y + \theta_1 \Delta y) = f'_y(x,y),$$

$$\lim_{\substack{\Delta x \to 0 \\ \Delta y \to 0}} f'_x(x + \theta_2 \Delta x, y) = f'_x(x,y).$$

又根据极限与无穷小的关系得

$$f'_y(x + \Delta x, y + \theta_1 \Delta y) = f'_y(x,y) + \alpha,$$
$$f'_x(x + \theta_2 \Delta x, y) = f'_x(x,y) + \beta,$$

当 $\Delta x \to 0, \Delta y \to 0$ 时, $\alpha \to 0, \beta \to 0$,故

$$\Delta z = f'_x(x,y)\Delta x + f'_y(x,y)\Delta y + \beta \Delta x + \alpha \Delta y;$$

且当 $\Delta x \to 0, \Delta y \to 0$ 时

$$\frac{|\beta \Delta x + \alpha \Delta y|}{\sqrt{(\Delta x)^2 + (\Delta y)^2}} \leqslant \frac{|\beta \Delta x|}{\sqrt{(\Delta x)^2 + (\Delta y)^2}} + \frac{|\alpha \Delta y|}{\sqrt{(\Delta x)^2 + (\Delta y)^2}} \leqslant |\beta| + |\alpha| \to 0,$$

所以

$$\beta \Delta x + \alpha \Delta y = o(\sqrt{(\Delta x)^2 + (\Delta y)^2}) = o(\rho).$$

因此有

$$\Delta z = f'_x(x,y)\Delta x + f'_y(x,y)\Delta y + o(\rho).$$

这就证明了 $z = f(x,y)$ 在点 (x,y) 可微.

我们习惯上将自变量的增量 Δx、Δy 分别记作 $\mathrm{d}x$、$\mathrm{d}y$，并分别称为自变量 x、y 的微分. 这样，函数 $z = f(x,y)$ 的全微分可记作

$$\mathrm{d}z = \frac{\partial z}{\partial x}\mathrm{d}x + \frac{\partial z}{\partial y}\mathrm{d}y,$$

并称其为二元函数的微分符合叠加原理.

叠加原理也可用于二元以上的函数. 例如，若三元函数 $\omega = f(x,y,z)$ 可微，则

$$\mathrm{d}\omega = \frac{\partial \omega}{\partial x}\mathrm{d}x + \frac{\partial \omega}{\partial y}\mathrm{d}y + \frac{\partial \omega}{\partial z}\mathrm{d}z.$$

例1 求 $z = x^3 y + 2y^3$ 在点 $(2,4)$ 处的全微分.

解 由于 $\frac{\partial z}{\partial x} = 3x^2 y, \frac{\partial z}{\partial y} = x^3 + 6y^2$，于是有

$$\left.\frac{\partial z}{\partial x}\right|_{(2,4)} = 3 \times 2^2 \times 4 = 48, \left.\frac{\partial z}{\partial y}\right|_{(2,4)} = 2^3 + 6 \times 4^2 = 104,$$

$$\mathrm{d}z = \left.\frac{\partial z}{\partial x}\right|_{(2,4)} \mathrm{d}x + \left.\frac{\partial z}{\partial y}\right|_{(2,4)} \mathrm{d}y = 48\mathrm{d}x + 104\mathrm{d}y.$$

例2 求 $z = \arctan\frac{x}{y}$ 的全微分.

解 由于 $\frac{\partial z}{\partial x} = \frac{\frac{1}{y}}{1 + \left(\frac{x}{y}\right)^2} = \frac{y}{x^2 + y^2}, \frac{\partial z}{\partial y} = \frac{-\frac{x}{y^2}}{1 + \left(\frac{x}{y}\right)^2} = \frac{-x}{x^2 + y^2}$，于是有

$$\mathrm{d}z = \frac{\partial z}{\partial x}\mathrm{d}x + \frac{\partial z}{\partial y}\mathrm{d}y = \frac{y\mathrm{d}x - x\mathrm{d}y}{x^2 + y^2}.$$

例3 求 $u = xy^2 z^3$ 的全微分.

解 由于 $\frac{\partial u}{\partial x} = y^2 z^3, \frac{\partial u}{\partial y} = 2xyz^3, \frac{\partial u}{\partial z} = 3xy^2 z^2$ 均为连续函数，于是有

$$\mathrm{d}z = y^2 z^3 \mathrm{d}x + 2xyz^3 \mathrm{d}y + 3xy^2 z^2 \mathrm{d}z$$

$$= yz^2(yz\mathrm{d}x + 2xz\mathrm{d}y + 3xy\mathrm{d}z).$$

9.4.2 全微分在近似计算中的应用

1. 计算函数的近似值

从二元函数 $z=f(x,y)$ 全微分的定义及关于全微分存在的充分条件可知,若函数 $z=f(x,y)$ 在点 (x_0,y_0) 可微,则函数的全增量可表示为

$$\Delta z = f'_x(x_0,y_0)\Delta x + f'_y(x_0,y_0)\Delta y + o(\rho),$$

于是有

$$f(x_0+\Delta x, y_0+\Delta y) = f(x_0,y_0) + f'_x(x_0,y_0)\Delta x + f'_y(x_0,y_0)\Delta y + o(\rho).$$

当 $|\Delta x|$、$|\Delta y|$ 都较小时,就有近似等式

$$\Delta z \approx \mathrm{d}z = f'_x(x_0,y_0)\Delta x + f'_y(x_0,y_0)\Delta y.$$

由此可得近似计算公式:

$$f(x_0+\Delta x, y_0+\Delta y) \approx f(x_0,y_0) + f'_x(x_0,y_0)\Delta x + f'_y(x_0,y_0)\Delta y.$$

例4 计算 $\ln(\sqrt[3]{1.03}+\sqrt[4]{0.98}-1)$ 的近似值.

解 设二元函数 $f(x,y)=\ln(\sqrt[3]{x}+\sqrt[4]{y}-1)$,则

$$f'_x = \frac{1}{3\sqrt[3]{x^2}(\sqrt[3]{x}+\sqrt[4]{y}-1)},$$

$$f'_y = \frac{1}{4\sqrt[4]{y^3}(\sqrt[3]{x}+\sqrt[4]{y}-1)}.$$

令 $x_0=1, y_0=1, \Delta x=0.03, \Delta y=-0.02$,于是有

$$f(x_0,y_0)=f(1,1)=0, f'_x(x_0,y_0)=f'_x(1,1)=\frac{1}{3}, f'_y(x_0,y_0)=f'_y(1,1)=\frac{1}{4},$$

代入近似计算公式

$$f(x_0+\Delta x, y_0+\Delta y) \approx f(x_0,y_0) + f'_x(x_0,y_0)\Delta x + f'_y(x_0,y_0)\Delta y$$

可得

$$\ln(\sqrt[3]{1.03}+\sqrt[4]{0.98}-1) \approx f(1,1) + f'_x(1,1)\times 0.03 + f'_y(1,1)\times(-0.02)$$

$$= 0 + \frac{1}{3}\times 0.03 - \frac{1}{4}\times 0.02 = 0.005.$$

例5 计算 $1.04^{2.02}$ 的近似值.

解 设二元函数 $f(x,y)=x^y$,则

$$f'_x(x,y)=yx^{y-1}, f'_y(x,y)=x^y\ln x.$$

令 $x_0=1, y_0=2, \Delta x=0.04, \Delta y=0.02$,于是代入近似计算公式

$$f(x_0+\Delta x, y_0+\Delta y) \approx f(x_0,y_0) + f'_x(x_0,y_0)\Delta x + f'_y(x_0,y_0)\Delta y$$

可得

$$1.04^{2.02} \approx f(1,2) + f'_x(1,2)\times 0.04 + f'_y(1,2)\times 0.02$$

$$= 1 + 2 \times 0.04 + 0 \times 0.02 = 1.08.$$

2. 误差估计

假设 x、y 的最大绝对误差是 Δx^*、Δy^*，那么当 x、y 分别有误差 Δx、Δy 时，由 $z = f(x,y)$ 来计算得到的函数值误差为

$$\Delta z = f(x+\Delta x, y+\Delta y) - f(x,y) \approx \mathrm{d}z = \frac{\partial z}{\partial x}\Delta x + \frac{\partial z}{\partial y}\Delta y.$$

于是

$$|\mathrm{d}z| = \left|\frac{\partial z}{\partial x}\Delta x + \frac{\partial z}{\partial y}\Delta y\right| \leq \left|\frac{\partial z}{\partial x}\right||\Delta x| + \left|\frac{\partial z}{\partial y}\right||\Delta y|$$

$$\leq \left|\frac{\partial z}{\partial x}\right|\Delta x^* + \left|\frac{\partial z}{\partial y}\right|\Delta y^*,$$

即 $z = f(x,y)$ 的最大绝对误差为

$$\Delta z^* = \left|\frac{\partial z}{\partial x}\right|\Delta x^* + \left|\frac{\partial z}{\partial y}\right|\Delta y^*,$$

而最大的相对误差为

$$\delta_z = \frac{\Delta z^*}{|z|} = \left|\frac{1}{z}\frac{\partial z}{\partial x}\right|\Delta x^* + \left|\frac{1}{z}\frac{\partial z}{\partial y}\right|\Delta y^*.$$

例 6 设以单摆测重力加速度 g，测量结果为：摆长 $l = (100 \pm 0.1)\,\mathrm{cm}$ 周期 $T = (2 \pm 0.004)\,\mathrm{s}$，问：由于 l 与 T 的误差所引起的 g 的误差为多大？

解 因重力加速度 $g = \dfrac{4\pi^2 l}{T^2}$，用 $|\Delta l|$ 和 $|\Delta T|$ 表示测量 l 与 T 时产生的误差，由于 $|\Delta l|$、$|\Delta T|$ 都很小，我们可以用 $\mathrm{d}g$ 来代替 Δg.

所以

$$\Delta g \approx \mathrm{d}g = 4\pi^2\left(\frac{\Delta l}{T^2} - \frac{2l}{T^3}\Delta T\right),$$

$$|\mathrm{d}g| \leq 4\pi^2\left(\left|\frac{\Delta l}{T^2}\right| + \left|\frac{2l}{T^3}\right|\cdot|\Delta T|\right)$$

$$= 4\pi^2\left(\frac{0.1}{4} + \frac{200}{8}\times 0.004\right)$$

$$= 0.5\pi^2\,(\mathrm{cm/s^2}),$$

即所测得的 g 的误差不超过 $0.5\pi^2\,\mathrm{cm/s^2}$.

习题 9-4

1. 求下列函数的全微分：

(1) $z = \dfrac{xy}{x-y}$；

(2) $z = x^2 y$；

$(3) z = \dfrac{y}{\sqrt{x^2+y^2}}$;

$(4) z = \arctan\dfrac{x-y}{x+y}$;

$(5) z = x^2 y^2 \mathrm{e}^y$;

$(6) z = \ln(1+x^2+y^2)$.

2. 试求下列函数在已给条件下的全微分之值:

(1) 函数 $z = (1+\ln xy)^3$, 当 $x=1, y=2, \Delta x = 0.1, \Delta y = 0.2$ 时;

(2) 函数 $z = \mathrm{e}^{xy}$, 当 $x=1, y=2, \Delta x = -0.1, \Delta y = 0.1$ 时.

3. 求函数 $z = xy$, 当 $x=5, y=4, \Delta x = 0.1, \Delta y = -0.3$ 时的全微分和全增量.

4. 利用函数的微分代替函数的增量, 近似计算:

(1) $\sqrt{(1.02)^3 + (1.97)^3}$;

(2) $(1,97)^{1.06}$ ($\ln 2 = 0.693$);

(3) $\sin 29° \cdot \tan 46°$.

5. 当圆柱形的半径 R 由 2 m 增到 2.03 m, 高 H 由 1 m 减到 0.98 m, 试用公式 $\Delta V \approx \mathrm{d}V$ 求体积 V 的近似变化.

6. 已知边长分别为 $x = 6$ m 与 $y = 8$ m 的矩形, 如果 x 边增加 5 cm 而 y 边减少 4 cm, 求这个矩形的对角线的近似变化.

7. 利用全微分证明: 乘积的相对误差等于各因子的相对误差之和, 商的相对误差等于被除数及除数的相对误差之和.

8. 考虑二元函数 $f(x,y)$ 的下面四条性质:

(1) $f(x,y)$ 在点 (x_0, y_0) 连续;

(2) $f'_x(x,y)$、$f'_y(x,y)$ 在点 (x_0, y_0) 连续;

(3) $f(x,y)$ 在点 (x_0, y_0) 可微分;

(4) $f'_x(x,y)$、$f'_y(x,y)$ 存在.

若用 "$P \Rightarrow Q$" 表示可由性质 P 推出性质 Q, 则下列四个选项中正确的是(　　).

A. $(2) \Rightarrow (3) \Rightarrow (1)$　　　　B. $(3) \Rightarrow (2) \Rightarrow (1)$

C. $(3) \Rightarrow (4) \Rightarrow (1)$　　　　D. $(3) \Rightarrow (1) \Rightarrow (4)$

9.5　多元复合函数的求导法则

本节要将一元函数微分学中复合函数的求导法则推广到多元复合函数的情形, 多元复合函数的求导法则在多元函数微分学中也起着重要作用.

下面按照多元复合函数不同的复合情形, 分三种情形讨论.

9.5.1 一元函数与多元函数复合的情形

定理 1 若函数 $u = \varphi(t)$、$v = \psi(t)$ 都在 t 可导,函数 $z = f(u,v)$ 在相应的点 (u,v) 具有连续的偏导数,则复合函数 $z = f[\varphi(t), \psi(t)]$ 在点 t 可导,且

$$\frac{dz}{dt} = \frac{\partial z}{\partial u}\frac{du}{dt} + \frac{\partial z}{\partial v}\frac{dv}{dt}.$$

证明 当给自变量 t 一增量 Δt 时,$u = \varphi(t)$、$v = \psi(t)$ 分别有增量 Δu、Δv,而 Δu、Δv 又使 z 产生增量 Δz. 由函数 $z = f(u,v)$ 在相应的点 (u,v) 具有连续的偏导数可得 $z = f(u,v)$ 可微,即

$$\Delta z = dz + o(\rho) = \frac{\partial z}{\partial u}\Delta u + \frac{\partial z}{\partial v}\Delta v + o(\rho),$$

其中 $\rho = \sqrt{(\Delta u)^2 + (\Delta v)^2}$,上式两端除以 $\Delta t (\Delta t \neq 0)$ 可得

$$\frac{\Delta z}{\Delta t} = \frac{\partial z}{\partial u}\frac{\Delta u}{\Delta t} + \frac{\partial z}{\partial v}\frac{\Delta v}{\Delta t} + \frac{o(\rho)}{\rho}\sqrt{\left(\frac{\Delta u}{\Delta t}\right)^2 + \left(\frac{\Delta v}{\Delta t}\right)^2}.$$

由于 u、v 是 t 的可微函数,所以是连续的,故当 $\Delta t \to 0$ 时有 $\Delta u \to 0$、$\Delta v \to 0$,从而 $\rho \to 0$. 又 $\frac{\Delta u}{\Delta t}$ 与 $\frac{\Delta v}{\Delta t}$ 分别有极限 $\frac{du}{dt}$ 与 $\frac{dv}{dt}$,因此

$$\lim_{\Delta t \to 0}\frac{\Delta z}{\Delta t} = \lim_{\Delta t \to 0}\frac{\partial z}{\partial u}\frac{\Delta u}{\Delta t} + \lim_{\Delta t \to 0}\frac{\partial z}{\partial v}\frac{\Delta v}{\Delta t} + \lim_{\Delta t \to 0}\left(\frac{o(\rho)}{\rho}\sqrt{\left(\frac{\Delta u}{\Delta t}\right)^2 + \left(\frac{\Delta v}{\Delta t}\right)^2}\right),$$

$$\frac{dz}{dt} = \frac{\partial z}{\partial u}\frac{du}{dt} + \frac{\partial z}{\partial v}\frac{dv}{dt}.$$

这就证明了定理的结论成立.

说明:变量 u、$v[u = \varphi(t), v = \psi(t)]$ 称为函数 $z = f(u,v)$ 的中间变量,变量 t 称为此函数的最终变量,函数 $z = f(u,v)$ 关于最终变量 t 的导数 $\frac{dz}{dt}$ 称为函数 z 对 t 的全导数.

同理,可把定理 1 推广到复合函数的中间变量多于两个的情形.

若函数 $u = \varphi(t)$、$v = \psi(t)$、$w = \omega(t)$ 都在 t 可导,函数 $z = f(u,v,w)$ 在相应的点 (u,v,w) 具有连续的偏导数,则复合函数 $z = f[\varphi(t), \psi(t), \omega(t)]$ 在点 t 可导,且

$$\frac{dz}{dt} = \frac{\partial z}{\partial u}\frac{du}{dt} + \frac{\partial z}{\partial v}\frac{dv}{dt} + \frac{\partial z}{\partial w}\frac{dw}{dt}.$$

总之,一元函数与多元函数复合的情形下,关于最终变量的全导数等于复合函数关于每一个中间变量的偏导数和此中间变量函数关于最终变量的导数乘积之和.

特别情形,若函数 $z = f(x,y) = f[x, y(x)]$,则 x 既可当中间变量又可当最终变量,即 $x = x, y = y(x)$,于是有

$$\frac{\mathrm{d}z}{\mathrm{d}x} = \frac{\partial z}{\partial x}\frac{\mathrm{d}x}{\mathrm{d}x} + \frac{\partial z}{\partial y}\frac{\mathrm{d}y}{\mathrm{d}x},$$

即

$$\frac{\mathrm{d}z}{\mathrm{d}x} = \frac{\partial z}{\partial x} + \frac{\partial z}{\partial y}\frac{\mathrm{d}y}{\mathrm{d}x}.$$

请注意区分 $\dfrac{\mathrm{d}z}{\mathrm{d}x}$ 和 $\dfrac{\partial z}{\partial x}$.

例 1 设 $f(u,v) = u^2 + uv + v^2, u = x^2, v = 2x+1$, 求 $\dfrac{\mathrm{d}f}{\mathrm{d}x}$.

解 $\dfrac{\mathrm{d}f}{\mathrm{d}x} = \dfrac{\partial f}{\partial u}\dfrac{\mathrm{d}u}{\mathrm{d}x} + \dfrac{\partial f}{\partial v}\dfrac{\mathrm{d}v}{\mathrm{d}x} = (2u+v)2x + (u+2v)2$

$= (2x^2 + 2x + 1) \cdot 2x + (x^2 + 4x + 2) \cdot 2$

$= 4x^3 + 6x^2 + 10x + 4.$

例 2 设 $f(x,y) = \dfrac{y}{x}, y = \sqrt{1-x^2}$, 求 $\dfrac{\mathrm{d}f}{\mathrm{d}x}$.

解 函数 $z = f(x,y) = f[x, y(x)]$, 不妨假设 $x = x, y = y(x) = \sqrt{1-x^2}$, 则 x 既当中间变量又当最终变量, 于是有

$$\frac{\mathrm{d}f}{\mathrm{d}x} = \frac{\partial f}{\partial x}\frac{\mathrm{d}x}{\mathrm{d}x} + \frac{\partial f}{\partial y}\frac{\mathrm{d}y}{\mathrm{d}x},$$

即

$$\frac{\mathrm{d}f}{\mathrm{d}x} = \frac{\partial f}{\partial x} + \frac{\partial f}{\partial y}\frac{\mathrm{d}y}{\mathrm{d}x} = -\frac{y}{x^2} + \frac{1}{x}\left(-\frac{x}{y}\right) = -\frac{1}{x^2\sqrt{1-x^2}}.$$

例 3 $z = x^2 - y^2, x = \sin t, y = \cos t$, 求 $\dfrac{\mathrm{d}z}{\mathrm{d}t}$.

解法一 因为自变量 x、y 是中间变量, z 是 t 的复合函数. 又因为

$$\frac{\partial z}{\partial x} = 2x = 2\sin t, \frac{\partial z}{\partial y} = -2y = -2\cos t, \frac{\mathrm{d}x}{\mathrm{d}t} = \cos t, \frac{\mathrm{d}y}{\mathrm{d}t} = -\sin t,$$

故

$$\frac{\mathrm{d}z}{\mathrm{d}t} = \frac{\partial z}{\partial x}\frac{\mathrm{d}x}{\mathrm{d}t} + \frac{\partial z}{\partial y}\frac{\mathrm{d}y}{\mathrm{d}t} = 2\sin t\cos t + (-2\cos t)(-\sin t)$$

$$= 4\sin t\cos t = 2\sin 2t.$$

解法二 由已知 $z = x^2 - y^2 = -(\cos^2 t - \sin^2 t) = -\cos 2t$, 于是有

$$\frac{\mathrm{d}z}{\mathrm{d}t} = 2\sin 2t.$$

9.5.2 多元函数与多元函数复合的情形

定理 2 设函数 $u = \varphi(x,y)$、$v = \psi(x,y)$ 关于变量 x、y 的偏导数在点 (x,y) 都存在,函数 $z = f(u,v)$ 在对应于点 (x,y) 的点 (u,v) 具有连续偏导数,则复合函数 $z = f[\varphi(x,y),\psi(x,y)]$ 对于 x、y 的偏导数均存在,且

$$\frac{\partial z}{\partial x} = \frac{\partial z}{\partial u}\frac{\partial u}{\partial x} + \frac{\partial z}{\partial v}\frac{\partial v}{\partial x},$$

$$\frac{\partial z}{\partial y} = \frac{\partial z}{\partial u}\frac{\partial u}{\partial y} + \frac{\partial z}{\partial v}\frac{\partial v}{\partial y}.$$

本定理的证明方法与定理 1 类似,z 对 x 求偏导数时,只要注意变量 y 是固定的. 实质就是定理 1 的情形,只是因 $z = f(u,v)$ 与函数 $u = \varphi(x,y)$、$v = \psi(x,y)$ 都是二元函数,所以相应地把导数符号换成偏导数符号即可.

特别情形,在定理 2 中若中间变量中有一个是一元函数时,即设函数 $u = \varphi(x,y)$ 关于变量 x、y 的偏导数在点 (x,y) 都存在,$v = \psi(y)$ 关于 y 的导数存在,函数 $z = f(u,v)$ 在对应于点 (x,y) 的点 (u,v) 具有连续偏导数,则复合函数 $z = f[\varphi(x,y),\psi(y)]$ 对于 x、y 的偏导数均存在,且

$$\frac{\partial z}{\partial x} = \frac{\partial z}{\partial u}\frac{\partial u}{\partial x} + \frac{\partial z}{\partial v}\frac{\partial v}{\partial x} = \frac{\partial z}{\partial u}\frac{\partial u}{\partial x} + \frac{\partial z}{\partial v}\cdot 0 = \frac{\partial z}{\partial u}\frac{\partial u}{\partial x},$$

$$\frac{\partial z}{\partial y} = \frac{\partial z}{\partial u}\frac{\partial u}{\partial y} + \frac{\partial z}{\partial v}\frac{\partial v}{\partial y}.$$

其中由于 $v = \psi(y)$ 与 x 无关,所以 $\frac{\partial v}{\partial x} = 0$.

以此类推,可把定理 2 推广到函数的变量多于两个的情形. 例如,设函数 $u = \varphi(x,y)$、$v = \psi(x,y)$、$w = \omega(x,y)$ 关于变量 x、y 的偏导数在点 (x,y) 都存在,函数 $z = f(u,v,w)$ 在对应于点 (x,y) 的点 (u,v,w) 具有连续偏导数,则复合函数 $z = f[\varphi(x,y),\psi(x,y),w(x,y)]$ 对于 x、y 的偏导数均存在,且

$$\frac{\partial z}{\partial x} = \frac{\partial z}{\partial u}\frac{\partial u}{\partial x} + \frac{\partial z}{\partial v}\frac{\partial v}{\partial x} + \frac{\partial z}{\partial w}\frac{\partial w}{\partial x},$$

$$\frac{\partial z}{\partial y} = \frac{\partial z}{\partial u}\frac{\partial u}{\partial y} + \frac{\partial z}{\partial v}\frac{\partial v}{\partial y} + \frac{\partial z}{\partial w}\frac{\partial w}{\partial y}.$$

特别情形,若函数 $z = f[x,y,\omega(x,y)]$,则 x、y 既可当中间变量又可当最终变量,即 $u = x$、$v = y$、$\omega = \omega(x,y)$,于是有 $z = f[u,v,\omega(x,y)]$ 关于 x、y 的偏导数分别为

$$\frac{\partial z}{\partial x} = \frac{\partial f}{\partial u}\frac{\partial u}{\partial x} + \frac{\partial f}{\partial v}\frac{\partial v}{\partial x} + \frac{\partial f}{\partial w}\frac{\partial w}{\partial x} = \frac{\partial f}{\partial u}\cdot 1 + \frac{\partial f}{\partial v}\cdot 0 + \frac{\partial f}{\partial w}\frac{\partial w}{\partial x} = \frac{\partial f}{\partial u} + \frac{\partial f}{\partial w}\frac{\partial w}{\partial x},$$

$$\frac{\partial z}{\partial y} = \frac{\partial f}{\partial u}\frac{\partial u}{\partial y} + \frac{\partial f}{\partial v}\frac{\partial v}{\partial y} + \frac{\partial f}{\partial w}\frac{\partial w}{\partial y} = \frac{\partial f}{\partial u}\cdot 0 + \frac{\partial f}{\partial v}\cdot 1 + \frac{\partial f}{\partial w}\frac{\partial w}{\partial y} = \frac{\partial f}{\partial v} + \frac{\partial f}{\partial w}\frac{\partial w}{\partial y},$$

即
$$\frac{\partial z}{\partial x} = \frac{\partial f}{\partial x} + \frac{\partial f}{\partial w}\frac{\partial \omega}{\partial x},$$
$$\frac{\partial z}{\partial y} = \frac{\partial f}{\partial y} + \frac{\partial f}{\partial w}\frac{\partial \omega}{\partial y}.$$

注意:这里 $\frac{\partial z}{\partial x}$ 与 $\frac{\partial f}{\partial x}$ 是不同的,$\frac{\partial z}{\partial x}$ 是把复合函数 $z = f[x,y,w(x,y)]$ 中的 y 看作不变而对 x 的偏导数,$\frac{\partial f}{\partial x}$ 是把 $z = f(x,y,w)$ 中的 w 和 y 看作不变而对 x 的偏导数.$\frac{\partial z}{\partial y}$ 与 $\frac{\partial f}{\partial y}$ 也有类似的区别.多元函数对某个自变量求偏导数,要经过一切与该自变量有关的中间变量而归结到该自变量本身.

例 4 设 $z = e^u \sin v$,而 $u = xy, v = x + y$,求 $\frac{\partial z}{\partial x}$ 和 $\frac{\partial z}{\partial y}$.

解 $\frac{\partial z}{\partial x} = \frac{\partial z}{\partial u}\frac{\partial u}{\partial x} + \frac{\partial z}{\partial v}\frac{\partial v}{\partial x} = e^u \sin v \cdot y + e^u \cos v \cdot 1$
$= e^{xy}[y\sin(x+y) + \cos(x+y)],$
$\frac{\partial z}{\partial y} = \frac{\partial z}{\partial u}\frac{\partial u}{\partial y} + \frac{\partial z}{\partial v}\frac{\partial v}{\partial y} = e^u \sin v \cdot x + e^u \cos v \cdot 1$
$= e^{xy}[x\sin(x+y) + \cos(x+y)].$

例 5 求函数 $z = (x^3 - y^3)^{xy}$ 的偏导数.

解 不妨假设 $u = x^3 - y^3, v = xy$,则 $z = u^v$ 是以 $u、v$ 为中间变量的 $x、y$ 的复合函数.于是有
$$\frac{\partial z}{\partial u} = vu^{v-1}, \frac{\partial z}{\partial v} = u^v \ln u,$$
$$\frac{\partial u}{\partial x} = 3x^2, \frac{\partial u}{\partial y} = -3y^2, \frac{\partial v}{\partial x} = y, \frac{\partial v}{\partial y} = x.$$

于是
$$\frac{\partial z}{\partial x} = \frac{\partial z}{\partial u}\frac{\partial u}{\partial x} + \frac{\partial z}{\partial v}\frac{\partial v}{\partial x} = vu^{v-1} \cdot 3x^2 + u^v \ln u \cdot y$$
$$= (x^3 - y^3)^{xy}\left[\frac{3x^2 y}{x^3 - y^3} + y\ln(x^3 - y^3)\right],$$
$$\frac{\partial z}{\partial y} = \frac{\partial z}{\partial u}\frac{\partial u}{\partial y} + \frac{\partial z}{\partial v}\frac{\partial v}{\partial y} = vu^{v-1} \cdot (-3y^2) + u^v \ln u \cdot x$$
$$= (x^3 - y^3)^{xy}\left[\frac{-3xy^3}{x^3 - y^3} + x\ln(x^3 - y^3)\right].$$

例 6 设 $u = f(x,y,z) = e^{x^2 + y^2 + z^2}, z = x^2 \sin y$,求 $\frac{\partial u}{\partial x}$ 和 $\frac{\partial u}{\partial y}$.

解 $\dfrac{\partial u}{\partial x} = \dfrac{\partial f}{\partial x} + \dfrac{\partial f}{\partial z}\dfrac{\partial z}{\partial x} = e^{x^2+y^2+z^2}\cdot 2x + e^{x^2+y^2+z^2}\cdot 2z \cdot 2x\sin y$

$$= 2xe^{x^2+y^2+x^4\sin^2 y}(1 + 2x^2\sin^2 y),$$

$\dfrac{\partial u}{\partial y} = \dfrac{\partial f}{\partial y} + \dfrac{\partial f}{\partial z}\dfrac{\partial z}{\partial y} = e^{x^2+y^2+z^2}\cdot 2y + e^{x^2+y^2+z^2}\cdot 2z \cdot x^2\cos y$

$$= 2e^{x^2+y^2+x^4\sin^2 y}(y + x^4\sin y\cos y).$$

计算复合函数的高阶偏导数时,要将一阶偏导函数仍视为复合函数,重复运用复合函数求导的链式法则即可. 设函数 $z = f(u,v)$、$u = \varphi(x,y)$、$v = \psi(x,y)$ 关于变量 x、y 的一阶偏导数为

$$\dfrac{\partial z}{\partial x} = \dfrac{\partial z}{\partial u}\dfrac{\partial u}{\partial x} + \dfrac{\partial z}{\partial v}\dfrac{\partial v}{\partial x},$$

$$\dfrac{\partial z}{\partial y} = \dfrac{\partial z}{\partial u}\dfrac{\partial u}{\partial y} + \dfrac{\partial z}{\partial v}\dfrac{\partial v}{\partial y},$$

则

$$\dfrac{\partial^2 z}{\partial x^2} = \dfrac{\partial}{\partial x}\left(\dfrac{\partial z}{\partial x}\right) = \dfrac{\partial}{\partial x}\left(\dfrac{\partial z}{\partial u}\dfrac{\partial u}{\partial x} + \dfrac{\partial z}{\partial v}\dfrac{\partial v}{\partial x}\right)$$

$$= \dfrac{\partial}{\partial x}\left(\dfrac{\partial z}{\partial u}\right)\dfrac{\partial u}{\partial x} + \dfrac{\partial z}{\partial u}\dfrac{\partial^2 u}{\partial x^2} + \dfrac{\partial}{\partial x}\left(\dfrac{\partial z}{\partial v}\right)\dfrac{\partial v}{\partial x} + \dfrac{\partial z}{\partial v}\dfrac{\partial^2 v}{\partial x^2}.$$

注意到 $\dfrac{\partial z}{\partial u}$、$\dfrac{\partial z}{\partial v}$ 仍然是 x、y 的函数,因此

$$\dfrac{\partial}{\partial x}\left(\dfrac{\partial z}{\partial u}\right) = \dfrac{\partial^2 z}{\partial u^2}\dfrac{\partial u}{\partial x} + \dfrac{\partial^2 z}{\partial u\partial v}\dfrac{\partial v}{\partial x}, \quad \dfrac{\partial}{\partial x}\left(\dfrac{\partial z}{\partial v}\right) = \dfrac{\partial^2 z}{\partial v\partial u}\dfrac{\partial u}{\partial x} + \dfrac{\partial^2 z}{\partial v^2}\dfrac{\partial v}{\partial x}.$$

代入前式. 又假设 $z = f(u,v)$ 具有二阶的连续偏导数,从而 $\dfrac{\partial^2 z}{\partial u\partial v} = \dfrac{\partial^2 z}{\partial v\partial u}$,即得

$$\dfrac{\partial^2 z}{\partial x^2} = \dfrac{\partial^2 z}{\partial u^2}\left(\dfrac{\partial u}{\partial x}\right)^2 + 2\dfrac{\partial^2 z}{\partial u\partial v}\dfrac{\partial u}{\partial x}\dfrac{\partial v}{\partial x} + \dfrac{\partial^2 z}{\partial v^2}\left(\dfrac{\partial v}{\partial x}\right)^2 + \dfrac{\partial z}{\partial u}\dfrac{\partial^2 u}{\partial x^2} + \dfrac{\partial z}{\partial v}\dfrac{\partial^2 v}{\partial x^2}.$$

类似地可以计算得

$$\dfrac{\partial^2 z}{\partial y^2} = \dfrac{\partial^2 z}{\partial u^2}\left(\dfrac{\partial u}{\partial y}\right)^2 + 2\dfrac{\partial^2 z}{\partial u\partial v}\dfrac{\partial u}{\partial y}\dfrac{\partial v}{\partial y} + \dfrac{\partial^2 z}{\partial v^2}\left(\dfrac{\partial v}{\partial y}\right)^2 + \dfrac{\partial z}{\partial u}\dfrac{\partial^2 u}{\partial y^2} + \dfrac{\partial z}{\partial v}\dfrac{\partial^2 v}{\partial y^2},$$

$$\dfrac{\partial^2 z}{\partial y\partial x} = \dfrac{\partial^2 z}{\partial u^2}\dfrac{\partial u}{\partial y}\dfrac{\partial u}{\partial x} + \dfrac{\partial^2 z}{\partial u\partial v}\left(\dfrac{\partial v}{\partial y}\dfrac{\partial u}{\partial x} + \dfrac{\partial v}{\partial x}\dfrac{\partial u}{\partial y}\right) + \dfrac{\partial^2 z}{\partial v^2}\dfrac{\partial v}{\partial y}\dfrac{\partial v}{\partial x} + \dfrac{\partial z}{\partial u}\dfrac{\partial^2 u}{\partial x\partial y} + \dfrac{\partial z}{\partial v}\dfrac{\partial^2 v}{\partial x\partial y}.$$

例7 设 $v = xy + u$,$u = u(x,y)$,求 v'_x、v'_y、v''_{xx}、v''_{xy}、v''_{yy}.

解 v 既直接与 x、y 有关,又通过 u 与 x、y 有关,因此

$$v'_x = \dfrac{\partial v}{\partial x} = y + \dfrac{\partial u}{\partial x}, \quad v'_y = \dfrac{\partial v}{\partial y} = x + \dfrac{\partial u}{\partial y},$$

$$v''_{xx} = \dfrac{\partial}{\partial x}\left(y + \dfrac{\partial u}{\partial x}\right) = \dfrac{\partial^2 u}{\partial x^2}, \quad v''_{yy} = \dfrac{\partial}{\partial y}\left(x + \dfrac{\partial u}{\partial y}\right) = \dfrac{\partial^2 u}{\partial y^2},$$

$$v''_{xy} = \frac{\partial}{\partial y}\left(y + \frac{\partial u}{\partial x}\right) = 1 + \frac{\partial^2 u}{\partial x \partial y}.$$

例 8 设 $z = f(xy, \frac{y}{x}, x+y)$ 具有二阶连续偏导数，求 $\frac{\partial z}{\partial y}$、$\frac{\partial^2 z}{\partial y \partial x}$.

解 设 $u = xy, v = \frac{y}{x}, w = x+y$，则 $z = f(u, v, w)$. 根据复合函数求导法则有

$$\frac{\partial z}{\partial y} = \frac{\partial f}{\partial u}\frac{\partial u}{\partial y} + \frac{\partial f}{\partial v}\frac{\partial v}{\partial y} + \frac{\partial f}{\partial w}\frac{\partial w}{\partial y}$$

$$= \frac{\partial f}{\partial u} \cdot x + \frac{\partial f}{\partial v} \cdot \frac{1}{x} + \frac{\partial f}{\partial w} \cdot 1 = xf'_u + \frac{1}{x}f'_v + f'_w.$$

再来求二阶偏导数 $\frac{\partial^2 z}{\partial y \partial x}$. 但在运算时要注意 $\frac{\partial f}{\partial u}$、$\frac{\partial f}{\partial v}$、$\frac{\partial f}{\partial w}$ 都是 $u、v、w$ 的函数，从而也是关于 $x、y$ 的复合函数，故而对它们求导时要重复应用复合函数的求导法则. 因

$$\frac{\partial f'_u}{\partial x} = \frac{\partial f'_u}{\partial u}\frac{\partial u}{\partial x} + \frac{\partial f'_u}{\partial v}\frac{\partial v}{\partial x} + \frac{\partial f'_u}{\partial w}\frac{\partial w}{\partial x} = yf''_{uu} - \frac{y}{x^2}f''_{uv} + f''_{uw},$$

$$\frac{\partial f'_v}{\partial x} = \frac{\partial f'_v}{\partial u}\frac{\partial u}{\partial x} + \frac{\partial f'_v}{\partial v}\frac{\partial v}{\partial x} + \frac{\partial f'_v}{\partial w}\frac{\partial w}{\partial x} = yf''_{vu} - \frac{y}{x^2}f''_{vv} + f''_{vw},$$

$$\frac{\partial f'_w}{\partial x} = \frac{\partial f'_w}{\partial u}\frac{\partial u}{\partial x} + \frac{\partial f'_w}{\partial v}\frac{\partial v}{\partial x} + \frac{\partial f'_w}{\partial w}\frac{\partial w}{\partial x} = yf''_{wu} - \frac{y}{x^2}f''_{wv} + f''_{ww},$$

又二阶偏导数都连续，故

$$\frac{\partial^2 z}{\partial y \partial x} = \frac{\partial}{\partial x}\left(\frac{\partial z}{\partial y}\right) = \frac{\partial}{\partial x}\left(xf'_u + \frac{1}{x}f'_v + f'_w\right)$$

$$= f'_u + x\frac{\partial f'_u}{\partial x} - \frac{1}{x^2}f'_v + \frac{1}{x}\frac{\partial f'_v}{\partial x} + \frac{\partial f'_w}{\partial x}$$

$$= f'_u + x\left(yf''_{uu} - \frac{y}{x^2}f''_{uv} + f''_{uw}\right) - \frac{1}{x^2}f'_v + \frac{1}{x}\left(yf''_{vu} - \frac{y}{x^2}f''_{vv} + f''_{vw}\right) + yf''_{wu} - \frac{y}{x^2}f''_{wv} + f''_{ww}$$

$$= f'_u - \frac{1}{x^2}f'_v + xyf''_{uu} - \frac{y}{x^3}f''_{vv} + f''_{ww} + (x+y)f''_{uw} + \left(\frac{1}{x} - \frac{y}{x^2}\right)f''_{vw}.$$

为简便起见，常引用记号：

$$f'_1 = \frac{\partial f}{\partial u}, f'_2 = \frac{\partial f}{\partial v}, f'_3 = \frac{\partial f}{\partial w}, f''_{12} = \frac{\partial^2 f}{\partial u \partial v}, f''_{11} = \frac{\partial^2 f}{\partial u^2}, f''_{32} = \frac{\partial^2 f}{\partial w \partial v}, \cdots,$$

则例题所求结果可以表示为：

$$\frac{\partial z}{\partial y} = xf'_1 + \frac{1}{x}f'_2 + f'_3,$$

$$\frac{\partial^2 z}{\partial y \partial x} = f'_1 - \frac{1}{x^2}f'_2 + xyf''_{11} - \frac{y}{x^3}f''_{22} + f''_{33} + (x+y)f''_{13} + \left(\frac{1}{x} - \frac{y}{x^2}\right)f''_{23}.$$

例9 若 $z=f(x,y)$ 的所有二阶偏导数均连续,证明:
$$\left(\frac{\partial z}{\partial r}\right)^2+\frac{1}{r^2}\left(\frac{\partial z}{\partial \theta}\right)^2=\left(\frac{\partial z}{\partial x}\right)^2+\left(\frac{\partial z}{\partial y}\right)^2.$$

证明 由 $x=r\cos\theta, y=r\sin\theta$,得
$$\frac{\partial z}{\partial r}=\frac{\partial z}{\partial x}\frac{\partial x}{\partial r}+\frac{\partial z}{\partial y}\frac{\partial y}{\partial r}=\frac{\partial z}{\partial x}\cos\theta+\frac{\partial z}{\partial y}\sin\theta,$$
$$\frac{\partial z}{\partial \theta}=\frac{\partial z}{\partial x}\frac{\partial x}{\partial \theta}+\frac{\partial z}{\partial y}\frac{\partial y}{\partial \theta}=-\frac{\partial z}{\partial x}r\sin\theta+\frac{\partial z}{\partial y}r\cos\theta,$$

所以
$$\left(\frac{\partial z}{\partial r}\right)^2+\frac{1}{r^2}\left(\frac{\partial z}{\partial \theta}\right)^2=\left(\frac{\partial z}{\partial x}\cos\theta+\frac{\partial z}{\partial y}\sin\theta\right)^2+\left(-\frac{\partial z}{\partial x}\sin\theta+\frac{\partial z}{\partial y}\cos\theta\right)^2$$
$$=\left(\frac{\partial z}{\partial x}\right)^2\cos^2\theta+2\frac{\partial z}{\partial x}\frac{\partial z}{\partial y}\sin\theta\cos\theta+\left(\frac{\partial z}{\partial y}\right)^2\sin^2\theta+$$
$$\left(\frac{\partial z}{\partial x}\right)^2\sin^2\theta-2\frac{\partial z}{\partial x}\frac{\partial z}{\partial y}\sin\theta\cos\theta+\left(\frac{\partial z}{\partial y}\right)^2\cos^2\theta,$$

合并同类项,并利用 $\sin^2\theta+\cos^2\theta=1$,即得
$$\left(\frac{\partial z}{\partial r}\right)^2+\frac{1}{r^2}\left(\frac{\partial z}{\partial \theta}\right)^2=\left(\frac{\partial z}{\partial x}\right)^2+\left(\frac{\partial z}{\partial y}\right)^2.$$

9.5.3 多元函数微分形式不变性

多元函数的一阶全微分具有微分形式的不变性.

设 $z=f(x,y)$ 可微,若 x、y 是自变量,则函数的全微分为
$$dz=\frac{\partial z}{\partial x}dx+\frac{\partial z}{\partial y}dy.$$

现设 x、y 又是 s、t 的函数 $x=\varphi(s,t)$、$y=\psi(s,t)$,而 $x=\varphi(s,t)$、$y=\psi(s,t)$ 在点 (s,t) 处具有连续的偏导数,函数 $z=f(x,y)$ 在相应点 (x,y) 处可微,则复合函数 $z=f[\varphi(s,t),\psi(s,t)]$ 在点 (s,t) 处可微,且
$$dz=\frac{\partial z}{\partial x}dx+\frac{\partial z}{\partial y}dy.$$

就是说,不论 $z=f(x,y)$ 是自变量 x、y 的函数还是中间变量 x、y 的函数,全微分都有相同的形式,称此性质为多元函数微分形式不变性. 因为
$$dz=\frac{\partial z}{\partial s}ds+\frac{\partial z}{\partial t}dt=\left(\frac{\partial z}{\partial x}\frac{\partial x}{\partial s}+\frac{\partial z}{\partial y}\frac{\partial y}{\partial s}\right)ds+\left(\frac{\partial z}{\partial x}\frac{\partial x}{\partial t}+\frac{\partial z}{\partial y}\frac{\partial y}{\partial t}\right)dt$$
$$=\frac{\partial z}{\partial x}\left(\frac{\partial x}{\partial s}ds+\frac{\partial x}{\partial t}dt\right)+\frac{\partial z}{\partial y}\left(\frac{\partial y}{\partial s}ds+\frac{\partial y}{\partial t}dt\right)$$

$$= \frac{\partial z}{\partial x} \mathrm{d}x + \frac{\partial z}{\partial y} \mathrm{d}y.$$

例 10 设 $z = f(u,v), u = x\sin y, v = g(x,y)$，求 $\frac{\partial z}{\partial x}$、$\frac{\partial z}{\partial y}$.

解 由于 $\mathrm{d}z = f'_u \mathrm{d}u + f'_v \mathrm{d}v$
$$= f'_u \mathrm{d}(x\sin y) + f'_v \mathrm{d}[g(x,y)]$$
$$= f'_u(\sin y \mathrm{d}x + x\cos y \mathrm{d}y) + f'_v(g'_x \mathrm{d}x + g'_y \mathrm{d}y)$$
$$= (\sin y f'_u + g'_x f'_v)\mathrm{d}x + (xf'_u \cos y + g'_y f'_v)\mathrm{d}y,$$

于是有
$$\frac{\partial z}{\partial x} = \sin y f'_u + g'_x f'_v, \quad \frac{\partial z}{\partial y} = xf'_u \cos y + g'_y f'_v.$$

习题 9-5

1. 求下列复合函数的导数：

(1) $z = x^2 + y^2 + yx, x = \sin t, y = \mathrm{e}^t$，求 $\frac{\mathrm{d}z}{\mathrm{d}t}$；

(2) $z = u^2 + v^2, u = x + y, v = x - y$，求 $\frac{\partial z}{\partial x}$、$\frac{\partial z}{\partial y}$；

(3) $z = \ln(\mathrm{e}^x + \mathrm{e}^y), y = x^3$，求 $\frac{\partial z}{\partial x}$、$\frac{\partial z}{\partial y}$；

(4) $z = u^2 \ln v$，而 $u = \frac{x}{y}, v = 3x - 2y$，求 $\frac{\partial z}{\partial x}$、$\frac{\partial z}{\partial y}$；

(5) $z = \mathrm{e}^{x-2y}$，而 $x = \sin t, y = t^3$，求 $\frac{\partial z}{\partial t}$；

(6) $u = \frac{\mathrm{e}^{ax}(y-z)}{a^2 + 1}$，而 $y = a\sin x, z = \cos x$，求 $\frac{\partial u}{\partial x}$.

2. 求下列函数的一阶偏导数（其中 f 具有一阶连续偏导数）：

(1) $u = f(x^2 - y^2, \mathrm{e}^{xy})$；   (2) $u = f\left(\frac{x}{y}, \frac{y}{z}\right)$；

(3) $u = f(x, xy, xyz)$.

3. 设函数 $f(u,v)$ 满足 $f\left(x+y, \frac{y}{x}\right) = x^2 - y^2$，求 $\left.\frac{\partial f}{\partial u}\right|_{\substack{u=1\\v=1}}$、$\left.\frac{\partial f}{\partial v}\right|_{\substack{u=1\\v=1}}$ 的值.

4. 设 $z = xy + xF(u)$，而 $u = \frac{y}{x}, F(u)$ 为可导函数，证明：
$$x\frac{\partial z}{\partial x} + y\frac{\partial z}{\partial y} = z + xy.$$

5. 求下列函数的 $\dfrac{\partial^2 z}{\partial x^2}$、$\dfrac{\partial^2 z}{\partial x \partial y}$、$\dfrac{\partial^2 z}{\partial y^2}$（其中 f 具有二阶连续偏导数）：

(1) $z = f(x+y, xy)$；

(2) $z = f(x^2 + y^2)$；

(3) $z = f(xy^2, x^2 y)$；

(4) $z = f(\sin x, \cos y, e^{x+y})$.

6. 设函数 $f(u, v)$ 具有二阶连续偏导数，有 $y = f(e^x, \cos x)$，求 $\left.\dfrac{dy}{dx}\right|_{x=0}$、$\left.\dfrac{d^2 y}{dx^2}\right|_{x=0}$.

7. 设函数 $g(r)$ 有二阶导数，$f(x, y) = g(r)$，$r = \sqrt{x^2 + y^2}$，求证：

$$\dfrac{\partial^2 f}{\partial x^2} + \dfrac{\partial^2 f}{\partial y^2} = g''(r) + \dfrac{1}{r} g'(r).$$

8. 设 $u = f(x, y)$ 的所有二阶偏导数连续，而

$$x = \dfrac{s - \sqrt{3} t}{2}, \quad y = \dfrac{\sqrt{3} s + t}{2},$$

证明：

$$\left(\dfrac{\partial u}{\partial x}\right)^2 + \left(\dfrac{\partial u}{\partial y}\right)^2 = \left(\dfrac{\partial u}{\partial s}\right)^2 + \left(\dfrac{\partial u}{\partial t}\right)^2 \text{ 及 } \dfrac{\partial^2 u}{\partial x^2} + \dfrac{\partial^2 u}{\partial y^2} = \dfrac{\partial^2 u}{\partial s^2} + \dfrac{\partial^2 u}{\partial t^2}.$$

9.6 隐函数的求导法则

前面讨论的许多函数都是显函数，即因变量是由自变量的某个分析式来表示的. 而在实际问题中常常遇到自变量与因变量之间的关系是由一个方程式，例如：$F(x, y) = 0$，$G(x, y, z) = 0$ 或方程组 $\begin{cases} F(x, y, z) = 0, \\ G(x, y, z) = 0 \end{cases}$ 来确定的函数，这类函数称为隐函数. 并不是任何方程都能确定出隐函数，如 $3x^2 + y^4 + 1 = 0$ 就不能定义任何隐函数. 为此，我们有必要讨论隐函数存在定理和隐函数的导数求法.

隐函数存在定理 1 设函数 $F(x, y)$ 在点 $P(x_0, y_0)$ 的某个邻域内具有连续偏导数，且 $F(x_0, y_0) = 0$，$F'_y(x_0, y_0) \neq 0$，则方程 $F(x, y) = 0$ 在点 (x_0, y_0) 的某个邻域内恒能唯一确定一个连续且具有连续导数的函数 $y = f(x)$，它满足条件 $f(x_0) = y_0$，且

$$f'(x) = \dfrac{dy}{dx} = -\dfrac{F'_x(x, y)}{F'_y(x, y)}.$$

有了隐函数存在定理，就可由复合函数微分法，来求隐函数的导数或偏导数. 因当 $F(x, y)$ 满足定理的条件时，方程 $F(x, y) = 0$ 唯一确定了 y 为 x 的函数 $y = f(x)$，在方程 $F(x, y) = 0$ 两端对 x 求导，得

$$F'_x(x, y) + F'_y(x, y) \cdot y' = 0,$$

所以
$$y'(x) = \frac{dy}{dx} = -\frac{F'_x(x,y)}{F'_y(x,y)}.$$

同理,若 $F'_x(x,y) \neq 0$,也可求出由方程 $F(x,y)=0$ 所确定的函数 $x=x(y)$ 的导数
$$x'(y) = \frac{dx}{dy} = -\frac{F'_y(x,y)}{F'_x(x,y)}.$$

若函数 $F(x,y)$ 的二阶偏导数也都连续,我们将 $f(x)$ 的一阶导数 $\frac{dy}{dx}$ 仍视为 x 的复合函数,再对 x 求导可得

$$\begin{aligned}
\frac{d^2 y}{dx^2} &= \frac{\partial}{\partial x}\left(-\frac{F'_x}{F'_y}\right) + \frac{\partial}{\partial y}\left(-\frac{F'_x}{F'_y}\right) \cdot \frac{dy}{dx} \\
&= -\frac{F''_{xx}F'_y - F''_{yx}F'_x}{(F'_y)^2} - \frac{F''_{xy}F'_y - F''_{yy}F'_x}{(F'_y)^2}\left(-\frac{F'_x}{F'_y}\right) \\
&= -\frac{F''_{xx}(F'_y)^2 - 2F''_{yx}F'_xF'_y + F''_{yy}(F'_x)^2}{(F'_y)^3}.
\end{aligned}$$

隐函数存在定理 1 推广 设函数 $F(x,y,z)$ 在点 (x_0,y_0,z_0) 的某个邻域内具有连续偏导数,且 $F(x_0,y_0,z_0)=0$,$F'_z(x_0,y_0,z_0) \neq 0$,则方程 $F(x,y,z)=0$ 在点 (x_0,y_0,z_0) 的某个邻域内恒能唯一确定一个连续且具有连续导数的函数 $z=f(x,y)$,它满足条件 $f(x_0,y_0)=z_0$,且

$$z'_x = \frac{\partial z}{\partial x} = -\frac{F'_x(x,y,z)}{F'_z(x,y,z)}, \quad z'_y = \frac{\partial z}{\partial y} = -\frac{F'_y(x,y,z)}{F'_z(x,y,z)}.$$

例 1 求由方程 $\frac{x^2}{a^2}+\frac{y^2}{b^2}+\frac{z^2}{c^2}=1$ 所确定的函数 z 的偏导数.

解
$$\frac{x^2}{a^2}+\frac{y^2}{b^2}+\frac{z^2}{c^2}-1=0.$$

由复合函数微分法得

$$\frac{2x}{a^2}+\frac{2z}{c^2}z'_x = 0, \text{故 } z'_x = -\frac{c^2 x}{a^2 z},$$

$$\frac{2y}{b^2}+\frac{2z}{c^2}z'_y = 0, \text{故 } z'_y = -\frac{c^2 y}{b^2 z}.$$

例 2 设函数 $z=f(x,y)$ 由方程 $\sin z = xyz$ 所唯一确定,求 z 的偏导数 $\frac{\partial z}{\partial x}$、$\frac{\partial z}{\partial y}$.

解法一 设 $F(x,y,z) = \sin z - xyz = 0$,对 x、y、z 求偏导数可得
$$F'_x = -yz, \quad F'_y = -xz, \quad F'_z = \cos z - xy.$$

由隐函数的求导公式

$$\frac{\partial z}{\partial x} = -\frac{F'_x}{F'_z} = \frac{yz}{\cos z - xy}, \quad \frac{\partial z}{\partial y} = -\frac{F'_y}{F'_z} = \frac{xz}{\cos z - xy}.$$

解法二 将 z 视为 x、y 的二元函数，根据复合函数微分法对 $\sin z = xyz$ 两端求 x 的导数得

$$\cos z \frac{\partial z}{\partial x} = yz + xy \frac{\partial z}{\partial x},$$

由此式解得

$$\frac{\partial z}{\partial x} = \frac{yz}{\cos z - xy}.$$

同理，对 $\sin z = xyz$ 两端求 y 的导数得

$$\cos z \frac{\partial z}{\partial y} = xz + xy \frac{\partial z}{\partial y},$$

从而得

$$\frac{\partial z}{\partial y} = \frac{xz}{\cos z - xy}.$$

例 3 设函数 $z = f(x,y)$ 由方程 $e^x - xyz = 0$ 所唯一确定，求 $\frac{\partial^2 z}{\partial x^2}$.

解 将方程 $e^x - xyz = 0$ 两端对 x 求导得

$$e^x - yz - xy \frac{\partial z}{\partial x} = 0,$$

从而得

$$\frac{\partial z}{\partial x} = \frac{e^x - yz}{xy}.$$

再对 $\frac{\partial z}{\partial x}$ 求关于 x 的偏导数可得

$$\frac{\partial}{\partial x}\left(\frac{e^x - yz}{xy}\right) = \frac{\left(e^x - y \frac{\partial z}{\partial x}\right)xy - (e^x - yz)y}{(xy)^2},$$

将 $\frac{\partial z}{\partial x} = \frac{e^x - yz}{xy}$ 代入上式并合并同类项得

$$\frac{\partial^2 z}{\partial x^2} = \frac{xe^x - 2e^x + 2yz}{x^2 y}.$$

隐函数存在定理 2 设函数 $F(x,y,u,v)$、$G(x,y,u,v)$ 在点 $P_0(x_0,y_0,u_0,v_0)$ 的某个邻域 D 内满足下列条件：

(1) 函数 $F(x,y,u,v)$、$G(x,y,u,v)$ 的所有偏导数在 D 内连续 [从而 $F(x,y,u,v)$、$G(x,y,u,v)$ 在 D 内连续]；

(2) $\begin{cases} F(x_0,y_0,u_0,v_0) = 0, \\ G(x_0,y_0,u_0,v_0) = 0; \end{cases}$

(3) 由函数 F、G 的偏导数所构成的函数行列式[称其为雅可比(Jacobi)式]

$$J = \frac{\partial(F,G)}{\partial(u,v)} = \begin{vmatrix} F'_u & F'_v \\ G'_u & G'_v \end{vmatrix} \neq 0,$$

则方程组 $\begin{cases} F(x,y,u,v) = 0, \\ G(x,y,u,v) = 0 \end{cases}$ 在点 $P_0(x_0, y_0, u_0, v_0)$ 的某个邻域 D 内恒能唯一确定具有连续偏导数的隐函数组

$$\begin{cases} u = u(x,y), \\ v = v(x,y) \end{cases}$$

使 $F[x,y,u(x,y),v(x,y)] \equiv 0, G[x,y,u(x,y),v(x,y)] \equiv 0$，且它们满足 $u_0 = u(x_0, y_0), v_0 = v(x_0, y_0)$，并有

$$u'_x = \frac{\partial u}{\partial x} = -\frac{1}{J}\frac{\partial(F,G)}{\partial(x,v)} = -\frac{\begin{vmatrix} F'_x & F'_v \\ G'_x & G'_v \end{vmatrix}}{\begin{vmatrix} F'_u & F'_v \\ G'_u & G'_v \end{vmatrix}},$$

$$v'_x = \frac{\partial v}{\partial x} = -\frac{1}{J}\frac{\partial(F,G)}{\partial(u,x)} = -\frac{\begin{vmatrix} F'_u & F'_x \\ G'_u & G'_x \end{vmatrix}}{\begin{vmatrix} F'_u & F'_v \\ G'_u & G'_v \end{vmatrix}},$$

$$u'_y = \frac{\partial u}{\partial y} = -\frac{1}{J}\frac{\partial(F,G)}{\partial(y,v)} = -\frac{\begin{vmatrix} F'_y & F'_v \\ G'_y & G'_v \end{vmatrix}}{\begin{vmatrix} F'_u & F'_v \\ G'_u & G'_v \end{vmatrix}},$$

$$v'_y = \frac{\partial v}{\partial y} = -\frac{1}{J}\frac{\partial(F,G)}{\partial(u,y)} = -\frac{\begin{vmatrix} F'_u & F'_y \\ G'_u & G'_y \end{vmatrix}}{\begin{vmatrix} F'_u & F'_v \\ G'_u & G'_v \end{vmatrix}}.$$

设方程组 $\begin{cases} F(x,y,u,v) = 0, \\ G(x,y,u,v) = 0 \end{cases}$ 确定了一对函数 $\begin{cases} u = u(x,y), \\ v = v(x,y) \end{cases}$ 为 x、y 的函数，则每一个方程都可看作是 x、y 的复合函数，两端对 x 求导有

$$\begin{cases} F'_x + F'_u \cdot \dfrac{\partial u}{\partial x} + F'_v \cdot \dfrac{\partial v}{\partial x} = 0, \\ G'_x + G'_u \cdot \dfrac{\partial u}{\partial x} + G'_v \cdot \dfrac{\partial v}{\partial x} = 0. \end{cases}$$

当系数所组成的行列式 $J = \begin{vmatrix} F'_u & F'_v \\ G'_u & G'_v \end{vmatrix} \neq 0$ 时,解这个线性方程组可得

$$u'_x = -\frac{1}{J}\begin{vmatrix} F'_x & F'_v \\ G'_x & G'_v \end{vmatrix}, v'_x = -\frac{1}{J}\begin{vmatrix} F'_u & F'_x \\ G'_u & G'_x \end{vmatrix}.$$

同理,方程组对 y 求导,可求得 $\dfrac{\partial u}{\partial y}$、$\dfrac{\partial v}{\partial y}$.

$$u'_y = -\frac{1}{J}\begin{vmatrix} F'_y & F'_v \\ G'_y & G'_v \end{vmatrix}, v'_y = -\frac{1}{J}\begin{vmatrix} F'_u & F'_y \\ G'_u & G'_y \end{vmatrix}.$$

例 4 设 x、y 为自变量,$u = u(x,y)$,$v = v(x,y)$ 为由方程组

$$\begin{cases} x^2 + y^2 - uv = 0, \\ xy - u^2 + v^2 = 0 \end{cases}$$

所确定的函数,求 $\dfrac{\partial u}{\partial x}$、$\dfrac{\partial v}{\partial x}$.

解 方程组两边对 x 求导,得

$$\begin{cases} 2x - v\dfrac{\partial u}{\partial x} - u\dfrac{\partial v}{\partial x} = 0, \\ y - 2u\dfrac{\partial u}{\partial x} + 2v\dfrac{\partial v}{\partial x} = 0, \end{cases}$$

解此线性方程组可得

$$\frac{\partial u}{\partial x} = \frac{4xv + uy}{2(u^2 + v^2)}, \frac{\partial v}{\partial x} = \frac{4xu - vy}{2(u^2 + v^2)}.$$

若对 y 求导,即可求得 $\dfrac{\partial u}{\partial y}$、$\dfrac{\partial v}{\partial y}$.

例 5 设 $\begin{cases} x = r\cos\theta, \\ y = r\sin\theta, \end{cases}$ 求 $\dfrac{\partial r}{\partial x}$、$\dfrac{\partial \theta}{\partial x}$、$\dfrac{\partial r}{\partial y}$、$\dfrac{\partial \theta}{\partial y}$.

解法一 两式两端对 x 求导,有

$$\begin{cases} 1 = \cos\theta\dfrac{\partial r}{\partial x} - r\sin\theta\dfrac{\partial \theta}{\partial x}, \\ 0 = \sin\theta\dfrac{\partial r}{\partial x} + r\cos\theta\dfrac{\partial \theta}{\partial x}, \end{cases}$$

解得

$$\frac{\partial r}{\partial x} = \cos\theta, \frac{\partial \theta}{\partial x} = -\frac{\sin\theta}{r}.$$

两式两端对 y 求导,有

$$\begin{cases} 0 = \cos\theta\dfrac{\partial r}{\partial y} - r\sin\theta\dfrac{\partial \theta}{\partial y}, \\ 1 = \sin\theta\dfrac{\partial r}{\partial y} + r\cos\theta\dfrac{\partial \theta}{\partial y}, \end{cases}$$

解得

$$\dfrac{\partial r}{\partial y} = \sin\theta, \dfrac{\partial \theta}{\partial y} = \dfrac{\cos\theta}{r}.$$

解法二 用微分法,由 $x = r\cos\theta, y = r\sin\theta$ 得

$$\begin{cases} \mathrm{d}x = \cos\theta\mathrm{d}r - r\sin\theta\mathrm{d}\theta, \\ \mathrm{d}y = \sin\theta\mathrm{d}r + r\cos\theta\mathrm{d}\theta, \end{cases}$$

解出

$$\mathrm{d}r = \cos\theta\mathrm{d}x + \sin\theta\mathrm{d}y, \mathrm{d}\theta = -\dfrac{\sin\theta}{r}\mathrm{d}x + \dfrac{\cos\theta}{r}\mathrm{d}y,$$

所以

$$\dfrac{\partial r}{\partial x} = \cos\theta, \dfrac{\partial r}{\partial y} = \sin\theta,$$

$$\dfrac{\partial \theta}{\partial x} = -\dfrac{\sin\theta}{r}, \dfrac{\partial \theta}{\partial y} = \dfrac{\cos\theta}{r}.$$

当方程组中的方程多于两个时,要求出方程组所确定的函数的偏导数(或导数),和两个方程的情形一样,也需要解线性方程组.

习题 9-6

1. 求下列隐函数的导数:

(1) $\ln\sqrt{x^2 + y^2} = \arctan\dfrac{y}{x}$, 求 $\dfrac{\mathrm{d}y}{\mathrm{d}x}$;

(2) $\sin y + \mathrm{e}^x - xy^2 = 0$, 求 $\dfrac{\mathrm{d}y}{\mathrm{d}x}$;

(3) $\mathrm{e}^{x+2y+3z} + xyz = 1$, 求 $\dfrac{\partial z}{\partial x}$、$\dfrac{\partial z}{\partial y}$;

(4) $\cos^2 x + \cos^2 y + \cos^2 z = 1$, 其中 $z = f(x, y)$, 求 $\dfrac{\partial z}{\partial x}$、$\dfrac{\partial z}{\partial y}$;

(5) $x + 2y + z - 2\sqrt{xyz} = 0$, 求 $\dfrac{\partial z}{\partial x}$、$\dfrac{\partial z}{\partial y}$;

(6) $\ln z + \mathrm{e}^{z-1} = xy$, 求 $\dfrac{\partial z}{\partial x}\bigg|_{(2,\frac{1}{2})}$.

2. 设 $z = z(x, y)$ 是由方程 $\mathrm{e}^{2yz} + x + y^2 + z = \dfrac{7}{4}$ 确定的函数, 求 $\mathrm{d}z\bigg|_{(\frac{1}{2},\frac{1}{2})}$.

3. 设 $x=x(y,z), y=y(x,z), z=z(x,y)$ 都是由方程 $F(x,y,z)=0$ 所定义的具有连续偏导数的函数,证明：$\dfrac{\partial x}{\partial y} \cdot \dfrac{\partial y}{\partial z} \cdot \dfrac{\partial z}{\partial x} = -1$.

4. 求下列高阶导数：

(1) $z^3 - 3xyz = a^2$,求 $\dfrac{\partial^2 z}{\partial x^2}$、$\dfrac{\partial^2 z}{\partial y^2}$、$\dfrac{\partial^2 z}{\partial x \partial y}$；

(2) 设 $e^z - xyz = 0$,求 $\dfrac{\partial^2 z}{\partial x^2}$.

5. 取 u、v 作新的自变量,变换下列方程：

(1) 设 $u = x + 2y + 2, v = x - y - 1$,
$$2\dfrac{\partial^2 z}{\partial x^2} + \dfrac{\partial^2 z}{\partial x \partial y} - \dfrac{\partial^2 z}{\partial y^2} + \dfrac{\partial z}{\partial x} + \dfrac{\partial z}{\partial y} = 0;$$

(2) 设 $u = \ln(x + \sqrt{1+x^2}), v = \ln(y + \sqrt{1+y^2})$,
$$(1+x^2)\dfrac{\partial^2 z}{\partial x^2} + (1+y^2)\dfrac{\partial^2 z}{\partial y^2} + x\dfrac{\partial z}{\partial x} + y\dfrac{\partial z}{\partial y} = 0.$$

6. 求由下列方程组所确定的函数的导数或偏导数：

(1) $\begin{cases} x+y+z=0, \\ x^2+y^2+z^2=1, \end{cases}$ 求 $\dfrac{dx}{dz}$、$\dfrac{dy}{dz}$；

(2) $\begin{cases} u = f(ux, v+y), \\ v = g(u-x, v^2 y), \end{cases}$ 其中 f、g 具有一阶连续偏导数,求 $\dfrac{\partial u}{\partial x}$、$\dfrac{\partial v}{\partial x}$.

7. 设 $y = f(x,t)$,而 $t = t(x,y)$ 是由方程 $F(x,y,t) = 0$ 所确定的函数,其中 f、F 都具有一阶连续偏导数,试证明：
$$\dfrac{dy}{dx} = \dfrac{\dfrac{\partial f}{\partial x}\dfrac{\partial F}{\partial t} - \dfrac{\partial f}{\partial t}\dfrac{\partial F}{\partial x}}{\dfrac{\partial f}{\partial t}\dfrac{\partial F}{\partial y} + \dfrac{\partial F}{\partial t}}.$$

9.7 多元函数微分学的几何应用

9.7.1 空间曲线的切线与法平面

设空间曲线 Γ 的参数方程为
$$\begin{cases} x = \varphi(t), \\ y = \psi(t), \quad t \in [\alpha, \beta], \\ z = \omega(t), \end{cases}$$

且函数 $x=\varphi(t),y=\psi(t),z=\omega(t)$ 都在 $[\alpha,\beta]$ 上可导，$\forall t\in[\alpha,\beta]$ 相应的三个导数 $x'_t=\varphi'(t),y'_t=\psi'(t),z'_t=\omega'(t)$ 不同时为零.

取定 $t_0\in[\alpha,\beta]$ 与其对应曲线 Γ 上的点为 $M_0(x_0,y_0,z_0)$，求曲线 Γ 在点 $M_0(x_0,y_0,z_0)$ 处的切线及法平面方程. 为此，我们先作过点 $M_0(x_0,y_0,z_0)$ 的割线. 给 t_0 一个增量 Δt 使 $t_0+\Delta t\in[\alpha,\beta]$，相应地得到曲线上的另一点 M. 由空间解析几何的知识，过点 M_0 和 M 的割线 T 的方程为

$$\frac{x-x_0}{\varphi(t_0+\Delta t)-\varphi(t_0)}=\frac{y-y_0}{\psi(t_0+\Delta t)-\psi(t_0)}=\frac{z-z_0}{\omega(t_0+\Delta t)-\omega(t_0)}.$$

若曲线 Γ 在点 M_0 处的割线 T，在动点 M 沿曲线 Γ 趋向 M_0 时有极限位置，称此极限为曲线 Γ 在点 M_0 处的切线. 我们对割线方程的分母都除以 Δt，所得方程仍是割线的方程，即

$$\frac{x-x_0}{\dfrac{\varphi(t_0+\Delta t)-\varphi(t_0)}{\Delta t}}=\frac{y-y_0}{\dfrac{\psi(t_0+\Delta t)-\psi(t_0)}{\Delta t}}=\frac{z-z_0}{\dfrac{\omega(t_0+\Delta t)-\omega(t_0)}{\Delta t}}.$$

当 $\Delta t\to 0$ 时，对此方程取极限就得到切线的方程. 由于函数 $x=\varphi(t),y=\psi(t),z=\omega(t)$ 在 $[\alpha,\beta]$ 上都可导，故曲线 Γ 在点 M_0 处的切线方程为

$$\frac{x-x_0}{\varphi'(t_0)}=\frac{y-y_0}{\psi'(t_0)}=\frac{z-z_0}{\omega'(t_0)}.$$

向量 $[\varphi'(t_0),\psi'(t_0),\omega'(t_0)]$ 称为曲线 Γ 在点 M_0 处的**切向量**. 通过点 M_0 且与切线垂直的平面称为曲线 Γ 在点 M_0 处的**法平面**，它是通过点 $M_0(x_0,y_0,z_0)$ 且以 $[\varphi'(t_0),\psi'(t_0),\omega'(t_0)]$ 为法向量的平面，因此法平面方程为

$$\varphi'(t_0)(x-x_0)+\psi'(t_0)(y-y_0)+\omega'(t_0)(z-z_0)=0.$$

例 1 求曲线 $x=t,y=t^2,z=t^3$ 在点 $(1,1,1)$ 处的切线及法平面方程.

解 由已知 $x'_t=1,y'_t=2t,z'_t=3t^2$，点 $(1,1,1)$ 对应的参数是 $t_0=1$，于是切向量 $\boldsymbol{T}=(1,2,3)$. 故切线方程为

$$\frac{x-1}{1}=\frac{y-1}{2}=\frac{z-1}{3},$$

法平面方程为

$$(x-1)+2(y-1)+3(z-1)=0,$$

即

$$x+2y+3z=6.$$

例 2 求曲线 $x=a\sin^2 t,y=b\sin t\cos t,z=c\cos^2 t$，在对应于 $t=\dfrac{\pi}{4}$ 的点处的切线及法平面方程.

解 由已知 $x'_t = 2a\sin t\cos t, y'_t = b(\cos^2 t - \sin^2 t), z'_t = -2c\cos t\sin t$,而参数 $t = \dfrac{\pi}{4}$ 所对应的点为 $\left(\dfrac{a}{2}, \dfrac{b}{2}, \dfrac{c}{2}\right)$,此点处的切向量是 $x'_{t_0} = a, y'_{t_0} = 0, z'_{t_0} = -c$. 故切线方程为

$$\frac{x - \dfrac{a}{2}}{a} = \frac{y - \dfrac{b}{2}}{0} = \frac{z - \dfrac{c}{2}}{-c}.$$

也可以写为

$$\begin{cases} \dfrac{x - \dfrac{a}{2}}{a} = \dfrac{z - \dfrac{c}{2}}{-c}, \\ y = \dfrac{b}{2}, \end{cases} \quad 即 \quad \begin{cases} \dfrac{x}{a} + \dfrac{z}{c} = 1, \\ y = \dfrac{b}{2}. \end{cases}$$

法平面方程为

$$a\left(x - \frac{a}{2}\right) - c\left(z - \frac{c}{2}\right) = 0,$$

即

$$ax - cz = \frac{1}{2}(a^2 - c^2).$$

例 3 求与平面 $x + 2y + z = 2$ 平行的曲线 $\begin{cases} x = t, \\ y = -t^2, \\ z = t^3 \end{cases}$ 的切线方程.

解 对 x、y、z 关于 t 求导得 $x'_t = 1, y'_t = -2t, z'_t = 3t^2$,因此得曲线的切向量 $\boldsymbol{T} = (1, -2t, 3t^2)$. 由已知条件得知,平面的法向量 $\boldsymbol{n} = (1, 2, 1)$. 由题意 $\boldsymbol{T} \cdot \boldsymbol{n} = 0$,即

$$1 - 4t + 3t^2 = 0.$$

解得 $t = \dfrac{1}{3}$ 或 $t = 1$,故满足条件的切线方程为

$$\frac{x - \dfrac{1}{3}}{3} = \frac{y + \dfrac{1}{9}}{-2} = \frac{z - \dfrac{1}{27}}{1}, \quad 或 \quad \frac{x - 1}{1} = \frac{y + 1}{-2} = \frac{z - 1}{3}.$$

下面我们再来讨论空间曲线 $\varGamma$ 的方程以另外两种形式给出的情形.

(1) 若空间曲线 $\varGamma$ 的方程以

$$\begin{cases} y = \varphi(x), \\ z = \psi(x) \end{cases}$$

的形式给出,将 x 视为参数,它就可以表示为参数方程

$$\begin{cases} x = x, \\ y = \varphi(x), \\ z = \psi(x). \end{cases}$$

若 $\varphi(x)$、$\psi(x)$ 都在 $x = x_0$ 处可导,则根据上面的讨论可知,曲线 Γ 在点 M_0 处的切向量为 $[1, \varphi'(x_0), \psi'(x_0)]$,因此曲线 Γ 在点 $M_0(x_0, y_0, z_0)$ 处的切线方程为

$$\frac{x - x_0}{1} = \frac{y - y_0}{\varphi'(x_0)} = \frac{z - z_0}{\psi'(x_0)}.$$

在点 $M_0(x_0, y_0, z_0)$ 处的法平面方程为

$$(x - x_0) + \varphi'(x_0)(y - y_0) + \psi'(x_0)(z - z_0) = 0.$$

(2)若空间曲线 Γ 的方程以

$$\begin{cases} F(x,y,z) = 0, \\ G(x,y,z) = 0 \end{cases}$$

的形式给出,$M_0(x_0, y_0, z_0)$ 是曲线 Γ 上的一个点,F、G 有对各个变量的连续偏导数,且

$$\left. \frac{\partial(F,G)}{\partial(y,z)} \right|_{(x_0,y_0,z_0)} \neq 0.$$

则依据隐函数存在定理,方程组在点 $M_0(x_0, y_0, z_0)$ 的某邻域内确定了一组函数 $y = \varphi(x), z = \psi(x)$,它表示空间曲线 Γ. 我们只要求出 $\varphi'(x)$、$\psi'(x)$ 即可由上面的讨论得出曲线 Γ 在点 M_0 处的切线方程和法平面方程. 为此,我们在方程组

$$\begin{cases} F[x, \varphi(x), \psi(x)] = 0, \\ G[x, \varphi(x), \psi(x)] = 0 \end{cases}$$

两边分别对 x 求全导数,得

$$\begin{cases} \dfrac{\partial F}{\partial x} + \dfrac{\partial F}{\partial y}\dfrac{\mathrm{d}y}{\mathrm{d}x} + \dfrac{\partial F}{\partial z}\dfrac{\mathrm{d}z}{\mathrm{d}x} = 0, \\ \dfrac{\partial G}{\partial x} + \dfrac{\partial G}{\partial y}\dfrac{\mathrm{d}y}{\mathrm{d}x} + \dfrac{\partial G}{\partial z}\dfrac{\mathrm{d}z}{\mathrm{d}x} = 0. \end{cases}$$

由假设可知,在点 M_0 的某个邻域内

$$J = \frac{\partial(F,G)}{\partial(y,z)} \neq 0,$$

故可解得

$$\frac{\mathrm{d}y}{\mathrm{d}x} = \varphi'(x) = \frac{\begin{vmatrix} F'_z & F'_x \\ G'_z & G'_x \end{vmatrix}}{\begin{vmatrix} F'_y & F'_z \\ G'_y & G'_z \end{vmatrix}}, \frac{\mathrm{d}z}{\mathrm{d}x} = \psi'(x) = \frac{\begin{vmatrix} F'_x & F'_y \\ G'_x & G'_y \end{vmatrix}}{\begin{vmatrix} F'_y & F'_z \\ G'_y & G'_z \end{vmatrix}}.$$

于是 $[1,\varphi'(x_0),\psi'(x_0)]$ 是曲线 Γ 在点 M_0 处的一个切向量,其中

$$\varphi'(x_0) = \frac{\begin{vmatrix} F'_z & F'_x \\ G'_z & G'_x \end{vmatrix}_{M_0}}{\begin{vmatrix} F'_y & F'_z \\ G'_y & G'_z \end{vmatrix}_{M_0}}, \quad \psi'(x_0) = \frac{\begin{vmatrix} F'_x & F'_y \\ G'_x & G'_y \end{vmatrix}_{M_0}}{\begin{vmatrix} F'_y & F'_z \\ G'_y & G'_z \end{vmatrix}_{M_0}}$$

分子分母中带下标 M_0 的行列式表示行列式在点 $M_0(x_0,y_0,z_0)$ 的值. 把上面的切向量乘以 $\begin{vmatrix} F'_y & F'_z \\ G'_y & G'_z \end{vmatrix}_{M_0}$,得

$$\boldsymbol{G} = \left(\begin{vmatrix} F'_y & F'_z \\ G'_y & G'_z \end{vmatrix}_{M_0}, \begin{vmatrix} F'_z & F'_x \\ G'_z & G'_x \end{vmatrix}_{M_0}, \begin{vmatrix} F'_x & F'_y \\ G'_x & G'_y \end{vmatrix}_{M_0} \right),$$

这也是曲线 Γ 在点 M_0 处的一个切向量. 由此可写出曲线在点 M_0 处的切线方程为

$$\frac{x-x_0}{\begin{vmatrix} F'_y & F'_z \\ G'_y & G'_z \end{vmatrix}_{M_0}} = \frac{y-y_0}{\begin{vmatrix} F'_z & F'_x \\ G'_z & G'_x \end{vmatrix}_{M_0}} = \frac{z-z_0}{\begin{vmatrix} F'_x & F'_y \\ G'_x & G'_y \end{vmatrix}_{M_0}},$$

曲线 Γ 在点 M_0 处的法平面方程为

$$\begin{vmatrix} F'_y & F'_z \\ G'_y & G'_z \end{vmatrix}_{M_0} (x-x_0) + \begin{vmatrix} F'_z & F'_x \\ G'_z & G'_x \end{vmatrix}_{M_0} (y-y_0) + \begin{vmatrix} F'_x & F'_y \\ G'_x & G'_y \end{vmatrix}_{M_0} (z-z_0) = 0.$$

例 4 求曲线 $\begin{cases} x+y+z=3, \\ x^2+2y^2-3z^2=x-y \end{cases}$ 在点 $(1,1,1)$ 处的切线及法平面方程.

解 将所给方程的两边对 x 求导并移项,得

$$\begin{cases} 1+\dfrac{dy}{dx}+\dfrac{dz}{dx}=0, \\ 2x+(4y+1)\dfrac{dy}{dx}-6z\dfrac{dz}{dx}-1=0, \end{cases}$$

将 $(1,1,1)$ 代入方程组得

$$\begin{cases} 1+\dfrac{dy}{dx}+\dfrac{dz}{dx}=0, \\ 1+5\dfrac{dy}{dx}-6\dfrac{dz}{dx}=0. \end{cases}$$

$J = \dfrac{\partial(F,G)}{\partial(y,z)} = \begin{vmatrix} 1 & 1 \\ 5 & -6 \end{vmatrix} = -11 \neq 0$ 由此得

$$\left.\frac{dy}{dx}\right|_{(1,1,1)} = \frac{1}{J}\begin{vmatrix} F'_z & F'_x \\ G'_z & G'_x \end{vmatrix}_{(1,1,1)} = -\frac{1}{11}\begin{vmatrix} 1 & 1 \\ -6 & 1 \end{vmatrix} = -\frac{7}{11},$$

$$\left.\frac{\mathrm{d}z}{\mathrm{d}x}\right|_{(1,1,1)} = \frac{1}{J}\left.\begin{vmatrix} F'_x & F'_y \\ G'_x & G'_y \end{vmatrix}\right|_{(1,1,1)} = -\frac{1}{11}\begin{vmatrix} 1 & 1 \\ 1 & 5 \end{vmatrix} = -\frac{4}{11}.$$

从而切向量为 $(11, -7, -4)$，故所求切线方程为

$$\frac{x-1}{11} = \frac{y-1}{-7} = \frac{z-1}{-4},$$

法平面方程为

$$11(x-1) - 7(y-1) - 4(z-1) = 0,$$

即

$$11x - 7y - 4z = 0.$$

9.7.2 曲面的切平面与法线

设 $\Sigma: F(x,y,z) = 0$ 为一曲面，$M_0(x_0, y_0, z_0)$ 是曲面 Σ 上的一点，设函数 $F(x,y,z)$ 的各个偏导数在该点连续且不同时为零. 在曲面 Σ 上，过点 M_0 任意引一条曲线 L，曲线 L 的参数方程为

$$\begin{cases} x = \varphi(t), \\ y = \psi(t), \quad t \in [\alpha, \beta], \\ z = \omega(t), \end{cases}$$

$t = t_0$ 对应于点 $M_0(x_0, y_0, z_0)$，且 $\varphi'(t_0)$、$\psi'(t_0)$、$\omega'(t_0)$ 不全为零，则曲线 L 在点 M_0 处的切线方程为

$$\frac{x - x_0}{\varphi'(t_0)} = \frac{y - y_0}{\psi'(t_0)} = \frac{z - z_0}{\omega'(t_0)}.$$

很显然，曲面 Σ 上在点 M_0 处具有切线的所有曲线在点 M_0 处的切线都在同一个平面上. 由于曲线 L 完全在曲面 Σ 上，故曲线 L 的方程满足曲面 Σ 的方程，即有恒等式

$$F[\varphi(t), \psi(t), \omega(t)] \equiv 0.$$

又因为 $F(x,y,z)$ 在点 (x_0, y_0, z_0) 处有连续偏导数，且 $\varphi'(t_0)$、$\psi'(t_0)$、$\omega'(t_0)$ 存在，于是有

$$\left.\frac{\mathrm{d}}{\mathrm{d}t} F[\varphi(t), \psi(t), \omega(t)]\right|_{t=t_0} = 0,$$

即有

$$F'_x(x_0, y_0, z_0)\varphi'(t_0) + F'_y(x_0, y_0, z_0)\psi'(t_0) + F'_z(x_0, y_0, z_0)\omega'(t) = 0.$$

不妨假设 $\boldsymbol{n} = [F'_x(x_0, y_0, z_0), F'_y(x_0, y_0, z_0), F'_z(x_0, y_0, z_0)]$ 和 $\boldsymbol{l} = [\varphi'(t_0), \psi'(t_0), \omega'(t_0)]$，则

$$\boldsymbol{n} \cdot \boldsymbol{l} = 0.$$

即向量 $\boldsymbol{n}$ 和 $\boldsymbol{l}$ 垂直. $\boldsymbol{l} = [\varphi'(t_0), \psi'(t_0), \omega'(t_0)]$ 为曲线 L 在点 M_0 处的切向量,又曲线 L 是曲面上过点 M_0 的任意一条曲线,所以曲面上通过点 M_0 的一切曲线在点 M_0 的切线都与同一个向量 $\boldsymbol{n}$ 垂直,也就证明了曲面上通过点 M_0 的一切曲线在点 M_0 的切线都在同一个平面上,称此平面为曲面 Σ 在点 M_0 的**切平面**.

设 $M_0(x_0, y_0, z_0)$ 是曲面 $\Sigma: F(x, y, z) = 0$ 上的一点,若函数 $F(x, y, z)$ 的各个偏导数在点 $M_0(x_0, y_0, z_0)$ 连续且不同时为零,则曲面 Σ 在点 M_0 处的切平面方程为

$$F'_x(x_0, y_0, z_0)(x - x_0) + F'_y(x_0, y_0, z_0)(y - y_0) + F'_z(x_0, y_0, z_0)(z - z_0) = 0.$$

通过点 $M_0(x_0, y_0, z_0)$ 且垂直于切平面的直线称为曲面 Σ 在该点处的法线,其方程为

$$\frac{x - x_0}{F'_x(x_0, y_0, z_0)} = \frac{y - y_0}{F'_y(x_0, y_0, z_0)} = \frac{z - z_0}{F'_z(x_0, y_0, z_0)}.$$

垂直于曲面 Σ 上切平面的向量

$$\boldsymbol{n} = [F'_x(x_0, y_0, z_0), F'_y(x_0, y_0, z_0), F'_z(x_0, y_0, z_0)]$$

称为曲面 Σ 的法向量.

若曲面 Σ 的方程为 $z = f(x, y)$ 的情形,则令 $F(x, y, z) = f(x, y) - z$,于是有

$$F'_x(x, y, z) = f'_x(x, y), \quad F'_y(x, y, z) = f'_y(x, y), \quad F'_z(x, y, z) = -1.$$

当函数 $f(x, y)$ 的偏导数 $f'_x(x, y)$、$f'_y(x, y)$ 在点 (x_0, y_0) 连续时,曲面 Σ 在点 $M_0(x_0, y_0, z_0)$ 处的法向量为

$$\boldsymbol{n} = [f'_x(x_0, y_0), f'_y(x_0, y_0), -1].$$

于是,切平面方程为

$$f'_x(x_0, y_0)(x - x_0) + f'_y(x_0, y_0)(y - y_0) - (z - z_0) = 0,$$

或

$$z - z_0 = f'_x(x_0, y_0)(x - x_0) + f'_y(x, y_0)(y - y_0),$$

此方程右端恰好是函数 $z = f(x, y)$ 在点 (x_0, y_0) 的全微分,而左端是切平面上点的竖坐标的增量. 这说明,函数 $z = f(x, y)$ 在点 (x_0, y_0) 的全微分,在几何上表示曲面 $z = f(x, y)$ 在点 $M_0(x_0, y_0, z_0)$ 处的切平面上点的竖坐标的增量. 故曲面 Σ 在点 $M_0(x_0, y_0, z_0)$ 处的法线方程为

$$\frac{x - x_0}{f'_x(x_0, y_0)} = \frac{y - y_0}{f'_y(x_0, y_0)} = \frac{z - z_0}{-1}.$$

若用 α、β 和 γ 表示曲面的法向量的方向角,并假定法向量的方向是向上的,即取它与 z 轴的正向所成的角 γ 是一锐角,那么法向量的方向余弦为

$$\cos\alpha = \frac{-f'_x}{\sqrt{1 + (f'_x)^2 + (f'_y)^2}}, \cos\beta = \frac{-f'_y}{\sqrt{1 + (f'_x)^2 + (f'_y)^2}}, \cos\gamma = \frac{1}{\sqrt{1 + (f'_x)^2 + (f'_y)^2}},$$

其中分别将 $f'_x(x_0, y_0)$ 和 $f'_y(x_0, y_0)$ 简记为 f'_x 和 f'_y.

例5 求球面 $x^2 + y^2 + z^2 = 14$ 在点 $(1,2,3)$ 处的切平面及法线方程.

解 $$F(x,y,z) = x^2 + y^2 + z^2 - 14,$$
$$\boldsymbol{n} = (F'_x, F'_y, F'_z) = (2x, 2y, 2z),$$
$$\boldsymbol{n}|_{(1,2,3)} = (2,4,6).$$

所以在点 $(1,2,3)$ 处此球面的切平面方程为
$$2(x-1) + 4(y-2) + 6(z-3) = 0,$$
即
$$x + 2y + 3z - 14 = 0.$$
法线方程为
$$\frac{x-1}{1} = \frac{y-2}{2} = \frac{z-3}{3},$$
即
$$\frac{x}{1} = \frac{y}{2} = \frac{z}{3}.$$

由此可见,法线经过原点(即球心).

例6 求曲线 $\begin{cases} 3x^2 + 2y^2 = 12, \\ z = 0 \end{cases}$ 绕 y 轴旋转所形成的曲面在点 $(0, \sqrt{3}, \sqrt{2})$ 处的切平面方程.

解 先写出旋转曲面的方程
$$3x^2 + 3z^2 + 2y^2 = 12,$$
则曲面上每点切平面对应的法向量为 $\boldsymbol{n} = (6x, 4y, 6z)$.
$$\boldsymbol{n}|_{(0,\sqrt{3},\sqrt{2})} = (0, 4\sqrt{3}, 6\sqrt{2}),$$
所以在点 $(0, \sqrt{3}, \sqrt{2})$ 处的切平面的方程为
$$4\sqrt{3}(y - \sqrt{3}) + 6\sqrt{2}(z - \sqrt{2}) = 0.$$

习题 9-7

1. 求曲线 $x = \frac{1}{2}\sin^2 t, y = \frac{1}{2}(t + \sin t \cdot \cos t), z = \sin t$ 在对应于 $t = \frac{\pi}{4}$ 的点处的切线与法平面方程.

2. 求曲线 $x = t^2, y = 1-t, z = t^3$ 在点 $(1,0,1)$ 处的切线及法平面方程.

3. 求出曲线 $\begin{cases} x^2 + y^2 + z^2 - 3x = 0, \\ 2x - 3y + 5z - 4 = 0 \end{cases}$ 在点 $(1,1,1)$ 处的切平面及法线方程.

4. 求曲面 $e^z - z + xy = 3$ 在点 $(2,1,0)$ 处的切平面及法线方程.

5. 求曲面 $x^2 + 4y^2 + z^2 = 36$ 的切平面, 使它平行于平面 $x + y - z = 0$.

6. 求旋转椭球面 $3x^2 + y^2 + z^2 = 16$ 上点 $(-1,-2,3)$ 处的切平面与 xOy 面的夹角的余弦.

7. 试证曲面 $\sqrt{x} + \sqrt{y} + \sqrt{z} = \sqrt{a}\,(a>0)$ 上任何点处的切平面在各坐标轴上的截距之和等于 a.

8. 在椭球面 $\dfrac{x^2}{a^2} + \dfrac{y^2}{b^2} + \dfrac{z^2}{c^2} = 1$ 上什么样的点处, 椭球面的法线与坐标轴成等角?

9. 求曲线 $\boldsymbol{r} = f(t) = (t - \sin t)\boldsymbol{i} - (1 - \cos t)\boldsymbol{j} + (4\sin \dfrac{t}{2})\boldsymbol{k}$ 在与 $t_0 = \dfrac{\pi}{2}$ 相应的点处的切线及法平面方程.

10. 求曲线 $x = \dfrac{t}{1+t},\ y = \dfrac{1+t}{t},\ z = t^2$ 在对应于 $t_0 = 1$ 的点处的切线及法平面方程.

9.8 方向导数与梯度

9.8.1 方向导数

在许多实际问题中, 不仅要知道函数沿着平行于坐标轴方向的变化率(即偏导数), 而且需要知道函数沿其他特定方向的变化率. 例如, 要预报某地的风向和风力, 必须知道气压在该处沿某些方向的变化率. 这就是本节要讨论的方向导数.

如图 9-11 所示, 设函数 $z = f(x,y)$ 在点 $P(x,y)$ 的某邻域有定义, l 是从 P 引出的一条射线. $A(x+\Delta x, y+\Delta y)$ 是 l 上任意一点, P 与 A 之间的距离为 $\rho = \sqrt{(\Delta x)^2 + (\Delta y)^2}$, 于是函数的增量 $f(x+\Delta x, y+\Delta y) - f(x,y)$ 与 P、A 两点间距离的比

$$\frac{f(x+\Delta x, y+\Delta y) - f(x,y)}{\rho}$$

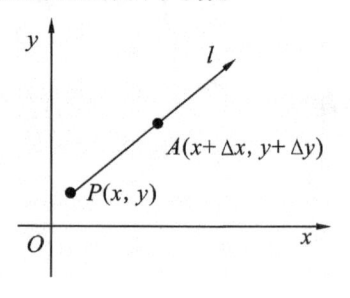

图 9-11

就表示函数 $z = f(x,y)$ 在点 P 处沿 l 方向的平均变化率. 如果当 A 沿着射线 l 趋于 P (即 $\rho \to 0$) 时, 此式的极限存在, 就称这个极限为函数 $z = f(x,y)$ 在点 P 沿着方向 l 的方向导数, 记作

$$\frac{\partial z}{\partial l} = \frac{\partial f}{\partial l} = \lim_{\rho \to 0} \frac{f(x+\Delta x, y+\Delta y) - f(x,y)}{\rho}.$$

由定义可知,若 $\dfrac{\partial z}{\partial l} > 0$,则函数 $z = f(x,y)$ 在点 P 处沿 l 方向是增加的,若 $\dfrac{\partial z}{\partial l} < 0$,则函数 $z = f(x,y)$ 在点 P 处沿 l 方向是减少的.

定理 如果函数 $z = f(x,y)$ 在点 $P(x,y)$ 可微,则它在点 P 沿任一方向 l 的方向导数都存在,且有

$$\dfrac{\partial z}{\partial l} = \dfrac{\partial z}{\partial x}\cos\alpha + \dfrac{\partial z}{\partial y}\cos\beta,$$

式中 $\cos\alpha$、$\cos\beta$ 是方向 l 的方向余弦.

证明 由 $z = f(x,y)$ 在点 P 可微的假定,函数的全增量可表示为

$$\Delta z = f(x + \Delta x, y + \Delta y) - f(x,y)$$
$$= \dfrac{\partial z}{\partial x}\Delta x + \dfrac{\partial z}{\partial y}\Delta y + o(\rho).$$

此式对任意的 Δx、Δy 皆成立. 因此,在特殊的方向 l 上也必成立,用 $\rho = \sqrt{(\Delta x)^2 + (\Delta y)^2}$ 去除等式中的各项得

$$\dfrac{\Delta z}{\rho} = \dfrac{\partial z}{\partial x}\dfrac{\Delta x}{\rho} + \dfrac{\partial z}{\partial y}\dfrac{\Delta y}{\rho} + \dfrac{o(\rho)}{\rho}.$$

如果 l 方向的方向余弦为 $\cos\alpha$、$\cos\beta$,则 $\Delta x = \rho\cos\alpha$,$\Delta y = \rho\cos\beta$,所以

$$\dfrac{\Delta z}{\rho} = \dfrac{\partial z}{\partial x}\cos\alpha + \dfrac{\partial z}{\partial y}\cos\beta + \dfrac{o(\rho)}{\rho}.$$

当 $\rho \to 0$ 时,取极限得

$$\dfrac{\partial z}{\partial l} = \lim_{\rho \to 0}\dfrac{\Delta z}{\rho} = \dfrac{\partial z}{\partial x}\cos\alpha + \dfrac{\partial z}{\partial y}\cos\beta.$$

方向导数的概念和计算公式可推广到三元函数的情形,函数 $u = f(x,y,z)$ 在空间一点 $P(x,y,z)$ 沿着方向 l(设方向的方向余弦为 $\cos\alpha$、$\cos\beta$、$\cos\gamma$)的方向导数可定义为

$$\dfrac{\partial u}{\partial l} = \lim_{\rho \to 0}\dfrac{f(x + \Delta x, y + \Delta y, z + \Delta z) - f(x,y,z)}{\rho},$$

其中 $\rho = \sqrt{(\Delta x)^2 + (\Delta y)^2 + (\Delta z)^2}$,$\Delta x = \rho\cos\alpha$,$\Delta y = \rho\cos\beta$,$\Delta z = \rho\cos\gamma$. 当函数 $u = f(x,y,z)$ 在点 $P(x,y,z)$ 可微时,则此函数在点 $P(x,y,z)$ 沿 l 方向的方向导数公式为

$$\dfrac{\partial u}{\partial l} = \dfrac{\partial u}{\partial x}\cos\alpha + \dfrac{\partial u}{\partial y}\cos\beta + \dfrac{\partial u}{\partial z}\cos\gamma.$$

例 1 设 $f(x,y,z) = ax + by + cz$,l 方向上的方向余弦为 $\cos\alpha$、$\cos\beta$、$\cos\gamma$,于是沿 l 方向的平均变化率为

$$\dfrac{\Delta f}{\rho} = \dfrac{1}{\rho}(a\rho\cos\alpha + b\rho\cos\beta + c\rho\cos\gamma)$$

$$= a\cos\alpha + b\cos\beta + c\cos\gamma,$$

所以有 $$\frac{\partial f}{\partial l} = a\cos\alpha + b\cos\beta + c\cos\gamma.$$

可见线性函数 f 沿 l 方向的导数不因点的位置而变化,同时还可看出,函数沿不同方向的方向导数一般是不同的.

例 2 设函数 $z = x^2 y$,l 是由点 $(1,1)$ 出发与 x 轴、y 轴的正方向所成夹角分别为 $\alpha = \frac{\pi}{6}$,$\beta = \frac{\pi}{3}$ 的一条射线,求 $\frac{\partial z}{\partial l}$.

解 $\left.\frac{\partial z}{\partial x}\right|_{(1,1)} = 2xy\Big|_{(1,1)} = 2$,$\left.\frac{\partial z}{\partial y}\right|_{(1,1)} = x^2\Big|_{(1,1)} = 1$,

$$\frac{\partial z}{\partial l} = \left.\frac{\partial z}{\partial x}\right|_{(1,1)} \cos\frac{\pi}{6} + \left.\frac{\partial z}{\partial y}\right|_{(1,1)} \cos\frac{\pi}{3}$$

$$= 2 \cdot \frac{\sqrt{3}}{2} + \frac{1}{2} \approx 2.232.$$

如取 $\alpha = \frac{\pi}{4}$,$\beta = \frac{\pi}{4}$,则

$$\frac{\partial z}{\partial l} = 2\cos\frac{\pi}{4} + \cos\frac{\pi}{4} = \sqrt{2} + \frac{\sqrt{2}}{2} \approx 2.121.$$

如取 $\alpha = \frac{\pi}{3}$,$\beta = \frac{\pi}{6}$,则

$$\frac{\partial z}{\partial l} = 2\cos\frac{\pi}{3} + \cos\frac{\pi}{6} = 1 + \frac{\sqrt{3}}{2} \approx 1.886.$$

同样可看到,沿不同方向的方向导数不同.

9.8.2 梯度

定义 设二元函数 $f(x,y)$ 在平面区域 D 内具有一阶连续偏导数,则对于每一点 $P_0(x_0, y_0) \in D$,向量

$$[f'_x(x_0, y_0), f'_y(x_0, y_0)] = \left.\left(\frac{\partial f}{\partial x}, \frac{\partial f}{\partial y}\right)\right|_{(x_0, y_0)} = \left.\frac{\partial f}{\partial x}\right|_{(x_0, y_0)} \boldsymbol{i} + \left.\frac{\partial f}{\partial y}\right|_{(x_0, y_0)} \boldsymbol{j}$$

称为函数 $f(x,y)$ 在点 $P_0(x_0, y_0) \in D$ 的梯度.记为 $\mathbf{grad}\, f(P_0)$,即

$$\mathbf{grad}\, f(P_0) = \mathbf{grad}\, f(x_0, y_0) = \left.\frac{\partial f}{\partial x}\right|_{(x_0, y_0)} \boldsymbol{i} + \left.\frac{\partial f}{\partial y}\right|_{(x_0, y_0)} \boldsymbol{j}$$

由定义可知梯度是一个向量.

若 l 是过点 $P_0(x_0, y_0)$ 的一条射线,l 的方向余弦是 $\cos\alpha$、$\cos\beta$,则可微函数 $f(x, y)$ 在点 $P_0(x_0, y_0)$ 沿方向 l 的方向导数为

$$\frac{\partial f}{\partial l} = \frac{\partial f}{\partial x}\cos\alpha + \frac{\partial f}{\partial y}\cos\beta.$$

$e = (\cos\alpha, \cos\beta)$ 是与射线 l 同向的单位向量,于是

$$\left.\frac{\partial f}{\partial l}\right|_{(x_0, y_0)} = \mathbf{grad}\, f(x_0, y_0) \cdot e = |\mathbf{grad}\, f(x_0, y_0)|\cos\theta,$$

其中 θ 是梯度向量 $\mathbf{grad}\, f(x_0, y_0)$ 与向量 e 之间的夹角.

(1) 当 $\theta = 0$,即梯度向量 $\mathbf{grad}\, f(x_0, y_0)$ 与向量 e 之间的方向相同时,函数 $f(x,y)$ 的增加最快. 也就是说,梯度向量 $\mathbf{grad}\, f(x_0, y_0)$ 与射线 l 同向时,函数在这点的方向导数取最大值,且它的模就等于方向导数的最大值,即

$$\left.\frac{\partial f}{\partial l}\right|_{(x_0, y_0)} = |\mathbf{grad}\, f(x_0, y_0)|.$$

(2) 当 $\theta = \pi$,即梯度向量 $\mathbf{grad}\, f(x_0, y_0)$ 与向量 e 之间的方向相反时,函数 $f(x,y)$ 的减少最快. 也就是说,梯度向量 $\mathbf{grad}\, f(x_0, y_0)$ 与射线 l 反向时,函数在这点的方向导数取最小值,即

$$\left.\frac{\partial f}{\partial l}\right|_{(x_0, y_0)} = -|\mathbf{grad}\, f(x_0, y_0)|.$$

(3) 当 $\theta = \dfrac{\pi}{2}$,即梯度向量 $\mathbf{grad}\, f(x_0, y_0)$ 与射线 l 正交时,方向导数为 0.

梯度概念的定义可以完全类似地推广到三元函数或三元以上多元函数范围里. 设函数 $f(x,y,z)$ 在区域 V 内具有连续偏导数,则对于任一点 $P(x,y,z)$,向量

$$\left(\frac{\partial f}{\partial x}, \frac{\partial f}{\partial y}, \frac{\partial f}{\partial z}\right) = \frac{\partial f}{\partial x}\mathbf{i} + \frac{\partial f}{\partial y}\mathbf{j} + \frac{\partial f}{\partial z}\mathbf{k}$$

称为函数 $f(x,y,z)$ 在点 $P(x,y,z)$ 的梯度. 记为 $\mathbf{grad}\, f(P)$,即

$$\mathbf{grad}\, f(P) = \frac{\partial f}{\partial x}\mathbf{i} + \frac{\partial f}{\partial y}\mathbf{j} + \frac{\partial f}{\partial z}\mathbf{k}.$$

它的方向是函数 $f(x,y,z)$ 在点 $P(x,y,z)$ 的方向导数取最大值的方向.

例 3 求函数 $f(x,y,z) = x^2 + 2y^2 + 3z^2 + 3x - 2y$ 在点 $(1,1,2)$ 处的梯度,并问在哪些点处梯度为零?

解 由梯度定义可知,

$$\mathbf{grad}\, f(x,y,z) = \frac{\partial f}{\partial x}\mathbf{i} + \frac{\partial f}{\partial y}\mathbf{j} + \frac{\partial f}{\partial z}\mathbf{k} = (2x+3)\mathbf{i} + (4y-2)\mathbf{j} + 6z\mathbf{k},$$

$$\mathbf{grad}\, f(1,1,2) = 5\mathbf{i} + 2\mathbf{j} + 12\mathbf{k}.$$

当 $\mathbf{grad}\, f(x,y,z) = (2x+3)\mathbf{i} + (4y-2)\mathbf{j} + 6z\mathbf{k} = 0$ 时,$x = -\dfrac{3}{2}, y = \dfrac{1}{2}, z = 0$,即在点 $\left(-\dfrac{3}{2}, \dfrac{1}{2}, 0\right)$ 处梯度为零.

习题 9-8

1. 求函数 $z = x^2 - y^2$ 在点 $M(1,1)$ 处沿与 x 轴的正方向成 $60°$ 的方向 l 上的方向导数.

2. 求函数 $z = \ln(x+y)$ 在抛物线 $y^2 = 4x$ 上点 $(1,2)$ 处,沿着抛物线在该点处偏向 x 轴正向的切线方向的方向导数.

3. 求函数 $z = 1 - \left(\dfrac{x^2}{a^2} + \dfrac{y^2}{b^2}\right)$ 在点 $\left(\dfrac{a}{\sqrt{2}}, \dfrac{b}{\sqrt{2}}\right)$ 处沿曲线 $\dfrac{x^2}{a^2} + \dfrac{y^2}{b^2} = 1$ 在这点的内法线方向的方向导数.

4. 求函数 $u = xy^2 + z^3 - xyz$ 在点 $(1,1,2)$ 处沿方向角为 $\alpha = \dfrac{\pi}{3}, \beta = \dfrac{\pi}{4}, \gamma = \dfrac{\pi}{3}$ 的方向的方向导数.

5. 求函数 $u = xyz$ 在点 $(5,1,2)$ 处沿从点 $(5,1,2)$ 到点 $(9,4,14)$ 的方向的方向导数.

6. 求函数 $u = x^2 + y^2 + z^2$ 在曲线 $(x=t, y=t^2, z=t^3)$ 上点 $(1,1,1)$ 处,沿曲线在该点的切线正方向(对应于 t 增大的方向)的方向导数.

7. 求函数 $u = x+y+z$ 在球面 $x^2+y^2+z^2=1$ 上点 (x_0, y_0, z_0) 处,沿球面在该点的外法线方向的方向导数.

8. 设 $f(x,y,z) = x^2 + 2y^2 + 3z^2 + xy + 3x - 2y - 6z$,求 $\mathbf{grad}\, f(0,0,0)$ 及 $\mathbf{grad}\, f(1,1,1)$.

9. 设函数 $u(x,y,z)$、$v(x,y,z)$ 的各个偏导数都存在且连续,证明:

(1) $\mathbf{grad}\, f(cu) = c\mathbf{grad}\, u$(其中 c 为常数);

(2) $\mathbf{grad}\,(u \pm v) = \mathbf{grad}\, u \pm \mathbf{grad}\, v$;

(3) $\mathbf{grad}\,(uv) = v\mathbf{grad}\, u + u\mathbf{grad}\, v$;

(4) $\mathbf{grad}\,\left(\dfrac{u}{v}\right) = \dfrac{v\mathbf{grad}\, u - u\mathbf{grad}\, v}{v^2}$.

10. 求函数 $u = xy^2z$ 在点 $P_0(1,-1,2)$ 处变化最快的方向,并求沿这个方向的方向导数.

9.9 多元函数的泰勒(Taylor)展开式

在一元函数微分学中我们学习了一元函数的泰勒公式.下面利用一元函数的泰勒公式来推导二元函数的泰勒公式.它的作用和意义,与一元函数泰勒公式相同,即用多项式函数近似地表示一个已给定的函数.

设函数 $z = f(x,y)$ 在点 (x_0, y_0) 的某一邻域 D 内连续,且有直到 $n+1$ 阶的连续偏导数,并设 $(x_0 + h, y_0 + k)$ 为此邻域内任意一点. 我们的问题是,要把函数 $f(x_0 + h, y_0 + k)$ 近似地表示为 $h = x - x_0, k = y - y_0$ 的 n 次多项式,而由此所产生的误差,当 $\rho = \sqrt{h^2 + k^2} \to 0$ 时,是一个比 ρ^n 高阶的无穷小量. 为解决这个问题,我们将二元函数的问题转化为一元函数的问题,并依赖一元函数的泰勒公式及多元复合函数微分法得出我们想要的结果. 为此,设一个变量为 t 的函数

$$F(t) = f(x_0 + ht, y_0 + kt) \quad (0 \leq t \leq 1).$$

此时 $F(0) = f(x_0, y_0), F(1) = f(x_0 + h, y_0 + k)$,故只须将 $F(t)$ 在 0 点展开后,取 $t = 1$ 即可.

$F(t)$ 的**麦克劳林展开式**为

$$F(t) = F(0) + F'(0) + \frac{F''(0)}{2!}t^2 + \cdots + \frac{F^{(n)}(0)}{n!}t^n + \frac{F^{(n+1)}(\theta t)}{(n+1)!}t^{n+1} \quad (0 < \theta < 1).$$

根据复合函数的微分法,逐次求出 $F(t)$ 的各阶导数

$$F'(t) = h\frac{\partial f}{\partial x} + k\frac{\partial f}{\partial y} = \left(h\frac{\partial}{\partial x} + k\frac{\partial}{\partial y}\right)f,$$

$$F''(t) = h^2\frac{\partial^2 f}{\partial x^2} + 2hk\frac{\partial^2 f}{\partial x \partial y} + k^2\frac{\partial^2 f}{\partial y^2} = \left(h\frac{\partial}{\partial x} + k\frac{\partial}{\partial y}\right)^2 f, \cdots$$

根据数学归纳法,按上述记号,

$$F^{(n)}(t) = \left(h\frac{\partial}{\partial x} + k\frac{\partial}{\partial y}\right)^n f = \sum_{r=0}^{n} C_n^r h^r k^{n-r} \frac{\partial^n f}{\partial x^r \partial y^{n-r}},$$

C_n^r 表示从 n 个中取 r 个的组合数. 于是

$$F'(0) = \left(h\frac{\partial}{\partial x} + k\frac{\partial}{\partial y}\right)f(x_0, y_0),$$

$$F''(0) = \left(h\frac{\partial}{\partial x} + k\frac{\partial}{\partial y}\right)^2 f(x_0, y_0),$$

$$\vdots$$

$$F^{(n)}(0) = \left(h\frac{\partial}{\partial x} + k\frac{\partial}{\partial y}\right)^n f(x_0, y_0),$$

$$F^{(n+1)}(\theta) = \left(h\frac{\partial}{\partial x} + k\frac{\partial}{\partial y}\right)^{n+1} f(x_0 + \theta h, y_0 + \theta k).$$

在 $F(t)$ 的麦克劳林展开式中令 $t = 1$ 得

$$F(1) = F(0) + F'(0) + \frac{F''(0)}{2!} + \cdots + \frac{F^{(n)}(0)}{n!} + \frac{F^{(n+1)}(\theta)}{(n+1)!}.$$

把上面算出的各阶导数代入,就得到**二元函数的泰勒公式**

$$f(x_0+h,y_0+k)=f(x_0,y_0)+\left(h\frac{\partial}{\partial x}+k\frac{\partial}{\partial y}\right)f(x_0,y_0)+$$
$$\frac{1}{2!}\left(h\frac{\partial}{\partial x}+k\frac{\partial}{\partial y}\right)^2 f(x_0,y_0)+\cdots+\frac{1}{n!}\left(h\frac{\partial}{\partial x}+k\frac{\partial}{\partial y}\right)^n f(x_0,y_0)+R_n,$$

其中
$$R_n=\frac{1}{(n+1)!}\left(h\frac{\partial}{\partial x}+k\frac{\partial}{\partial y}\right)^{n+1}f(x_0+\theta h,y_0+\theta k)(0<\theta<1)$$

叫作**拉格朗日形式的余项**.

特别地,当 $n=0$ 时,公式变为
$$f(x_0+h,y_0+k)=f(x_0,y_0)+hf'_x(x_0+\theta h,y_0+\theta k)+kf'_y(x_0+\theta h,y_0+\theta k),$$

其中 $0<\theta<1$,称为二元函数的**拉格朗日中值公式**. 由此不难推得:

若偏导数 $f'_x(x,y)$、$f'_y(x,y)$ 在某一区域内均恒等于零,则函数 $f(x,y)$ 在该区域内为一常数. 又当 $n=1$ 时,
$$f(x_0+h,y_0+k)=f(x_0,y_0)+hf'_x(x_0+h,y_0+k)+kf'_y(x_0+h,y_0+k)+$$
$$\frac{1}{2!}[h^2 f''_{xx}(x_0+\theta h,y_0+\theta k)+2hkf''_{xy}(x_0+\theta h,y_0+\theta k)+$$
$$k^2 f''_{yy}(x_0+\theta h,y_0+\theta k)](0<\theta<1).$$

例1 设 $f(x,y)=e^{x+y}$,试在点 $(0,0)$ 按泰勒公式展开.

解 $x_0=0,y_0=0,h=x,k=y$. 因 $\frac{\partial^n f}{\partial x^r \partial y^{n-r}}=e^{x+y}$,即 $f(x,y)$ 的各阶导数均为 e^{x+y},所以 $\left(\frac{\partial^n f}{\partial x^r \partial y^{n-r}}\right)\bigg|_{(0,0)}=1$.

故有
$$e^{x+y}=1+(x+y)+\frac{1}{2!}(x+y)^2+\cdots+\frac{1}{n!}(x+y)^n+R_n,$$

其中 $R_n=\frac{1}{(n+1)!}(x+y)^{n+1}e^{\theta x+\theta y}(0<\theta<1)$.

习题 9-9

1. 求二元函数 $f(x,y)=x^y$ 在点 $(1,1)$ 的泰勒展开式,直到含有二次项为止.

2. 根据麦克劳林公式展开函数 $f(x,y)=\sqrt{1-x^2-y^2}$ 直到含有四次项为止.

3. 求函数 $f(x,y)=e^x\ln(1+y)$ 在点 $(0,0)$ 的三阶泰勒公式.

4. 求函数 $f(x,y)=\sin x\sin y$ 在点 $\left(\frac{\pi}{4},\frac{\pi}{4}\right)$ 的二阶泰勒公式.

5. 利用函数 $f(x,y) = x^y$ 的三阶泰勒公式,计算 $1.1^{1.02}$ 的近似值.

6. 求函数 $f(x,y) = e^{x+y}$ 在点 $(0,0)$ 的 n 阶泰勒公式.

9.10 多元函数的极值与最值及其求法

9.10.1 极值的概念

定义 若函数 $z = f(x,y)$ 在点 $P_0(x_0, y_0)$ 的某邻域内有定义,且对此邻域内异于 $P_0(x_0, y_0)$ 的点恒有不等式 $f(x,y) \geq f(x_0, y_0)$,则称函数 $f(x,y)$ 在点 $P_0(x_0, y_0)$ 取得极小值,极小值为 $f(x_0, y_0)$. 若在点 P_0 的某邻域内异于 $P_0(x_0, y_0)$ 的点恒有 $f(x,y) \leq f(x_0, y_0)$,则称 $f(x,y)$ 在 $P_0(x_0, y_0)$ 取得极大值,极大值为 $f(x_0, y_0)$. 函数的极大值、极小值统称极值,使函数达到极值的点 $P_0(x_0, y_0)$ 称为极值点.

如函数 $z = 1 - x^2 - y^2$ 在点 $(0,0)$ 处的值为 1,而在点 $(0,0)$ 的某邻域内其函数值恒小于 1,故在点 $(0,0)$ 处函数取极大值,极大值为 1(图 9 – 12). 又如函数 $z = \sqrt{x^2 + y^2}$ 在点 $(0,0)$ 处的值为 0,而在点 $(0,0)$ 某邻域内函数值恒大于 0,因此函数在点 $(0,0)$ 取极小值,其值为 0(图 9 – 13).

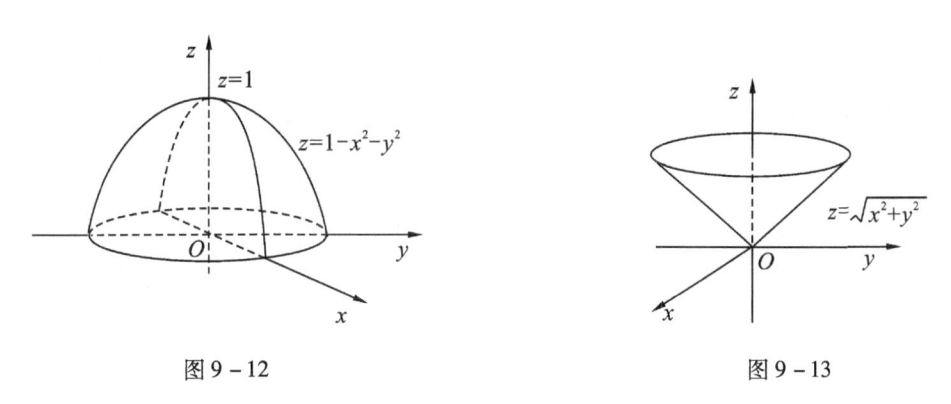

图 9 – 12

图 9 – 13

与一元函数的极值一样,二元函数的极值也是一个局部概念.

9.10.2 极值存在的条件

在一般情况下,极值不容易看出,因此必须给出判定极值的方法. 如果函数 $z = f(x,y)$ 在点 $P_0(x_0, y_0)$ 取得极值,固定 $y = y_0$,把 $z = f(x, y_0)$ 看作关于 x 的一元函数,则它在 $x = x_0$ 处也取得极值,于是根据一元函数极值点的性质,在 P_0 处关于 x 的导数为 0,即 $\left.\dfrac{\partial f}{\partial x}\right|_{P_0} = 0$. 同样,也应有 $\left.\dfrac{\partial f}{\partial y}\right|_{P_0} = 0$. 于是我们得到下面的定理.

定理 1(极值存在的必要条件) 若函数 $z=f(x,y)$ 在点 $P_0(x_0,y_0)$ 处取得极值, 且 $f'_x(x,y)$、$f'_y(x,y)$ 在点 (x_0,y_0) 处都存在, 则必有 $f'_x(x_0,y_0)=0, f'_y(x_0,y_0)=0$.

与一元函数相同, 凡能使 $f'_x(x,y)=0, f'_y(x,y)=0$ 同时成立的点 (x_0,y_0) 称为函数 $f(x,y)$ 的驻点(或稳定点). 因此, 极值点必为函数的驻点; 反过来, 驻点是否一定是函数的极值点? 考察马鞍面 $z=x^2-y^2$ 在原点 $(0,0)$ 处的情况, 就知道这个问题没有肯定的答案. 因为 $z=x^2-y^2$ 在原点处的值为 0, 且 $z'_x(0,0)=z'_y(0,0)=0$. 但在原点的任一邻域内函数既能取得正值, 又能取得负值, 故函数在原点不取极值 (图 9-14). 所以两个偏导数为 0 只是极值存在的必要条件.

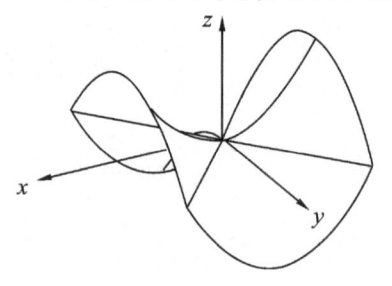

图 9-14

如何从驻点中找出极值点, 关键在于判定表达式 $f(x,y)-f(x_0,y_0)$, 当点 (x,y) 在 (x_0,y_0) 附近变动时, 是否有恒定的符号. 为此, 我们有下述定理.

定理 2(极值存在的充分条件) 设函数 $z=f(x,y)$ 在点 (x_0,y_0) 的某邻域内连续, 且有直到二阶的连续偏导数, 又 $f'_x(x_0,y_0)=0, f'_y(x_0,y_0)=0$. 记

$$A=f''_{xx}(x_0,y_0), B=f''_{xy}(x_0,y_0), C=f''_{yy}(x_0,y_0),$$

则有:

(1) 当 $B^2-AC<0$ 时, 在点 (x_0,y_0) 处函数 $z=f(x,y)$ 有极值, 且

(i) 当 $A>0$(此时必有 $C>0$), 则 $f(x,y)$ 在点 (x_0,y_0) 处有极小值;

(ii) 当 $A<0$(此时必有 $C<0$), 则 $f(x,y)$ 在点 (x_0,y_0) 处有极大值.

(2) 当 $B^2-AC>0$ 时, $f(x,y)$ 在点 (x_0,y_0) 处没有极值.

(3) 当 $B^2-AC=0$ 时, 还需进一步讨论, 这时 $f(x,y)$ 在 (x_0,y_0) 可能有极值也可能没有极值, 需进一步讨论.

证明 按二元函数的泰勒公式, 若 (x_0+h,y_0+k) 为上述邻域中任意一点, 则

$f(x_0+h,y_0+k)-f(x_0,y_0)$

$=f'_x(x_0,y_0)h+f'_y(x_0,y_0)k+\dfrac{1}{2!}[f''_{xx}(x_0+\theta h,y_0+\theta k)h^2+$

$2f''_{xy}(x_0+\theta h,y_0+\theta k)hk+f''_{yy}(x_0+\theta h,y_0+\theta k)k^2]\ (0<\theta<1).$

因为 $f'_x(x_0,y_0)=0, f'_y(x_0,y_0)=0$, 且 $f(x,y)$ 的一切二阶偏导数都连续, 故

$$f''_{xx}(x_0+\theta h,y_0+\theta k)=f''_{xx}(x_0,y_0)+\varepsilon_1,$$
$$f''_{xy}(x_0+\theta h,y_0+\theta k)=f''_{xy}(x_0,y_0)+\varepsilon_2,$$
$$f''_{yy}(x_0+\theta h,y_0+\theta k)=f''_{yy}(x_0,y_0)+\varepsilon_3,$$

ε_1、ε_2、ε_3 都是 $h\to 0, k\to 0$ 时的高阶无穷小量, 所以

$$f(x_0+h, y_0+k) - f(x_0, y_0)$$
$$= \frac{1}{2!}\{[f''_{xx}(x_0,y_0)+\varepsilon_1]h^2 + 2[f''_{xy}(x_0,y_0)+\varepsilon_2]hk + [f''_{yy}(x_0,y_0)+\varepsilon_3]k^2\}$$
$$= \frac{1}{2!}[f''_{xx}(x_0,y_0)h^2 + 2f''_{xy}(x_0,y_0)hk + f''_{yy}(x_0,y_0)k^2] + \frac{1}{2}(\varepsilon_1 h^2 + 2\varepsilon_2 hk + \varepsilon_3 k^2).$$

上式右端第二项是一个高阶无穷小量(当 $h\to 0, k\to 0$ 时),因此当 h、k 的绝对值充分小时,$f(x_0+h, y_0+k) - f(x_0, y_0)$ 的符号只取决于右端第一项.

$$P = f''_{xx}(x_0,y_0)h^2 + 2f''_{xy}(x_0,y_0)hk + f''_{yy}(x_0,y_0)k^2,$$

即

$$P = Ah^2 + 2Bhk + Ck^2,$$

其中

$$A = f''_{xx}(x_0,y_0), B = f''_{xy}(x_0,y_0), C = f''_{yy}(x_0,y_0).$$

我们可把 $P = Ah^2 + 2Bhk + Ck^2$ 写为

$$P = \frac{1}{A}[A^2 h^2 + 2ABhk + ACk^2]$$
$$= \frac{1}{A}[(Ah+Bk)^2 + (AC-B^2)k^2]$$
$$= \frac{1}{C}[(Bh+Ck)^2 + h^2(AC-B^2)].$$

因此:

(1)当 $B^2 - AC < 0$ 时,由此易知 A、C 均不能为0,且 A、C 必定同号,无论 h、k 取什么值(但不同时为0),式子 P 与 A(或 C)同号,当 h、k 的绝对值足够小时,$f(x_0+h, y_0+k) - f(x_0, y_0)$ 的符号也必定与 A(或 C)同号,这即证明了:

(i)当 $A = f''_{xx}(x_0,y_0) > 0$[或 $C = f''_{yy}(x_0,y_0) > 0$]时,
$$f(x_0+h, y_0+k) > f(x_0,y_0),$$
故函数 $f(x,y)$ 在点 (x_0,y_0) 取得极小值 $f(x_0,y_0)$.

(ii)当 $A = f''_{xx}(x_0,y_0) < 0$[或 $C = f''_{yy}(x_0,y_0) < 0$]时,
$$f(x_0+h, y_0+k) < f(x_0,y_0),$$
故函数 $f(x,y)$ 在点 (x_0,y_0) 取得极大值 $f(x_0,y_0)$.

(2)当 $B^2 - AC > 0$ 时,$f(x_0+h, y_0+k) - f(x_0, y_0)$ 的符号不定,故函数 $f(x,y)$ 在点 (x_0,y_0) 没有极值.

(i)如果 A、C 中至少有一个不为0($A \neq 0$),式子 P 随 h、k 变动有时为正,有时为负.

(ii)如果 A、C 均为0,则式子 $P = 2Bhk$,显然随 h、k 变动而有时为正,有时为负.

即是说 $B^2-AC>0$ 时,函数 $z=f(x,y)$ 在点 (x_0,y_0) 处没有极值.

(3) 当 $B^2-AC=0$ 时,还需进一步讨论,这时 $f(x,y)$ 在 (x_0,y_0) 可能有极值也可能没有极值,需进一步讨论. 读者可就函数

$$z=xy^2, z=(x^2+y^2)^2, z=-(x^2+y^2)^2$$

在点 $(0,0)$ 处的情况,来说明当 $B^2-AC=0$ 时函数有时没有极值,有时有极小值,有时有极大值.

综上讨论,我们把求二元函数极值的问题. 归纳成以下几步:

(1) 先把实际问题化成求某个函数的极值问题.

(2) 求函数的偏导数 $f'_x(x,y)$、$f'_y(x,y)$,再解方程组

$$\begin{cases} f'_x(x,y)=0, \\ f'_y(x,y)=0, \end{cases}$$

求得一切实数解,即求得一切驻点.

(3) 对每一驻点 (x_0,y_0) 求出二阶偏导数的值

$$A=f''_{xx}(x_0,y_0),\ B=f''_{xy}(x_0,y_0),\ C=f''_{yy}(x_0,y_0).$$

(4) 定出 B^2-AC 的符号. 根据以下情况判定 $f(x_0,y_0)$ 是否有极值.

当 $B^2-AC<0$,而 $\begin{cases} A>0 \text{ 时}, f(x_0,y_0) \text{ 为极小值}, \\ A<0 \text{ 时}, f(x_0,y_0) \text{ 为极大值}. \end{cases}$

当 $B^2-AC>0$ 时,$f(x_0,y_0)$ 不是极值.

当 $B^2-AC=0$ 时,$f(x_0,y_0)$ 是否为极值不能确定.

若根据问题的实际意义可以判断函数是有极值的,而驻点又是唯一的,则可直接判定. 此外,函数在偏导数不存在的点也可能有极值,例如

$$z=\begin{cases} x, & x>0, \\ -x, & x<0 \end{cases}$$

是与 y 轴相交的两个平面. 显然,凡是 $x=0$ 的点都是函数的极小值点. 但在 $x=0$ 时偏导数不存在.

9.10.3 最大值、最小值

设函数 $z=f(x,y)$ 在有界闭区域 D 上连续,则 $f(x,y)$ 在 D 上必然取得最大值与最小值. 求法是,将 $f(x,y)$ 在 D 内的所有极值及在 D 的边界上的最大值及最小值相比较,然后取这些值中的最大的与最小的,即为所要求的最大值与最小值.

例1 求函数 $z=x^2-xy+y^2-2x+y$ 的极值.

解 解方程组

$$\begin{cases} \dfrac{\partial z}{\partial x} = 2x - y - 2 = 0, \\ \dfrac{\partial z}{\partial y} = -x + 2y + 1 = 0, \end{cases}$$

得 $x = 1, y = 0$,在点 $(1,0)$ 求得

$$A = \frac{\partial^2 z}{\partial x^2} = 2,\ B = \frac{\partial^2 z}{\partial x \partial y} = -1,\ C = \frac{\partial^2 z}{\partial y^2} = 2,$$

因 $B^2 - AC = 1 - 4 = -3 < 0$,而 $A = 2 > 0$,故在点 $(1,0)$ 函数取极小值 -1。

例 2 确定函数 $f(x,y) = x^3 - y^3 + 3x^2 + 3y^2 - 9x$ 的极值点。

解 解方程组

$$\begin{cases} f'_x(x,y) = 3x^2 + 6x - 9 = 0, \\ f'_y(x,y) = -3y^2 + 6y = 0, \end{cases}$$

求得四个驻点 $(1,0)$、$(1,2)$、$(-3,0)$、$(-3,2)$。又求出二阶导数

$$A = f''_{xx} = 6x + 6,\ B = f''_{xy} = 0,\ C = f''_{yy} = -6y + 6.$$

在点 $(1,0)$ 处,$B^2 - AC = -12 \times 6 < 0$,$A = 12 > 0$,故取极小值 $f(1,0) = -5$。

在点 $(1,2)$ 处,$B^2 - AC = 12 \times 6 > 0$,故在点 $(1,2)$ 处没有极值。

在点 $(-3,0)$ 处,$B^2 - AC = 12 \times 6 > 0$,故在点 $(-3,0)$ 处没有极值。

在点 $(-3,2)$ 处,$B^2 - AC = -12 \times 6 < 0$,$A = -12 < 0$,取极大值 $f(-3,2) = 31$。

例 3 将一长度为 a 之细杆分为三段,试问如何分才能使三段长度之积最大。

解 令 x 表示第一段长,y 表示第二段长,则第三段长为 $a - x - y$。三段长度之积为 $z = f(x,y) = xy(a - x - y)$。解方程组

$$\begin{cases} f'_x(x,y) = ay - 2xy - y^2 = 0, \\ f'_y(x,y) = ax - x^2 - 2xy = 0, \end{cases}$$

得四个驻点 $(0,0)$、$\left(\dfrac{a}{3}, \dfrac{a}{3}\right)$、$(0,a)$ 及 $(a,0)$。驻点 $(0,0)$、$(0,a)$、$(a,0)$ 不合题目要求,不必讨论。又

$$f''_{xx}(x,y) = -2y,\ f''_{xy}(x,y) = a - 2x - 2y,\ f''_{yy}(x,y) = -2x$$

在点 $\left(\dfrac{a}{3}, \dfrac{a}{3}\right)$ 处,$B^2 - AC = \left(-\dfrac{a}{3}\right)^2 - \left(-\dfrac{2}{3}a\right)\left(-\dfrac{2}{3}a\right) = -\dfrac{a^2}{3} < 0$,故在点 $\left(\dfrac{a}{3}, \dfrac{a}{3}\right)$ 处,函数取最大值 $f\left(\dfrac{a}{3}, \dfrac{a}{3}\right) = \dfrac{a^3}{27}$。

本例说明将细杆三等分时,三段长度之积最大。

9.10.4 多元函数的条件极值——拉格朗日乘数法

上面我们讨论的极值问题,对于函数的自变量,除了限制在函数的定义域内以

外,没有其他附加条件.但是在一些实际的极值问题中,函数的自变量还要受到某些条件的限制.例如:

(1) 求由原点到曲线 $\varphi(x,y)=0$ 的最短距离,这个问题是要求出曲线上的点 (x,y) 使距离 $d=\sqrt{x^2+y^2}$ 最小. 这里 x、y 要受条件 $\varphi(x,y)=0$ 的约束,即点 (x,y) 必须限制在曲线 $\varphi(x,y)=0$ 上.

(2) 求表面积为 a^2 而体积最大的长方体. 若用 x、y、z 分别表示长方体的长、宽、高,V 表示其体积,则本题实际上就是在附加条件 $2xy+2yz+2zx=a^2$ 的限制下,求函数 $V=xyz$ 的最大值.

这类求函数 $z=f(x,y)$ 在满足条件 $g(x,y)=0$ 下的极值叫作条件极值或限制极值,而前面讨论的极值称为无条件极值.

若能从 $g(x,y)=0$ 解出 $y=\varphi(x)$,则问题就化为求函数 $z=f[x,\varphi(x)]$ 的无条件极值问题,但在很多情况下将条件极值化为无条件极值并不那么简单,或者说不能从 $g(x,y)=0$ 解出 $y=\varphi(x)$. 下面我们就介绍一种不必先解出 $y=\varphi(x)$ 而直接计算条件极值的方法,即拉格朗日乘数法.

现在我们来讨论条件极值的求法.

求函数

$$z=f(x,y) \qquad (1)$$

在条件

$$g(x,y)=0 \qquad (2)$$

限制下的驻点对应的等价条件.

设在所考虑的区域内,函数 $f(x,y)$、$g(x,y)$ 都有连续偏导数,且 $g'_x(x,y)$、$g'_y(x,y)$ 不同时为 0 [为确定起见设 $g'_y(x,y)\neq 0$],将 y 看作由方程 $g(x,y)=0$ 确定的 x 的隐函数 $y=\varphi(x)$. 于是函数

$$z=f[x,\varphi(x)] \qquad (3)$$

在极值点处必须满足极值存在的必要条件 $\dfrac{\mathrm{d}z}{\mathrm{d}x}=0$.

由复合函数求导法有

$$\frac{\mathrm{d}z}{\mathrm{d}x}=f'_x(x,y)+f'_y(x,y)\frac{\mathrm{d}y}{\mathrm{d}x}. \qquad (4)$$

根据隐函数求导法,由 $g(x,y)=0$ 得

$$\frac{\mathrm{d}y}{\mathrm{d}x}=-\frac{g'_x(x,y)}{g'_y(x,y)},$$

从而

$$\frac{\mathrm{d}z}{\mathrm{d}x} = f'_x(x,y) - \frac{g'_x(x,y)}{g'_y(x,y)} f'_y(x,y).$$

因此,极值点的坐标必须满足方程

$$f'_x(x,y) - \frac{g'_x(x,y)}{g'_y(x,y)} f'_y(x,y) = 0, \tag{5}$$

或 $\dfrac{f'_x(x,y)}{g'_x(x,y)} = \dfrac{f'_y(x,y)}{g'_y(x,y)} = -\lambda$($\lambda$ 为任意常数)和 $g(x,y) = 0$.

将方程联立,即

$$\begin{cases} f'_x(x,y) + \lambda g'_x(x,y) = 0, \\ f'_y(x,y) + \lambda g'_y(x,y) = 0, \\ g(x,y) = 0. \end{cases} \tag{6}$$

求解方程组可得出 x、y 可能的极值点.

但另一方面,如果引入二元函数

$$L(x,y) = f(x,y) + \lambda g(x,y),$$

则求此函数的无条件极值时,其必要条件为

$$\begin{cases} L'_x(x,y) = f'_x(x,y) + \lambda g'_x(x,y) = 0, \\ L'_y(x,y) = f'_y(x,y) + \lambda g'_y(x,y) = 0. \end{cases} \tag{7}$$

从两式中消去 λ,结果与条件(6)相同. 因此得到求条件极值的方法如下.

拉格朗日乘数法 求函数 $f(x,y)$ 在满足条件 $g(x,y) = 0$ 下的可能极值点,可用常数 λ 乘 $g(x,y)$ 后与 $f(x,y)$ 相加,作拉格朗日函数

$$L(x,y) = f(x,y) + \lambda g(x,y),$$

其中 λ 为参数,叫作乘数. 然后写出函数 $L(x,y)$ 求无条件极值的必要条件

$$\begin{cases} L'_x(x,y) = f'_x(x,y) + \lambda g'_x(x,y) = 0, \\ L'_y(x,y) = f'_y(x,y) + \lambda g'_y(x,y) = 0. \end{cases}$$

将此条件与方程 $g(x,y) = 0$ 联立解出 x、y,这样的 (x,y) 就是函数 $f(x,y)$ 在满足条件 $g(x,y) = 0$ 下的可能极值点.

至于是否为极值点,在实际问题中往往可以根据物理的、几何的理由,得出肯定的结论.

同上面一样,在两个条件 $G(x,y,z) = 0, H(x,y,z) = 0$ 的限制下,求函数 $u = F(x,y,z)$ 的极值的方法是,用常数 λ、μ 分别去乘 G 和 H,作拉格朗日函数

$$L(x,y,z) = F(x,y,z) + \lambda G(x,y,z) + \mu H(x,y,z).$$

写出无附加条件时取极值的必要条件:

$$\begin{cases} L'_x(x,y,z)=0, \\ L'_y(x,y,z)=0, \\ L'_z(x,y,z)=0, \end{cases}$$

这三个方程与限制条件 $G(x,y,z)=0, H(x,y,z)=0$ 联立解出 x、y、z，它们就是可能极值点的坐标.

欲求 n 元函数

$$f(x_1,x_2,\cdots,x_n)$$

在 $m(m<n)$ 个附加条件

$$\phi_1(x_1,x_2,\cdots,x_n)=0,\ \phi_2(x_1,x_2,\cdots,x_n)=0,\cdots,\phi_m(x_1,x_2,\cdots,x_n)=0$$

下的极值，可用常数 $\lambda_1,\lambda_2,\cdots,\lambda_m$ 依次乘 $\phi_1,\phi_2,\cdots,\phi_m$ 而作出拉格朗日函数

$$L(x_1,x_2,\cdots,x_n)=f+\lambda_1\phi_1+\lambda_2\phi_2+\cdots+\lambda_m\phi_m.$$

然后写出 $L(x_1,x_2,\cdots,x_n)$ 在无附加条件时取极值的必要条件

$$\begin{cases} L'_{x_1}(x_1,x_2,\cdots,x_n)=0, \\ L'_{x_2}(x_1,x_2,\cdots,x_n)=0, \\ \quad\vdots \\ L'_{x_n}(x_1,x_2,\cdots,x_n)=0, \end{cases} \tag{8}$$

将(8)中的 n 个方程与 m 个附加条件联立，解出 $x_1,x_2,\cdots,x_n$，它们就是我们要求的可能极值点.

例 4 求表面积为 a^2 而体积为最大的长方体.

解 设该长方体的长、宽、高分别为 x、y、z，则它的体积是

$$f(x,y,z)=xyz.$$

附加条件表面积为 a^2，写成函数为 $\phi(x,y,z)=2xy+2yz+2zx-a^2=0$.

作拉格朗日函数

$$F(x,y,z)=xyz+\lambda(2xy+2yz+2zx-a^2),$$

令它的一阶偏导数为零并与附加条件联立得方程组

$$\begin{cases} F'_x(x,y,z)=yz+2\lambda(y+z)=0, \\ F'_y(x,y,z)=xz+2\lambda(x+z)=0, \\ F'_z(x,y,z)=xy+2\lambda(x+y)=0, \\ 2xy+2yz+2zx-a^2=0. \end{cases}$$

求解此方程组，由前三式得 $x=y=z$，代入最后一个式子得

$$x=y=z=\frac{a}{\sqrt{6}},$$

即当长、宽、高相等时,长方体的体积最大.

例 5 已知的正数 a 为三个正数 x、y、z 之和,求 x、y、z 使
$$f(x,y,z) = x^\alpha y^\beta z^\gamma$$
为最大,这里 α、β、γ 是三个已知的正数.

解 现在的附加条件是
$$x + y + z = a \,(x \geq 0, y \geq 0, z \geq 0).$$
由此条件所确定的点集是平面 $x+y+z=a$ 位于第 I 卦限中的部分,它是一个闭集,而 $f(x,y,z)$ 是连续的,故必在其上的某点达到最大值(最小值是零).

作拉格朗日函数
$$L(x,y,z) = x^\alpha y^\beta z^\gamma - \lambda(x+y+z-a),$$
令其一阶偏导数为 0 有
$$\begin{cases} L'_x(x,y,z) = \alpha x^{\alpha-1} y^\beta z^\gamma - \lambda = 0, \\ L'_y(x,y,z) = \beta x^\alpha y^{\beta-1} z^\gamma - \lambda = 0, \\ L'_z(x,y,z) = \gamma x^\alpha y^\beta z^{\gamma-1} - \lambda = 0, \end{cases}$$
可解得
$$\frac{x}{\alpha} = \frac{y}{\beta} = \frac{z}{\gamma},$$
代入附加条件
$$x+y+z-a=0$$
得
$$x = \frac{a\alpha}{\alpha+\beta+\gamma},\ y = \frac{a\beta}{\alpha+\beta+\gamma},\ z = \frac{a\gamma}{\alpha+\beta+\gamma},$$
即当 x、y、z 与 α、β、γ 之关系满足上式时,$x^\alpha y^\beta z^\gamma$ 之值最大.

习题 9-10

1. 求下列函数的极值:
    (1) 求函数 $z = x^2 - xy + y^2 + 9x - 6y + 20$ 的极值;
    (2) 求函数 $z = 4(x-y) - x^2 - y^2$ 的极值;
    (3) 求函数 $f(x,y) = e^{2x}(x + y^2 + 2y)$ 的极值.

2. 已知函数 $z = z(x,y)$ 由方程 $(x^2 + y^2)z + \ln z + 2(x+y+1) = 0$ 确定,求 $z = z(x,y)$ 的极值.

3. 分解已知正数 a 为 n 个数,使得它们的平方和为最小.

4. 求函数 $z = xy$ 在适合附加条件 $x + y = 1$ 下的极大值.

5. 已知矩形的周长为 $2p$,将它绕其一边旋转而成一个圆柱体,求使得圆柱体体积为最大的那个矩形.

6. 在椭圆 $x^2 + 4y^2 = 4$ 上求一点,使其到直线 $2x + 3y - 6 = 0$ 的距离为最近.

7. 在平面 xOy 上求一点,使它到 $x = 0, y = 0$ 及 $x + 2y - 16 = 0$ 三直线的距离平方之和为最小.

8. 求内接于半径为 a 的球且有最大体积的长方体.

9. 抛物面 $z = x^2 + y^2$ 被平面 $x + y + z = 1$ 截成一椭圆,求这椭圆上的点到原点的距离的最大值与最小值.

10. 设有一圆板占有平面闭区域 $\{(x, y) \mid x^2 + y^2 \leq 1\}$. 该圆板被加热,以致在点 (x, y) 的温度是 $T = x^2 + 2y^2 - x$. 求该圆板的最热点和最冷点.

9.11 最小二乘法

在实践和科学实验中,往往需要根据实际测得的多组数据,找出变量间的函数关系的近似表达式,这个过程通常叫作找经验公式. 这里介绍一种找直线型经验公式的方法——最小二乘法.

为了确定某一对变量 x 与 y 的相依关系,我们进行 n 次测量(实验或调查),得到 n 对数据 $(x_1, y_1), (x_2, y_2), \cdots, (x_n, y_n)$. 将这些数据看作直角坐标系 xOy 中的点 $P_1(x_1, y_1), P_2(x_2, y_2), \cdots, P_n(x_n, y_n)$,并在坐标平面上描出这些点(图 9-15).

若这些点几乎分布在一条直线上,我们就认为 x 与 y 之间存在着线性关系. 设其方程为 $y = ax + b$,其中 a 与 b 为待定参数. 现在的问题是如何选择 a 与 b,使 $y = ax + b$ 能尽量准确反映出 x 与 y 的关系,从图形直观可知,就是要使所有的点 $P_i(x_i, y_i)(i = 1, 2, \cdots, n)$ 都尽量地靠近直线 $y = ax + b$.

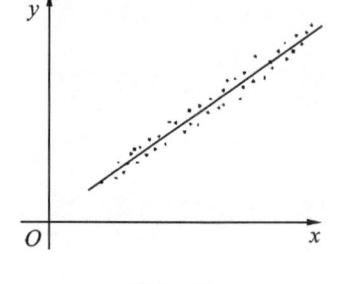

图 9-15

设在直线 $y = ax + b$ 上与点 $P_i(x_i, y_i)(i = 1, 2, \cdots, n)$ 横坐标相同的点为 $M_i(x_i, ax_i + b)(i = 1, 2, \cdots, n)$,则 P_i 与 M_i 的距离为

$$d_i = |ax_i + b - y_i|,$$

d_i 叫作实测值与理论值的偏差. 若每一点的偏差都很小,函数 $y = ax + b$ 就能尽量准确反映 x 与 y 的关系. 为此,我们是否可以考虑偏差的和最小? 显然,若点 $P_i(x_i, y_i)$

在直线 $y = ax + b$ 上,则偏差 $d_i = 0$;若点 $P_i(x_i, y_i)$ 不在直线 $y = ax + b$ 上,则偏差 $d_i \neq 0$. 此时 d_i 可能是正数也可能是负数,在相加过程中会相互抵消. 为了消除符号的影响,我们考虑偏差的平方和,于是偏差平方和的大小,即

$$S(a,b) = \sum_{i=1}^{n} (ax_i + b - y_i)^2$$

的大小在总体上刻画了 n 个点 $P_i(x_i, y_i)(i = 1, 2, \cdots, n)$ 与直线 $y = ax + b$ 的接近程度, $S(a,b)$ 越小, P_i 越靠近直线. 求 $S(a,b)$ 的最小值确定 a、b 的方法,即根据偏差的平方和为最小的条件来确定常数 a、b(从而确定直线 $y = ax + b$)的方法称为最小二乘法.

下面我们用求二元函数极值的方法,求 a 与 b 的值. 因为 S 是 a、b 的二元函数,所以由极值存在的必要条件应有

$$\begin{cases} S'_a = 2\sum_{i=1}^{n}(ax_i + b - y_i)x_i = 0, \\ S'_b = 2\sum_{i=1}^{n}(ax_i + b - y_i) = 0, \end{cases}$$

即

$$\begin{cases} a\sum_{i=1}^{n}x_i^2 + b\sum_{i=1}^{n}x_i = \sum_{i=1}^{n}x_i y_i, \\ a\sum_{i=1}^{n}x_i + nb = \sum_{i=1}^{n}y_i, \end{cases}$$

称为最小二乘法标准方程组,从而解得

$$a = \frac{n\sum_{i=1}^{n}x_i y_i - \sum_{i=1}^{n}x_i \sum_{i=1}^{n}y_i}{n\sum_{i=1}^{n}x_i^2 - \left(\sum_{i=1}^{n}x_i\right)^2}, \quad b = \frac{\sum_{i=1}^{n}x_i^2 \sum_{i=1}^{n}y_i - \sum_{i=1}^{n}x_i y_i \cdot \sum_{i=1}^{n}x_i}{n\sum_{i=1}^{n}x_i^2 - \left(\sum_{i=1}^{n}x_i\right)^2},$$

代入方程 $y = ax + b$,即得所求的经验公式.

例 已知金属棒长度 y 随温度变化而变化,变化规律由膨胀系数 α 决定. 设以 y_0 表示 $0\ ℃$ 时金属棒的长度,则有

$$y = y_0(1 + \alpha t).$$

现测得金属棒长度 y 与对应温度 t 间有下列五组数据(见表 9-1),试求出 y_0 和 α 的值.

表 9-1 金属棒长度 y 与对应温度 t

温度 $t/℃$	20	30	40	50	60
长度 y/mm	1000.36	1000.53	1000.74	1000.91	1001.06

解 令 $b = y_0$, $a = \alpha y_0$, 于是有
$$y = at + b.$$

计算式中所需有关数据,见表 9 - 2.

表 9 - 2 计算得到的所需有关数据

i	y_i	t_i	t_i^2	$t_i y_i$
1	1000.36	20	400	20007.2
2	1000.53	30	900	30015.9
3	1000.74	40	1600	40029.6
4	1000.91	50	2500	50045.5
5	1001.06	60	3600	60063.6
Σ	5003.60	200	9000	200161.8

将表中数值代入得
$$\begin{cases} 9000a + 200b = 200161.8, \\ 200a + 5b = 5003.60, \end{cases}$$

最后解得 $a = 0.0178$, $b = 1000.01$, 所以 $y = 0.0178t + 1000.01$.

从而算出金属棒的膨胀系数
$$\alpha = \frac{a}{b} = \frac{0.0178}{1000.01} \approx 0.0000178.$$

习题 9 - 11

1. 某种合金的含铅量百分比(%)为 p, 其溶解温度(℃)为 θ, 由实验测得 p 与 θ 的数据见表 9 - 3.

表 9 - 3 实验测得的 p 与 θ

$p/\%$	36.9	46.7	63.7	77.8	84.0	87.5
$\theta/℃$	181	197	235	270	283	292

试用最小二乘法建立 p 与 θ 之间的经验公式 $\theta = ap + b$.

2. 已知一组实验数据为 (x_1, y_1), (x_2, y_2), $\cdots$, (x_n, y_n). 现若假定经验公式为
$$y = ax^2 + bx + c,$$
试按最小二乘法建立 a、b、c 应满足的三元一次方程组.

总复习题9 A组

1. 已知函数 $f(x,y) = x^2 + y^2 - xy\tan\dfrac{x}{y}$，试求 $f(tx,ty)$.

2. 求下列各函数的定义域：

   (1) $z = \dfrac{1}{\sqrt{x+y}} + \dfrac{1}{\sqrt{x-y}}$;

   (2) $z = \ln(y-x) + \dfrac{\sqrt{x^2}}{\sqrt{1-x^2-y^2}}$.

3. 求下列各极限：

   (1) $\lim\limits_{(x,y)\to(0,0)} \dfrac{2-\sqrt{xy+4}}{xy}$;

   (2) $\lim\limits_{(x,y)\to(0,0)} \dfrac{xy}{\sqrt{2-e^{10}-1}}$.

4. 求下列函数的偏导数：

   (1) $z = x^3 y - y^3 x$;

   (2) $s = \dfrac{u^2+v^2}{uv}$;

   (3) $z = \sqrt{\ln xy}$;

   (4) $z = \sin xy + \cos^2 xy$;

   (5) $z = \ln \tan \dfrac{x}{y}$;

   (6) $z = (1+xy)^y$;

   (7) $u = x^{\frac{y}{z}}$;

   (8) $u = \arctan(x-y)^2$.

5. 求下列函数的全微分：

   (1) $z = xy + \dfrac{x}{y}$;

   (2) $z = e^{\frac{y}{x}}$;

   (3) $u = x^{yz}$.

6. 求函数 $z = \ln(1+x^2+y^2)$ 当 $x=1, y=2$ 时的全微分.

7. 设 $z = \arctan xy$，而 $y = e^x$，求 $\dfrac{dz}{dx}$.

8. 求曲线 $y^2 = 2mx, z^2 = m-x$ 在点 (x_0, y_0, z_0) 处的切线及法平面方程.

9. 求曲线 $x=t, y=t^2, z=t^3$ 上的点，使在该点的切线平行于平面 $x+2y+z=4$.

10. 求函数 $z = x^2+y^2$ 在点 $(1,2)$ 处沿从点 $(1,2)$ 到点 $(2, 2+\sqrt{3})$ 方向的方向导数.

11. 求函数 $f(x,y) = 2x^2 - xy - y^2 - 6x - 3y + 5$ 在点 $(1,-2)$ 的泰勒公式.

12. 求函数 $f(x,y) = (6x-x^2)(4y-y^2)$ 的极值.

13. 从斜边之长为 1 的一切直角三角形中，求有最大周长的直角三角形.

14. 要造一个体积等于定数 k 的长方体无盖水池，应如何选择水池的尺寸，方可使它的表面积最小.

总复习题9 B组

一、选择题

1. 二元函数 $f(x,y)$ 在点 $(0,0)$ 处可微的一个充分条件是( ).

   A. $\lim\limits_{(x,y)\to(0,0)}[f(x,y)-f(0,0)]=0$

   B. $\lim\limits_{x\to 0}\dfrac{f(x,0)-f(0,0)}{x}=0$，且 $\lim\limits_{y\to 0}\dfrac{f(0,y)-f(0,0)}{y}=0$

   C. $\lim\limits_{(x,y)\to(0,0)}\left[\dfrac{f(x,y)-f(0,0)}{\sqrt{x^2+y^2}}\right]=0$

   D. $\lim\limits_{x\to 0}[f'_x(x,y)-f'_x(0,0)]=0$，且 $\lim\limits_{y\to 0}[f'_y(0,y)-f'_y(0,0)]=0$

2. 设函数 $f(x)$ 具有二阶连续导数，且 $f(x)>0$，$f'(0)=0$，则函数 $z=f(x)\ln f(y)$ 在点 $(0,0)$ 处取得极小值的一个充分条件是( ).

   A. $f(0)>1, f''(0)>0$ B. $f(0)>1, f''(0)<0$

   C. $f(0)<1, f''(0)>0$ D. $f(0)<1, f''(0)<0$

3. 设 $z=\dfrac{y}{x}f(xy)$，其中函数 f 可微，则 $\dfrac{x}{y}\dfrac{\partial z}{\partial x}+\dfrac{\partial z}{\partial y}=$( ).

   A. $2yf'(xy)$ B. $-2yf'(xy)$ C. $\dfrac{2}{x}f(xy)$ D. $-\dfrac{2}{x}f(xy)$

4. 设函数 $u(x,y)$ 在有界闭区域 D 上连续，在 D 的内部具有二阶连续偏导数，且满足 $\dfrac{\partial^2 u}{\partial x\partial y}\neq 0$ 及 $\dfrac{\partial^2 u}{\partial x^2}+\dfrac{\partial^2 u}{\partial y^2}=0$，则( ).

   A. $u(x,y)$ 的最大值和最小值都在 D 的边界上取得

   B. $u(x,y)$ 的最大值和最小值都在 D 的内部取得

   C. $u(x,y)$ 的最大值在 D 的内部取得，最小值在 D 的边界上取得

   D. $u(x,y)$ 的最小值在 D 的内部取得，最大值在 D 的边界上取得

5. 已知函数 $f(x,y)=\dfrac{e^x}{x-y}$，则( ).

   A. $f'_x-f'_y=0$ B. $f'_x+f'_y=0$

   C. $f'_x-f'_y=f$ D. $f'_x+f'_y=f$

6. 设 $f(x,y)$ 具有一阶偏导数，且对任意的 (x,y)，都有 $\dfrac{\partial f(x,y)}{\partial x}>0$，$\dfrac{\partial f(x,y)}{\partial y}<0$，则( ).

   A. $f(0,0)>f(1,1)$ B. $f(0,0)<f(1,1)$

   C. $f(0,1)>f(1,0)$ D. $f(0,1)<f(1,0)$

二、填空题

1. 曲线 $\begin{cases} x = e^t \sin 2t, \\ y = e^t \cos t \end{cases}$ 在点 $(0,1)$ 处的法线方程为 _____ .

2. 曲线 $y = x^2 + 2\ln x$ 在其拐点处的切线方程是 _____ .

3. 设函数 $f(u)$ 可导，$z = yf\left(\dfrac{y^2}{x}\right)$，则 $2x\dfrac{\partial z}{\partial x} + y\dfrac{\partial z}{\partial y} =$ _____ .

4. 设 $z = \arctan[xy + \sin(x+y)]$，则 $\mathrm{d}z\big|_{(0,\pi)}$ _____ .

三、解答题

1. 设 $z = f(x^2 - y^2, e^{xy})$，其中 f 具有连续二阶偏导数，求 $\dfrac{\partial z}{\partial x}$、$\dfrac{\partial z}{\partial y}$、$\dfrac{\partial^2 z}{\partial x \partial y}$.

2. 设 $z = f(x+y, x-y, xy)$，其中 f 具有二阶连续偏导数，求 $\mathrm{d}z$ 与 $\dfrac{\partial^2 z}{\partial x \partial y}$.

3. 求函数 $f(x,y) = xe^{-\frac{x^2+y^2}{2}}$ 的极值.

4. 已知函数 $f(x) = x + y + xy$，曲线 $C: x + y + xy = 3$，求 $f(x,y)$ 在曲线 C 上的最大方向导数.

5. 已知函数 $f(x,y)$ 满足 $f''_{xy}(x,y) = 2(y+1)e^x$，$f'_x(x,0) = (x+1)e^x$，$f(0,y) = y^2 + 2y$，求 $f(x,y)$ 的极值.

6. 将长为 2 m 的铁丝分成三段，依次围成圆、正方形与正三角形. 三个图形的面积之和是否存在最小值？若存在，求出最小值.

第10章 重积分

我们前面讨论的定积分的被积函数是一元函数,积分范围是一个区间,在实际问题中,凡涉及多元函数才能表示的量,如一般立体的体积、空间曲面的面积、物体的重心、转动惯量等等,用一元函数的积分就无法解决了.因此有必要将定积分概念和计算方法推广到被积函数是多元函数,积分范围是平面或空间区域,甚至是空间的曲面或曲线的情形.本章所研究的对象就是以多元函数为被积函数,积分范围是平面区域和空间区域的情形,就是二重积分和三重积分的问题.

10.1 二重积分的概念与性质

10.1.1 二重积分的概念

1. 重积分的起源

重积分的概念,牛顿在他的《原理》中讨论球与球壳作用于质点上的万有引力时就已经涉及到,但他是用几何形式论述的.18世纪上半叶,牛顿的工作被以分析的形式加以推广.1748年,欧拉用累次积分算出了椭圆薄片对其中心正上方一质点的引力的重积分.1769年,欧拉建立了平面有界区域上的二重积分理论,他给出了用累次积分计算二重积分的方法.

法国数学家拉格朗日在关于旋转椭球的引力的著作中,用三重积分表示引力.为了克服计算中的困难,他转用球坐标,建立了有关的积分变换公式.与此同时,拉普拉斯也使用了球坐标变换.

1828年,俄国数学家、物理学家奥斯特罗格拉茨基在研究热传导理论的过程中,证明了关于三重积分和曲面积分之间关系的公式,现称为奥斯特罗格拉茨基 – 高斯公式(高斯也曾独立证明过这个公式). 同一年,英国数学家格林在研究位式方程式时得到了著名的格林公式.

1833 年以后,德国数学家雅可比建立了多重积分变量替换的雅可比行列式. 与此同时,奥斯特罗格拉茨基不仅得到了二重积分和三重积分的变换公式,而且还把奥斯特罗格拉茨基 – 高斯公式推广到 n 维的情形. 变量替换中涉及的曲线积分与曲面积分也是在这一时期得到明确的概念和系统的研究. 1854 年,英国物理学家、数学家斯托克斯把格林公式推广到三维空间,建立了著名的斯托克斯定理. 多元微积分和一元微积分同时随着其理论分析的发展在数学物理的许多领域获得广泛的应用.

2. 引入重积分的典型问题

(1) 曲顶柱体的体积.

"曲顶柱体"是指这样的立体,它的底是 xOy 面上的有界闭区域 D,侧面是以 D 的边界曲线为准线,母线平行于 z 轴的柱面,顶是由二元连续函数 $z = f(x,y)$ 所表示的连续曲面,并设 $f(x,y) \geq 0$(图 10 – 1). 下面我们来讨论如何定义和计算曲顶柱体的体积.

我们知道平顶柱体的体积 = 底面积 × 高,这里平顶柱体的高是个常数,但曲顶柱体的点 (x,y) 在区域 D 上变动时,它的高 $f(x,y)$ 是变量,所以就不能用此公式了. 那么如何求曲顶柱体的体积呢? 曲顶与平顶正像曲线与直线一样,因此可以像之前求曲边梯形面积问题那样来处理求曲顶柱体的体积问题.

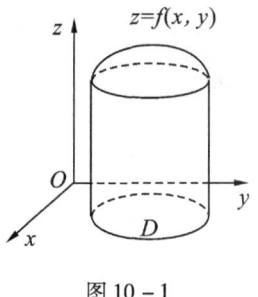

图 10 – 1

我们的计算分四步来进行.

首先,用一组曲线把区域 D 分割为 n 个小闭区域 $\Delta\sigma_1, \Delta\sigma_2, \cdots, \Delta\sigma_n$(在这里第 i 个小区域的面积也用同样的符号 $\Delta\sigma_i$ 表示). 再以 $\Delta\sigma_i$ 的边界曲线为准线,作母线平行于 z 轴的柱面,则相应的曲顶柱体被分为 n 个小曲顶柱体. 当每个小闭区域的直径(有界闭区域的直径指区域上任意两点间距离的最大值)都很小时,由 $z = f(x,y)$ 的连续性可知,在每个小闭区域上函数值的变化也很小,即曲顶柱体高的变化很小. 因此我们在每个小闭区域 $\Delta\sigma_i$ 上任取一点 (ξ_i, η_i),将第 i 个小闭区域所对应的小曲顶柱体的体积用高为 $f(\xi_i, \eta_i)$、底为 $\Delta\sigma_i$ 的平顶柱体的体积 $f(\xi_i, \eta_i)\Delta\sigma_i$ 来近似地代替(图 10 – 2).

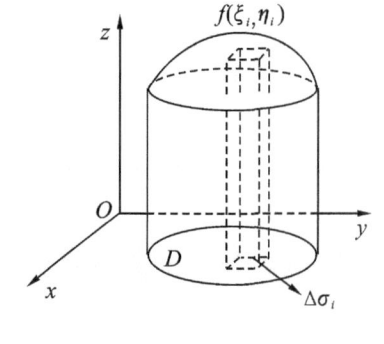

图 10 – 2

求这 n 个小平顶柱体的体积之和就得到我们要求的曲顶柱体体积的近似值，即
$$V \approx \sum_{i=1}^{n} f(\xi_i, \eta_i) \Delta\sigma_i.$$

当区域 D 的分割越来越细密时，也就是 n 个区域的直径的最大值为 λ 趋于零，则上面的和式 $\sum_{i=1}^{n} f(\xi_i, \eta_i) \Delta\sigma_i$ 的极限就规定为曲顶柱体的体积 V。记 n 个区域的直径的最大值为 λ，即
$$V = \lim_{\lambda \to 0} \sum_{i=1}^{n} f(\xi_i, \eta_i) \Delta\sigma_i.$$

(2) 非均匀平面薄板的质量。

设薄板在 xOy 面上占有闭区域 D，在 D 上的质量分布不均匀，它在点 (x, y) 处的面密度是 $\rho = \rho(x, y)$，求薄板的质量 M。

如果薄板在 D 上的质量是均匀分布的，即薄板的面密度是常数，则质量可以用公式

$$\text{质量} = \text{面密度} \times \text{面积}$$

直接计算。而现在面密度 $\rho = \rho(x, y)$ 为变量，所以不能直接用上述公式来计算，同样我们考虑用与求曲顶柱体的体积相同的方法来处理。

把 D 分割为 n 个小闭区域，当每个小闭区域的直径都很小时，由 $\rho = \rho(x, y)$ 的连续性可知，在每个小闭区域上函数值的变化也很小。在每个小闭区域 $\Delta\sigma_i$（也用符号 $\Delta\sigma_i$ 表示小区域的面积）上任取一点 (ξ_i, η_i)，以点 (ξ_i, η_i) 处的面密度 $\rho(\xi_i, \eta_i)$ 近似地代替小闭区域 $\Delta\sigma_i$ 上各点处的面密度，得到第 i 块小薄板的质量近似值 $\rho(\xi_i, \eta_i) \Delta\sigma_i, i = (1, 2, \cdots, n)$（图 10-3）。

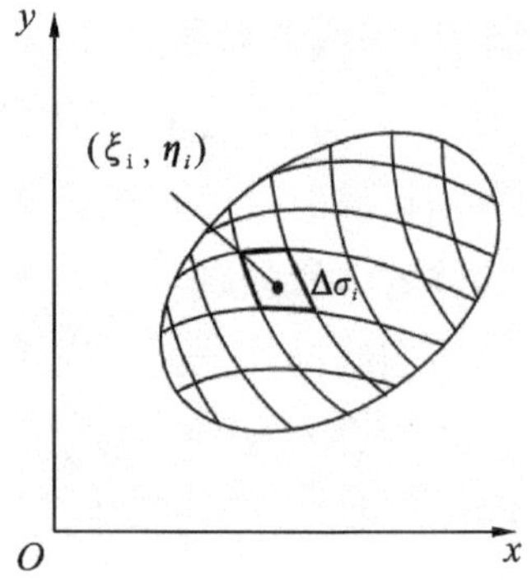

整个薄板质量的近似值是 $\sum_{i=1}^{n} \rho(\xi_i, \eta_i) \Delta\sigma_i$，若区域 D 的分割越来越细密，即令 $\lambda = \max\{d_i\} \to 0$，其中 d_i 表示 $\Delta\sigma_i$ 的直径，便得薄板的质量

$$M = \lim_{\lambda \to 0} \sum_{i=1}^{n} \rho(\xi_i, \eta_i) \Delta\sigma_i.$$

图 10-3

上面两个具体问题的实际意义是完全不同的，但解决问题的方法是一样的，抽去 $f(x, y)$、$\rho(x, y)$ 的具体含义，它们在数量关系上都是二元函数的同一种形式的和式的极限。在实际应用中很多具体问题都可以归结为计算这种形式的和式的极限问题。由此我们引入二重积分的定义。

3. 二重积分的定义

定义 设 $f(x,y)$ 是定义在有界闭区域 D 上的二元有界函数,将 D 任意分成 n 个小闭区域 $\Delta\sigma_1,\Delta\sigma_2,\cdots,\Delta\sigma_n$(还用符号 $\Delta\sigma_i$ 表示它们的面积). 在每个 $\Delta\sigma_i$ 上任取一点 $(\xi_i,\eta_i)(i=1,2,\cdots,n)$ 作乘积 $f(\xi_i,\eta_i)\Delta\sigma_i$,并作和式

$$\sum_{i=1}^{n} f(\xi_i,\eta_i)\Delta\sigma_i,$$

记 $\lambda=\max\limits_{1\leqslant i\leqslant n}\{d_i\}$($d_i$ 表 $\Delta\sigma_i$ 的直径). 当 $\lambda\to 0$ 时,这和式的极限

$$\lim_{\lambda\to 0}\sum_{i=1}^{n} f(\xi_i,\eta_i)\Delta\sigma_i$$

总存在,且极限值与将区域 D 分成小区域 $\Delta\sigma_i$ 的分法和点 (ξ_i,η_i) 的取法都无关,则称此极限为函数 $z=f(x,y)$ 在闭区域 D 上的二重积分,记作

$$\iint\limits_{D} f(x,y)\mathrm{d}\sigma=\lim_{\lambda\to 0}\sum_{i=1}^{n} f(\xi_i,\eta_i)\Delta\sigma_i.$$

其中 D 叫作积分区域,x、y 叫作积分变量,$f(x,y)$ 叫作被积函数,$f(x,y)\mathrm{d}\sigma$ 叫作被积表达式,$\mathrm{d}\sigma$ 叫作面积元素,$\sum\limits_{i=1}^{n} f(\xi_i,\eta_i)\Delta\sigma_i$ 叫作积分和.

函数 $f(x,y)$ 在 D 上的二重积分存在时,称 $f(x,y)$ 在 D 上可积. 因为上述和式的极限存在与小区域 $\Delta\sigma_i$ 的分法无关,在直角坐标系中,我们可以取分别平行于坐标轴的直线分割区域 D. 这时 $\Delta\sigma_i$ 是矩形小区域,矩形的边长是 Δx、Δy,故 $\Delta\sigma=\Delta x\Delta y$,从而 $\mathrm{d}\sigma=\mathrm{d}x\mathrm{d}y$. 我们称 $\mathrm{d}x\mathrm{d}y$ 为直角坐标系中的面积元素,故在直角坐标系中

$$\iint\limits_{D} f(x,y)\mathrm{d}\sigma=\iint\limits_{D} f(x,y)\mathrm{d}x\mathrm{d}y.$$

由二重积分的定义可知,曲顶柱体的体积 V 表示二元连续函数 $z=f(x,y)$ 在底所占区域 D 上的二重积分

$$V=\iint\limits_{D} f(x,y)\mathrm{d}\sigma.$$

薄板的质量 M 是面密度 $\rho=\rho(x,y)$ 在区域 D 上的二重积分

$$M=\iint\limits_{D} \rho(x,y)\mathrm{d}\sigma.$$

二重积分的几何意义:以函数 $z=f(x,y)$ 所表示的连续曲面为顶,以积分区域 D 为底的曲顶柱体体积的代数和. 从直观上看,曲顶为连续曲面或分片连续曲面的柱体,一定有确定的体积,这表示有界闭区域 D 上的连续函数或分片连续函数 $f(x,y)$ 在 D 上是可积的,事实上也是这样的. 本章所讨论的被积函数都假定在积分区域 D 内是连续函数或分片连续的函数.

10.1.2 二重积分的基本性质

二重积分具有与定积分类似的性质,其证明方法与定积分中相应的性质相同. 这里我们假定被积函数都是连续的,所以它们的二重积分都是存在的.

性质 1 常数因子可以从积分号里面提出来,即

$$\iint_D kf(x,y)\,\mathrm{d}\sigma = k\iint_D f(x,y)\,\mathrm{d}\sigma\ (k\text{ 是常数}).$$

性质 2 函数的代数和的积分等于各个函数的积分的代数和,即

$$\iint_D [f(x,y) \pm g(x,y)]\,\mathrm{d}\sigma = \iint_D f(x,y)\,\mathrm{d}\sigma \pm \iint_D g(x,y)\,\mathrm{d}\sigma.$$

性质 3 如果在 D 上 $f(x,y) = 1$,A 为 D 的面积,则

$$A = \iint_D 1 \cdot \mathrm{d}\sigma = \iint_D \mathrm{d}\sigma.$$

性质 4 二重积分对积分区域具有可加性,即如果 D 由两个没有公共内点区域 D_1、D_2 组成,则

$$\iint_D f(x,y)\,\mathrm{d}\sigma = \iint_{D_1} f(x,y)\,\mathrm{d}\sigma + \iint_{D_2} f(x,y)\,\mathrm{d}\sigma.$$

性质 5 若在 D 上,$f(x,y) \leq g(x,y)$,则有

$$\iint_D f(x,y)\,\mathrm{d}\sigma \leq \iint_D g(x,y)\,\mathrm{d}\sigma.$$

性质 6 $\left|\iint_D f(x,y)\,\mathrm{d}\sigma\right| \leq \iint_D |f(x,y)|\,\mathrm{d}\sigma.$

性质 7 设 M、m 是 $f(x,y)$ 在 D 上的最大值和最小值,σ 是积分区域 D 的面积,则有对于二重积分估值的不等式

$$m\sigma \leq \iint_D f(x,y)\,\mathrm{d}\sigma \leq M\sigma.$$

事实上,由于 $m \leq f(x,y) \leq M$,所以由性质 5 有

$$\iint_D m\,\mathrm{d}\sigma \leq \iint_D f(x,y)\,\mathrm{d}\sigma \leq \iint_D M\,\mathrm{d}\sigma,$$

再应用性质 1 和性质 3,便得所要证的不等式.

性质 8(二重积分的中值定理) 若函数 $f(x,y)$ 在有界闭区域 D 上连续,σ 表示区域 D 的面积,则在 D 内至少存在一点 (ξ,η),使得

$$\iint_D f(x,y)\,\mathrm{d}\sigma = f(\xi,\eta) \cdot \sigma.$$

证明 把性质 7 中不等式各除以 σ,有

$$m \leqslant \frac{1}{\sigma}\iint\limits_{D} f(x,y)\,d\sigma \leqslant M.$$

得到一确定的数值 $\frac{1}{\sigma}\iint\limits_{D} f(x,y)\,d\sigma$ 是介于函数 $f(x,y)$ 的最大值 M 和最小值 m 之间的. 根据二元连续函数的介值定理, 在 D 上必有一点 (ξ,η), 使得函数在该点的值与这个确定的数值相等, 即

$$\frac{1}{\sigma}\iint\limits_{D} f(x,y)\,d\sigma = f(\xi,\eta).$$

再两边各乘以 σ, 即得

$$\iint\limits_{D} f(x,y)\,d\sigma = f(\xi,\eta) \cdot \sigma.$$

中值定理的几何意义: 对于任意的曲顶柱体, 必存在一个以曲顶柱体的底 D 为底, 以 D 内某一点 (ξ,η) 的函数值 $f(\xi,\eta)$ 为高的平顶柱体, 它的体积等于这曲顶柱体的体积.

习题 10-1

1. 设 $I_1 = \iint\limits_{D_1}(x^2+y^2)\,d\sigma$, 其中 $D_1 = \{(x,y) \mid -1 \leqslant x \leqslant 1, -2 \leqslant y \leqslant 2\}$. $I_2 = \iint\limits_{D_2}(x^2+y^2)\,d\sigma$, 其中 $D_2 = \{(x,y) \mid -1 \leqslant x \leqslant 1, 0 \leqslant y \leqslant 2\}$. 利用二重积分的几何意义说明 I_1 与 I_2 之间的关系.

2. 利用二重积分定义证明:

(1) $\iint\limits_{D} d\sigma = \sigma$ (其中 σ 为 D 的面积);

(2) $\iint\limits_{D} f(x,y)\,d\sigma = \iint\limits_{D_1} f(x,y)\,d\sigma + \iint\limits_{D_2} f(x,y)\,d\sigma$, 其中 $D = D_1 \cup D_2$, D_1、D_2 为两个无公共内点的闭区域.

3. 根据二重积分的性质, 比较下列积分的大小:

(1) $\iint\limits_{D}(x+y)^2\,d\sigma$ 与 $\iint\limits_{D}(x+y)^3\,d\sigma$, 其中积分区域 D 由 x 轴、y 轴与直线 $x+y=1$ 所围成;

(2) $\iint\limits_{D} \ln(x+y)\,d\sigma$ 与 $\iint\limits_{D} [\ln(x+y)]^2\,d\sigma$, 其中 D 是三角形闭区域, 三顶点分别为 $(1,0)$、$(1,1)$、$(2,0)$;

(3) $\iint_D (x+y)^2 d\sigma$ 与 $\iint_D (x+y)^3 d\sigma$,其中积分区域 D 由 $(x-2)^2 + (y-1)^2 = 2$ 所围成.

4. 利用二重积分的性质估计下列积分值:

(1) $I = \iint_D xy(x+y)d\sigma$,其中 $D = \{(x,y) | 0 \leq x \leq 1, 0 \leq y \leq 1\}$;

(2) $I = \iint_D \sin^2 x \sin^2 y d\sigma$,其中 $D = \{(x,y) | 0 \leq x \leq \pi, 0 \leq y \leq \pi\}$;

(3) $I = \iint_D (x+y+1)d\sigma$,其中 $D = \{(x,y) | 0 \leq x \leq 1, 0 \leq y \leq 2\}$;

(4) $I = \iint_D (x^2+y^2)d\sigma$,其中 $D = \{(x,y) | x^2 + y^2 \leq 4\}$.

10.2 二重积分的计算

用定义计算定积分只对少数简单的函数和积分区域是可行的.下面我们根据二重积分的几何意义来导出二重积分的计算方法,关键是把二重积分化为两次单积分,即两次定积分来计算.

10.2.1 利用直角坐标系计算二重积分

我们已知二重积分 $\iint_D f(x,y)dxdy$ 在几何上表示一个曲顶柱体的体积,我们就借助这个几何直观,来寻求计算二重积分的方法.

设曲顶柱体的底是区域 D,D 由直线 $x=a, x=b$ 与曲线 $y=\varphi_1(x), y=\varphi_2(x)$ 所围成(图10-4),曲顶柱体的曲顶方程是 $z=f(x,y)$,现在来计算这个曲顶柱体的体积 V.

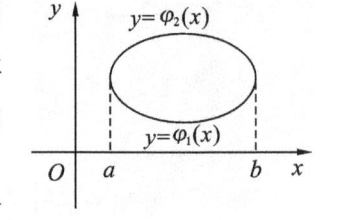

在定积分应用中,平行截面面积已知,立体的体积可用定积分计算,即

$$V = \int_a^b A(x)dx. \tag{1}$$

图 10-4

我们就用这个方法来求曲顶柱体的体积.要求体积的曲顶柱体位于与 xOz 坐标面平行的平面 $x=a, x=b$ 之间,于是我们只要求出与坐标面 yOz 平行的截面面积 $A(x)$,就

可以用上面的公式求出曲顶柱体的体积. 为此,我们在 x 轴上任取一点 x_0($a \leqslant x_0 \leqslant b$),以平行于坐标面 yOz 的平面 $x = x_0$ 截此曲顶柱体(图 10 – 5),所得截面面积为 $A(x_0)$. 截得曲面是一个曲边梯形(图 10 – 5 中阴影部分),其底边平行于 y 轴,沿着 y 轴方向从 $\varphi_1(x_0)$ 到 $\varphi_2(x_0)$,曲边的曲线方程是 $z = f(x_0, y)$,根据定积分的几何意义

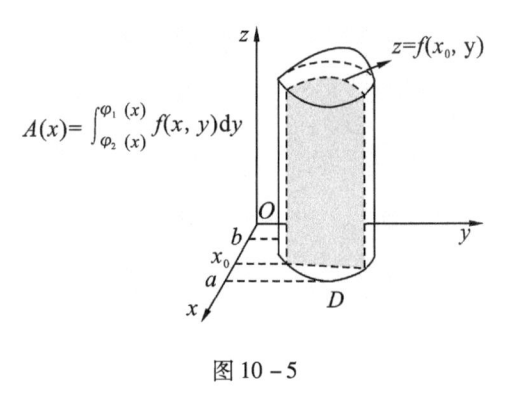

$$A(x_0) = \int_{\varphi_1(x_0)}^{\varphi_2(x_0)} f(x_0, y) \, dy.$$

图 10 – 5

又因为 x_0 是在 a 与 b 之间取的任意点,所以在 a 与 b 之间的任意点 x 处的截面面积为

$$A(x) = \int_{\varphi_1(x)}^{\varphi_2(x)} f(x, y) \, dy.$$

将 $A(x)$ 代入

$$V = \int_a^b A(x) \, dx$$

中,就得到曲顶柱体体积

$$V = \int_a^b \left[\int_{\varphi_1(x)}^{\varphi_2(x)} f(x, y) \, dy \right] dx,$$

从而得

$$\iint_D f(x, y) \, dx \, dy = \int_a^b \left[\int_{\varphi_1(x)}^{\varphi_2(x)} f(x, y) \, dy \right] dx. \tag{2}$$

由此可知,计算二重积分可以化为计算两次定积分,等式右边的积分又称为二次积分或累次积分. 也可记为

$$\iint_D f(x, y) \, dx \, dy = \int_a^b dx \int_{\varphi_1(x)}^{\varphi_2(x)} f(x, y) \, dy. \tag{3}$$

从几何直观,我们注意到计算二次积分的第一次积分时,因为是求 x 处的截面积 $A(x)$,所以 x 是 a 与 b 间的任何一个固定的值,这时 y 是积分变量,而将 x 看作常数. 第二次积分是沿着 x 轴累加这些薄片的体积 $A(x) dx$,所以 x 是积分变量.

如果区域 D 如图 10 – 6 所示,是由直线 $y = c$, $y = d$ 与曲线 $x = \psi_1(y)$, $x = \psi_2(y)$ 所围成的平面区域,即 $\psi_1(y) \leqslant x \leqslant \psi_2(y), c \leqslant y \leqslant d$. 同上,我们可以先计算过

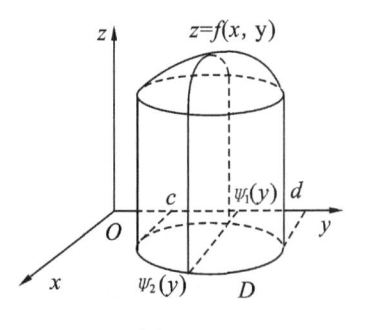

图 10 – 6

y 轴上的任意一点且与坐标平面 xOz 平行的截面面积,然后运用平行截面面积已知立体的体积公式再对 y 积分可得

$$V = \int_c^d dy \int_{\psi_1(y)}^{\psi_2(y)} f(x,y) dx.$$

从而将二重积分化为先对 x 后对 y 积分的二次积分公式

$$\iint_D f(x,y) dxdy = \int_c^d dy \int_{\psi_1(y)}^{\psi_2(y)} f(x,y) dx. \tag{4}$$

如果积分区域 D 既可表示为 $a \leq x \leq b, \varphi_1(x) \leq y \leq \varphi_2(x)$,又可表示为 $\psi_1(y) \leq x \leq \psi_2(y), c \leq y \leq d$(图 10-7),则在这一区域上积分时,既可先对 y 积分,后对 x 积分;也可先对 x 积分,后对 y 积分. 故当 $z = f(x,y)$ 在 D 连续时就有

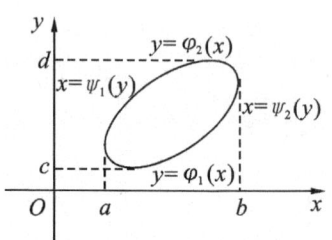

$$\iint_D f(x,y) dxdy = \int_a^b dx \int_{\varphi_1(x)}^{\varphi_2(x)} f(x,y) dy$$

$$= \int_c^d dy \int_{\psi_1(y)}^{\psi_2(y)} f(x,y) dx. \tag{5}$$

图 10-7

平行于 x 轴或 y 轴的直线与区域 D 的边界曲线的交点不多于两点的区域称为单区域(图 10-8). 若 D 不满足这个条件(图 10-9),则可把 D 分成若干部分,使每个区域都适合这个条件,因此每个区域都可按公式(3)或(4)来计算. 再利用二重积分对积分区域的可加性,可得

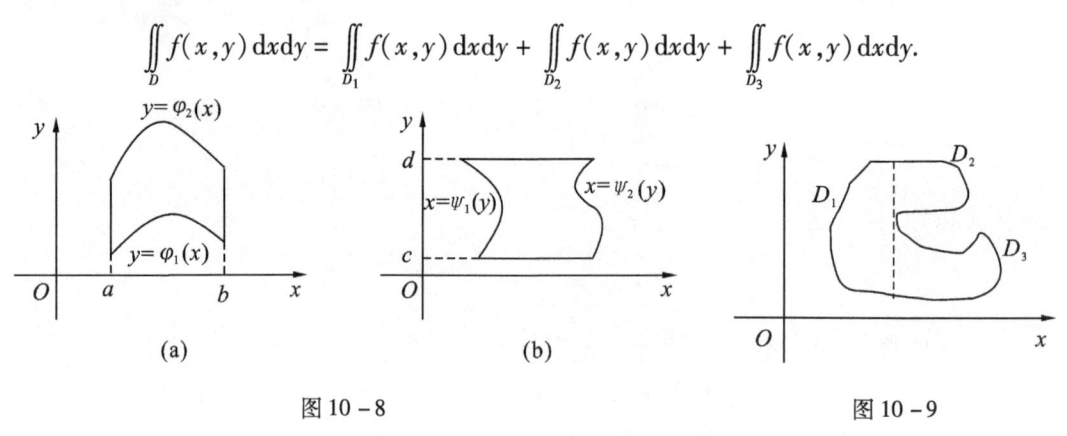

$$\iint_D f(x,y) dxdy = \iint_{D_1} f(x,y) dxdy + \iint_{D_2} f(x,y) dxdy + \iint_{D_3} f(x,y) dxdy.$$

(a)

(b)

图 10-8

图 10-9

因此,一般的二重积分计算问题,终归可用公式(3)或(4)来计算,但在化二重积分为二次积分时,如何根据区域 D 来确定两次定积分的上、下限,尤其重要. 因此应先画出积分区域 D 的图形,再按图形找出区域 D 内的点的坐标所满足的不等式.

特殊地,如区域 D 是一矩形:$a \leq x \leq b, c \leq y \leq d$,即

$$\varphi_1(x) = c, \varphi_2(x) = d; \psi_1(y) = a, \psi_2(y) = b,$$

于是由公式(3)(4)得

$$\iint_D f(x,y)\mathrm{d}x\mathrm{d}y = \int_a^b \mathrm{d}x \int_c^d f(x,y)\mathrm{d}y = \int_c^d \mathrm{d}y \int_a^b f(x,y)\mathrm{d}x. \tag{6}$$

由此可知,积分区域是一矩形时,其积分次序可以交换.

例1 计算积分 $I = \iint_D (x^2+y^2+1)\mathrm{d}x\mathrm{d}y$,$D$ 为矩形区域:$-1 \leqslant x \leqslant 1$,$-2 \leqslant y \leqslant 2$.

解 根据化二重积分为二次积分公式得

$$I = \int_{-1}^1 \mathrm{d}x \int_{-2}^2 (x^2+y^2+1)\mathrm{d}y = \int_{-1}^1 \left[x^2 y + \frac{1}{3}y^3 + y\right]_{-2}^2 \mathrm{d}x$$

$$= \int_{-1}^1 \left(4x^2 + \frac{28}{3}\right)\mathrm{d}x = \left[\frac{4}{3}x^3 + \frac{28}{3}x\right]_{-1}^1 = \frac{64}{3},$$

或者

$$I = \int_{-2}^2 \mathrm{d}y \int_{-1}^1 (x^2+y^2+1)\mathrm{d}x = \frac{64}{3}.$$

例2 计算二重积分 $\iint_D xy\mathrm{d}x\mathrm{d}y$,其中 D 是由 x 轴、y 轴和单位圆 $x^2+y^2=1$ 在第一象限内所围成的区域.

解 画出积分区域如图 10-10 所示,先对 y 积分,下限是 0,上限是 $\sqrt{1-x^2}$. 然后对 x 积分,从 0 到 1,所以 $D:0 \leqslant x \leqslant 1$,$0 \leqslant y \leqslant \sqrt{1-y^2}$,于是

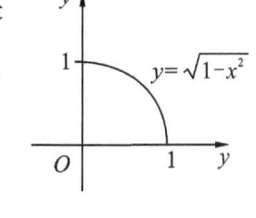

$$\iint_D xy\mathrm{d}x\mathrm{d}y = \int_0^1 \mathrm{d}x \int_0^{\sqrt{1-x^2}} xy\mathrm{d}y$$

$$= \int_0^1 \left[\frac{1}{2}xy^2\right]_0^{\sqrt{1-x^2}} \mathrm{d}x = \int_0^1 \left[\frac{1}{2}x(1-x^2)\right]\mathrm{d}x$$

$$= \frac{1}{2}\left[\frac{x^2}{2} - \frac{x^4}{4}\right]_0^1 = \frac{1}{8}.$$

图 10-10

区域 D 也可以表示为

$$D:0 \leqslant y \leqslant 1, 0 \leqslant x \leqslant \sqrt{1-y^2},$$

则

$$\iint_D xy\mathrm{d}x\mathrm{d}y = \int_0^1 \mathrm{d}y \int_0^{\sqrt{1-y^2}} xy\mathrm{d}x = \frac{1}{8}.$$

例3 计算 $I = \iint_D \frac{x^2}{y^2}\mathrm{d}x\mathrm{d}y$,其中 D 是直线 $y=2$,$y=x$ 和双曲线 $xy=1$ 所围成的区域.

解法一 首先画出积分区域 D,先对 y 后对 x 积分,由于区域的下部边界线由两条曲线段组成,它们的表达式是不同的. 我们就用直线 $x=1$ 把 D 分成 D_1 与 D_2 两部

分(图 10-11):

$$D_1: \frac{1}{2} \leq x \leq 1, \frac{1}{x} \leq y \leq 2; D_2: 1 \leq x \leq 2, x \leq y \leq 2.$$

$$I = \iint_{D_1} \frac{x^2}{y^2} dx dy + \iint_{D_2} \frac{x^2}{y^2} dx dy$$

$$= \int_{\frac{1}{2}}^{1} dx \int_{\frac{1}{x}}^{2} \frac{x^2}{y^2} dy + \int_{1}^{2} dx \int_{x}^{2} \frac{x^2}{y^2} dy$$

$$= \int_{\frac{1}{2}}^{1} \left[-\frac{x^2}{y} \right]_{\frac{1}{x}}^{2} dx + \int_{1}^{2} \left[-\frac{x^2}{y} \right]_{x}^{2} dx$$

$$= \int_{\frac{1}{2}}^{1} \left(x^3 - \frac{x^2}{2} \right) dx + \int_{1}^{2} \left(x - \frac{x^2}{2} \right) dx$$

$$= \left[\frac{x^4}{4} - \frac{x^3}{6} \right]_{\frac{1}{2}}^{1} + \left[\frac{x^2}{2} - \frac{x^3}{6} \right]_{1}^{2} = \frac{81}{192}.$$

图 10-11

解法二 先对 x 后对 y 积分,则 D 可表示为 $D: \frac{1}{y} \leq x \leq y, 1 \leq y \leq 2$,则

$$I = \int_{1}^{2} dy \int_{\frac{1}{y}}^{y} \frac{x^2}{y^2} dx = \int_{1}^{2} \left[\frac{1}{3} \frac{x^3}{y^2} \right]_{\frac{1}{y}}^{y} dy = \int_{1}^{2} \frac{1}{3} \left(y - \frac{1}{y^5} \right) dy$$

$$= \frac{1}{3} \left[\frac{1}{2} y^2 + \frac{1}{4y^4} \right]_{1}^{2} = \frac{81}{192}.$$

在这里先对 x 积分比先对 y 积分简便,因此计算二重积分时,应根据积分区域 D 的特点,灵活选择积分的先后次序.

例 4 计算 $I = \iint_{D} \frac{\sin y}{y} dx dy$,其中 D 是由直线 $y = x$ 及抛物线 $x = y^2$ 所围成的区域(图 10-12).

解 先对 x 后对 y 积分,积分区域为 $D: y^2 \leq x \leq y, 0 \leq y \leq 1$. 于是

$$I = \int_{0}^{1} dy \int_{y^2}^{y} \frac{\sin y}{y} dx = \int_{0}^{1} \left[\frac{\sin y}{y} x \right]_{y^2}^{y} dy$$

$$= \int_{0}^{1} \frac{\sin y}{y} (y - y^2) dy$$

$$= \int_{0}^{1} \sin y dy - \int_{0}^{1} y \sin y dy$$

$$= \left[-\cos y \right]_{0}^{1} - \left[-y \cos y + \sin y \right]_{0}^{1}$$

$$= 1 - \sin 1 \approx 0.1585.$$

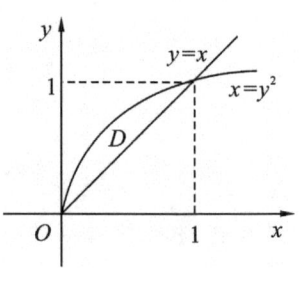

图 10-12

如果先对 y 后对 x 积分,此时 $D: x \leq y \leq \sqrt{x}, 0 \leq x \leq 1$. 于是

$$I = \int_0^1 dx \int_x^{\sqrt{x}} \frac{\sin y}{y} dy.$$

由于 $\frac{\sin y}{y}$ 的原函数不能用初等函数表示，积分难以进行，所以计算此积分时不宜按先对 y 后对 x 积分.

由此例可知，为了能简便地计算二重积分，除了要注意积分域 D 的特点外，还应注意被积函数的特点，灵活选择积分次序.

例5 设 $f(x,y)$ 连续，改变下列二次积分的积分次序：

(1) $\int_0^1 dx \int_0^{x^2} f(x,y) dy + \int_1^3 dx \int_0^{\frac{1}{2}(3-x)} f(x,y) dy$;

(2) $\int_0^1 dy \int_y^{2-y} f(x,y) dx$.

解 (1) 由二次积分的积分上下限可知积分区域 D 是 D_1 与 D_2 两部分，

$$D_1: 0 \leq x \leq 1, 0 \leq y \leq x^2;$$

$$D_2: 1 \leq x \leq 3, 0 \leq y \leq \frac{1}{2}(3-x).$$

原积分次序为先对 y 后对 x.

为了改积分次序为先对 x 后对 y 的二次积分，把积分区域 D（图 10 – 13）表示为：$D: 0 \leq y \leq 1, \sqrt{y} \leq x \leq 3 - 2y$，则

$$\int_0^1 dx \int_0^{x^2} f(x,y) dy + \int_1^3 dx \int_0^{\frac{1}{2}(3-x)} f(x,y) dy = \int_0^1 dy \int_{\sqrt{y}}^{3-2y} f(x,y) dx.$$

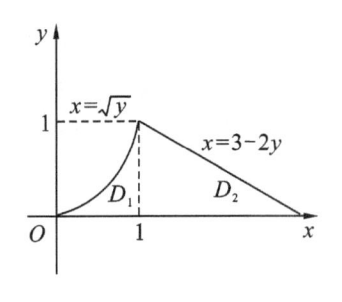

图 10 – 13

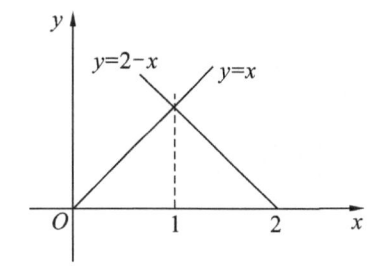

图 10 – 14

(2) 原二次积分的积分次序为先对 x 后对 y，由二次积分的积分上下限可知（图 10 – 14）

$$D: 0 \leq y \leq 1, y \leq x \leq 2 - y.$$

若改积分次序为先对 y 后对 x，则需要将积分区域 D 分为 D_1 与 D_2 两部分，其中

$$D_1: 0 \leq y \leq x, 0 \leq x \leq 1; D_2: 0 \leq y \leq 2 - x, 1 \leq x \leq 2.$$

因此
$$\int_0^1 dy \int_y^{2-y} f(x,y) dx = \int_0^1 dx \int_0^x f(x,y) dy + \int_1^2 dx \int_0^{2-x} f(x,y) dy.$$

10.2.2 利用极坐标系计算二重积分

当积分区域是圆域、扇形域、环形域等区域,或者被积函数的表达式中含有 x^2+y^2 等形式时,我们采用极坐标变换公式
$$\begin{cases} x = r\cos\theta, \\ y = r\sin\theta, \end{cases} \quad 0 \leqslant r \leqslant \infty, 0 \leqslant \theta \leqslant 2\pi$$

可以简化重积分的计算(图 10 – 15). 例如,以原点为圆心、a 为半径的圆域,在直角坐标系中,其方程为 $x^2+y^2=a^2$,而在极坐标系中其方程为 $r=a$. 又如,若积分区域 D 的边界为心脏线,在极坐标系中其方程为 $r=a(1+\cos\theta)$,而其直角坐标方程为 $x^2+y^2=a^2(\sqrt{x^2+y^2}+x)$,就没有极坐标方程简单.

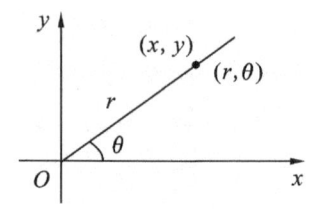

图 10 – 15

下面我们介绍二重积分在极坐标系中的具体计算公式.

将二重积分从直角坐标变换到极坐标中计算时,除变换积分区域 D 以外,还要变换被积函数 $f(x,y)$ 和面积元素 $d\sigma$. 变换被积函数只要用关系式 $x=r\cos\theta, y=r\sin\theta$ 代替函数 $f(x,y)$ 中的 x、y 即可,但面积元素却不能直接代换为 $drd\theta$,下面求极坐标下的面积元素 $d\sigma$.

设 $f(x,y)$ 在区域 D 内连续,过极点的射线与区域 D 的边界相交不多于两点. 用一族同心圆 $r=$ 常数,和一族过极点的射线 $\theta=$ 常数,将 D 分成 n 个小区域(小曲边矩形)(图 10 – 16). $\Delta\sigma$ 是 r 到 $r+\Delta r$ 和 θ 到 $\theta+\Delta\theta$ 之间的小区域,记它的面积为 $\Delta\sigma$,则

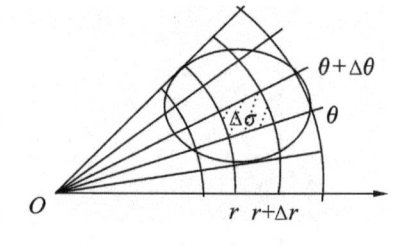

图 10 – 16

$$\begin{aligned}\Delta\sigma &= \frac{1}{2}(r+\Delta r)^2 \Delta\theta - \frac{1}{2}r^2\Delta\theta \\ &= \frac{1}{2}[r^2+2r\Delta r+(\Delta r)^2]\Delta\theta - \frac{1}{2}r^2\Delta\theta \\ &= r\Delta r\Delta\theta + \frac{1}{2}(\Delta r)^2\Delta\theta.\end{aligned}$$

当 Δr 和 $\Delta\theta$ 充分小时,$\frac{1}{2}(\Delta r)^2\Delta\theta$ 是 $r\Delta r\Delta\theta$ 的高阶无穷小量,所以 $\Delta\sigma \approx r\Delta r\Delta\theta$,也就是面积元素为

$$d\sigma = rdrd\theta.$$

因此我们得到二重积分在极坐标系下的计算公式

$$\iint_D f(x,y)d\sigma = \iint_D f(r\cos\theta, r\sin\theta)rdrd\theta.$$

同样,在极坐标系下二重积分也可以化为二次积分,分两种情况讨论.

(1)极点不在区域 D 内部(图 10-17).

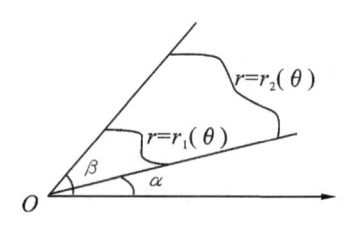

图 10-17

这时区域 D 在两条射线 $\theta=\alpha, \theta=\beta$ 之间,射线和区域边界的交点把区域边界分为 $r=r_1(\theta), r=r_2(\theta)$ 两部分. 因此积分区域为 $D:\alpha\leq\theta\leq\beta, r_1(\theta)\leq r\leq r_2(\theta)$.

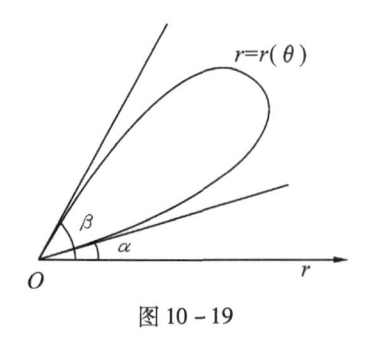

于是

$$\iint_D f(r\cos\theta, r\sin\theta)rdrd\theta = \int_\alpha^\beta d\theta \int_{r_1(\theta)}^{r_2(\theta)} f(r\cos\theta, r\sin\theta)rdr.$$

(2)极点在区域 D 内部(图 10-18).

如果区域 D 的边界方程是 $r=r(\theta)$,这时 $D:0\leq\theta\leq 2\pi$, $0\leq r\leq r(\theta)$,于是

$$\iint_D f(r\cos\theta, r\sin\theta)rdrd\theta = \int_0^{2\pi} d\theta \int_0^{r(\theta)} f(r\cos\theta, r\sin\theta)rdr.$$

特别,当 $f(r\cos\theta, r\sin\theta)=1$ 时,极坐标系下的二重积分的数值等于区域 D 的面积,记为 σ,于是

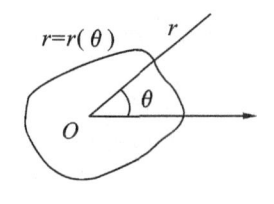

图 10-18

$$\sigma = \iint_D rdrd\theta = \int_\alpha^\beta d\theta \int_{r_1(\theta)}^{r_2(\theta)} rdr = \frac{1}{2}\int_\alpha^\beta [r_2^2(\theta) - r_1^2(\theta)]d\theta.$$

当 $r_1(\theta)=0, r_2(\theta)=r(\theta)$ 时,

$$\sigma = \frac{1}{2}\int_\alpha^\beta r^2(\theta)d\theta.$$

如果极点在区域 D 的边界上,此时 D 为(图 10-19)

$$D:0\leq r\leq r(\theta), \alpha\leq\theta\leq\beta,$$

则

图 10-19

$$\iint\limits_{D} f(r\cos\theta, r\sin\theta) r dr d\theta = \int_{\alpha}^{\beta} d\theta \int_{0}^{r(\theta)} f(r\cos\theta, r\sin\theta) r dr.$$

例 6 计算 $I = \iint\limits_{D} \sqrt{x^2+y^2} d\sigma$，$D$ 是圆 $x^2+y^2=2x$ 所围的区域（图 10-20）.

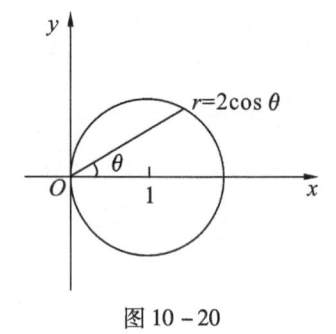

解 圆的极坐标方程为 $r = 2\cos\theta$.

由图 10-20 不难看出，区域 D 可表示为

$$0 \leqslant r \leqslant 2\cos\theta, -\frac{\pi}{2} \leqslant \theta \leqslant \frac{\pi}{2}.$$

于是

$$\begin{aligned}\iint\limits_{D} \sqrt{x^2+y^2} dx dy &= \iint\limits_{D} r \cdot r dr d\theta \\ &= \int_{-\frac{\pi}{2}}^{\frac{\pi}{2}} d\theta \int_{0}^{2\cos\theta} r^2 dr = \int_{-\frac{\pi}{2}}^{\frac{\pi}{2}} \frac{8}{3}\cos^3\theta d\theta \\ &= \frac{16}{3} \int_{0}^{\frac{\pi}{2}} \cos^3\theta d\theta = \frac{16}{3} \cdot \frac{2}{3} = \frac{32}{9}.\end{aligned}$$

例 7 计算 $I = \iint\limits_{D} e^{-x^2-y^2} dx dy$，其中 D 为圆域 $x^2+y^2 \leqslant 1$.

解 在极坐标系中，此时 D 表示为 $0 \leqslant r \leqslant 1, 0 \leqslant \theta \leqslant 2\pi$，故有

$$I = \iint\limits_{D} e^{-x^2-y^2} dx dy = \iint\limits_{D} e^{-r^2} r dr d\theta = \int_{0}^{2\pi} d\theta \int_{0}^{1} e^{-r^2} r dr = \pi(1 - e^{-1}).$$

如不用极坐标而用直角坐标，则由于不能用初等函数表示，积分就难以进一步计算.

例 8 计算 $I = \iint\limits_{D} \sin\sqrt{x^2+y^2} dx dy$，其中 D 是以原点为中心，以 π 和 2π 为半径的两同心圆之间的部分（图 10-21）.

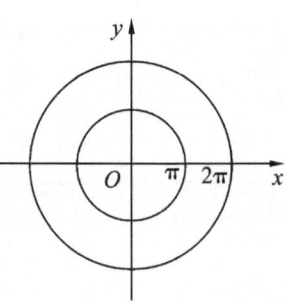

解 $D: \pi \leqslant r \leqslant 2\pi, 0 \leqslant \theta \leqslant 2\pi.$
所以

$$\begin{aligned}I &= \iint\limits_{D} \sin\sqrt{x^2+y^2} dx dy = \iint\limits_{D} \sin r \cdot r dr d\theta = \int_{0}^{2\pi} d\theta \int_{\pi}^{2\pi} r \sin r dr \\ &= 2\pi \left\{ \left[-r\cos r \right]_{\pi}^{2\pi} + \int_{\pi}^{2\pi} \cos r dr \right\} \\ &= 2\pi(-2\pi - \pi + 0) = -6\pi^2.\end{aligned}$$

例 9 计算积分 $\iint\limits_{D} xy dx dy$，其中 D 是由曲线 $y = \sqrt{a^2-x^2}, y = \sqrt{ax-x^2}(a>0)$ 和

$y = -x$ 所围成的区域.

解 如图 10-22 所示,积分区域 D 是圆 $x^2 + y^2 = a^2$ 和圆 $\left(x - \dfrac{a}{2}\right)^2 + y^2 = \left(\dfrac{a}{2}\right)^2$ 在 x 轴上方的部分与直线 $y = -x$ 所围成的部分. 代入极坐标变换 $x = r\cos\theta$, $y = r\sin\theta$, 可得两个圆的方程分别为 $r = a, r = a\cos\theta$. 故 $D = D_1 \cup D_2$, 其中

$D_1 : \dfrac{\pi}{2} \leqslant \theta \leqslant \dfrac{3\pi}{4}, 0 \leqslant r \leqslant a; D_2 : 0 \leqslant \theta \leqslant \dfrac{\pi}{2}, a\cos\theta \leqslant r \leqslant a.$

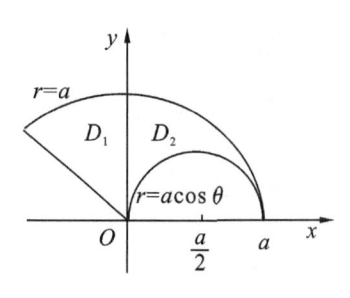

图 10-22

$$\begin{aligned}
\iint_D xy\,dx\,dy &= \iint_{D_1} r^3 \sin\theta\cos\theta\,dr\,d\theta + \iint_{D_2} r^3 \sin\theta\cos\theta\,dr\,d\theta \\
&= \int_{\frac{\pi}{2}}^{\frac{3\pi}{4}} \sin\theta\cos\theta\,d\theta \int_0^a r^3\,dr + \int_0^{\frac{\pi}{2}} \sin\theta\cos\theta\,d\theta \int_{a\cos\theta}^a r^3\,dr \\
&= \int_{\frac{\pi}{2}}^{\frac{3\pi}{4}} \sin\theta\cos\theta \left[\frac{r^4}{4}\right]_0^a d\theta + \int_0^{\frac{\pi}{2}} \sin\theta\cos\theta \left[\frac{r^4}{4}\right]_{a\cos\theta}^a d\theta \\
&= \frac{a^4}{8} \int_{\frac{\pi}{2}}^{\frac{3\pi}{4}} \sin 2\theta\,d\theta + \frac{a^4}{8} \int_0^{\frac{\pi}{2}} (\sin 2\theta - 2\sin\theta\cos^5\theta)\,d\theta \\
&= \frac{a^4}{16} \left[-\cos 2\theta\right]_{\frac{\pi}{2}}^{\frac{3\pi}{4}} + \frac{a^4}{16} \left[-\cos 2\theta\right]_0^{\frac{\pi}{2}} + \frac{a^4}{24} \left[\cos^6\theta\right]_0^{\frac{\pi}{2}} = \frac{a^4}{48}.
\end{aligned}$$

10.2.3 二重积分的换元法

仅有直角坐标下计算二重积分与极坐标下计算二重积分公式,还不足以满足我们所有的计算需求. 为了能计算更广泛的二重积分,我们需要引进二重积分的一般变量替换公式. 选取变量替换的目的是,使积分上下限容易确定或使被积函数变得简单.

设在直角坐标系下,有 xOy 平面上区域 D_{xy} 上的二重积分 $\iint_{D_{xy}} f(x,y)\,d\sigma_{xy}$, 函数 $f(x,y)$ 为 D_{xy} 上的连续函数. 作变换 $x = x(u,v)$、$y = y(u,v)$, 且 $x(u,v)$、$y(u,v)$ 在 D_{xy} 上有关于 u、v 的连续偏导数,其函数行列式

$$J = \frac{\partial(x,y)}{\partial(u,v)} = \begin{vmatrix} x'_u & x'_v \\ y'_u & y'_v \end{vmatrix} \neq 0,$$

则由隐函数存在定理,可从这一方程组中唯一地解出 $u = u(x,y)$、$v = v(x,y)$.

通过上述变换, xOy 平面上的区域 D_{xy} 变成 uOv 平面上的区域 D_{uv}, 并且 D_{xy} 与 D_{uv} 中的点一一对应,于是有

$$\iint\limits_{D_{xy}} f(x,y)\,\mathrm{d}\sigma_{xy} = \iint\limits_{D_{uv}} f(x(u,v),y(u,v)) \left|\frac{\partial(x,y)}{\partial(u,v)}\right| \mathrm{d}u\mathrm{d}v.$$

由此这个公式称为二重积分的换元公式. $\frac{\partial(x,y)}{\partial(u,v)}$ 取绝对值，是为了保持经此变换后的面积元素 $\left|\frac{\partial(x,y)}{\partial(u,v)}\right|\mathrm{d}u\mathrm{d}v$ 为正值. 此处对公式不予证明.

例 10 用二重积分的换元公式推导在极坐标系中 $\iint\limits_{D_{xy}} f(x,y)\,\mathrm{d}\sigma_{xy}$ 的计算公式.

解 考虑下列变换 $x = r\cos\theta, y = r\sin\theta$，此时

$$\frac{\partial(x,y)}{\partial(r,\theta)} = \begin{vmatrix} \cos\theta & -r\sin\theta \\ \sin\theta & r\cos\theta \end{vmatrix} = r.$$

$\frac{\partial(x,y)}{\partial(r,\theta)}$ 除了在坐标原点等于 0 外，皆为正值，因此可得极坐标系中二重积分计算公式

$$\iint\limits_{D_{xy}} f(x,y)\,\mathrm{d}x\mathrm{d}y = \iint\limits_{D_{r\theta}} f(r\cos\theta, r\sin\theta)r\mathrm{d}r\mathrm{d}\theta.$$

例 11 椭球面方程为 $\frac{x^2}{a^2} + \frac{y^2}{b^2} + \frac{z^2}{c^2} = 1$，求椭球体的体积.

解 由于对称性，只需求出椭球在第 I 卦限部分的体积，然后再乘以 8 即可. 作广义极坐标变换 $x = ar\cos\theta, y = br\sin\theta$，这时椭球面化为

$$z = c\sqrt{1 - \left[\frac{(ar\cos\theta)^2}{a^2} + \frac{(br\sin\theta)^2}{b^2}\right]} = c\sqrt{1-r^2},$$

又

$$\frac{\partial(x,y)}{\partial(r,\theta)} = \begin{vmatrix} a\cos\theta & -ar\sin\theta \\ b\sin\theta & br\cos\theta \end{vmatrix} = abr.$$

于是

$$V = 8\iint\limits_{D_{xy}} z(x,y)\,\mathrm{d}\sigma_{xy} = 8\iint\limits_{D_{r\theta}} z(r,\theta)\frac{\partial(x,y)}{\partial(r,\theta)}\mathrm{d}r\mathrm{d}\theta$$

$$= 8\int_0^{\frac{\pi}{2}} \mathrm{d}\theta \int_0^1 c\sqrt{1-r^2}\,abr\mathrm{d}r = 4\pi abc \int_0^1 r\sqrt{1-r^2}\,\mathrm{d}r$$

$$= 4\pi abc \int_0^1 \left(-\frac{1}{2}\sqrt{1-r^2}\right)\mathrm{d}(1-r^2)$$

$$= -2\pi abc\left[\frac{2}{3}(1-r^2)^{\frac{3}{2}}\right]_0^1 = \frac{4}{3}\pi abc.$$

特别当 $a = b = c = R$，得到半径为 R 的球的体积为 $\frac{4}{3}\pi R^3$.

例 12 求由抛物线 $y^2 = px, y^2 = qx\,(0 < p < q)$ 及双曲线 $xy = a, xy = b\,(0 < a < b)$ 所

围区域 D 的面积（图 10-23）.

解 作变换 $\dfrac{y^2}{x}=u, xy=v$. 在这个变换下，xOy 面上的区域 D 变为 uOv 面上的区域 D'，其中

$$D': p \leqslant u \leqslant q, a \leqslant v \leqslant b,$$

$$\left|\dfrac{\partial(x,y)}{\partial(u,v)}\right| = \dfrac{1}{\left|\dfrac{\partial(u,v)}{\partial(x,y)}\right|} = \dfrac{1}{\begin{vmatrix} -\dfrac{y^2}{x^2} & \dfrac{2y}{x} \\ y & x \end{vmatrix}} = \dfrac{1}{\dfrac{3y^2}{x}} = \dfrac{1}{3u}.$$

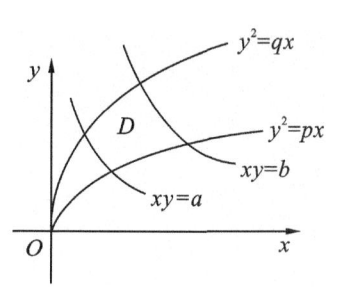

图 10-23

于是所求面积为

$$A = \iint_D dxdy = \iint_{D'} \dfrac{1}{3u} dudv$$

$$= \int_a^b dv \int_p^q \dfrac{1}{3u} du = \dfrac{1}{3}(b-a)\ln\dfrac{q}{p}.$$

习题 10-2

1. 计算下列二重积分：

(1) $\iint_D xe^{xy}dxdy$，其中 $D: 0 \leqslant x \leqslant 1, 0 \leqslant y \leqslant 1$；

(2) $\iint_D x^2 y e^{xy}dxdy$，其中 $D: 0 \leqslant x \leqslant 1, 0 \leqslant y \leqslant 2$；

(3) $\iint_D x^2 y \cos(xy^2)dxdy$，其中 $D: 0 \leqslant x \leqslant \dfrac{\pi}{2}, 0 \leqslant y \leqslant 2$；

(4) $\iint_D x^2 e^{y^2}dxdy$，其中 $D: 0 \leqslant x \leqslant 1, x \leqslant y \leqslant 1$.

2. 将下列二重积分化为次序不同的二次积分：

(1) $\iint_D f(x,y)dxdy$，其中 D 是由直线 $x+y=1, x-y=1, x=0$ 所围成的闭区域；

(2) $\iint_D f(x,y)dxdy$，其中 D 是由 $y=x, y=3x, x=1, x=3$ 所围成的区域；

(3) $\iint_D f(x,y)dxdy$，其中 D 是由 $y=x^2, y=4-x^2$ 所围成的区域；

(4) $\iint_D f(x,y)dxdy$，其中 D 是环形闭区域 $\{(x,y) \mid 1 \leqslant x^2+y^2 \leqslant 4\}$.

3. 在下列积分中改变二次积分的次序：

(1) $\int_0^1 dy \int_y^{\sqrt{y}} f(x,y) dx$；

(2) $\int_0^1 dx \int_x^{2x} f(x,y) dy$；

(3) $\int_1^e dx \int_0^{\ln x} f(x,y) dy$；

(4) $\int_0^1 dx \int_0^x f(x,y) dy + \int_1^2 dx \int_0^{2-x} f(x,y) dy$.

4. 计算下列二重积分：

(1) $\iint_D xy^2 dxdy$，其中 D 是由抛物线 $y^2 = 2px$ 和直线 $x = \dfrac{p}{2}(p>0)$ 所围成的区域；

(2) $\iint_D (x+6y) dxdy$，其中 D 是由 $y=x, y=5x, x=1$ 所围成的区域；

(3) $\iint_D (x^2 + y^2) dxdy$，其中 D 是由 $y=x, y=x+a, y=a, y=3a(a>0)$ 所围成的区域；

(4) $\iint_D \dfrac{1}{\sqrt{2a-x}} dxdy (a>0)$，其中 D 是圆心在点 (a,a)、半径为 a 且与坐标轴相切的圆周的较短弧和坐标轴所围成的区域.

5. 将下列二次积分改为极坐标形式的二次积分：

(1) $\int_0^1 dx \int_0^1 f(x,y) dy$；

(2) $\int_0^1 dx \int_{1-x}^{\sqrt{1-x^2}} f(x,y) dy$；

(3) $\int_0^2 dx \int_x^{\sqrt{3x}} f(\sqrt{x^2+y^2}) dy$；

(4) $\int_0^1 dx \int_0^{x^2} f(x,y) dy$.

6. 应用极坐标变换计算下列二重积分：

(1) $\iint_D \arctan \dfrac{y}{x} dxdy$，其中 D 为圆 $x^2+y^2=4, x^2+y^2=1$ 及直线 $y=x, y=0$ 在第一象限内的闭区域；

(2) $\iint_D \sqrt{R^2-x^2-y^2} dxdy$，其中 D 为 $x^2+y^2=Rx$ 所围成的闭区域；

(3) $\iint_D (4-x-y) dxdy$，其中 D 是圆 $x^2+y^2 \leq 2y$ 所围成的闭区域；

(4) $\iint\limits_{D}(x+y)\mathrm{d}x\mathrm{d}y$,其中 D 是由 $x^2+y^2=x+y$ 所围成的闭区域.

7. 作适当的变量代换,求下列曲线所围成的区域:

(1) $xy=a, xy=b, y=px, y=qx(0<a<b, 0<p<q)$;

(2) $y^2=2px, y^2=2qx, x^2=2ay, x^2=2by(0<p<q, 0<a<b)$.

$\left[提示:(1)令 xy=u,\dfrac{y}{x}=v;(2)令 u=\dfrac{y^2}{x},v=\dfrac{x^2}{y}.\right]$

(3) $x^{\frac{2}{3}}+y^{\frac{2}{3}}=a^{\frac{2}{3}}$(提示:令 $x=r\cos^3\theta, y=r\sin^3\theta$).

10.3 三重积分

10.3.1 三重积分的概念

有一质量分布不均匀的空间立体 V,求其质量. 设其密度函数 $\rho(x,y,z)$ 是在立体 V 所占有的空间区域 V 内的连续函数. 同一元函数的积分学中处理曲边梯形的面积问题和二元函数积分学中处理曲顶柱体的体积问题类似,我们先求其近似质量,再求出精确质量. 为此,先将立体 V 分割为 n 个小立体 $\Delta V_1, \Delta V_2, \cdots, \Delta V_n$(符号 ΔV_i 同时表示第 i 个小立体的体积). 当各小立体 ΔV_i 充分小时,在 ΔV_i 中任取一点 (ξ_i, η_i, ζ_i),以这点的密度近似代替 ΔV_i 中所有点的密度,从而小立体 ΔV_i 的质量近似为 $\rho(\xi_i, \eta_i, \zeta_i)\Delta V_i$. 因此,整个立体的质量 M 就近似地等于 $\sum\limits_{i=1}^{n}\rho(\xi_i,\eta_i,\zeta_i)\Delta V_i$. 设 n 个小立体的直径的最大值为 λ. 于是

$$M=\lim_{\lambda\to 0}\sum_{i=1}^{n}\rho(\xi_i,\eta_i,\zeta_i)\Delta V_i.$$

还有许多问题的解决也归结为计算上述类型的极限. 这样,抽去实际意义,就得到下面三重积分的定义.

定义 设 $f(x,y,z)$ 为定义在空间有界闭区域 V 上的函数,用三族曲面将 V 任意分割成 n 个小立体 $\Delta V_1, \Delta V_2, \cdots, \Delta V_n$(符号 ΔV_i 同时表示第 i 个小立体的体积),在每一个小立体中任取一点 (ξ_i, η_i, ζ_i) 作和,

$$S_n=\sum_{i=1}^{n}f(\xi_i,\eta_i,\zeta_i)\Delta V_i.$$

令 λ 表示各小立体 ΔV_i 的直径的最大值,若当 $\lambda\to 0$ 时,和式 S_n 的极限存在,且极限值与区域 V 分为小立体 ΔV_i 的分法和点 (ξ_i,η_i,ζ_i) 在 ΔV_i 中的取法都无关,则称此极限为函数 $f(x,y,z)$ 在区域 V 上的三重积分,记为

$$\lim_{\lambda \to 0} \sum_{i=1}^{n} f(\xi_i, \eta_i, \zeta_i) \Delta V_i = \iiint\limits_{V} f(x,y,z) \mathrm{d}V,$$

其中 V 叫作积分区域,$f(x,y,z)$ 叫作被积函数,$\mathrm{d}V$ 叫作体积元素.

若函数 $f(x,y,z)$ 在 V 上的三重积分存在,则称 $f(x,y,z)$ 在 V 上可积. 可以证明 V 上的连续函数一定是可积的.

在直角坐标系中,如果用平行于坐标平面的平面来分割区域 V,则除了包含边界的区域外得到的小区域均为长方体,若 ΔV_i 的三个边的边长分别记为 Δx、Δy、Δz,则 $\Delta V_i = \Delta x \Delta y \Delta z$,因此体积元素可以表示为

$$\mathrm{d}V = \mathrm{d}x\mathrm{d}y\mathrm{d}z.$$

从而

$$\iiint\limits_{V} f(x,y,z) \mathrm{d}V = \iiint\limits_{V} f(x,y,z) \mathrm{d}x\mathrm{d}y\mathrm{d}z,$$

其中 $\mathrm{d}x\mathrm{d}y\mathrm{d}z$ 为直角坐标系中的体积元素.

当 $f(x,y,z)$ 在闭区域 V 上连续时,上述定义式中的和的极限必定存在,也就是三重积分必定存在. 所以函数二重积分的性质对三重积分同样成立,这里不再重复.

10.3.2 在直角坐标系中计算三重积分

与二重积分的计算方法类似,计算三重积分也要化为三次积分来计算. 设函数 $f(x,y,z)$ 在空间区域 V 上连续,平行于 z 轴且穿过区域 V 的任何直线与区域 V 的边界曲面 S 的交点不多于两点. 把区域 V 投影到 xOy 面上,得一平面区域 D(图 10-24),以 D 的边界为准线,作母线平行于 z 轴的柱面,曲面 S 与此柱面的交线把曲面分为两部分,其方程分别为:

$$S_1 : z = z_1(x,y);$$
$$S_2 : z = z_2(x,y).$$

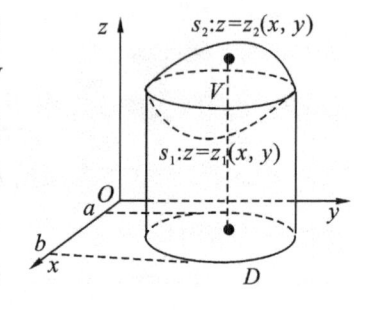

图 10-24

z_1、z_2 均是 D 上的连续函数,并且 $z_1(x,y) \leq z_2(x,y)$,即

$$V = \{(x,y,z) \mid z_1(x,y) \leq z \leq z_2(x,y), (x,y) \in D\}.$$

我们先在 z 轴方向上取它的积分,暂把 x 与 y 看作常数,作函数 $f(x,y,z)$ 在区间 $[z_1, z_2]$ 上的积分,其结果是 x、y 的函数,记为

$$F(x,y) = \int_{z_1(x,y)}^{z_2(x,y)} f(x,y,z) \mathrm{d}z.$$

然后再计算 $F(x,y)$ 在平面区域 D 上的二重积分

$$\iint_D F(x,y)\,d\sigma = \iint_D \left[\int_{z_1(x,y)}^{z_2(x,y)} f(x,y,z)\,dz\right]d\sigma.$$

如果平面区域 D 为：$D = \{(x,y) | y_1(x) \leq y \leq y_2(x), a \leq x \leq b\}$，则把这个二重积分化为二次积分，于是得三重积分计算公式

$$\iiint_V f(x,y,z)\,dV = \iint_D \left[\int_{z_1(x,y)}^{z_2(x,y)} f(x,y,z)\,dz\right]dxdy$$

$$= \int_a^b \left\{\int_{y_1(x)}^{y_2(x)} \left[\int_{z_1(x,y)}^{z_2(x,y)} f(x,y,z)\,dz\right]dy\right\}dx$$

$$= \int_a^b dx \int_{y_1(x)}^{y_2(x)} dy \int_{z_1(x,y)}^{z_2(x,y)} f(x,y,z)\,dz.$$

如过平行于 x 轴或 y 轴，且穿过区域 V 的任何直线与区域 V 的边界曲面 S 的交点不多于两点，也可把区域 V 投影到 yOz 平面或 xOz 平面上，得相应的平面区域，进而分别得到相应的累次积分计算公式，这里不再列出。

特殊地，若在 V 上 $f(x,y,z) = 1$，则三重积分的数值就等于区域 V 的体积

$$V = \iiint_V 1 \cdot dV.$$

例 1 计算 $I = \iiint_V x\,dxdydz$，其中 V 是三个坐标平面与平面 $x + y + z = 1$ 所围成的闭区域.

解 如图 10-25 所示，区域 V 的上方边界面为 $z = 1 - x - y$，下方边界面为 $z = 0$. 又 V 在 xOy 面上的投影区域为由直线 $x = 0, y = 0$ 及 $x + y = 1$ 所围成的三角形区域 D，于是

$$D: 0 \leq y \leq 1 - x, 0 \leq x \leq 1,$$

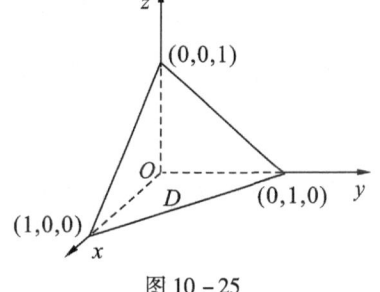

故

$$I = \iiint_V x\,dV = \int_0^1 dx \int_0^{1-x} dy \int_0^{1-x-y} x\,dz = \int_0^1 dx \int_0^{1-x} x(1-x-y)\,dy$$

$$= \frac{1}{2} \int_0^1 x(1-x)^2\,dx = \frac{1}{24}.$$

图 10-25

例 2 设物体在点 (x,y,z) 处的密度为 $\rho = xyz$，求长方体 $0 \leq x \leq 1, 0 \leq y \leq 2, 0 \leq z \leq 3$ 的质量.

解 由公式得质量

$$M = \iiint_V xyz\,dxdydz = \int_0^3 z\,dz \int_0^2 y\,dy \int_0^1 x\,dx = \frac{9}{2}.$$

例 3 计算三重积分 $\iiint_V \dfrac{xy}{\sqrt{z}}\,dxdydz$，其中 V 为由圆锥面 $\left(\dfrac{z}{c}\right)^2 = \left(\dfrac{x}{a}\right)^2 + \left(\dfrac{y}{b}\right)^2$ 与平

面 $z=c$ 所围成的第 I 卦限部分的立体(图 10 – 26).

解 将空间区域 V 投影到 yOz 平面上,其投影区域 D 为:

$$D = \left\{(y,z) \mid 0 \leqslant y \leqslant \frac{b}{c}z, 0 \leqslant z \leqslant c\right\}.$$

在 D 内任取一点 P,过 P 作一条平行于 x 轴的直线,则它由平面 $x=0$ 穿入空间区域 V,而由曲面 $x = a\sqrt{\left(\frac{z}{c}\right)^2 - \left(\frac{y}{b}\right)^2}$ 穿出,即

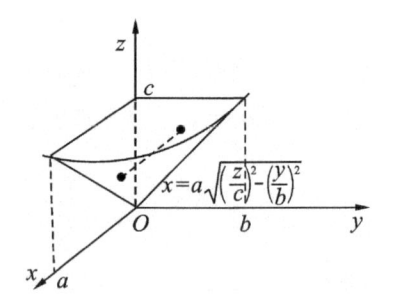

图 10 – 26

$$V = \left\{(x,y,z) \mid 0 \leqslant x \leqslant a\sqrt{\left(\frac{z}{c}\right)^2 - \left(\frac{y}{b}\right)^2}, 0 \leqslant y \leqslant \frac{b}{c}z, 0 \leqslant z \leqslant c\right\},$$

所以

$$\iiint_V \frac{xy}{\sqrt{z}} \mathrm{d}x\mathrm{d}y\mathrm{d}z = \int_0^c \frac{1}{\sqrt{z}} \mathrm{d}z \int_0^{\frac{b}{c}z} y \mathrm{d}y \int_0^{a\sqrt{\left(\frac{z}{c}\right)^2 - \left(\frac{y}{b}\right)^2}} x \mathrm{d}x$$

$$= \int_0^c \frac{1}{\sqrt{z}} \mathrm{d}z \int_0^{\frac{b}{c}z} \frac{a^2}{2} y \left[\left(\frac{z}{c}\right)^2 - \left(\frac{y}{b}\right)^2\right] \mathrm{d}y$$

$$= \frac{a^2}{2} \int_0^c \frac{1}{\sqrt{z}} \mathrm{d}z \int_0^{\frac{b}{c}z} \left(\frac{z^2 y}{c^2} - \frac{y^3}{b^2}\right) \mathrm{d}y$$

$$= \frac{a^2}{2} \int_0^c \frac{1}{\sqrt{z}} \left(\frac{z^2}{2c^2} \cdot \frac{b^2 z^2}{c^2} - \frac{1}{4b^2} \cdot \frac{b^4 z^4}{c^4}\right) \mathrm{d}z$$

$$= \frac{a^2}{2} \int_0^c \frac{1}{\sqrt{z}} \cdot \frac{b^2 z^4}{4c^4} \mathrm{d}z$$

$$= \frac{a^2 b^2}{8c^4} \int_0^c z^{\frac{7}{2}} \mathrm{d}z = \frac{a^2 b^2}{8c^4} \cdot \frac{2}{9} c^{\frac{9}{2}} = \frac{a^2 b^2}{36} \sqrt{c}.$$

10.3.3 三重积分的变量替换

对各种积分来说,变量替换都是简化积分计算的一种方法.三重积分的变量替换公式与二重积分的变量替换公式类似.

设函数 $f(x,y,z)$ 在有界闭区域 V 上连续,则三重积分

$$\iiint_V f(x,y,z) \mathrm{d}V$$

存在,作变换 $x = x(u,v,w), y = y(u,v,w), z = z(u,v,w)$.并设函数 $x = x(u,v,w), y = y(u,v,w), z = z(u,v,w)$ 在 u、v、w 空间中有界闭区域 V' 上存在连续的一阶偏导数,并设其函数行列式在 V' 上的任意一点处有

$$\frac{\partial(x,y,z)}{\partial(u,v,w)} \neq 0.$$

由隐函数存在定理,可从这一方程组唯一地解出 $u = u(x,y,z)$, $v = v(x,y,z)$, $w = w(x,y,z)$. 通过上述变换,u、v、w 空间中的有界闭区域 V'——对应地变换为 x、y、z 空间中的有界闭区域 V,于是有三重积分的变量替换公式

$$\iiint_V f(x,y,z) dxdydz = \iiint_{V'} f[x(u,v,w),y(u,v,w),z(u,v,w)]|J|dudvdw,$$

其中

$$J = \frac{\partial(x,y,z)}{\partial(u,v,w)}.$$

在三重积分的变量替换中有两个最常用的变量替换.

1. 柱面坐标变换

对空间中任一点 M,用三个数 r、θ、z 给出该点的柱面坐标,其中 (r,θ) 是点 M 在 xOy 面上的投影 P 的极坐标,z 就是点 M 在直角坐标系中的竖坐标(图 10-27). r:点 M 到 z 轴的距离,$0 \leq r < +\infty$;θ:过 z 轴和点 M 且以 z 轴为边缘的半平面与平面 xOz 的夹角,$0 \leq \theta \leq 2\pi$. z:点 M 的竖坐标,$-\infty < z < +\infty$. 在柱面坐标系中,三组坐标面为:$r =$ 常数,是以 z 轴为中心轴、r 为半径的圆柱面,$\theta =$ 常数,是过 z 轴的半平面,它和 xOz 面的夹角为 θ;$z =$ 常数,是平行于 xOy 面的平面.

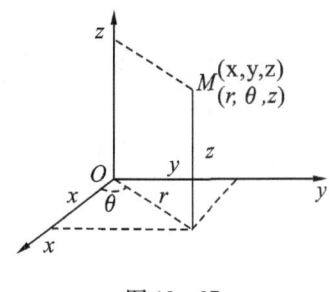

图 10-27

空间一点 M 的直角坐标 (x,y,z) 与它的柱面坐标 (r,θ,z) 之间的关系为:

$$\begin{cases} x = r\cos\theta, \\ y = r\sin\theta, \\ z = z. \end{cases}$$

此时,函数行列式为

$$\frac{\partial(x,y,z)}{\partial(r,\theta,z)} = \begin{vmatrix} \cos\theta & -r\sin\theta & 0 \\ \sin\theta & r\cos\theta & 0 \\ 0 & 0 & 1 \end{vmatrix} = r.$$

于是在柱面坐标系中体积元素为 $rdrd\theta dz$,故在柱面坐标系中

$$\iiint_V f(x,y,z) dV = \iiint_V f(r\cos\theta, r\sin\theta, z) rdrd\theta dz.$$

进一步计算时,化为对 r、θ、z 的三次积分.

一般 V 为圆柱体区域,或 V 的投影区域 D 是以原点为心的圆域时,用柱面坐标较

方便.

例4 计算 $I = \iiint\limits_{V} z\sqrt{x^2+y^2}\mathrm{d}x\mathrm{d}y\mathrm{d}z$，其中 V 是圆柱面 $x^2+y^2-2x=0$，平面 $z=0,z=a(a>0)$ 在第 I 卦限内围成的区域(图 10-28).

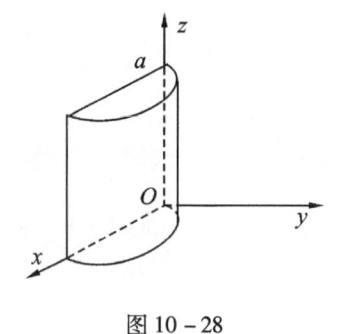

解 用柱面坐标将圆柱面方程化为 $r=2\cos\theta$，

$$V:0\leqslant z\leqslant a,0\leqslant r\leqslant 2\cos\theta,0\leqslant\theta\leqslant\frac{\pi}{2}.$$

图 10-28

故得

$$\begin{aligned}I &= \int_0^{\frac{\pi}{2}}\mathrm{d}\theta\int_0^{2\cos\theta}r^2\mathrm{d}r\int_0^a z\mathrm{d}z\\ &= \int_0^{\frac{\pi}{2}}\mathrm{d}\theta\int_0^{2\cos\theta}r^2\left[\frac{1}{2}z^2\right]_0^a\mathrm{d}r = \frac{a^2}{2}\int_0^{\frac{\pi}{2}}\left[\frac{1}{3}r^3\right]_0^{2\cos\theta}\mathrm{d}\theta\\ &= \frac{a^2}{2}\cdot\frac{8}{3}\int_0^{\frac{\pi}{2}}\cos^3\theta\mathrm{d}\theta = \frac{4a^2}{3}\cdot\frac{2}{3\cdot 1} = \frac{8}{9}a^2.\end{aligned}$$

例5 计算 $I = \iiint\limits_{V} z\mathrm{d}x\mathrm{d}y\mathrm{d}z$，其中 V 为半球体 $x^2+y^2+z^2\leqslant 1,z\geqslant 0$.

解 采用柱面坐标，球体方程化为 $x^2+y^2+z^2 = r^2+z^2\leqslant 1, r\leqslant\sqrt{1-z^2}$，

$$V:0\leqslant r\leqslant\sqrt{1-z^2},0\leqslant z\leqslant 1,0\leqslant\theta\leqslant 2\pi.$$

故得

$$\begin{aligned}I &= \int_0^{2\pi}\mathrm{d}\theta\int_0^1 z\mathrm{d}z\int_0^{\sqrt{1-z^2}}r\mathrm{d}r\\ &= 2\pi\int_0^1 z\left[\frac{1}{2}r^2\right]_0^{\sqrt{1-z^2}}\mathrm{d}z\\ &= 2\pi\int_0^1\frac{1}{2}z(1-z^2)\mathrm{d}z = \pi\left[\frac{z^2}{2}-\frac{z^4}{4}\right]_0^1 = \frac{\pi}{4}.\end{aligned}$$

例6 计算 $I = \iiint\limits_{V} z\sqrt{x^2+y^2}\mathrm{d}V$，其中 V 由圆锥面 $x^2+y^2=z^2$ 和平面 $z=1$ 所围成.

解 采用柱面坐标，锥面方程化为 $r=z$，V 在 xOy 面上的投影区域为圆.

$$V:0\leqslant z\leqslant 1,0\leqslant\theta\leqslant 2\pi,0\leqslant r\leqslant z.$$

$$\begin{aligned}I &= \iiint\limits_{V} zr^2\mathrm{d}r\mathrm{d}\theta\mathrm{d}z = \int_0^1 z\mathrm{d}z\int_0^{2\pi}\mathrm{d}\theta\int_0^z r^2\mathrm{d}r\\ &= 2\pi\int_0^1\frac{1}{3}z^4\mathrm{d}z = \frac{2}{15}\pi.\end{aligned}$$

2. 球面坐标变换

设 M 为空间一点，今用 r、θ、φ 表示该点的球面坐标(图 10-29). r：原点 O 到点

M 的距离,$0 \leq r < +\infty$;θ:过 z 轴和点 M 并以 z 轴为边缘的半平面与平面 xOz 的夹角,$0 \leq \theta \leq 2\pi$;φ:矢量 $\overrightarrow{OM}$ 与 z 轴正方向间的夹角,$0 \leq \varphi \leq \pi$. 在球面坐标系中,三组坐标面为:r = 常数,是以原点为心、r 为半径的球面;θ = 常数,是以 z 轴为边缘的半平面;φ = 常数,是以原点为顶点,z 轴为中心轴,半顶角为 φ 的圆锥面.

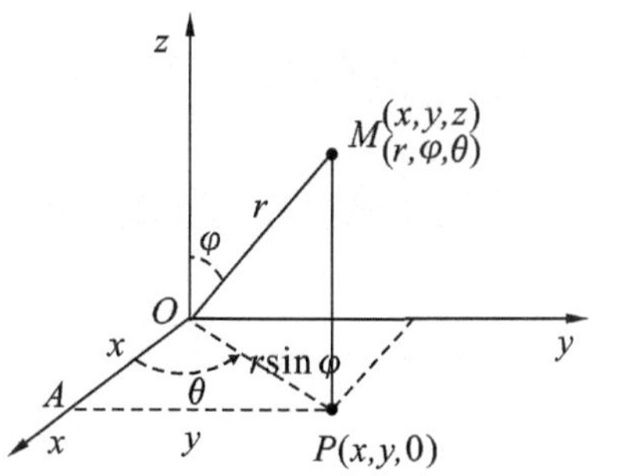

图 10 - 29

从点 M 作 xOy 平面的垂线,得垂足 P,再从点 P 作 x 轴的垂线,得交点 A. 则 $OA = x, AP = y, PM = z$.

由直角三角形 OPM 知

$$OP = r\sin \varphi, PM = r\cos \varphi.$$

故得空间一点 M 的直角坐标 (x,y,z) 和球面坐标 (r,φ,θ) 之间的关系:

$$\begin{cases} x = OP\cos \theta = r\sin \varphi \cos \theta, \\ y = OP\sin \theta = r\sin \varphi \sin \theta, \\ z = r\cos \varphi. \end{cases}$$

相应地

$$\frac{\partial(x,y,z)}{\partial(r,\varphi,\theta)} = \begin{vmatrix} \sin \varphi \cos \theta & r\cos \varphi \cos \theta & -r\sin \varphi \sin \theta \\ \sin \varphi \sin \theta & r\cos \varphi \sin \theta & r\sin \varphi \cos \theta \\ \cos \varphi & -r\sin \varphi & 0 \end{vmatrix} = r^2 \sin \varphi.$$

于是在球面坐标中体积元素为 $r^2 \sin \varphi \mathrm{d}r \mathrm{d}\varphi \mathrm{d}\theta$,故在球面坐标系中

$$\iiint_V f(x,y,z)\mathrm{d}V = \iiint_{V'} f(r\sin \varphi \cos \theta, r\sin \varphi \sin \theta, r\cos \varphi) \cdot r^2 \sin \varphi \mathrm{d}r \mathrm{d}\varphi \mathrm{d}\theta,$$

其中积分区域 V' 要用球面坐标表示.

当 $f(r\sin \varphi \cos \theta, r\sin \varphi \sin \theta, r\cos \varphi) = 1$ 时,积分的结果就是 V 的体积,若 V 由球面 $r = a$ 所围成,则

$$\iiint_V \mathrm{d}V = \int_0^\pi \mathrm{d}\varphi \int_0^{2\pi} \mathrm{d}\theta \int_0^a r^2 \sin \varphi \mathrm{d}r$$
$$= 2 \cdot 2\pi \cdot \frac{a^3}{3} = \frac{4}{3}\pi a^3.$$

例 7 计算三重积分 $\iiint_V z\mathrm{d}x\mathrm{d}y\mathrm{d}z$,其中 V 是半球体 $x^2 + y^2 + z^2 \leq 1, z \geq 0$.

解 换为球面坐标

$$V: 0 \leq \theta \leq 2\pi, 0 \leq \varphi \leq \frac{\pi}{2}, 0 \leq r \leq 1,$$

$$\iiint\limits_{V} z\mathrm{d}x\mathrm{d}y\mathrm{d}z = \iiint\limits_{V'} r^3 \sin\varphi\cos\varphi \mathrm{d}r\mathrm{d}\varphi\mathrm{d}\theta$$

$$= \int_0^{2\pi} \mathrm{d}\theta \int_0^{\frac{\pi}{2}} \cos\varphi\sin\varphi \mathrm{d}\varphi \int_0^1 r^3 \mathrm{d}r = 2\pi \left[\frac{1}{2}\sin^2\varphi\right]_0^{\frac{\pi}{2}} \left[\frac{1}{4}r^4\right]_0^1$$

$$= 2\pi \cdot \frac{1}{2} \cdot \frac{1}{4} = \frac{\pi}{4}.$$

例8 有半径为 a 的球体，其中任一点的密度与该点到球心的距离成正比，试求这球体的质量.

解 设球心在原点，则在点 (x,y,z) 处的密度

$$\mu(x,y,z) = K\sqrt{x^2 + y^2 + z^2}.$$

K 为比例常数，球体的质量为

$$M = \iiint\limits_{V} \mu(x,y,z) \mathrm{d}V = \iiint\limits_{V} K\sqrt{x^2 + y^2 + z^2} \mathrm{d}x\mathrm{d}y\mathrm{d}z$$

$$= \iiint\limits_{V'} Kr \cdot r^2 \sin\varphi \mathrm{d}r\mathrm{d}\varphi\mathrm{d}\theta.$$

由对称性可知

$$M = 8K \int_0^{\frac{\pi}{2}} \mathrm{d}\theta \int_0^{\frac{\pi}{2}} \sin\varphi \mathrm{d}\varphi \int_0^a r^3 \mathrm{d}r$$

$$= 4K\pi \left[-\cos\varphi\right]_0^{\frac{\pi}{2}} \left[\frac{1}{4}r^4\right]_0^a = K\pi a^4.$$

例9 求中心为 $(0,0,a)$，半径为 a 的球面与顶点在原点，半顶角为 α 的内接锥面所围成的立体的体积.

解 在球面坐标系中，球面方程为 $r = 2a\cos\varphi$，锥面方程为 $\varphi = \alpha$，要求的立体 V 为

$$V: 0 \leqslant r \leqslant 2a\cos\varphi, 0 \leqslant \theta \leqslant 2\pi, 0 \leqslant \varphi \leqslant \alpha.$$

于是

$$V = \iiint\limits_{V} \mathrm{d}x\mathrm{d}y\mathrm{d}z = \iiint\limits_{V'} r^2 \sin\varphi \mathrm{d}r\mathrm{d}\varphi\mathrm{d}\theta$$

$$= \int_0^{2\pi} \mathrm{d}\theta \int_0^{\alpha} \sin\varphi \mathrm{d}\varphi \int_0^{2a\cos\varphi} r^2 \mathrm{d}r$$

$$= 2\pi \int_0^{\alpha} \sin\varphi \left[\frac{1}{3}r^3\right]_0^{2a\cos\varphi} \mathrm{d}\varphi$$

$$= \frac{16}{3}\pi a^3 \int_0^{\alpha} \sin\varphi\cos^3\varphi \mathrm{d}\varphi = \frac{4}{3}\pi a^3 (1 - \cos^4\alpha).$$

一般说来，当积分区域 V 为球形区域时，用球面坐标较方便.

习题 10-3

1. 计算下列三重积分：

(1) $\iiint\limits_{V} xy^2z^3 \mathrm{d}x\mathrm{d}y\mathrm{d}z$，其中 V 是由曲面 $z=xy, y=x, x=1, z=0$ 所界定的区域；

(2) $\iiint\limits_{V} xyz \mathrm{d}x\mathrm{d}y\mathrm{d}z$，其中 V 是由曲面 $x^2+y^2+z^2=1, x=0, y=0, z=0$ 所界定的区域（第 I 卦限部分）；

(3) $\iiint\limits_{V} \sqrt{x^2+y^2} \mathrm{d}x\mathrm{d}y\mathrm{d}z$，其中 V 是由曲面 $x^2+y^2=z^2, z=1$ 所界定的区域；

(4) $\iiint\limits_{V} xy \mathrm{d}x\mathrm{d}y\mathrm{d}z$，其中 V 是球域 $x^2+y^2+z^2 \leq 4$ 与 $x^2+y^2+(z-2)^2 \leq 4$ 的公共部分，且 $x \geq 0, y \geq 0$.

2. 设有一物体，占有空间闭区域 $V=\{(x,y,z) | 0 \leq x \leq 1, 0 \leq y \leq 1, 0 \leq z \leq 1\}$，在点 (x,y,z) 处的密度为 $\rho(x,y,z)=x+y+z$，计算该物体的质量.

3. 利用柱面坐标和球面坐标计算下列三重积分：

(1) $\iiint\limits_{V} (x^2+y^2) \mathrm{d}x\mathrm{d}y\mathrm{d}z$，其中 V 是由曲面 $x^2+y^2=2z, z=2$ 所界定的区域；

(2) $\iiint\limits_{V} \sqrt{x^2+y^2+z^2} \mathrm{d}x\mathrm{d}y\mathrm{d}z$，其中 V 是由曲面 $x^2+y^2+z^2=z$ 所界定的区域；

(3) $\iiint\limits_{V} (x^2+y^2) \mathrm{d}x\mathrm{d}y\mathrm{d}z$，其中 V 是由两半球面 $z=\sqrt{A^2-x^2-y^2}, z=\sqrt{a^2-x^2-y^2}$ $(A>a>0)$ 及平面 $z=0$ 所界定的区域.

4. 用球面坐标计算积分 $\int_0^1 \mathrm{d}x \int_0^{\sqrt{1-x^2}} \mathrm{d}y \int_{\sqrt{x^2+y^2}}^{\sqrt{2-x^2-y^2}} z^2 \mathrm{d}z$.

5. 计算积分 $\iiint\limits_{V} \left(\dfrac{x^2}{a^2}+\dfrac{y^2}{b^2}+\dfrac{z^2}{c^2}\right) \mathrm{d}x\mathrm{d}y\mathrm{d}z$，其中 V 是由曲面 $\dfrac{x^2}{a^2}+\dfrac{y^2}{b^2}+\dfrac{z^2}{c^2}=1$ 所界定的区域.

6. 求函数 $f(x,y,z)=x^2+y^2+z^2$ 在区域 $x^2+y^2+z^2 \leq x+y+z$ 内的平均值. [注：$\dfrac{\iiint\limits_{V} f(x,y,z) \mathrm{d}V}{V}$ 称为 $f(x,y,z)$ 在 V 内的平均值.]

7. 利用三重积分计算下列曲面所围成的立体的体积：

(1) 平面 $x=0, y=0, z=0, x=4, y=4$ 及抛物面 $z=x^2+y^2+1$；

(2) 平面 $\dfrac{x}{a}+\dfrac{y}{b}+\dfrac{z}{c}=1, x=0, y=0, z=0$；

(3) $z = \sqrt{x^2 + y^2}$ 和 $az = x^2 + y^2 (a > 0)$;

(4) $x^2 + y^2 + z^2 = 2az, x^2 + y^2 \leqslant z^2$;

(5) $x^2 + y^2 + z^2 = a^2, x^2 + y^2 + z^2 = b^2, x^2 + y^2 = z^2 (z \geqslant 0, 0 < a < b)$.

10.4 重积分的应用

10.4.1 几何应用——曲面面积

下面利用二重积分来求曲面 S 的面积,设曲面的方程为 $z = f(x, y)$,它在 xOy 面上的投影区域为 D,函数 $f(x, y)$ 在 D 上具有连续偏导数 $f'_x(x, y)$ 和 $f'_y(x, y)$,让我们来确定 S 的面积 A.

把区域 D 分成 n 个小区域,考虑其中任一小块 $\Delta\sigma$. 以 $\Delta\sigma$ 的边界为准线,作母线平行于 z 轴的柱面. 这柱面把曲面 S 截出相应的一块 ΔS,在 $\Delta\sigma$ 上任取一点 $(x, y, 0)$,则曲面在点 $M(x, y, z)$ 的切平面被对应的柱面截出小片 ΔA,ΔS 和 ΔA 在 xOy 面上的投影都是 $\Delta\sigma$(图 10-30).

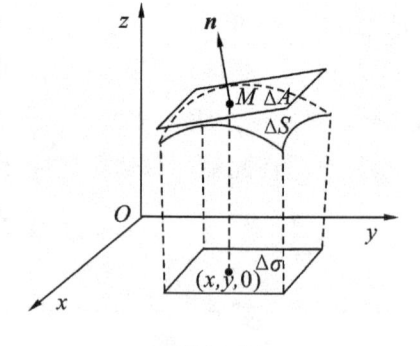

于是有
$$\Delta\sigma = \Delta A \cos\gamma.$$

图 10-30

其中 γ 是曲面在点 $M(x, y, z)$ 的上侧法向量 $\boldsymbol{n}$ 与 z 轴正方向所成的锐角,因 $\boldsymbol{n} = (-z'_x, -z'_y, 1)$,而 z 轴正方向的单位矢量 $\boldsymbol{k} = (0, 0, 1)$,所以
$$\cos\gamma = \frac{1}{\sqrt{1 + z'^2_x + z'^2_y}},$$

故
$$\Delta A = \frac{\Delta\sigma}{\cos\gamma} = \sqrt{1 + z'^2_x + z'^2_y}\,\Delta\sigma.$$

在 $\Delta\sigma$ 的直径 $d \to 0$ 时,可以用 ΔA 的面积代替 ΔS 的面积,从而也就有
$$\mathrm{d}S = \sqrt{1 + z'^2_x + z'^2_y}\,\mathrm{d}\sigma,$$

这就是曲面 $z = f(x, y)$ 的面积元素.

将这些面积元素累加起来,就得到曲面的面积为
$$A = \iint_D \sqrt{1 + z'^2_x + z'^2_y}\,\mathrm{d}x\mathrm{d}y.$$

例1 求球面 $x^2 + y^2 + z^2 = a^2$ 含在柱面 $x^2 + y^2 = ax (a > 0)$ 内部的面积.

解 把 z 看作 x、y 的二元函数,并在方程 $x^2+y^2+z^2=a^2$ 两边对 x 微分得
$$2x+2zz_x'=0,$$
所以
$$z_x'=-\frac{x}{z},$$
同理得
$$z_y'=-\frac{y}{z},$$

$$\sqrt{1+z_x'^2+z_y'^2}=\sqrt{\frac{x^2+y^2+z^2}{z^2}}=\frac{a}{\sqrt{a^2-x^2-y^2}},$$

由对称性,并利用极坐标可得
$$A=4\iint\limits_{D}\frac{a}{\sqrt{a^2-x^2-y^2}}dxdy=4\int_0^{\frac{\pi}{2}}d\theta\int_0^{a\cos\theta}\frac{a}{\sqrt{a^2-r^2}}rdr$$
$$=4a^2\left(\frac{\pi}{2}-1\right).$$

例2 求半径相等的两个直交圆柱所围立体的表面积 A.

解 设圆柱半径为 R 的两圆柱面方程分别为
$$x^2+y^2=R^2 \text{ 及 } x^2+z^2=R^2.$$

利用对称性只要求出在第 I 卦限中 A_1 和 A_2 的面积即可,又由于 A_1 和 A_2 的面积相同,因此只需求出 A_1 的面积然后再乘以 16 即可.

A_1 为曲面 $x^2+z^2=R^2$ 上的一部分,将此式两边对 x 求导,得
$$2x+2zz_x'=0, z_x'=-\frac{x}{z}.$$
又
$$z_y'=0,$$
故有
$$\sqrt{1+z_x'^2+z_y'^2}=\sqrt{\frac{z^2+x^2}{z^2}}=\frac{R}{\sqrt{R^2-x^2}}.$$

投影区域 D 为
$$0\leqslant y\leqslant\sqrt{R^2-x^2}, 0\leqslant x\leqslant R.$$
故
$$A=16\iint\limits_{D}\sqrt{1+z_x'^2+z_y'^2}dxdy=16R\iint\limits_{D}\frac{dxdy}{\sqrt{R^2-x^2}}$$
$$=16R\int_0^R\left(\int_0^{\sqrt{R^2-x^2}}\frac{1}{\sqrt{R^2-x^2}}dy\right)dx$$

$$= 16R \int_0^R \frac{1}{\sqrt{R^2-x^2}} [y]_0^{\sqrt{R^2-x^2}} dx = 16R \int_0^R dx = 16R^2.$$

10.4.2　重积分在力学中的应用

利用二重积分可以解决平面薄片的质量、质心、转动惯量等问题. 利用三重积分可以解决对于空间物体的同样问题. 下面着重讲平面薄片的情形, 因为空间物体的情形完全类似, 故只给出相应的计算公式.

1. 质量

由二重积分的物理意义可知, 平面薄片(非均匀薄板)的质量是

$$M = \iint_D \rho(x,y) \, d\sigma,$$

其中 $\rho(x,y)$ 是薄片 D 在点 (x,y) 的密度.

由三重积分的物理意义知, 非均匀物体的质量是

$$M = \iiint_V \rho(x,y,z) \, dV,$$

其中 $\rho(x,y,z)$ 是物体 V 在点 (x,y,z) 的密度.

2. 质心

我们把平面薄片分成 n 个直径很小的小片, 在每一个小片 $\Delta\sigma_i$ 上任取一点 (x_i, y_i), 如果把小片 $\Delta\sigma_i$ 的近似质量 $\rho(x_i, y_i)\Delta\sigma_i$ 看作质点 (x_i, y_i) 所具有的质量, 则整个薄片就是由 n 个质点组成的质点组. 已知这质点组的质心坐标是

$$\bar{x}_i = \frac{\sum_{i=1}^n x_i \rho(x_i,y_i)\Delta\sigma_i}{\sum_{i=1}^n \rho(x_i,y_i)\Delta\sigma_i}, \quad \bar{y}_i = \frac{\sum_{i=1}^n y_i \rho(x_i,y_i)\Delta\sigma_i}{\sum_{i=1}^n \rho(x_i,y_i)\Delta\sigma_i}.$$

令所有小薄片 $\Delta\sigma_i$ 中的最大直径 $\lambda \to 0$, 得到所设平面薄片的质心坐标 $\bar{x}$、$\bar{y}$ 为

$$\bar{x} = \frac{\iint_D x\rho(x,y)\,d\sigma}{\iint_D \rho(x,y)\,d\sigma}, \quad \bar{y} = \frac{\iint_D y\rho(x,y)\,d\sigma}{\iint_D \rho(x,y)\,d\sigma}.$$

这里 $\rho(x,y)$ 是密度函数, 于是

$$\bar{x} = \frac{1}{M}\iint_D x\rho\,d\sigma, \quad \bar{y} = \frac{1}{M}\iint_D y\rho\,d\sigma.$$

特殊地, 如果平面薄片是均匀的, 即密度是一个常数, 则 $M = \rho S$, S 是平面薄片的面积. 上面的公式可简化为

$$\bar{x} = \frac{1}{M}\iint_D x\,d\sigma, \quad \bar{y} = \frac{1}{M}\iint_D y\,d\sigma.$$

仿照上面的讨论,将物体 V 分割为 n 个小立体,将每一小立体看成是质量集中在某一点的质点,则由质点组质心坐标公式,令小立体的最大直径 $\lambda \to 0$,得物体 V 的质心坐标为

$$\bar{x} = \frac{1}{M} \iiint_V x\rho \mathrm{d}V, \quad \bar{y} = \frac{1}{M} \iiint_V y\rho \mathrm{d}V, \quad \bar{z} = \frac{1}{M} \iiint_V z\rho \mathrm{d}V,$$

式中 $\rho(x,y,z)$ 是物体 V 的密度函数,M 是物体 V 的质量.

特殊地,如果物体是均匀的(ρ = 常数),则上述公式可简化为

$$\bar{x} = \frac{1}{V} \iiint_V x \mathrm{d}V, \quad \bar{y} = \frac{1}{V} \iiint_V y \mathrm{d}V, \quad \bar{z} = \frac{1}{V} \iiint_V z \mathrm{d}V,$$

这里 V 是物体的体积.

3. 转动惯量

仿照上面所讲的把平面薄片近似地看作由 n 个质点组成的 n 个质点组,这个质点组对于 x 轴的转动惯量是

$$\sum_{i=1}^{n} y_i^2 \rho(x_i,y_i) \Delta\sigma_i,$$

对于 y 轴的转动惯量是

$$\sum_{i=1}^{n} x_i^2 \rho(x_i,y_i) \Delta\sigma_i,$$

对于原点 O 的转动惯量是

$$\sum_{i=1}^{n} (x_i^2 + y_i^2) \rho(x_i,y_i) \Delta\sigma_i.$$

取极限就分别得到对于 x 轴的转动惯量

$$I_x = \iint_D y^2 \rho(x,y) \mathrm{d}\sigma,$$

对于 y 轴的转动惯量

$$I_y = \iint_D x^2 \rho(x,y) \mathrm{d}\sigma,$$

对于原点的转动惯量

$$I_O = \iint_D (x^2 + y^2) \rho(x,y) \mathrm{d}\sigma,$$

显然有

$$I_O = I_x + I_y.$$

类似地,我们也可以得到空间物体对于 xOy 面的转动惯量 I_{xy} 以及对于 x 轴的转动惯量 I_x 和对于原点的转动惯量 I_O 的计算公式

$$I_{xy} = \iiint_V z^2 \rho(x,y,z)\,\mathrm{d}V,$$

$$I_x = \iiint_V (y^2 + z^2)\rho(x,y,z)\,\mathrm{d}V,$$

$$I_O = \iiint_V (x^2 + y^2 + z^2)\rho(x,y,z)\,\mathrm{d}V.$$

物体对于 yOz、zOx 面的转动惯量有类似于物体对于 xOy 面的转动惯量 I_{xy} 的计算公式,对于 y 轴、z 轴的转动惯量有类似于物体对于 x 轴的转动惯量 I_x 和对于原点的转动惯量 I_O 的公式,不难写出.

例3 求密度均匀的半椭圆薄片 D 的重心.

解 D 可表示为:$\dfrac{x^2}{a^2} + \dfrac{y^2}{b^2} \leqslant 1, y \geqslant 0$.

由于密度是均匀的,图形对称于 y 轴,故 $\bar{x} = 0$. 而

$$\bar{y} = \frac{1}{S}\iint_D y\,\mathrm{d}x\mathrm{d}y = \frac{1}{S}\int_{-a}^{a}\mathrm{d}x\int_0^{b\sqrt{1-\frac{x^2}{a^2}}} y\,\mathrm{d}y$$

$$= \frac{b^2}{2S}\int_{-a}^{a}\left(1 - \frac{x^2}{a^2}\right)\mathrm{d}x$$

$$= \frac{1}{\pi ab}\left(2ab^2 - \frac{2b^2 a^3}{3a^2}\right) = \frac{4b}{3\pi}.$$

例4 求一均匀的球顶锥体(图 10-31)的重心,设该球的球心在原点,半径为 a,锥体的顶点在原点,轴为 z 轴,锥面母线与 z 轴的夹角为 $\alpha\left(0 < \alpha < \dfrac{\pi}{2}\right)$.

解 由于锥体关于 z 轴对称,且密度函数 ρ 为常数,所以 $\bar{x} = \bar{y} = 0$,

$$\bar{z} = \frac{\iiint_V z\rho\,\mathrm{d}V}{\iiint_V \rho\,\mathrm{d}V} = \frac{\iiint_V z\,\mathrm{d}V}{\iiint_V \mathrm{d}V}.$$

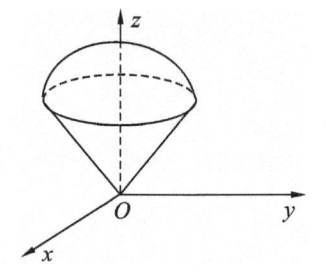

图 10-31

采用球面坐标,分别计算分子、分母

$$\iiint_V z\,\mathrm{d}V = \int_0^{2\pi}\mathrm{d}\theta\int_0^{\alpha}\mathrm{d}\varphi\int_0^{a} r^2\sin\varphi \cdot r\cos\varphi\,\mathrm{d}r$$

$$= \frac{\pi a^4}{2}\int_0^{\alpha}\sin\varphi\cos\varphi\,\mathrm{d}\varphi = \frac{\pi a^4}{2}\int_0^{\alpha}\sin\varphi\,\mathrm{d}(\sin\varphi)$$

$$= \frac{\pi a^4}{2}\left[\frac{1}{2}\sin^2\varphi\right]_0^{\alpha} = \frac{\pi a^4}{4}\sin^2\alpha,$$

$$\iiint\limits_V \mathrm{d}V = \int_0^{2\pi} \mathrm{d}\theta \int_0^\alpha \mathrm{d}\varphi \int_0^a r^2 \sin\varphi \mathrm{d}r = \frac{2\pi a^3}{3} \int_0^\alpha \sin\varphi \mathrm{d}\varphi$$
$$= \frac{2}{3}\pi a^3 (1 - \cos\alpha).$$

所以

$$\bar{z} = \frac{\dfrac{\pi a^4}{4}\sin^2\alpha}{\dfrac{2}{3}\pi a^3 (1-\cos\alpha)} = \frac{3a}{8} \cdot \frac{\sin^2\alpha}{1-\cos\alpha}$$

$$= \frac{3a}{8}(1+\cos\alpha).$$

例 5 求密度为 1 的均匀球体 $V: x^2+y^2+z^2 \leqslant 1$ 对坐标轴的转动惯量.

解 $I_x = \iiint\limits_V (y^2+z^2)\mathrm{d}V$, $I_y = \iiint\limits_V (x^2+z^2)\mathrm{d}V$, $I_z = \iiint\limits_V (x^2+y^2)\mathrm{d}V$, 由于对称性 $I_x = I_y = I_z = I$, 将三式相加可得

$$3I = \iiint\limits_V 2(x^2+y^2+z^2)\mathrm{d}V.$$

采用球面坐标

$$I = \frac{2}{3}\iiint\limits_{V'} r^2 \cdot r^2 \sin\varphi \mathrm{d}r\mathrm{d}\theta\mathrm{d}\varphi = \frac{2}{3}\int_0^{2\pi}\mathrm{d}\theta\int_0^\pi \sin\varphi\mathrm{d}\varphi\int_0^1 r^4 \mathrm{d}r$$
$$= \frac{2}{3} \cdot 2\pi \cdot \frac{1}{5}\int_0^\pi \sin\varphi\mathrm{d}\varphi = \frac{4\pi}{15}[-\cos\varphi]_0^\pi = \frac{4\pi}{15} \cdot 2 = \frac{8\pi}{15}.$$

例 6 求密度均匀、高为 h 的环状轮盘对其轴线的转动惯量(图 10-32).

解 设密度函数 $\rho = C$ (C 为常数), 圆环在 xOy 面上的投影为
$$D: R_1^2 \leqslant x^2+y^2 \leqslant R_2^2.$$
采用柱面坐标可得

$$I_z = \iiint\limits_V C(x^2+y^2)\mathrm{d}V = \iiint\limits_{V'} Cr^2 r\mathrm{d}r\mathrm{d}\theta\mathrm{d}z$$
$$= C\int_0^{2\pi}\mathrm{d}\theta \int_{R_1}^{R_2} r^3 \mathrm{d}r \int_0^h \mathrm{d}z$$
$$= 2\pi C \cdot \frac{1}{4}(R_2^4 - R_1^4)h$$
$$= \frac{\pi Ch}{2}(R_2^4 - R_1^4).$$

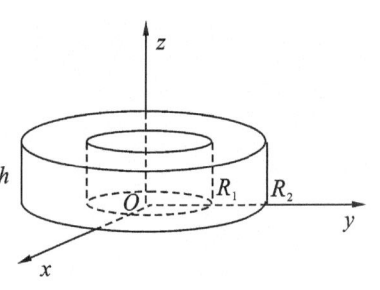

图 10-32

习题 10-4

1. 计算下列曲面的面积:
   (1) 求曲面 $az = xy$ 在圆柱 $x^2 + y^2 = a^2$ 内的那部分面积;
   (2) 求曲面 $x^2 + y^2 = 2az$ 在柱面 $x^2 + y^2 = 3a^2$ 内的那部分面积;
   (3) 求圆柱面 $x^2 + y^2 = ax$ 在球 $x^2 + y^2 + z^2 = a^2$ 内的那部分面积;
   (4) 求锥面 $y^2 + z^2 = x^2$ 在柱面 $x^2 + y^2 = a^2$ 内的那部分面积.

2. 求曲线 $x = a(t - \sin t), y = a(1 - \cos t)\ (0 \leqslant t \leqslant 2\pi), y = 0$ 所界定的均匀薄板的质心坐标.

3. 求圆形薄板 $x^2 + y^2 \leqslant a^2$ 的质心坐标,设它在点 $M(x, y)$ 的密度与点 M 到点 $A(a, 0)$ 的距离成正比.

4. 求由抛物面 $z = x^2 + y^2$ 及平面 $z = 1$ 所围成的质量均匀分布的物体的质心.

5. 设球在动点 $P(x, y, z)$ 的密度与该点至球心的距离成正比,求质量为 M 的非均匀球体 $x^2 + y^2 + z^2 \leqslant R^2$ 对坐标轴的转动惯量.

6. 求密度为 ρ 的均匀圆柱 $x^2 + y^2 \leqslant a^2, z = \pm h$ 对于直线 $x = y = z$ 的转动惯量.

7. 证明公式 $I_l = I_{l_0} + Md^2$,其中 I_l 为物体对于某轴的转动惯量,I_{l_0} 为对于平行于 l 并通过物体质心的轴 l_0 的转动惯量,d 为两轴之间的距离,M 为物体的质量.(提示:取 l_0 为 z 轴,物体质心为原点,建立直角坐标系.)

总复习题 10 A 组

1. (1) 求积分 $\int_0^2 dx \int_x^2 e^{-y^2} dy$ 的值;

   (2) 设闭区域 $D = \{(x, y) \mid x^2 + y^2 \leqslant R^2\}$,求 $\iint_D \left(\dfrac{x^2}{a^2} + \dfrac{y^2}{b^2}\right) dxdy$ 的值.

2. 计算由下列曲面所围成的立体的体积:
   (1) $z = 1 + x + y, z = 0, x + y = 1, x = 0, y = 0$;
   (2) $x + y + z = a, x^2 + y^2 = R^2, x \geqslant 0, y \geqslant 0, z \geqslant 0\ (a \geqslant \sqrt{2}R)$;
   (3) $z = x^2 + y^2, y = 1, z = 0, y = x^2$;
   (4) $z = x^2 + y^2, x^2 + y^2 = x, x^2 + y^2 = 2x, z = 0$.

3. 计算下列二重积分.

   (1) $\iint_D (1 + x) \sin y \, dy d\sigma$,其中 D 是顶点分别为 $(0, 0)$、$(0, 1)$、$(1, 2)$ 和 $(0, 1)$ 的

梯形闭区域；

(2) $\iint\limits_{D}(x^2-y^2)\mathrm{d}\sigma$，其中 $D=\{(x,y)\,|\,0\leqslant y\leqslant \sin x,0\leqslant x\leqslant \pi\}$；

(3) $\iint\limits_{D}(y^2+3x-6y+9)\mathrm{d}\sigma$，其中 $D=\{(x,y)\,|\,x^2+y^2\leqslant R^2\}$；

(4) $\iint\limits_{D}\sqrt{R^2-x^2-y^2}\mathrm{d}\sigma$，其中 D 是圆周 $x^2+y^2=Rx$ 所围成的闭区域.

4. 交换下列二次积分的次序：

(1) $\int_0^4 \mathrm{d}y \int_{-\sqrt{4-y}}^{\frac{1}{2}(y-4)} f(x,y)\mathrm{d}x$；

(2) $\int_0^1 \mathrm{d}y \int_0^{2y} f(x,y)\mathrm{d}x + \int_1^3 \mathrm{d}y \int_0^{3-y} f(x,y)\mathrm{d}x$；

(3) $\int_0^1 \mathrm{d}x \int_{\sqrt{x}}^{1+\sqrt{1-x^2}} f(x,y)\mathrm{d}y$.

5. 求由曲面 $\dfrac{x^2}{a^2}+\dfrac{y^2}{b^2}+\dfrac{z^2}{c^2},z=c$ 所界定的均匀物体对三个坐标平面的转动惯量 $(\rho=1)$.

6. 求平面 $\dfrac{x}{a}+\dfrac{y}{b}+\dfrac{z}{c}=1$ 被三坐标面所割出的有限部分的面积.

7. 求抛物线 $y=x^2$ 及直线 $y=1$ 所围成的均匀薄片（面密度为常数 μ）对于直线 $y=-1$ 的转动惯量.

8. 求质量分布均匀的半个旋转椭球体 $V=\left\{(x,y,z)\,\Big|\,\dfrac{x^2+y^2}{a^2}+\dfrac{z^2}{b^2}\leqslant 1\right\}$ 的重心.

9. 化三重积分 $I=\iiint\limits_{V} f(x,y,z)\mathrm{d}x\mathrm{d}y\mathrm{d}z$ 为三次积分，其中积分区域 V 为：

(1) 由双曲抛物面 $xy=z$ 及平面 $x+y-1=0,z=0$ 所围成的闭区域；

(2) 由曲面 $z=x^2+y^2$ 及平面 $z=1$ 所围成的闭区域；

(3) 由曲面 $z=x^2+2y^2$ 及 $z=2-x^2$ 所围成的闭区域；

(4) 由曲面 $cz=xy(c>0),\dfrac{x^2}{a^2}+\dfrac{y^2}{b^2}=1,z=0$ 所围成的第 Ⅰ 卦限内的闭区域.

10. 设有一物体，占有空间闭区域 $V=\{(x,y,z)\,|\,0\leqslant x\leqslant 1,0\leqslant y\leqslant 1,0\leqslant z\leqslant 1\}$，在点 (x,y,z) 处的密度为 $\rho(x,y,z)=x+y+z$，计算该物体的质量.

11. 如果三重积分 $\iiint\limits_{V} f(x,y,z)\mathrm{d}x\mathrm{d}y\mathrm{d}z$ 的被积函数 $f(x,y,z)$ 是三个函数 $f_1(x)$、$f_2(y)$、$f_3(z)$ 的乘积，即 $f(x,y,z)=f_1(x)f_2(y)f_3(z)$，积分区域 $V=\{(x,y,z)\,|\,a\leqslant x\leqslant b,c\leqslant y\leqslant d,l\leqslant z\leqslant m\}$，证明这个三重积分等于三个单积分的乘积，即

$$\iiint\limits_V f_1(x)f_2(y)f_3(z)\,dxdydz = \int_a^b f_1(x)\,dx \int_c^d f_2(y)\,dy \int_l^m f_3(z)\,dz.$$

12. 利用柱面坐标计算下列三重积分：

(1) $\iiint\limits_V z\,dV$，其中 V 是由曲面 $z = \sqrt{2-x^2-y^2}$ 及 $z = x^2+y^2$ 所围成的闭区域；

(2) $\iiint\limits_V (x^2+y^2)\,dV$，其中 V 是由曲面 $x^2+y^2 = 2z$ 及平面 $z = 2$ 所围成的闭区域.

13. 利用三重积分计算下列由曲面所围成的立体的体积：

(1) $z = 6-x^2-y^2$ 及 $z = \sqrt{x^2+y^2}$；

(2) $x^2+y^2+z^2 = 2az(z>0)$ 及 $x^2+y^2 = z^2$（含有 z 轴的部分）；

(3) $z = \sqrt{x^2+y^2}$ 及 $z = x^2+y^2$；

(4) $z = \sqrt{5-x^2-y^2}$ 及 $x^2+y^2 = 4z$.

14. 求上、下分别为球面 $x^2+y^2+z^2 = 2$ 和抛物面 $z = x^2+y^2$ 所围立体的体积.

15. 球心在原点、半径为 R 的球，在其上任意一点的密度的大小与这点到球心的距离成正比，求这球的质量.

总复习题 10 B 组

一、选择题

1. 设函数 $f(u)$ 连续，区域 $D = \{(x,y) \mid x^2+y^2 \leq 2y\}$，则 $\iint\limits_D f(xy)\,dxdy$ 等于（   ）.

A. $\int_{-1}^{1} dx \int_{-\sqrt{1-x^2}}^{\sqrt{1-x^2}} f(xy)\,dy$

B. $2\int_0^2 dy \int_0^{\sqrt{2y-y^2}} f(xy)\,dx$

C. $\int_0^\pi d\theta \int_0^{2\sin\theta} f(r^2\sin\theta\cos\theta)\,dr$

D. $\int_0^\pi d\theta \int_0^{2\sin\theta} f(r^2\sin\theta\cos\theta)r\,dr$

2. 设 $I_1 = \iint\limits_D \cos\sqrt{x^2+y^2}\,d\sigma$，$I_2 = \iint\limits_D \cos(x^2+y^2)\,d\sigma$，$I_3 = \iint\limits_D \cos(x^2+y^2)^2\,d\sigma$，其中 $D = \{(x,y) \mid x^2+y^2 \leq 1\}$，则（   ）.

A. $I_3 > I_2 > I_1$

B. $I_1 > I_2 > I_3$

C. $I_2 > I_1 > I_3$

D. $I_3 > I_1 > I_2$

3. 设函数 $f(x,y)$ 连续，则 $\int_1^2 dx \int_x^2 f(x,y)\,dy + \int_1^2 dy \int_y^{4-y} f(x,y)\,dx$ （   ）.

A. $\int_1^2 dx \int_1^{4-x} f(x,y)\,dy$

B. $\int_1^2 dx \int_x^{4-x} f(x,y)\,dy$

C. $\int_1^2 dy \int_1^{4-x} f(x,y)\,dx$

D. $\int_1^2 dy \int_y^2 f(x,y)\,dx$

4. 设区域 D 由曲线 $y = \sin x, x = \pm\dfrac{\pi}{2}, y = 1$ 围成,则 $\iint\limits_{D} (xy^5 - 1)\mathrm{d}x\mathrm{d}y = ($).

A. π B. 2 C. -2 D. $-\pi$

5. 设 D_k 是圆域 $D = \{(x,y) | x^2 + y^2 \leq 1\}$ 在第 k 象限的部分,记 $I_k = \iint\limits_{D_k} (y - x)\mathrm{d}x\mathrm{d}y$ $(k = 1,2,3,4)$,则( ).

A. $I_1 > 0$ B. $I_2 > 0$ C. $I_3 > 0$ D. $I_4 > 0$

6. 设 D 是第一象限中由曲线 $2xy = 1, 4xy = 1$ 与直线 $y = x, y = \sqrt{3}x$ 围成的平面区域,函数 $f(x,y)$ 在 D 上连续,则 $\iint\limits_{D} f(x,y)\mathrm{d}x\mathrm{d}y = ($).

A. $\int_{\frac{\pi}{4}}^{\frac{\pi}{3}} \mathrm{d}\theta \int_{\frac{1}{2\sin 2\theta}}^{\frac{1}{\sin 2\theta}} f(r\cos\theta, r\sin\theta) r\mathrm{d}r$

B. $\int_{\frac{\pi}{4}}^{\frac{\pi}{3}} \mathrm{d}\theta \int_{\frac{1}{\sqrt{2\sin 2\theta}}}^{\frac{1}{\sqrt{\sin 2\theta}}} f(r\cos\theta, r\sin\theta) r\mathrm{d}r$

C. $\int_{\frac{\pi}{4}}^{\frac{\pi}{3}} \mathrm{d}\theta \int_{\frac{1}{2\sin 2\theta}}^{\frac{1}{\sin 2\theta}} f(r\cos\theta, r\sin\theta) \mathrm{d}r$

D. $\int_{\frac{\pi}{4}}^{\frac{\pi}{3}} \mathrm{d}\theta \int_{\frac{1}{\sqrt{2\sin 2\theta}}}^{\frac{1}{\sqrt{\sin 2\theta}}} f(r\cos\theta, r\sin\theta) \mathrm{d}r$

二、填空题

1. 设平面区域 D 由直线 $y = x$,圆 $x^2 + y^2 = 2y$ 及 y 轴所围成,则二重积分 $\iint\limits_{D} xy\mathrm{d}\sigma = $ _____.

2. 二次积分 $\int_0^1 \mathrm{d}y \int_0^1 \left(\dfrac{\mathrm{e}^{x^2}}{x} - \mathrm{e}^{-y^2}\right)\mathrm{d}x = $ _____.

3. 设 $D = \{(x,y) | |x| \leq y \leq 1, -1 \leq x \leq 1\}$,则 $\iint\limits_{D} x^2 \mathrm{e}^{-y^2}\mathrm{d}x\mathrm{d}y$ _____.

4. $\int_0^1 \mathrm{d}y \int_{\sqrt{y}}^1 \sqrt{x^3 + 1}\mathrm{d}x = $ _____.

5. 已知函数 $f(t) = \int_1^{t^2} \mathrm{d}x \int_{\sqrt{x}}^t \sin\dfrac{x}{y}\mathrm{d}y$,则 $f'\left(\dfrac{\pi}{2}\right) = $ _____.

三、解答题

1. 计算 $\int_{-\infty}^{+\infty} \int_{-\infty}^{+\infty} \min\{x,y\} \mathrm{e}^{-(x^2 + y^2)}\mathrm{d}x\mathrm{d}y$;

2. 计算 $I = \iiint\limits_{V} (x^2 + y^2)\mathrm{d}V$,其中 V 为平面曲线 $\begin{cases} y^2 = 2z \\ x = 0 \end{cases}$ 绕 z 轴旋转一周形成的曲面与平面 $z = 8$ 所围成的区域.

3. 计算下列积分:

(1) $\iint\limits_{D} \dfrac{\sin y}{y}\mathrm{d}\sigma$,其中 D 由直线 $x = 0, y = x$ 及 $y = \dfrac{\pi}{2}$ 所围成;

(2) $\iint_D \dfrac{\sin x}{x} d\sigma$，其中 D 由直线 $y=0, y=x$ 及 $y=\pi$ 所围成；

(3) $\iint_D \dfrac{\sin y}{y} dy$，其中 D 是由直线 $y=x, y=1, x=0$ 围成的区域；

(4) $\iint_D \dfrac{\sin y}{y} d\sigma$，其中 D 是由直线 $y=x$ 及抛物线 $x=y^2$ 围成的区域；

(5) $\iint_D \dfrac{\sin y \cos y}{y} dxdy$，其中 D 是由直线 $y=x$ 与抛物线 $x=y^2$ 围成的区域；

(6) $\iint_D \dfrac{\sin x}{x} d\sigma$，其中 D 由 $y=x^2, x=1$ 及 x 轴所围成．

4. 计算下列二重积分：

(1) $\iint_D |x^2+y^2-4| dxdy$，其中 $D: x^2+y^2 \leqslant 9$；

(2) $\iint_D \left|\dfrac{1}{4}-(x^2+y^2)\right| dxdy$，其中 $D: x^2+y^2 \leqslant 1$；

(3) $\iint_D |x^2+y^2-2| dxdy$，其中 $D: x^2+y^2 \leqslant 3$；

(4) $\iint_D \left|\dfrac{y+x}{\sqrt{2}}-(x^2+y^2)\right| dxdy$，其中 $D=\{(x,y) | x^2+y^2 \leqslant 1\}$．

5. 计算下列积分：

(1) $\iiint_V x \, dxdydz$，其中 $V=\{(x,y,z) | x \geqslant 0, y \geqslant 0, z \geqslant 0, x+y+z \leqslant a\}$，$a$ 为常数；

(2) $\iiint_V z^2 \, dxdydz$，区域 V 由 $x=0, y=0, z=0, x+y+z=1$ 所围成；

(3) $\iiint_V (xy+yz+zx) dxdydz$，区域 V 由 $x \geqslant 0, y \geqslant 0, 0 \leqslant z \leqslant 1, x^2+y^2 \leqslant 1$ 所围成；

(4) $\iiint_V e^x y^2 z^3 \, dxdydz$，其中 V 由曲面 $z=xy, y=x, z=0, x=1$ 所围成．

第 11 章 曲线积分与曲面积分

本章将研究定义在一段曲线弧和一片曲面上的积分.

11.1 第一类曲线积分

11.1.1 第一类曲线积分的概念与性质

设一曲线形构件所处的位置在 xOy 面内的一段曲线弧 L 上,它的端点是 A、B,在 L 上任一点 (x,y) 处,它的线密度为 $\mu(x,y)$,求这构件的质量 m(图 11-1).

首先对 L 作分割,用 L 上的点 $M_1,M_2,\cdots,M_{n-1}$ 把 L 分成 n 个可求长度的小曲线段,取一小曲线段构件 $\widehat{M_{i-1}M_i}$ 来分析. 在线密度连续变化的前提下,从曲线段上任取一点 (ξ_i,η_i),则这小曲线段构件的质量近似地等于
$$\mu(\xi_i,\eta_i)\Delta s_i,$$
其中 Δs_i 表示 $\widehat{M_{i-1}M_i}$ 的长度,于是整个曲线形构件的质量
$$m \approx \sum_{i=1}^{n} \mu(\xi_i,\eta_i)\Delta s_i.$$

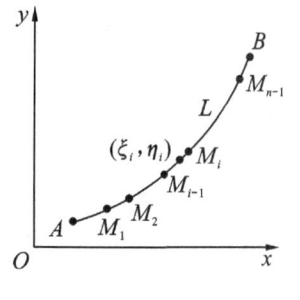

图 11-1

注意:本章讨论的都是具有有限长度的曲线和具有有限面积的曲面.

以 λ 表示 n 个小弧段的最大长度,则
$$m = \lim_{\lambda \to 0}\sum_{i=1}^{n} \mu(\xi_i,\eta_i)\Delta s_i.$$

由上面看到,通过"分割、近似求和、取极限"可得到某种物质的曲线段的质量.

定义 设 L 为 xOy 面内的可求长度的一条光滑曲线弧,$f(x,y)$ 是在 L 上定义的有界函数. 在 L 上任意插入一点列 $M_1, M_2, \cdots, M_{n-1}$ 把 L 分成 n 个小段. 设第 i 个小段的长度为 Δs_i. 又 (ξ_i, η_i) 为第 i 个小段上任意取定的一点,令 $\lambda = \max\limits_{1 \leqslant i \leqslant n} \{\Delta s_i\}$,若极限

$$\lim_{\lambda \to 0} \sum_{i=1}^{n} f(\xi_i, \eta_i) \Delta s_i$$

存在,且与曲线弧 L 的分法及点 (ξ_i, η_i) 的取法无关,则称此极限为 $f(x,y)$ 在 L 上的第一类曲线积分,记作 $\int_L f(x,y) \mathrm{d}s$,即

$$\int_L f(x,y) \mathrm{d}s = \lim_{\lambda \to 0} \sum_{i=1}^{n} f(\xi_i, \eta_i) \Delta s_i,$$

其中 $f(x,y)$ 叫作**被积函数**,L 叫作**积分弧段**.

以后总假定 $f(x,y)$ 在 L 上是连续的.

因此,前述曲线形构件的线密度 $\mu(x,y)$ 在 L 上连续时,它的质量

$$m = \int_L \mu(x,y) \mathrm{d}s.$$

类似地,可定义函数 $f(x,y,z)$ 在空间曲线弧 Γ 上的第一类曲线积分

$$\int_\Gamma f(x,y,z) \mathrm{d}s = \lim_{\lambda \to 0} \sum_{i=1}^{n} f(\xi_i, \eta_i, \zeta_i) \Delta s_i.$$

若 L 是闭曲线,则函数 $f(x,y)$ 在闭曲线 L 上的第一类曲线积分记为 $\oint_L f(x,y) \mathrm{d}s$.

第一类曲线积分具有以下性质:

性质 1 设 α, β 为常数,则

$$\int_L [\alpha f(x,y) + \beta g(x,y)] \mathrm{d}s = \alpha \int_L f(x,y) \mathrm{d}s + \beta \int_L g(x,y) \mathrm{d}s.$$

性质 2 若积分弧段 L 可分成两段光滑[①]曲线弧 L_1 和 L_2,则

$$\int_L f(x,y) \mathrm{d}s = \int_{L_1} f(x,y) \mathrm{d}s + \int_{L_2} f(x,y) \mathrm{d}s.$$

性质 3 设在 L 上 $f(x,y) \leqslant g(x,y)$,则

$$\int_L f(x,y) \mathrm{d}s \leqslant \int_L g(x,y) \mathrm{d}s.$$

特别地,有

$$\left| \int_L f(x,y) \mathrm{d}s \right| \leqslant \int_L |f(x,y)| \mathrm{d}s.$$

---

① 就是说,L(或 Γ)可以分成有限段,而每一段都是光滑的. 以后我们总假定 L(或 Γ)是光滑的或分段光滑的.

11.1.2 第一类曲线积分的计算

定理 设有光滑曲线

$$L: \begin{cases} x = \varphi(t), \\ y = \psi(t) \end{cases} (\alpha \leq t \leq \beta),$$

函数 $f(x,y)$ 为定义在 L 上的连续函数. 若 $\varphi(t)$、$\psi(t)$ 在 $[\alpha,\beta]$ 上具有一阶连续导数,且 $\varphi'^2(t) + \psi'^2(t) \neq 0$,则

$$\int_L f(x,y)\mathrm{d}s = \int_\alpha^\beta f[\varphi(t),\psi(t)]\sqrt{\varphi'^2(t)+\psi'^2(t)}\mathrm{d}t \ (\alpha < \beta). \tag{1}$$

证明 设参数 t 由 α 变至 β 时,L 上的点 $M(x,y)$ 从点 A 至点 B 的方向描出曲线弧 L. 在 L 上取一列点

$$A = M_0, M_1, M_2, \cdots, M_{n-1}, M_n = B,$$

它们对应于一列单调增加的参数值

$$\alpha = t_0 < t_1 < t_2 < \cdots < t_{n-1} < t_n = \beta.$$

由第一类曲线积分的定义,可知

$$\int_L f(x,y)\mathrm{d}s = \lim_{\lambda \to 0} \sum_{i=1}^n f(\xi_i, \eta_i) \Delta s_i.$$

设点 (ξ_i, η_i) 对应于参数值 τ_i,即 $\xi_i = \varphi(\tau_i)$、$\eta_i = \psi(\tau_i)$,其中 $t_{i-1} \leq \tau_i \leq t_i$. 注意到

$$\Delta s_i = \int_{t_{i-1}}^{t_i} \sqrt{\varphi'^2(t)+\psi'^2(t)}\mathrm{d}t,$$

应用积分中值定理,可得

$$\Delta s_i = \sqrt{\varphi'^2(\tau_i')+\psi'^2(\tau_i')}\Delta t_i,$$

其中 $\Delta t_i = t_i - t_{i-1}$,$t_{i-1} \leq \tau_i' \leq t_i$. 于是

$$\int_L f(x,y)\mathrm{d}s = \lim_{\lambda \to 0} \sum_{i=1}^n f[\varphi(\tau_i),\psi(\tau_i)]\sqrt{\varphi'^2(\tau_i')+\psi'^2(\tau_i')}\Delta t_i.$$

因为 $\sqrt{\varphi'^2(\tau_i')+\psi'^2(\tau_i')}$ 在闭区间 $[\alpha,\beta]$ 上连续,可以把 τ_i' 替换成 τ_i[①],从而

$$\int_L f(x,y)\mathrm{d}s = \lim_{\lambda \to 0} \sum_{i=1}^n f[\varphi(\tau_i),\psi(\tau_i)]\sqrt{\varphi'^2(\tau_i)+\psi'^2(\tau_i)}\Delta t_i.$$

上式右端的和的极限就是 $f[\varphi(t),\psi(t)]\sqrt{\varphi'^2(t)+\psi'^2(t)}$ 在区间 $[\alpha,\beta]$ 上的定积分,由于这个函数在 $[\alpha,\beta]$ 上连续,于是这个定积分是存在的,因此

$$\int_L f(x,y)\mathrm{d}s = \int_\alpha^\beta f[\varphi(t),\psi(t)]\sqrt{\varphi'^2(t)+\psi'^2(t)}\mathrm{d}t \ (\alpha < \beta). \tag{1}$$

[①] 它的证明要用到函数 $\sqrt{\varphi'^2(t)+\psi'^2(t)}$ 在闭区间 $[\alpha,\beta]$ 上的一致连续性,这里从略.

若曲线弧 L 由方程
$$y = \psi(x)(x_0 \leq x \leq X)$$
确定,则
$$x = t, y = \psi(t)(x_0 \leq t \leq X).$$
由公式(1)得出
$$\int_L f(x,y) ds = \int_{x_0}^{X} f[x, \psi(x)] \sqrt{1 + \psi'^2(x)} dx (x_0 < X). \tag{2}$$

类似地,若曲线弧 L 由方程
$$x = \varphi(y)(y_0 \leq y \leq Y)$$
确定,则
$$\int_L f(x,y) ds = \int_{y_0}^{Y} f[\varphi(y), y] \sqrt{1 + \varphi'^2(y)} dy (y_0 < Y). \tag{3}$$

公式(1)可推广到空间曲线弧 Γ 由参数方程
$$x = \varphi(t), y = \psi(t), z = \omega(t)(\alpha \leq t \leq \beta)$$
确定的情形,有
$$\int_\Gamma f(x,y,z) ds = \int_\alpha^\beta f[\varphi(t), \psi(t), \omega(t)] \sqrt{\varphi'^2(t) + \psi'^2(t) + \omega'^2(t)} dt (\alpha < \beta).$$

例 1 设 L 是 $y^2 = 4x$ 从 $O(0,0)$ 到 $A(1,2)$ 的一段(图 11-2),试计算第一类曲线积分 $\int_L y ds$.

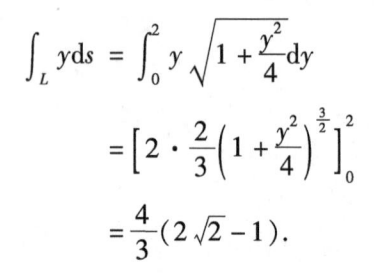

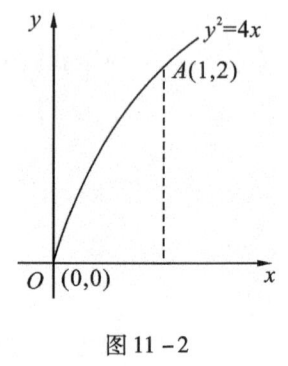

解
$$\int_L y ds = \int_0^2 y \sqrt{1 + \frac{y^2}{4}} dy$$
$$= \left[2 \cdot \frac{2}{3} \left(1 + \frac{y^2}{4}\right)^{\frac{3}{2}} \right]_0^2$$
$$= \frac{4}{3}(2\sqrt{2} - 1).$$

图 11-2

例 2 求 $I = \int_L (x+y) ds$,此处 L 为以 $O(0,0)$、$A(1,0)$、$B(1,1)$ 为顶点的三角形.

解
$$I = \int_L (x+y) ds = \left\{ \int_{\overline{OA}} + \int_{\overline{AB}} + \int_{\overline{BO}} \right\} (x+y) ds,$$

在直线段 $\overline{OA}$ 上 $y = 0, ds = dx$,有
$$\int_{\overline{OA}} (x+y) ds = \int_0^1 x dx = \frac{1}{2},$$

在直线段 $\overline{AB}$ 上 $x = 1, ds = dy$,有
$$\int_{\overline{AB}} (x+y) ds = \int_0^1 (1+y) dy = \frac{3}{2},$$

在直线段 $\overline{BO}$ 上 $y = x, \mathrm{d}s = \sqrt{2}\mathrm{d}x$, 有
$$\int_{\overline{BO}} (x+y)\mathrm{d}s = \int_0^1 2x\sqrt{2}\mathrm{d}x = \sqrt{2},$$
从而
$$I = 2 + \sqrt{2}.$$

例 3 求曲线积分 $\int_{\Gamma} \dfrac{1}{x^2 + y^2 + z^2} \mathrm{d}s$, 其中 Γ 为曲线 $x = \mathrm{e}^t \cos t, y = \mathrm{e}^t \sin t, z = \mathrm{e}^t$ 上相应于 t 从 0 变到 2 的这段弧.

解 因为 $\mathrm{d}s = \sqrt{\left(\dfrac{\mathrm{d}x}{\mathrm{d}t}\right)^2 + \left(\dfrac{\mathrm{d}y}{\mathrm{d}t}\right)^2 + \left(\dfrac{\mathrm{d}z}{\mathrm{d}t}\right)^2}\mathrm{d}t$

$$= \sqrt{(\mathrm{e}^t \cos t - \mathrm{e}^t \sin t)^2 + (\mathrm{e}^t \sin t + \mathrm{e}^t \cos t)^2 + (\mathrm{e}^t)^2}\mathrm{d}t$$

$$= \sqrt{3}\mathrm{e}^t \mathrm{d}t,$$

所以 $\int_{\Gamma} \dfrac{1}{x^2 + y^2 + z^2} \mathrm{d}s = \int_0^2 \dfrac{1}{\mathrm{e}^{2t}\cos^2 t + \mathrm{e}^{2t}\sin^2 t + \mathrm{e}^{2t}} \cdot \sqrt{3}\mathrm{e}^t \mathrm{d}t$

$$= \dfrac{\sqrt{3}}{2} \int_0^2 \mathrm{e}^{-t} \mathrm{d}t = \dfrac{\sqrt{3}}{2}(1 - \mathrm{e}^{-2}).$$

习题 11-1

1. 求下列第一类曲线积分:

(1) $\int_L (x+y)\mathrm{d}s$, 其中 L 为以 $O(0,0)$、$A(1,0)$、$B(0,1)$ 为顶点的三角形周界;

(2) $\int_L (x^2+y^2)^{\frac{1}{2}} \mathrm{d}s$, 其中 L 为以原点为中心、R 为半径的右半圆周;

(3) $\int_L xy \mathrm{d}s$, 其中 L 为椭圆 $\dfrac{x^2}{a^2} + \dfrac{y^2}{b^2} = 1$ 在第一象限中的部分;

(4) $\int_L |y| \mathrm{d}s$, 其中 L 为单位圆周 $x^2 + y^2 = 1$;

(5) $\int_L (x^2+y^2+z^2)\mathrm{d}s$, 其中 L 为螺旋线 $x = a\cos t, y = a\sin t, z = bt (0 \leqslant t \leqslant 2\pi)$ 的一段;

(6) $\int_L xyz \mathrm{d}s$, 其中 L 为曲线 $x = t, y = \dfrac{2}{3}\sqrt{2t^3}, z = \dfrac{1}{2}t^2 (0 \leqslant t \leqslant 1)$ 的一段;

(7) $\int_L \sqrt{2y^2 + z^2} \mathrm{d}s$, 其中 L 为 $x^2 + y^2 + z^2 = a^2$ 与 $x = y$ 相交的圆周;

2. 求曲线 $x = a, y = at, z = \dfrac{1}{2}at^2 (0 \leqslant t \leqslant 1, a > 0)$ 的质量, 设其线密度为 $\rho = \sqrt{\dfrac{2z}{a}}$.

3. 求线密度 $\rho(x,y) = \dfrac{p}{\sqrt{1+x^2}}$ 的曲线段 $y = \ln x, x \in [1,2]$ 对于 y 轴的转动惯量.

11.2 第二类曲线积分

11.2.1 第二类曲线积分的概念与性质

设一质点在 xOy 面内受到力
$$\boldsymbol{F}(x,y) = P(x,y)\boldsymbol{i} + Q(x,y)\boldsymbol{j}$$
的作用,沿光滑曲线弧 L 从点 A 移动到点 B,其中 $P(x,y)$ 与 $Q(x,y)$ 是 L 上的连续函数,求变力 $\boldsymbol{F}(x,y)$ 所做的功(图 11-3).

若力 $\boldsymbol{F}$ 是恒力,则恒力 $\boldsymbol{F}$ 所做的功 $W = \boldsymbol{F} \cdot \overrightarrow{AB}$.

若 $\boldsymbol{F}(x,y)$ 是变力,功 W 不能用公式 $W = \boldsymbol{F} \cdot \overrightarrow{AB}$ 直接计算. 为此,在曲线弧 L 内插入点 $M_1(x_1, y_1)$, $M_2(x_2, y_2), \cdots, M_{n-1}(x_{n-1}, y_{n-1})$ 把 L 分成 n 个小弧段,取其中一个有向小弧段 $\overparen{M_{i-1}M_i}$:因为 $\overparen{M_{i-1}M_i}$ 光滑且很短,所以可用有向线段

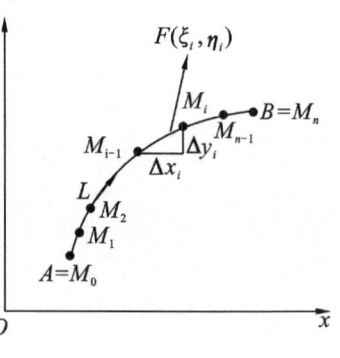

图 11-3

$$\overrightarrow{M_{i-1}M_i} = (\Delta x_i)\boldsymbol{i} + (\Delta y_i)\boldsymbol{j}$$

来近似代替它,其中 $\Delta x_i = x_i - x_{i-1}, \Delta y_i = y_i - y_{i-1}$. 由于 $P(x,y)$ 与 $Q(x,y)$ 在 L 上连续,用 $\overparen{M_{i-1}M_i}$ 上任意取定的一点 (ξ_i, η_i) 处的力

$$\boldsymbol{F}(\xi_i, \eta_i) = P(\xi_i, \eta_i)\boldsymbol{i} + Q(\xi_i, \eta_i)\boldsymbol{j}$$

来近似代替这小弧段上各点处的力. 所以,变力 $\boldsymbol{F}(x,y)$ 沿有向小弧段 $\overparen{M_{i-1}M_i}$ 所做的功

$$\Delta W_i \approx \boldsymbol{F}(\xi_i, \eta_i) \cdot \overrightarrow{M_{i-1}M_i},$$

即
$$\Delta W_i \approx P(\xi_i, \eta_i)\Delta x_i + Q(\xi_i, \eta_i)\Delta y_i.$$

从而
$$W = \sum_{i=1}^{n} \Delta W_i \approx \sum_{i=1}^{n} [P(\xi_i, \eta_i)\Delta x_i + Q(\xi_i, \eta_i)\Delta y_i].$$

以 λ 表示 n 个小弧段的最长长度,令 $\lambda \to 0$ 取上述的极限,所得到的极限为变力 $\boldsymbol{F}$ 沿有向曲线弧 L 所做的功,即

$$W = \lim_{\lambda \to 0} \sum_{i=1}^{n} [P(\xi_i, \eta_i)\Delta x_i + Q(\xi_i, \eta_i)\Delta y_i].$$

第11章 曲线积分与曲面积分

定义 设 L 为 xOy 面内从点 A 到点 B 的一条有向光滑曲线弧,函数 $P(x,y)$ 与 $Q(x,y)$ 在 L 上有界. 在 L 上沿 L 的方向任意插入一点列

$$M_1(x_1,y_1), M_2(x_2,y_2), \cdots, M_{n-1}(x_{n-1},y_{n-1}),$$

把 L 分成 n 个有向小弧段

$$\overparen{M_{i-1}M_i} \quad (i=1,2,\cdots,n; M_0=A, M_n=B).$$

令 $\Delta x_i = x_i - x_{i-1}, \Delta y_i = y_i - y_{i-1}$,点 (ξ_i, η_i) 为 $\overparen{M_{i-1}M_i}$ 上任意取定的点,令 λ 为各小弧段长度的最大值,若极限

$$\lim_{\lambda \to 0} \sum_{i=1}^{n} P(\xi_i, \eta_i) \Delta x_i$$

存在,且与 L 的分法及点 (ξ_i, η_i) 的取法无关,则称此极限为 $P(x,y)$ 在有向曲线弧 L 上对坐标 x 的曲线积分,记作 $\int_L P(x,y) dx$. 类似地,若 $\lim\limits_{\lambda \to 0} \sum\limits_{i=1}^{n} Q(\xi_i, \eta_i) \Delta y_i$ 总存在,且与 L 的分法及点 (ξ_i, η_i) 的取法无关,则称此极限为 $Q(x,y)$ 在有向曲线弧 L 上对坐标 y 的曲线积分,记作 $\int_L Q(x,y) dy$,即

$$\int_L P(x,y) dx = \lim_{\lambda \to 0} \sum_{i=1}^{n} P(\xi_i, \eta_i) \Delta x_i,$$

$$\int_L Q(x,y) dy = \lim_{\lambda \to 0} \sum_{i=1}^{n} Q(\xi_i, \eta_i) \Delta y_i,$$

其中 $P(x,y)$、$Q(x,y)$ 叫作**被积函数**,L 叫作**积分弧段**.

以上两个积分也称为第二类曲线积分.

当 $P(x,y)$ 与 $Q(x,y)$ 在有向光滑曲线弧 L 上连续时,第二类曲线积分 $\int_L P(x,y) dx$ 及 $\int_L Q(x,y) dy$ 都存在. 以后我们总假定 $P(x,y)$ 与 $Q(x,y)$ 在 L 上连续.

类似地,推广到积分弧段为空间有向曲线弧 Γ 的情形:

$$\int_\Gamma P(x,y,z) dx = \lim_{\lambda \to 0} \sum_{i=1}^{n} P(\xi_i, \eta_i, \zeta_i) \Delta x_i,$$

$$\int_\Gamma Q(x,y,z) dy = \lim_{\lambda \to 0} \sum_{i=1}^{n} Q(\xi_i, \eta_i, \zeta_i) \Delta y_i,$$

$$\int_\Gamma R(x,y,z) dz = \lim_{\lambda \to 0} \sum_{i=1}^{n} R(\xi_i, \eta_i, \zeta_i) \Delta z_i.$$

为简便起见,把

$$\int_L P(x,y) dx + \int_L Q(x,y) dy$$

写成
$$\int_L P(x,y)\mathrm{d}x + Q(x,y)\mathrm{d}y,$$
也可写成向量形式
$$\int_L \boldsymbol{F}(x,y) \cdot \mathrm{d}\boldsymbol{r},$$
其中 $\boldsymbol{F}(x,y) = P(x,y)\boldsymbol{i} + Q(x,y)\boldsymbol{j}$ 为向量值函数,$\mathrm{d}\boldsymbol{r} = \mathrm{d}x\boldsymbol{i} + \mathrm{d}y\boldsymbol{j}$.

类似地,把
$$\int_\Gamma P(x,y,z)\mathrm{d}x + \int_\Gamma Q(x,y,z)\mathrm{d}y + \int_\Gamma R(x,y,z)\mathrm{d}z$$
写成
$$\int_\Gamma P(x,y,z)\mathrm{d}x + Q(x,y,z)\mathrm{d}y + R(x,y,z)\mathrm{d}z,$$
或
$$\int_\Gamma \boldsymbol{A}(x,y,z) \cdot \mathrm{d}\boldsymbol{r},$$
其中 $\boldsymbol{A}(x,y,z) = P(x,y,z)\boldsymbol{i} + Q(x,y,z)\boldsymbol{j} + R(x,y,z)\boldsymbol{k}$,$\mathrm{d}\boldsymbol{r} = \mathrm{d}x\boldsymbol{i} + \mathrm{d}y\boldsymbol{j} + \mathrm{d}z\boldsymbol{k}$.

第二类曲线积分具有下面的一些性质.

性质 1 设 α 与 β 为常数,则
$$\int_L [\alpha \boldsymbol{F}_1(x,y) + \beta \boldsymbol{F}_2(x,y)] \cdot \mathrm{d}\boldsymbol{r} = \alpha \int_L \boldsymbol{F}_1(x,y) \cdot \mathrm{d}\boldsymbol{r} + \beta \int_L \boldsymbol{F}_2(x,y) \cdot \mathrm{d}\boldsymbol{r}.$$

性质 2 若有向曲线弧 L 可分成两段光滑的有向曲线弧 L_1 和 L_2,则
$$\int_L \boldsymbol{F}(x,y) \cdot \mathrm{d}\boldsymbol{r} = \int_{L_1} \boldsymbol{F}(x,y) \cdot \mathrm{d}\boldsymbol{r} + \int_{L_2} \boldsymbol{F}(x,y) \cdot \mathrm{d}\boldsymbol{r}.$$

性质 3 设 L 是有向光滑曲线弧,L^- 是 L 的反向曲线弧,则
$$\int_{L^-} \boldsymbol{F}(x,y) \cdot \mathrm{d}\boldsymbol{r} = -\int_L \boldsymbol{F}(x,y) \cdot \mathrm{d}\boldsymbol{r}.$$

对于第二类曲线积分,必须注意积分弧段的方向.

11.2.2 第二类曲线积分的计算

定理 设 $P(x,y)$ 与 $Q(x,y)$ 在有向曲线弧 L 上有定义且连续,L 的参数方程为
$$\begin{cases} x = \varphi(t), \\ y = \psi(t), \end{cases}$$
当参数 t 单调地由 α 变到 β 时,点 $M(x,y)$ 从 L 的起点 A 沿 L 运动到终点 B,若 $\varphi(t)$ 与 $\psi(t)$ 在以 α 及 β 为端点的闭区间上具有一阶连续导数,且 $\varphi'^2(t) + \psi'^2(t) \neq 0$,则曲线积分 $\int_L P(x,y)\mathrm{d}x + Q(x,y)\mathrm{d}y$ 存在,且

$$\int_L P(x,y)\mathrm{d}x + Q(x,y)\mathrm{d}y = \int_\alpha^\beta \{P[\varphi(t),\psi(t)]\varphi'(t) + Q[\varphi(t),\psi(t)]\psi'(t)\}\mathrm{d}t. \qquad (1)$$

读者可仿照第一类曲线积分的计算方法证明上面的结论,这里不再赘述了.

公式(1)可推广到空间曲线 Γ:

$$x = \varphi(t), y = \psi(t), z = \omega(t).$$

这样便得到

$$\int_\Gamma P(x,y,z)\mathrm{d}x + Q(x,y,z)\mathrm{d}y + R(x,y,z)\mathrm{d}z$$

$$= \int_\alpha^\beta \{P[\varphi(t),\psi(t),\omega(t)]\varphi'(t) + Q[\varphi(t),\psi(t),\omega(t)]\psi'(t) + R[\varphi(t),\psi(t),\omega(t)]\omega'(t)\}\mathrm{d}t,$$

这里 α 对应于 Γ 的起点,β 对应于 Γ 的终点.

例 1 求 $\int_L xy\mathrm{d}x$,其中 L 为抛物线 $y^2 = x$ 上从点 $A(1,-1)$ 到点 $B(1,1)$ 的一段弧(图 11-4).

解 把 L 分为 AO 和 OB 两部分. 在 AO 上,$y = -\sqrt{x}$,x 从 1 变到 0;在 OB 上,$y = \sqrt{x}$,x 从 0 变到 1. 从而

$$\int_L xy\mathrm{d}x = \int_{AO} xy\mathrm{d}x + \int_{OB} xy\mathrm{d}x$$

$$= \int_1^0 x(-\sqrt{x})\mathrm{d}x + \int_0^1 x\sqrt{x}\mathrm{d}x$$

$$= 2\int_0^1 x^{\frac{3}{2}}\mathrm{d}x = \frac{4}{5}.$$

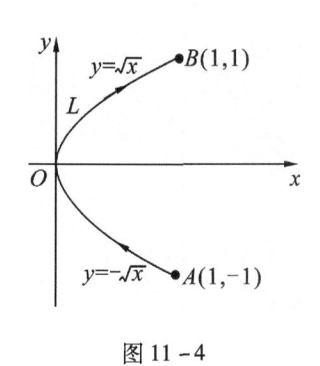

图 11-4

例 2 计算 $\int_L x\mathrm{d}y + y\mathrm{d}x$,这里 L(图 11-5)为:

(1)沿抛物线 $y = 2x^2$,从 O 到 B 的一段;

(2)线段 OB:$y = 2x$.

解 (1) $\int_L x\mathrm{d}y + y\mathrm{d}x$

$$= \int_0^1 [x(4x) + 2x^2]\mathrm{d}x$$

$$= \int_0^1 6x^2\mathrm{d}x = \frac{6}{3} = 2.$$

(2) $\int_L x\mathrm{d}y + y\mathrm{d}x = \int_0^1 (2x + 2x)\mathrm{d}x$

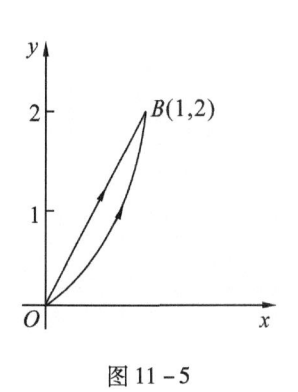

图 11-5

$$= 4 \cdot \frac{1}{2} = 2.$$

例3 求沿有向闭路 $\overrightarrow{ABCDA}$（图11-6）的曲线积分

$$I = \int_{\overrightarrow{ABCDA}} (x^2 - 2xy) dx + (y^2 - 2xy) dy.$$

解 $I = \int_{\overrightarrow{ABCDA}} (x^2 - 2xy) dx + (y^2 - 2xy) dy$

$$= \left(\int_{\overrightarrow{AB}} + \int_{\overrightarrow{BC}} + \int_{\overrightarrow{CD}} + \int_{\overrightarrow{DA}} \right) (x^2 - 2xy) dx + (y^2 - 2xy) dy.$$

图 11-6

沿 $\overrightarrow{AB}$，$x = 1$，故 $dx = 0$，所以

$$\int_{\overrightarrow{AB}} (x^2 - 2xy) dx = 0,$$

沿 $\overrightarrow{BC}$，$y = 1$，故 $dy = 0$，所以

$$\int_{\overrightarrow{BC}} (y^2 - 2xy) dy = 0,$$

同样有

$$\int_{\overrightarrow{CD}} (x^2 - 2xy) dx = 0,$$

$$\int_{\overrightarrow{DA}} (y^2 - 2xy) dy = 0,$$

于是

$$I = \int_{-1}^{1} (y^2 - 2y) dy + \int_{1}^{-1} (x^2 - 2x) dx + \int_{1}^{-1} (y^2 + 2y) dy + \int_{-1}^{1} (x^2 + 2x) dx$$

$$= -\int_{-1}^{1} 4y dy + \int_{-1}^{1} 4x dx = 0.$$

例4 求 $\int_L 2xy dx + x^2 dy$，其中 L 为（图11-7）：

(1) 抛物线 $y = x^2$ 上从 $O(0,0)$ 到 $B(1,1)$ 的一段弧；
(2) 抛物线 $x = y^2$ 上从 $O(0,0)$ 到 $B(1,1)$ 的一段弧；
(3) 有向折线 OAB，这里 O、A、B 依次是点 $(0,0)$、$(1,0)$、$(1,1)$.

图 11-7

解 (1) 化为对 x 的定积分. $L: y = x^2$，x 从 0 变到 1. 所以

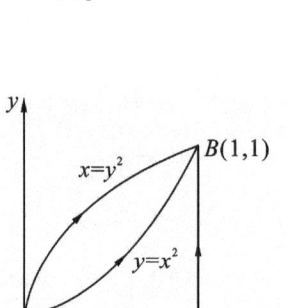

$$\int_L 2xy dx + x^2 dy = \int_0^1 (2x \cdot x^2 + x^2 \cdot 2x) dx = 4 \int_0^1 x^3 dx = 1.$$

(2) 化为对 y 的定积分. $L: x = y^2$，y 从 0 变到 1. 所以

$$\int_L 2xy\mathrm{d}x + x^2\mathrm{d}y = \int_0^1 (2y^2 \cdot y \cdot 2y + y^4)\mathrm{d}y = 5\int_0^1 y^4 \mathrm{d}y = 1.$$

(3) $\int_L 2xy\mathrm{d}x + x^2\mathrm{d}y = \int_{OA} 2xy\mathrm{d}x + x^2\mathrm{d}y + \int_{AB} 2xy\mathrm{d}x + x^2\mathrm{d}y$,

在 OA 上,$y=0$,x 从 0 变到 1,所以

$$\int_{OA} 2xy\mathrm{d}x + x^2\mathrm{d}y = \int_0^1 (2x \cdot 0 + x^2 \cdot 0)\mathrm{d}x = 0.$$

在 AB 上,$x=1$,y 从 0 变到 1,所以

$$\int_{AB} 2xy\mathrm{d}x + x^2\mathrm{d}y = \int_0^1 (2y \cdot 0 + 1)\mathrm{d}y = 1.$$

从而

$$\int_L 2xy\mathrm{d}x + x^2\mathrm{d}y = 0 + 1 = 1.$$

例 5 设 z 轴与重力的方向一致,求质量为 m 的质点从位置 (x_1,y_1,z_1) 沿直线移到 (x_2,y_2,z_2) 时重力所做的功.

解 重力 $\boldsymbol{F} = (0,0,mg)$,质点移动的直线路径 L 的方程为:

$$\begin{cases} x = x_1 + (x_2 - x_1)t, \\ y = y_1 + (y_2 - y_1)t, \quad t \text{ 从 0 变到 1}. \\ z = z_1 + (z_2 - z_1)t, \end{cases}$$

于是

$$W = \int_L \boldsymbol{F} \cdot \mathrm{d}\boldsymbol{r} = \int_L 0\mathrm{d}x + 0\mathrm{d}y + mg\mathrm{d}z$$
$$= \int_0^1 mg(z_2 - z_1)\mathrm{d}t = mg(z_2 - z_1).$$

11.2.3 两类曲线积分之间的联系

设有向曲线弧 L 的起点为 A,终点为 B. 曲线弧 L 由参数方程

$$\begin{cases} x = \varphi(t), \\ y = \psi(t) \end{cases}$$

确定,A 与 B 分别对应参数 α 与 β. 不妨设 $\alpha < \beta$,并设函数 $\varphi(t)$ 与 $\psi(t)$ 在 $[\alpha,\beta]$ 上具有一阶连续导数,且 $\varphi'^2(t) + \psi'^2(t) \neq 0$,函数 $P(x,y)$ 与 $Q(x,y)$ 在 L 上连续. 所以

$$\int_L P(x,y)\mathrm{d}x + Q(x,y)\mathrm{d}y$$
$$= \int_\alpha^\beta \{P[\varphi(t),\psi(t)]\varphi'(t) + Q[\varphi(t),\psi(t)]\psi'(t)\}\mathrm{d}t.$$

向量 $\boldsymbol{\tau} = \varphi'(t)\boldsymbol{i} + \psi'(t)\boldsymbol{j}$ 是曲线弧 L 上在点 $M[\varphi(t),\psi(t)]$ 处的一个切向量,它

的指向与参数 t 的增长方向一致,当 $\alpha < \beta$ 时,这个指向就是有向曲线弧 L 的方向. 以后,称这种指向与有向曲线弧的方向一致的切向量为有向曲线弧的切向量. 所以,有向曲线弧 L 的切向量为

$$\boldsymbol{\tau} = \varphi'(t)\boldsymbol{i} + \psi'(t)\boldsymbol{j},$$

它的方向余弦为

$$\cos\alpha = \frac{\varphi'(t)}{\sqrt{\varphi'^2(t)+\psi'^2(t)}}, \cos\beta = \frac{\psi'(t)}{\sqrt{\varphi'^2(t)+\psi'^2(t)}}.$$

根据第一类曲线积分的计算公式,有

$$\int_L [P(x,y)\cos\alpha + Q(x,y)\cos\beta] \mathrm{d}s$$

$$= \int_\alpha^\beta \left\{ P[\varphi(t),\psi(t)] \frac{\varphi'(t)}{\sqrt{\varphi'^2(t)+\psi'^2(t)}} + Q[\varphi(t),\psi(t)] \frac{\psi'(t)}{\sqrt{\varphi'^2(t)+\psi'^2(t)}} \right\}$$

$$\sqrt{\varphi'^2(t)+\psi'^2(t)}\,\mathrm{d}t$$

$$= \int_\alpha^\beta \{P[\varphi(t),\psi(t)]\varphi'(t) + Q[\varphi(t),\psi(t)]\psi'(t)\}\mathrm{d}t.$$

这样,得到平面曲线弧 L 上的两类曲线积分之间的联系:

$$\int_L P\mathrm{d}x + Q\mathrm{d}y = \int_L (P\cos\alpha + Q\cos\beta)\mathrm{d}s, \tag{2}$$

其中 $\alpha(x,y)$ 与 $\beta(x,y)$ 为有向曲线弧 L 在点 (x,y) 处的切向量的方向角.

类似地,得到空间曲线弧 Γ 上的两类曲线积分之间的联系:

$$\int_\Gamma P\mathrm{d}x + Q\mathrm{d}y + R\mathrm{d}z = \int_\Gamma (P\cos\alpha + Q\cos\beta + R\cos\gamma)\mathrm{d}s, \tag{3}$$

其中 $\alpha(x,y,z)$、$\beta(x,y,z)$、$\gamma(x,y,z)$ 为有向曲线弧 Γ 在点 (x,y,z) 处的切向量的方向角.

可用向量的形式表达两类曲线积分之间的联系. 例如,空间曲线弧 Γ 上的两类曲线积分之间的联系可写成如下形式:

$$\int_\Gamma \boldsymbol{A} \cdot \mathrm{d}\boldsymbol{r} = \int_\Gamma \boldsymbol{A} \cdot \boldsymbol{\tau}\,\mathrm{d}s \tag{4}$$

或

$$\int_\Gamma \boldsymbol{A} \cdot \mathrm{d}\boldsymbol{r} = \int_\Gamma A_\tau\,\mathrm{d}s, \tag{4'}$$

其中 $\boldsymbol{A} = (P,Q,R)$,$\boldsymbol{\tau} = (\cos\alpha,\cos\beta,\cos\gamma)$ 为有向曲线弧 Γ 在点 (x,y,z) 处的单位切向量,$\mathrm{d}\boldsymbol{r} = \boldsymbol{\tau}\mathrm{d}s = (\mathrm{d}x,\mathrm{d}y,\mathrm{d}z)$,称为有向曲线元,$A_\tau$ 为向量 $\boldsymbol{A}$ 在向量 $\boldsymbol{\tau}$ 上的投影.

习题 11-2

1. 求下列第二类曲线积分：

(1) $\oint_L xy\mathrm{d}x$，其中 L 为圆周 $(x-a)^2+y^2=a^2(a>0)$ 及 x 轴所围成的在第一象限内的区域的整个边界(按逆时针方向绕行)；

(2) $\oint_L \dfrac{(x+y)\mathrm{d}x-(x-y)\mathrm{d}y}{x^2+y^2}$，其中 L 为圆周 $x^2+y^2=a^2$（按逆时针方向绕行）；

(3) $\int_L (2a-y)\mathrm{d}x+\mathrm{d}y$，其中 L 为旋轮线 $x=a(t-\sin t), y=a(1-\cos t)$，从 $(0,0)$ 到 $(2\pi,0)$；

(4) $\int_\Gamma x^3\mathrm{d}x+3zy^2\mathrm{d}y-x^2y\mathrm{d}z$，其中 Γ 是从点 $A(3,2,1)$ 到点 $B(0,0,0)$ 的直线段 AB；

(5) $\int_\Gamma \mathrm{d}x-\mathrm{d}y+y\mathrm{d}z$，其中 Γ 为有向闭折线 $ABCA$，这里的 A、B、C 依次为点 $(1,0,0)$、$(0,1,0)$、$(0,0,1)$；

(6) $\int_L (x^2-2xy)\mathrm{d}x+(y^2-2xy)\mathrm{d}y$，其中 L 是抛物线 $y=x^2$ 上从点 $(-1,1)$ 到 $(1,1)$ 的一段弧.

2. 设质点受力作用，力的反方向指向原点，大小与质点离原点的距离成正比. 若质点由 $(a,0)$ 沿椭圆移动到 $(0,b)$，求力所做的功.

3. 把第二类曲线积分 $\int_L P(x,y)\mathrm{d}x+Q(x,y)\mathrm{d}y$ 化成第一类曲线积分，其中 L 为：

(1) 在 xOy 面内沿直线从点 $(0,0)$ 到点 $(1,1)$；

(2) 沿抛物线 $y=x^2$ 从点 $(0,0)$ 到点 $(1,1)$.

4. 计算 $\int_L xyz\mathrm{d}z$，其中 L 为 $x^2+y^2+z^2=1$ 与 $y=z$ 相交的圆，其方向按曲线依次经过 Ⅰ、Ⅱ、Ⅶ、Ⅷ卦限.

11.3 格林公式及其应用

11.3.1 格林公式

首先，引进平面单连通区域的概念. 设 D 为平面区域，若 D 内任一闭曲线所围

成的部分都属于 D，则称 D 为平面**单连通区域**，否则称为**复连通区域**. 例如，平面上的圆形区域 $\{(x,y)|x^2+y^2<1\}$、上半平面 $\{(x,y)|y>0\}$ 都是单连通区域，圆环形区域 $\{(x,y)|1<x^2+y^2<4\}$、$\{(x,y)|0<x^2+y^2<2\}$ 都是复连通区域. 可见，平面单连通区域就是不含有"洞"（包括点"洞"）的区域，复连通区域是含有"洞"（包括"洞"）的区域.

对平面区域 D 的边界曲线 L，规定 L 的正向如下：当人沿 L 的这个方向行走时，D 内在他近处的那一部分总在他的左边. 例如，D 是边界曲线 L 及 l 所围成的复连通区域（图 11-8），作为 D 的正向边界，L 的正向是逆时针方向，而 l 的正向是顺时针方向.

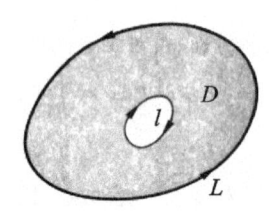

图 11-8

定理 1 设闭区域 D 由分段光滑的曲线 L 围成，若函数 $P(x,y)$ 及 $Q(x,y)$ 在 D 上具有一阶连续偏导数，则有

$$\iint_D \left(\frac{\partial Q}{\partial x}-\frac{\partial P}{\partial y}\right)\mathrm{d}x\mathrm{d}y = \oint_L P\mathrm{d}x+Q\mathrm{d}y, \tag{1}$$

其中 L 是 D 的取正向的边界曲线.

公式 (1) 叫作**格林公式**.

证明 根据区域 D 的不同形状，分两种情形证明.

(1) 区域 D 既是 X 型又是 Y 型的情形.

图 11-9、图 11-10 所示的区域都属于这种情形. 例如，图 11-9 所示的区域 D 是 X 型的，事实上 D 又是 Y 型的. 若设有向曲线弧 $\widehat{FGAE}$ 为 $L_1': x=\psi_1(y)$，$\widehat{EBCF}$ 为 $L_2': x=\psi_2(y)$，则 D 可表达成

$$D = \{(x,y)|\psi_1(y)\leq x\leq\psi_2(y), c\leq y\leq d\},$$

即 D 又是 Y 型的.

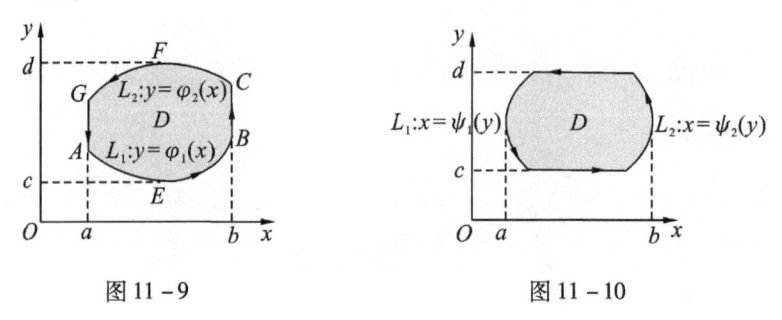

图 11-9

图 11-10

设 D 如图 11-9 所示，于是 $D=\{(x,y)|\varphi_1(x)\leq y\leq\varphi_2(x), a\leq x\leq b\}$. 因为 $\frac{\partial P}{\partial y}$ 连续，所以

$$\iint_D \frac{\partial P}{\partial y} dxdy = \int_a^b \left\{ \int_{\varphi_1(x)}^{\varphi_2(x)} \frac{\partial P(x,y)}{\partial y} dy \right\} dx$$

$$= \int_a^b \{ P[x,\varphi_2(x)] - P[x,\varphi_1(x)] \} dx.$$

另一方面,由对坐标的曲线积分的性质及计算有

$$\oint_L P dx = \int_{L_1} P dx + \int_{BC} P dx + \int_{L_2} P dx + \int_{GA} P dx$$

$$= \int_{L_1} P dx + \int_{L_2} P dx = \int_a^b P[x,\varphi_1(x)] dx + \int_b^a P[x,\varphi_2(x)] dx$$

$$= \int_a^b \{ P[x,\varphi_1(x)] - P[x,\varphi_2(x)] \} dx,$$

因此,

$$-\iint_D \frac{\partial P}{\partial y} dxdy = \oint_L P dx. \tag{2}$$

又由于 $D = \{(x,y) | \psi_1(y) \leq x \leq \psi_2(y), c \leq y \leq d\}$,故有

$$\iint_D \frac{\partial Q}{\partial x} dxdy = \int_c^d \left\{ \int_{\psi_1(y)}^{\psi_2(y)} \frac{\partial Q}{\partial x} dx \right\} dy$$

$$= \int_c^d \{ Q[\psi_2(y),y] - Q[\psi_1(y),y] \} dy$$

$$= \int_{L_2'} Q dy + \int_{L_1'} Q dy = \oint_L Q dy. \tag{3}$$

由于对区域 D,(2)(3)两式同时成立,合并后得公式(1).对于如图 11-10 所示的区域 D,类似地可证(1)成立.

(2)若闭区域 D 不满足(1),则在 D 内引进一条或几条辅助曲线把 D 分成有限个部分闭区域,使得每个部分闭区域都满足(1)的条件.例如,就图 11-11 所示的闭区域 D 来说,它的边界曲线 L 为 $\widehat{MNPM}$,引进一条辅助线 ABC,把 D 分成 D_1、D_2、D_3 三部分.应用公式(1)于每个部分,得

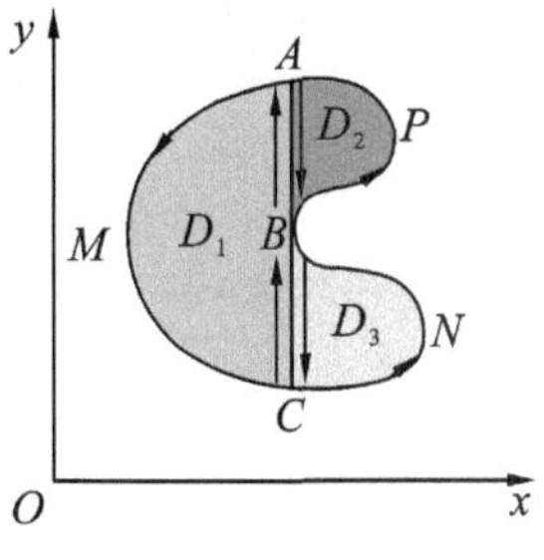

$$\iint_{D_1} \left(\frac{\partial Q}{\partial x} - \frac{\partial P}{\partial y} \right) dxdy = \oint_{\widehat{MCBAM}} P dx + Q dy,$$

$$\iint_{D_2} \left(\frac{\partial Q}{\partial x} - \frac{\partial P}{\partial y} \right) dxdy = \oint_{\widehat{ABPA}} P dx + Q dy,$$

$$\iint_{D_3} \left(\frac{\partial Q}{\partial x} - \frac{\partial P}{\partial y} \right) dxdy = \oint_{\widehat{BCNB}} P dx + Q dy.$$

图 11-11

把这三个等式相加,便得

$$\iint_D \left(\frac{\partial Q}{\partial x} - \frac{\partial P}{\partial y}\right) dxdy = \oint_L P dx + Q dy,$$

其中 L 的方向对 D 来说为正方向. 公式(1)对于由分段光滑曲线围成的闭区域都成立. 证毕.

在公式(1)中取 $P = -y, Q = x$, 得

$$2\iint_D dxdy = \oint_L x dy - y dx.$$

因此

$$A = \frac{1}{2}\oint_L x dy - y dx. \tag{4}$$

例1 求 $\oint_L (2x - y + 4) dx + (5y + 3x - 6) dy$, 其中 L 是三顶点分别为 $(0,0)$、$(3,0)$ 和 $(3,2)$ 的三角形正向边界.

解 设 D 为 L 所围成的三角形闭区域, 则由格林公式有

$$\oint_L (2x - y + 4) dx + (5y + 3x - 6) dy = \iint_D \left(\frac{\partial Q}{\partial x} - \frac{\partial P}{\partial y}\right) dxdy$$

$$= \iint_D [3 - (-1)] dxdy = 4\iint_D dxdy = 4 \times S_D$$

$$= 4 \times 3 = 12.$$

例2 求 $\iint_D e^{-y^2} dxdy$, 其中 D 是以 $O(0,0)$、$A(1,1)$、$B(0,1)$ 为顶点的三角形闭区域(图11-12).

解 令 $P = 0, Q = xe^{-y^2}$, 则

$$\frac{\partial Q}{\partial x} - \frac{\partial P}{\partial y} = e^{-y^2}.$$

因此, 由公式(1)有

$$\iint_D e^{-y^2} dxdy = \int_{OA+AB+BO} xe^{-y^2} dy = \int_{OA} xe^{-y^2} dy$$

$$= \int_0^1 xe^{-x^2} dx = \frac{1}{2}(1 - e^{-1}).$$

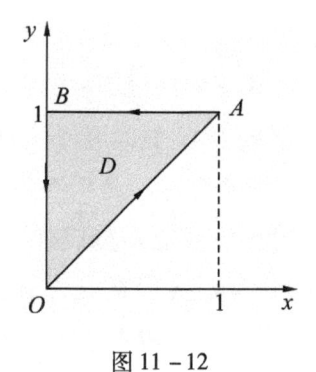

图 11-12

例3 求椭圆 $x = a\cos\theta, y = b\sin\theta$ 所围成图形的面积 A.

解 根据公式(4)有

$$A = \frac{1}{2}\oint_L x dy - y dx = \frac{1}{2}\int_0^{2\pi} (ab\cos^2\theta + ab\sin^2\theta) d\theta$$

$$= \frac{1}{2}ab\int_0^{2\pi} d\theta = \pi ab.$$

例4 求 $\oint_L \dfrac{x\mathrm{d}y - y\mathrm{d}x}{x^2 + y^2}$,其中 L 为一条无重点①、分段光滑且不经过原点的连续闭曲线,L 的方向为逆时针方向.

解 令 $P = \dfrac{-y}{x^2 + y^2}$,$Q = \dfrac{x}{x^2 + y^2}$. 则当 $x^2 + y^2 \neq 0$ 时,有

$$\frac{\partial Q}{\partial x} = \frac{y^2 - x^2}{(x^2 + y^2)^2} = \frac{\partial P}{\partial y}.$$

记 L 所围成的闭区域为 D. 当 $(0,0) \notin D$ 时,由公式(1)得

$$\oint_L \frac{x\mathrm{d}y - y\mathrm{d}x}{x^2 + y^2} = 0.$$

当 $(0,0) \in D$ 时,选取适当小的 $r > 0$,作位于 D 内的圆周 l: $x^2 + y^2 = r^2$. 记 L 和 l 所围成的闭区域为 D_1(图 11 - 13). 对复连通区域 D_1 应用格林公式,得

$$\oint_L \frac{x\mathrm{d}y - y\mathrm{d}x}{x^2 + y^2} - \int_l \frac{x\mathrm{d}y - y\mathrm{d}x}{x^2 + y^2} = 0,$$

其中 l 的方向取逆时针方向. 因此

$$\oint_L \frac{x\mathrm{d}y - y\mathrm{d}x}{x^2 + y^2} = \int_l \frac{x\mathrm{d}y - y\mathrm{d}x}{x^2 + y^2}$$

$$= \int_0^{2\pi} \frac{r^2\cos^2\theta + r^2\sin^2\theta}{r^2} \mathrm{d}\theta = 2\pi.$$

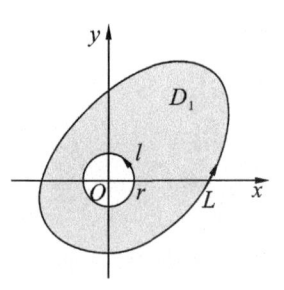

图 11 - 13

11.3.2 平面上曲线积分与路径无关的条件

在力学中要研究场力所做的功与路径无关的情形. 这个问题在数学上是要研究曲线积分与路径无关的条件. 下面引进曲线积分 $\int_L P\mathrm{d}x + Q\mathrm{d}y$ 与路径无关的概念.

设 G 是一个区域,$P(x,y)$ 以及 $Q(x,y)$ 在区域 G 内具有一阶连续偏导数. 若对于 G 内任意指定的两个点 A、B 以及 G 内从点 A 到点 B 的任意两条曲线 L_1、L_2(图 11 - 14),等式

$$\int_{L_1} P\mathrm{d}x + Q\mathrm{d}y = \int_{L_2} P\mathrm{d}x + Q\mathrm{d}y$$

恒成立,就称**曲线积分** $\int_L P\mathrm{d}x + Q\mathrm{d}y$ 在 G 内与路径无关,否

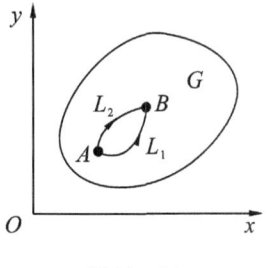

图 11 - 14

---

① 对于连续曲线,$L: x = \varphi(t), y = \psi(t), \alpha \leq t \leq \beta$,如果除了 $t = \alpha, t = \beta$ 外,当 $t_1 \neq t_2$ 时,$[\varphi_1(t), \psi_1(t)]$ 与 $[\varphi_2(t), \psi_2(t)]$ 总是相异的,那么称 L 是无重点的曲线.

则称与路径有关.

由定义可知,若曲线积分与路径无关,则
$$\int_{L_1} P\mathrm{d}x + Q\mathrm{d}y = \int_{L_2} P\mathrm{d}x + Q\mathrm{d}y.$$

因为
$$\int_{L_2} P\mathrm{d}x + Q\mathrm{d}y = -\int_{L_2^-} P\mathrm{d}x + Q\mathrm{d}y,$$

所以
$$\int_{L_1} P\mathrm{d}x + Q\mathrm{d}y + \int_{L_2^-} P\mathrm{d}x + Q\mathrm{d}y = 0,$$

从而
$$\int_{L_1+L_2^-} P\mathrm{d}x + Q\mathrm{d}y = 0,$$

其中 $L_1 + L_2^-$ 是一条有向闭曲线,即在 G 内沿闭曲线的曲线积分为零. 反过来,若在区域 G 内沿任意闭曲线的曲线积分为零,则在 G 内曲线积分与路径无关. 因此,曲线积分 $\int_L P\mathrm{d}x + Q\mathrm{d}y$ 在 G 内与路径无关相当于沿 G 内任意闭曲线 C 的曲线积分 $\int_L P\mathrm{d}x + Q\mathrm{d}y$ 等于零.

定理2 设区域 G 是一个单连通域,若函数 $P(x,y)$ 与 $Q(x,y)$ 在区域 G 内具有一阶连续偏导数,则曲线积分 $\int_L P\mathrm{d}x + Q\mathrm{d}y$ 在 G 内与路径无关(或沿 G 内任意闭曲线的曲线积分为零)的充分必要条件是

$$\frac{\partial P}{\partial y} = \frac{\partial Q}{\partial x} \tag{5}$$

在 G 内恒成立.

证明 先证条件(5)是充分的. 在 G 内任取一条闭曲线 C,要证当条件(5)成立时有 $\oint_C P\mathrm{d}x + Q\mathrm{d}y = 0$. 因为 G 是单连通的,所以闭曲线 C 所围成的闭区域 D 全部在 G 内,于是(5)式在 D 上恒成立. 根据格林公式,有

$$\iint_D \left(\frac{\partial Q}{\partial x} - \frac{\partial P}{\partial y}\right)\mathrm{d}x\mathrm{d}y = \oint_C P\mathrm{d}x + Q\mathrm{d}y.$$

上式左端的二重积分等于零,从而右端的曲线积分也等于零.

再证条件(5)是必要的. 用反证法. 假设上述论断不成立,则 G 内至少有一点 M_0,使

$$\left(\frac{\partial Q}{\partial x} - \frac{\partial P}{\partial y}\right)_{M_0} \neq 0.$$

不妨假定

$$\left(\frac{\partial Q}{\partial x} - \frac{\partial P}{\partial y}\right)_{M_0} = \eta > 0.$$

因为 $\dfrac{\partial P}{\partial y}$ 与 $\dfrac{\partial Q}{\partial x}$ 在 G 内连续,所以在 G 内取得一个以 M_0 为圆心、半径足够小的圆形闭区域 K,使得在 K 上恒有

$$\frac{\partial Q}{\partial x} - \frac{\partial P}{\partial y} \geqslant \frac{\eta}{2}.$$

从而

$$\oint_\gamma P\mathrm{d}x + Q\mathrm{d}y = \iint_K \left(\frac{\partial Q}{\partial x} - \frac{\partial P}{\partial y}\right)\mathrm{d}x\mathrm{d}y \geqslant \frac{\eta}{2} \cdot \sigma,$$

这里 γ 是 K 的正向边界曲线,σ 是 K 的面积. 因为 $\eta > 0, \sigma > 0$,所以

$$\oint_\gamma P\mathrm{d}x + Q\mathrm{d}y > 0.$$

这与沿 G 内任意闭曲线的曲线积分为零的假设相矛盾,因此(5)式在 G 内处处成立. 证毕.

若定理 2 的两个条件之一不成立,则定理 2 的结论不一定成立. 例如,在例 4 中,当 L 所围成的区域含有原点时,虽然除去原点外,恒有 $\dfrac{\partial Q}{\partial x} = \dfrac{\partial P}{\partial y}$,但沿闭曲线的积分 $\oint_L P\mathrm{d}x + Q\mathrm{d}y \neq 0$,因为区域内含有破坏函数 P、Q 及 $\dfrac{\partial Q}{\partial x}$、$\dfrac{\partial P}{\partial y}$ 连续性条件的点 O,这种点称为奇点.

11.3.3 二元函数的全微分求积

下面讨论,函数 $P(x,y)$ 与 $Q(x,y)$ 满足什么条件时,表达式 $P(x,y)\mathrm{d}x + Q(x,y)\mathrm{d}y$ 是某个二元函数 $u(x,y)$ 的全微分.

定理 3 设区域 G 是一个单连通域,若函数 $P(x,y)$ 与 $Q(x,y)$ 在 G 内具有一阶连续偏导数,则 $P(x,y)\mathrm{d}x + Q(x,y)\mathrm{d}y$ 在 G 内为某一函数 $u(x,y)$ 的全微分的充分必要条件是

$$\frac{\partial P}{\partial y} = \frac{\partial Q}{\partial x} \tag{6}$$

在 G 内恒成立.

证明 先证必要性. 设存在某一函数 $u(x,y)$,使得

$$\mathrm{d}u = P(x,y)\mathrm{d}x + Q(x,y)\mathrm{d}y,$$

则

$$\frac{\partial u}{\partial x} = P(x,y), \frac{\partial u}{\partial y} = Q(x,y).$$

从而
$$\frac{\partial^2 u}{\partial x \partial y} = \frac{\partial P}{\partial y}, \frac{\partial^2 u}{\partial y \partial x} = \frac{\partial Q}{\partial x}.$$

由于 P 与 Q 具有一阶连续偏导数,所以 $\frac{\partial^2 u}{\partial x \partial y}$ 与 $\frac{\partial^2 u}{\partial y \partial x}$ 连续,因此 $\frac{\partial^2 u}{\partial x \partial y} = \frac{\partial^2 u}{\partial y \partial x}$,即 $\frac{\partial P}{\partial y} = \frac{\partial Q}{\partial x}$.

再证充分性. 设条件(6)在 G 内恒成立,由定理 2 可知,起点为 $M_0(x_0, y_0)$,终点为 $M(x,y)$ 的曲线积分在区域 G 内与路径无关,于是把这条曲线积分写为
$$\int_{(x_0,y_0)}^{(x,y)} P(x,y) \mathrm{d}x + Q(x,y) \mathrm{d}y.$$

当起点 $M_0(x_0, y_0)$ 给定时,这个积分的值取决于终点 $M(x,y)$,因此,它与 x 及 y 构成函数关系,把这函数记作 $u(x,y)$,即
$$u(x,y) = \int_{(x_0,y_0)}^{(x,y)} P(x,y) \mathrm{d}x + Q(x,y) \mathrm{d}y^{①}. \tag{7}$$

下面证明 $u(x,y)$ 的全微分就是 $P(x,y)\mathrm{d}x + Q(x,y)\mathrm{d}y$. 因为 $P(x,y)$ 与 $Q(x,y)$ 都是连续的,所以只需证明
$$\frac{\partial u}{\partial x} = P(x,y), \frac{\partial u}{\partial y} = Q(x,y).$$

根据偏导数的定义,有
$$\frac{\partial u}{\partial x} = \lim_{\Delta x \to 0} \frac{u(x + \Delta x, y) - u(x,y)}{\Delta x}.$$

由(7)式,得
$$u(x + \Delta x, y) = \int_{(x_0,y_0)}^{(x+\Delta x, y)} P(x,y) \mathrm{d}x + Q(x,y) \mathrm{d}y.$$

取先从点 M_0 到点 M,然后沿平行于 x 轴的直线段从点 M 到点 N 作为上式右端曲线积分的路径(图 11 - 15).则
$$u(x + \Delta x, y) = u(x,y) + \int_{(x,y)}^{(x+\Delta x, y)} P(x,y) \mathrm{d}x + Q(x,y) \mathrm{d}y.$$

从而
$$u(x + \Delta x, y) - u(x,y) = \int_{(x,y)}^{(x+\Delta x, y)} P(x,y) \mathrm{d}x + Q(x,y) \mathrm{d}y.$$

因为直线段 MN 的方程为 $y = $ 常数,所以

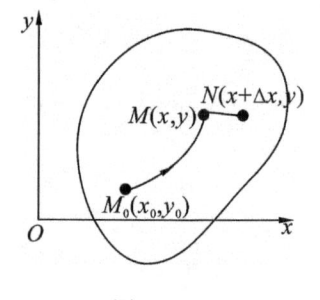

图 11 - 15

---

① 为区别函数的自变量与积分变量,可记 $u(x,y) = \int_{(x_0,y_0)}^{(x,y)} P(s,t) \mathrm{d}s + Q(s,t) \mathrm{d}t.$

$$u(x+\Delta x, y) - u(x,y) = \int_x^{x+\Delta x} P(x,y)\mathrm{d}x.$$

根据定积分中值定理,有

$$u(x+\Delta x, y) - u(x,y) = P(x+\theta\Delta x, y)\Delta x\,(0\leqslant\theta\leqslant 1).$$

上式两边除以 Δx,并令 $\Delta x \to 0$ 取极限. 因为 $P(x,y)$ 的偏导数在 G 内连续,所以 $P(x,y)$ 连续,从而

$$\frac{\partial u}{\partial x} = P(x,y).$$

同理可证

$$\frac{\partial u}{\partial y} = Q(x,y).$$

证毕.

由定理 2 及定理 3,可得如下推论.

推论 设区域 G 是一个单连通域,若函数 $P(x,y)$ 与 $Q(x,y)$ 在 G 内具有一阶连续偏导数,则 $\int_L P\mathrm{d}x + Q\mathrm{d}y$ 在 G 内与路径无关的充分必要条件是,在 G 内存在函数 $u(x,y)$,使 $\mathrm{d}u = P\mathrm{d}x + Q\mathrm{d}y$.

根据上述定理,若函数 $P(x,y)$ 与 $Q(x,y)$ 在单连通域 G 内具有一阶连续偏导数,且满足条件(6),则 $P\mathrm{d}x + Q\mathrm{d}y$ 是某个函数的全微分. 可以取平行于坐标轴的直线段连成的折线 M_0RM 或 M_0SM 作为积分路线(图 11-16),假定这些折线完全位于 G 内.

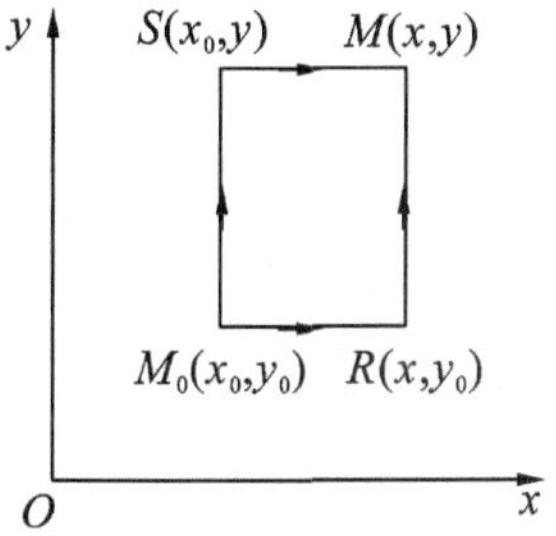

图 11-16

在公式(7)中取 M_0RM 为积分路线,得

$$u(x,y) = \int_{x_0}^{x} P(x,y_0)\mathrm{d}x + \int_{y_0}^{y} Q(x,y)\mathrm{d}y.$$

在公式(7)中取 M_0SM 为积分路线,则函数 u 可以表示为

$$u(x,y) = \int_{y_0}^{y} Q(x_0,y)\mathrm{d}y + \int_{x_0}^{x} P(x,y)\mathrm{d}x.$$

例5 验证 $\dfrac{x\mathrm{d}y - y\mathrm{d}x}{x^2+y^2}$ 在右半平面 $(x>0)$ 内是某个函数的全微分,并求出一个这样的函数.

解 在例 4 中已经知道,令

$$P = \frac{-y}{x^2+y^2},\ Q = \frac{x}{x^2+y^2},$$

有

$$\frac{\partial P}{\partial y} = \frac{y^2 - x^2}{(x^2 + y^2)^2} = \frac{\partial Q}{\partial x}$$

在右半平面内恒成立,所以在 $x > 0$ 内,$\dfrac{x\mathrm{d}y - y\mathrm{d}x}{x^2 + y^2}$ 是某个函数的全微分.

取积分路线如图 11 - 17 所示,由公式(7)得所求函数为

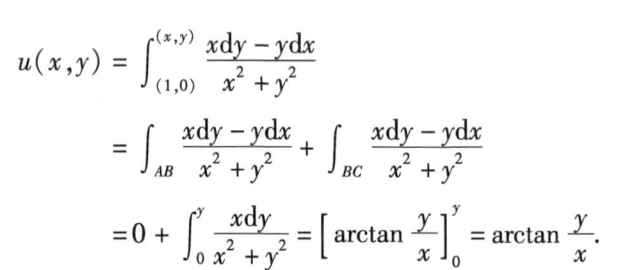

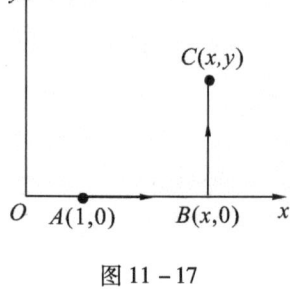

$$\begin{aligned} u(x,y) &= \int_{(1,0)}^{(x,y)} \frac{x\mathrm{d}y - y\mathrm{d}x}{x^2 + y^2} \\ &= \int_{AB} \frac{x\mathrm{d}y - y\mathrm{d}x}{x^2 + y^2} + \int_{BC} \frac{x\mathrm{d}y - y\mathrm{d}x}{x^2 + y^2} \\ &= 0 + \int_0^y \frac{x\mathrm{d}y}{x^2 + y^2} = \left[\arctan \frac{y}{x}\right]_0^y = \arctan \frac{y}{x}. \end{aligned}$$

图 11 - 17

例 6 验证:在整个 xOy 面内,$(2x + \sin y)\mathrm{d}x + (x\cos y)\mathrm{d}y$ 是某个函数的全微分,并求出一个这样的函数.

解 现在 $P = 2x + \sin y$ 且 $Q = x\cos y$,则

$$\frac{\partial P}{\partial y} = \cos y = \frac{\partial Q}{\partial x}$$

在整个 xOy 面内恒成立,所以整个 xOy 面内,$(2x + \sin y)\mathrm{d}x + (x\cos y)\mathrm{d}y$ 是某个函数的全微分.

因此可取 $(x_0, y_0) = (0,0)$,根据公式(7)得所求函数为

$$\begin{aligned} u(x,y) &= \int_{(0,0)}^{(x,y)} (2x + \sin y)\mathrm{d}x + (x\cos y)\mathrm{d}y \\ &= \int_0^x 2x\mathrm{d}x + \int_0^y x\cos y\mathrm{d}y \\ &= x^2 + x\sin y. \end{aligned}$$

*11.3.4 曲线积分的基本定理

若曲线积分 $\int_L \boldsymbol{F} \cdot \mathrm{d}\boldsymbol{r}$ 在区域内与积分路径无关,则称向量场 $\boldsymbol{F}$ 为**保守场**.

定理 4(曲线积分的基本定理) 设 $\boldsymbol{F}(x,y) = P(x,y)\boldsymbol{i} + Q(x,y)\boldsymbol{j}$ 是平面区域 G 内的一个向量场,若 $P(x,y)$ 与 $Q(x,y)$ 都在 G 内连续,且存在一个数量函数 $f(x,y)$,使得 $\boldsymbol{F} = \nabla f$,则曲线积分 $\int_L \boldsymbol{F} \cdot \mathrm{d}\boldsymbol{r}$ 在 G 内与路径无关,且

$$\int_L \boldsymbol{F} \cdot \mathrm{d}\boldsymbol{r} = f(B) - f(A), \tag{8}$$

其中 L 是位于 G 内起点为 A、终点为 B 的任一分段光滑曲线.

证明 设 L 的向量方程为
$$\boldsymbol{r} = \varphi(t)\boldsymbol{i} + \psi(t)\boldsymbol{j}, t \in [\alpha, \beta],$$
起点 A 对应参数 $t = \alpha$,终点 B 对应参数 $t = \beta$.

由假设,$f_x = P, f_y = Q, P$、Q 连续,从而 f 可微,且
$$\frac{\mathrm{d}f}{\mathrm{d}t} = f_x \frac{\mathrm{d}x}{\mathrm{d}t} + f_y \frac{\mathrm{d}y}{\mathrm{d}t} = \nabla f \cdot \left(\frac{\mathrm{d}x}{\mathrm{d}t}\boldsymbol{i} + \frac{\mathrm{d}y}{\mathrm{d}t}\boldsymbol{j}\right) = \boldsymbol{F} \cdot \frac{\mathrm{d}\boldsymbol{r}}{\mathrm{d}t},$$
于是
$$\int_L \boldsymbol{F} \cdot \mathrm{d}\boldsymbol{r} = \int_\alpha^\beta \boldsymbol{F} \cdot \frac{\mathrm{d}\boldsymbol{r}}{\mathrm{d}t}\mathrm{d}t = \int_\alpha^\beta \frac{\mathrm{d}f}{\mathrm{d}t}\mathrm{d}t = f[\varphi(t), \psi(t)]_\alpha^\beta = f(B) - f(A),$$
证毕.

定理 4 说明,对于**势场 $\boldsymbol{F}$**,曲线积分 $\int_L \boldsymbol{F} \cdot \mathrm{d}\boldsymbol{r}$ 在 G 内与路径无关. 所以,势场是保守场.

公式(8)是与积分基本公式
$$\int_a^b f(x)\mathrm{d}x = F(b) - F(a)$$
(其中 $F'(x) = f(x)$)完全类似的向量形式,称为**曲线积分的基本公式**.

习题 11-3

1. 应用格林公式计算下列积分：

(1) $\oint_L (x+y)^2 \mathrm{d}x - (x^2 + y^2)\mathrm{d}y$,其中 L 是以 $A(1,1)$、$B(3,2)$、$C(2,5)$ 为顶点的三角形,方向取正向；

(2) $\int_{AB} (\mathrm{e}^x \sin y - my)\mathrm{d}x + (\mathrm{e}^x \cos y - m)\mathrm{d}y$,其中 m 为常数,AB 为由点 $(a,0)$ 到点 $(0,0)$ 经过圆 $x^2 + y^2 = ax$ 上半部的路线 $(a > 0)$；

(3) $\oint_L x^2 y\mathrm{d}x - xy^2 \mathrm{d}y$,其中 L 为正向圆周 $x^2 + y^2 = a^2$；

(4) $\int_L (2xy^3 - y^2 \cos x)\mathrm{d}x + (1 - 2y\sin x + 3x^2 y^2)\mathrm{d}y$,其中 L 为抛物线 $2x = \pi y^2$ 上由点 $(0,0)$ 到点 $\left(\frac{\pi}{2}, 1\right)$ 的一段弧.

2. 利用曲线积分,求下列曲线所围成的图形的面积：

(1) 星形线 $x = a\cos^3 t, y = a\sin^3 t$；

(2) 椭圆 $9x^2 + 16y^2 = 144$；

(3) 抛物线 $(x+y)^2 = ax(a>0)$ 与 x 轴所围的面积.

3. 求 $\oint_L (x^2-2y)dx + (3x+ye^y)dy$，其中 L 为由直线 $y=0, x+2y=2$ 及圆弧 $x^2+y^2=1$ 所围成的区域 D 的边界，方向如图 11-18 所示.

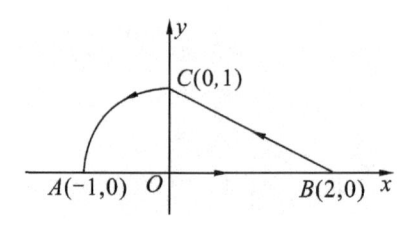

图 11-18

4. 证明下列曲线积分在整个 xOy 面内与路径无关，并求积分值：

(1) $\int_{(0,0)}^{(1,1)} (x-y)(dx-dy)$；

(2) $\int_{(0,0)}^{(x,y)} (2x\cos y - y^2\sin x)dx + (2y\cos x - x^2\sin y)dy$；

(3) $\int_{(1,1)}^{(2,3)} (x+y)dx + (x-y)dy$；

(4) $\int_{(1,0)}^{(2,1)} (2xy - y^4 + 3)dx + (x^2 - 4xy^3)dy$.

5. 验证下列 $P(x,y)dx + Q(x,y)dy$ 在整个 xOy 面内是某一函数 $u(x,y)$ 的全微分，并求这样的一个 $u(x,y)$：

(1) $4\sin x\sin 3y\cos xdx - 3\cos 3y\cos 2xdy$；

(2) $(2x\cos y + y^2\cos x)dx + (2y\sin x - x^2\sin y)dy$；

(3) $(x^2 + 2xy - y^2)dx + (x^2 - 2xy - y^2)dy$；

(4) $(2x\cos y - y^2\sin x)dx + (2y\cos x - x^2\sin y)dy$.

11.4 第一类曲面积分

11.4.1 第一类曲面积分的概念与性质

类似于第一类曲线积分，当质量分布在某一曲面 Σ，在面密度 $\mu(x,y,z)$ 连续的情况下，曲面 Σ 的质量

$$m = \lim_{\lambda \to 0} \sum_{i=1}^{n} \mu(\xi_i, \eta_i, \zeta_i) \Delta S_i,$$

其中 ΔS_i 表示第 i 小块曲面的面积，(ξ_i,η_i,ζ_i) 为第 i 小块曲面上的任一点，λ 表示 n 块曲面的直径①的最大值.

定义 设曲面 Σ 是光滑的②，函数 $f(x,y,z)$ 在 Σ 上有界. 把 Σ 任意分成 n 小块 ΔS_i（ΔS_i 同时也表示第 i 小块曲面的面积），设 (ξ_i,η_i,ζ_i) 是 ΔS_i 上任意取定的一点，令 $\lambda = \max\limits_{1\leqslant i\leqslant n}\{\Delta S_i \text{ 的直径}\}$，若极限

$$\lim_{\lambda\to 0}\sum_{i=1}^n f(\xi_i,\eta_i,\zeta_i)\Delta S_i$$

存在，且与 Σ 的分法及点 (ξ_i,η_i,ζ_i) 的取法无关，称此极限为函数 $f(x,y,z)$ 在曲面 Σ 上的第一类曲面积分，记作 $\iint\limits_{\Sigma} f(x,y,z)\mathrm{d}S$，即

$$\iint\limits_{\Sigma} f(x,y,z)\mathrm{d}S = \lim_{\lambda\to 0}\sum_{i=1}^n f(\xi_i,\eta_i,\zeta_i)\Delta S_i,$$

其中 $f(x,y,z)$ 叫作**被积函数**，Σ 叫作**积分曲面**.

今后总假定 $f(x,y,z)$ 在 Σ 上连续.

根据上述定义，面密度为连续函数 $\mu(x,y,z)$ 的光滑曲面 Σ 的质量：

$$m = \iint\limits_{\Sigma} \mu(x,y,z)\mathrm{d}S.$$

若 Σ 是分片光滑的③，设 Σ 可分成两片光滑曲面 Σ_1 及 Σ_2（记作 $\Sigma = \Sigma_1 + \Sigma_2$），规定

$$\iint\limits_{\Sigma} f(x,y,z)\mathrm{d}S = \iint\limits_{\Sigma_1} f(x,y,z)\mathrm{d}S + \iint\limits_{\Sigma_2} f(x,y,z)\mathrm{d}S.$$

第一类曲面积分具有与第一类曲线积分相类似的性质，这里不再赘述.

11.4.2 第一类曲面积分的计算

设积分曲面 Σ 由方程 $z=z(x,y)$ 给出，Σ 在 xOy 面上的投影区域为 D_{xy}（图 11 - 19），函数 $z=z(x,y)$ 在 D_{xy} 上具有连续偏导数，被积函数 $f(x,y,z)$ 在 Σ 上连续.

根据第一类曲面积分的定义，有

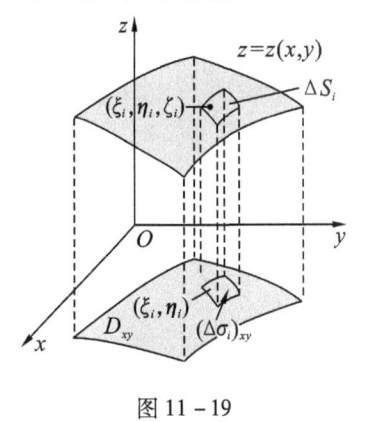

图 11 - 19

---

① 曲面的直径是指曲面上任意两点间距离的最大者.
② 所谓曲面是光滑的，就是说，曲面上各点处都具有切平面，且当点在曲面上连续移动时，切平面也连续移动.
③ 分片光滑的曲面是指由有限个光滑曲面所组成的曲面. 以后我们总假定曲面是光滑的或分片光滑的.

$$\iint\limits_{\Sigma} f(x,y,z)\,\mathrm{d}S = \lim_{\lambda \to 0} \sum_{i=1}^{n} f(\xi_i,\eta_i,\zeta_i)\Delta S_i. \tag{1}$$

设 Σ 上第 i 小块曲面 ΔS_i（它的面积也记作 ΔS_i）在 xOy 面上的投影区域为 $(\Delta\sigma_i)_{xy}$[它的面积也记作$(\Delta\sigma_i)_{xy}$]，则

$$\Delta S_i = \iint\limits_{(\Delta\sigma_i)_{xy}} \sqrt{1 + z_x^2(x,y) + z_y^2(x,y)}\,\mathrm{d}x\mathrm{d}y.$$

根据二重积分的中值定理，可得

$$\Delta S_i = \sqrt{1 + z_x^2(\xi_i',\eta_i') + z_y^2(\xi_i',\eta_i')}\,(\Delta\sigma_i)_{xy},$$

其中(ξ_i',η_i')是小闭区域$(\Delta\sigma_i)_{xy}$上的一点. 又因(ξ_i,η_i,ζ_i)是 Σ 上的一点，故 $\zeta_i = z(\xi_i,\eta_i)$，这里$(\xi_i,\eta_i,0)$也是小闭区域$(\Delta\sigma_i)_{xy}$上的点. 于是

$$\sum_{i=1}^{n} f(\xi_i,\eta_i,\zeta_i)\Delta S_i$$
$$= \sum_{i=1}^{n} f[\xi_i,\eta_i,z(\xi_i,\eta_i)]\sqrt{1 + z_x^2(\xi_i',\eta_i') + z_y^2(\xi_i',\eta_i')}\,(\Delta\sigma_i)_{xy}.$$

因为$f[x,y,z(x,y)]$以及$\sqrt{1 + z_x^2(x,y) + z_y^2(x,y)}$都在闭区域 D_{xy} 上连续，所以，当 $\lambda \to 0$ 时，上式右端的极限与

$$\sum_{i=1}^{n} f[\xi_i,\eta_i,z(\xi_i,\eta_i)]\sqrt{1 + z_x^2(\xi_i,\eta_i) + z_y^2(\xi_i,\eta_i)}\,(\Delta\sigma_i)_{xy}$$

的极限相等. 这个极限在 11.4.2 开始所给的条件下是存在的，它等于

$$\iint\limits_{D_{xy}} f[x,y,z(x,y)]\sqrt{1 + z_x^2(x,y) + z_y^2(x,y)}\,\mathrm{d}x\mathrm{d}y,$$

从而左端的极限即 $\iint\limits_{\Sigma} f(x,y,z)\,\mathrm{d}S$ 也存在，且有

$$\iint\limits_{\Sigma} f(x,y,z)\,\mathrm{d}S$$
$$= \iint\limits_{D_{xy}} f[x,y,z(x,y)]\sqrt{1 + z_x^2(x,y) + z_y^2(x,y)}\,\mathrm{d}x\mathrm{d}y. \tag{2}$$

在计算时，把变量 z 换为 $z(x,y)$，$\mathrm{d}S$ 换为 $\sqrt{1 + z_x^2 + z_y^2}\,\mathrm{d}x\mathrm{d}y$，再确定 Σ 在 xOy 面上的投影区域 D_{xy}.

若第二类曲面的方程表示为参数形式

$$\begin{cases} x = x(u,v), \\ y = y(u,v), \\ z = z(u,v), \end{cases}$$

[这里$(u,v) \in S$]设 Σ 上的点与 S 中的点(u,v)是一一对应的，函数 $x(u,v)$、$y(u,v)$、$z(u,v)$在 S 上的秩皆为 2. 可得

$$\iint_{\Sigma} \varPhi(x,y,z)\,\mathrm{d}S$$
$$= \iint_{S} \varPhi[x(u,v),y(u,v),z(u,v)]\sqrt{EG-F^2}\,\mathrm{d}u\mathrm{d}v,$$

其中
$$E = x_u^2 + y_u^2 + z_u^2,$$
$$F = x_u x_v + y_u y_v + z_u z_v,$$
$$G = x_v^2 + y_v^2 + z_v^2.$$

例 1　求曲面积分 $\iint_{\Sigma} \dfrac{\mathrm{d}S}{z}$，其中 Σ 是球面 $x^2+y^2+z^2 = a^2$ 被平面 $z = h(0 < h < a)$ 截出的顶部（图 11-20）．

解　Σ 的方程为
$$z = \sqrt{a^2 - x^2 - y^2},$$
Σ 在 xOy 面上的投影区域 D_{xy} 为圆形闭区域 $\{(x,y) \mid x^2 + y^2 \leq a^2 - h^2\}$．又
$$\sqrt{1 + z_x^2 + z_y^2} = \frac{a}{\sqrt{a^2 - x^2 - y^2}}.$$

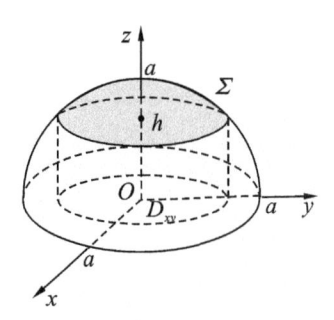

根据公式(2)，有
$$\iint_{\Sigma} \frac{\mathrm{d}S}{z} = \iint_{D_{xy}} \frac{a\,\mathrm{d}x\mathrm{d}y}{a^2 - x^2 - y^2}.$$

利用极坐标，得
$$\iint_{\Sigma} \frac{\mathrm{d}S}{z} = \iint_{D_{xy}} \frac{a\rho\,\mathrm{d}\rho\mathrm{d}\theta}{a^2 - \rho^2} = a\int_0^{2\pi}\mathrm{d}\theta\int_0^{\sqrt{a^2-h^2}} \frac{\rho\,\mathrm{d}\rho}{a^2 - \rho^2}$$
$$= 2\pi a\left[-\frac{1}{2}\ln(a^2 - \rho^2)\right]_0^{\sqrt{a^2-h^2}} = 2\pi a\ln\frac{a}{h}.$$

例 2　求曲面积 $\iint_{\Sigma}(x+y+z)\,\mathrm{d}S$，其中 Σ 为球面 $x^2 + y^2 + z^2 = a^2$ 上 $z \geq h(0 < h < a)$ 的部分．

解　在 Σ 上，$z = \sqrt{a^2 - x^2 - y^2}$．$\Sigma$ 在 xOy 面上的投影区域
$$D_{xy} = \{(x,y) \mid x^2 + y^2 \leq a^2 - h^2\}.$$

由于积分曲面 Σ 关于 yOz 面和 zOx 面均对称，故有
$$\iint_{\Sigma} x\,\mathrm{d}S = 0,\quad \iint_{\Sigma} y\,\mathrm{d}S = 0,$$

于是
$$\iint_{\Sigma}(x+y+z)\,\mathrm{d}S = \iint_{\Sigma} z\,\mathrm{d}S$$

$$= \iint_{D_{xy}} \sqrt{a^2 - x^2 - y^2} \sqrt{1 + \frac{x^2}{a^2 - x^2 - y^2} + \frac{y^2}{a^2 - x^2 - y^2}} \mathrm{d}x\mathrm{d}y$$

$$= a \iint_{D_{xy}} \mathrm{d}x\mathrm{d}y = a\pi(a^2 - h^2).$$

例3 求 $\iint_{\Sigma} (x + y + z) \mathrm{d}S$, Σ 为球面 $x^2 + y^2 + z^2 = a^2$ 上 $z \geq 0$ 的部分.

解 因

$$z = \sqrt{a^2 - x^2 - y^2},$$

所以

$$\frac{\partial z}{\partial x} = \frac{-x}{\sqrt{a^2 - x^2 - y^2}}, \frac{\partial z}{\partial y} = \frac{-y}{\sqrt{a^2 - x^2 - y^2}}.$$

从而

$$\iint_{\Sigma} (x + y + z) \mathrm{d}S$$

$$= \iint_{\sigma} (x + y + \sqrt{a^2 - x^2 - y^2}) \sqrt{\frac{(a^2 - x^2 - y^2) + x^2 + y^2}{a^2 - x^2 - y^2}} \mathrm{d}\sigma$$

$$= \iint_{\sigma} (x + y + \sqrt{a^2 - x^2 - y^2}) \frac{a}{\sqrt{a^2 - x^2 - y^2}} \mathrm{d}\sigma,$$

其中 σ 是 xOy 平面上以原点为中心,半径为 a 的圆. 化为极坐标来计算,即得

$$\iint_{\Sigma} (x + y + z) \mathrm{d}S$$

$$= \int_0^a \left[\int_0^{2\pi} (r\cos\theta + r\sin\theta + \sqrt{a^2 - r^2}) \frac{a}{\sqrt{a^2 - r^2}} \mathrm{d}\theta \right] r\mathrm{d}r$$

$$= \int_0^a 2\pi a r \mathrm{d}r = \pi a^3.$$

例4 求积分 $\iint_{\Sigma} z \mathrm{d}S$,其中 Σ 为螺旋面的一部分:

$$\begin{cases} x = u\cos v, \\ y = u\sin v, \\ z = v \end{cases} \quad (0 \leq u \leq a, 0 \leq v \leq 2\pi).$$

解 因为

$$E = x_u^2 + y_u^2 + z_u^2 = \cos^2 v + \sin^2 v = 1,$$
$$F = x_u x_v + y_u y_v + z_u z_v = -u\sin v\cos v + u\sin v\cos v = 0,$$
$$G = x_v^2 + y_v^2 + z_v^2 = u^2\sin^2 v + u^2\cos^2 v + 1 = 1 + u^2,$$

所以

$$\iint_{\Sigma} z\mathrm{d}S = \iint_{S} v \cdot \sqrt{1 + u^2} \mathrm{d}u\mathrm{d}v = \int_0^{2\pi} v\mathrm{d}v \int_0^a \sqrt{1 + u^2} \mathrm{d}u$$

$$= 2\pi^2 \left[\frac{u}{2}\sqrt{1+u^2} + \frac{1}{2}\ln(u+\sqrt{1+u^2}) \right]_0^a$$

$$= \pi^2 a \sqrt{1+a^2} + \pi^2 \ln(a+\sqrt{1+a^2}).$$

习题 11-4

1. 计算 $\iint\limits_{\Sigma}(x^2+y^2+z^2)\mathrm{d}S$,其中:

(1) $\Sigma: x^2+y^2+z^2=a^2$;　　　　(2) $\Sigma: x^2+y^2+z^2=2az$.

2. 求 $\iint\limits_{\Sigma}(x^2+y^2)\mathrm{d}S$,其中 Σ 为:

(1) 锥面 $z=\sqrt{x^2+y^2}$ 及平面 $z=1$ 所围成的区域的整个边界曲面;

(2) 锥面 $z^2=3(x^2+y^2)$ 被平面 $z=0$ 和 $z=3$ 所截得的部分.

3. 求下列对面积的曲面积分:

(1) $\iint\limits_{\Sigma}(xy+yz+zx)\mathrm{d}S$,其中 Σ 为锥面 $z=\sqrt{x^2+y^2}$ 被柱面 $x^2+y^2=2ax$ 所截得的有限部分;

(2) $\iint\limits_{\Sigma}\dfrac{\mathrm{d}S}{x^2+y^2}$,其中 Σ 为柱面 $x^2+y^2=R^2$ 被平面 $z=0,z=H$ 所截取的部分;

(3) $\oiint\limits_{\Sigma} xyz\mathrm{d}S$,其中 Σ 是由平面 $x=0,y=0,z=0$ 及 $x+y+z=1$ 所围成的四面体的整个边界曲面;

(4) $\iint\limits_{\Sigma} x\mathrm{d}S$,$\Sigma$ 为螺旋面 $x=u\cos v, y=u\sin v, z=cv$ 上的一部分,$0 \leqslant u \leqslant a, 0 \leqslant v \leqslant 2\pi$.

4. 求均匀曲面 $x^2+y^2+z^2=a^2, x \geqslant 0, y \geqslant 0, z \geqslant 0$ 的质心.

5. 求面密度为 μ_0 的均匀半球壳 $x^2+y^2+z^2=a^2(z \geqslant 0)$ 对于 z 轴的转动惯量.

6. 计算 $\iint\limits_{\Sigma} z^2 \mathrm{d}S$,其中 Σ 为圆锥表面的一部分

$$\Sigma:\begin{cases} x=r\cos\varphi\sin\theta, \\ y=r\sin\varphi\sin\theta, \\ z=r\cos\theta, \end{cases} \quad D:\begin{cases} 0 \leqslant r \leqslant a, \\ 0 \leqslant \varphi \leqslant 2\pi, \end{cases}$$

这里 θ 为常数 $\left(0 < \theta < \dfrac{\pi}{2}\right)$.

11.5 第二类曲面积分

11.5.1 第二类曲面积分的概念与性质

假定曲面是光滑的,并且是双侧的. 例如由方程 $z=z(x,y)$ 表示的曲面,可以分为**上侧**与**下侧**[①];又如,一张包围某一空间区域的闭曲面,可以分为**外侧**与**内侧**. 下面所考虑的曲面是双侧的.

对于曲面 $z=z(x,y)$,如果取它的法向量 $\boldsymbol{n}$ 的指向朝上,就取定曲面的上侧;对于闭曲面如果取它的法向量的指向朝外,就取定曲面的外侧. 这种取定了法向量亦即选定了侧的曲面,就称为**有向曲面**.

设 Σ 是有向曲面. 在 Σ 上取一小块曲面 ΔS,把 ΔS 投影到 xOy 面上得一投影区域,这投影区域的面积记为 $(\Delta\sigma)_{xy}$. 假定 ΔS 上各点处的法向量与 z 轴的夹角 γ 的余弦 $\cos\gamma$ 有相同的符号. 规定 ΔS 在 xOy 面上的**投影** $(\Delta S)_{xy}$ 为

$$(\Delta S)_{xy} = \begin{cases} (\Delta\sigma)_{xy}, & \cos\gamma > 0, \\ -(\Delta\sigma)_{xy}, & \cos\gamma < 0, \\ 0, & \cos\gamma \equiv 0. \end{cases}$$

其中 $\cos\gamma\equiv 0$ 也就是 $(\Delta\sigma)_{xy}=0$ 的情形. ΔS 在 xOy 面上的投影 $(\Delta S)_{xy}$ 就是 ΔS 在 xOy 面上的投影区域的面积附以一定的正负号. 类似地,可定义 ΔS 在 yOz 面及 zOx 面上的投影 $(\Delta S)_{yz}$ 及 $(\Delta S)_{zx}$.

设稳定流动[②]的不可压缩流体(假定密度为1)的速度场由

$$\boldsymbol{v}(x,y,z) = P(x,y,z)\boldsymbol{i} + Q(x,y,z)\boldsymbol{j} + R(x,y,z)\boldsymbol{k}$$

给出,Σ 是速度场中的一片有向曲面,函数 $P(x,y,z)$、$Q(x,y,z)$ 与 $R(x,y,z)$ 都在 Σ 上连续,求在单位时间内流向 Σ 指定侧的流体的质量,即流量 Φ.

若流体流过平面上面积为 A 的一个闭区域,且流体在这闭区域上各点处的流速为 $\boldsymbol{v}$,设 $\boldsymbol{n}$ 为该平面的单位法向量[图 11-21(a)],则在单位时间内流过这闭区域的流体组成一个底面积为 A、斜高为 $|\boldsymbol{v}|$ 的斜柱体[图 11-21(b)].

把曲面 Σ 分成 n 小块 ΔS_i(ΔS_i 同时也代表第 i 小块曲面的面积). 在 Σ 是光滑的和 $\boldsymbol{v}$ 是连续的前提下,若 ΔS_i 的直径很小,则可以用 ΔS_i 上任一点 (ξ_i,η_i,ζ_i) 处的流速

[①] 按惯例,这里假定 z 轴铅直向上.
[②] 所谓稳定流动,就是说流速与时间无关.

第 11 章 曲线积分与曲面积分

(a) (b)

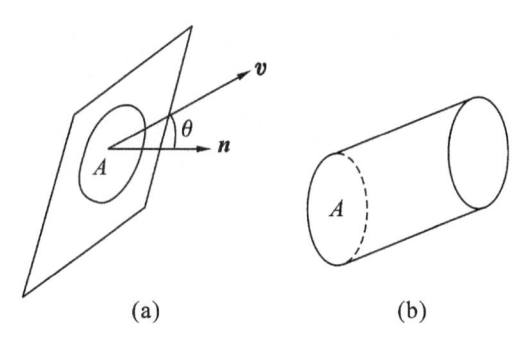

图 11-21

$$\boldsymbol{v}_i = \boldsymbol{v}(\xi_i, \eta_i, \zeta_i)$$
$$= P(\xi_i, \eta_i, \zeta_i)\boldsymbol{i} + Q(\xi_i, \eta_i, \zeta_i)\boldsymbol{j} + R(\xi_i, \eta_i, \zeta_i)\boldsymbol{k}$$

代替 ΔS_i 上其他各点处的流速,以该点 (ξ_i, η_i, ζ_i) 处曲面 Σ 的单位法向量

$$\boldsymbol{n}_i = \cos\alpha_i \boldsymbol{i} + \cos\beta_i \boldsymbol{j} + \cos\gamma_i \boldsymbol{k}$$

代替 ΔS_i 上其他各点处的单位法向量(图 11-22). 因此,通过 ΔS_i 流向指定侧的流量的近似值为

$$\boldsymbol{v}_i \cdot \boldsymbol{n}_i \Delta S_i \quad (i=1,2,\cdots,n).$$

故,通过 Σ 流向指定侧的流量

$$\Phi \approx \sum_{i=1}^{n} \boldsymbol{v}_i \cdot \boldsymbol{n}_i \Delta S_i$$
$$= \sum_{i=1}^{n} [P(\xi_i,\eta_i,\zeta_i)\cos\alpha_i + Q(\xi_i,\eta_i,\zeta_i)\cos\beta_i + R(\xi_i,\eta_i,\zeta_i)\cos\gamma_i]\Delta S_i,$$

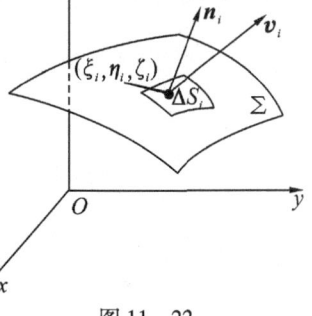

图 11-22

因 $\cos\alpha_i \cdot \Delta S_i \approx (\Delta S_i)_{yz}, \cos\beta_i \cdot \Delta S_i \approx (\Delta S_i)_{zx}, \cos\gamma_i \cdot \Delta S_i \approx (\Delta S_i)_{xy}$,
因此上式可以写成

$$\Phi \approx \sum_{i=1}^{n} [P(\xi_i,\eta_i,\zeta_i)(\Delta S_i)_{yz} + Q(\xi_i,\eta_i,\zeta_i)(\Delta S_i)_{zx} + R(\xi_i,\eta_i,\zeta_i)(\Delta S_i)_{xy}].$$

当各小块曲面的直径的最大值 $\lambda \to 0$ 时取上述和的极限,就得到流量 Φ 的精确值.

定义 设 Σ 为光滑的有向曲面,函数 $R(x,y,z)$ 在 Σ 上有界. 把 Σ 任意分成 n 块小曲面 ΔS_i(ΔS_i 同时又表示第 i 块小曲面的面积),ΔS_i 在 xOy 面上的投影为 $(\Delta S_i)_{xy}$,(ξ_i,η_i,ζ_i) 是 ΔS_i 上任意取定的一点,令 $\lambda = \max_{1 \leq i \leq n}\{(\Delta S_i)_{xy}$ 的直径$\}$,若极限

$$\lim_{\lambda \to 0} \sum_{i=1}^{n} R(\xi_i,\eta_i,\zeta_i)(\Delta S_i)_{xy}$$

存在,且与 Σ 的分法及点 (ξ_i,η_i,ζ_i) 的取法无关,则称此极限为函数 $R(x,y,z)$ 在有向曲面 Σ 上对坐标 x、y 的曲面积分,记作 $\iint\limits_{\Sigma} R(x,y,z)\mathrm{d}x\mathrm{d}y$,即

$$\iint\limits_{\Sigma} R(x,y,z)\mathrm{d}x\mathrm{d}y = \lim_{\lambda \to 0} \sum_{i=1}^{n} R(\xi_i,\eta_i,\zeta_i)(\Delta S_i)_{xy},$$

其中 $R(x,y,z)$ 叫作**被积函数**,Σ 叫作**积分曲面**.

类似地,可以定义函数 $P(x,y,z)$ 在有向曲面 Σ 上对坐标 y、z 的曲面积分 $\iint\limits_{\Sigma} P(x,y,z)\mathrm{d}y\mathrm{d}z$ 及函数 $Q(x,y,z)$ 在有向曲面 Σ 上对坐标 z、x 的曲面积分 $\iint\limits_{\Sigma} Q(x,y,z)\mathrm{d}z\mathrm{d}x$,分别为

$$\iint\limits_{\Sigma} P(x,y,z)\mathrm{d}y\mathrm{d}z = \lim_{\lambda \to 0} \sum_{i=1}^{n} P(\xi_i, \eta_i, \zeta_i)(\Delta S_i)_{yz},$$

$$\iint\limits_{\Sigma} Q(x,y,z)\mathrm{d}z\mathrm{d}x = \lim_{\lambda \to 0} \sum_{i=1}^{n} Q(\xi_i, \eta_i, \zeta_i)(\Delta S_i)_{zx}.$$

以上三个曲面积分也称为**第二类曲面积分**.

当 $P(x,y,z)$、$Q(x,y,z)$ 与 $R(x,y,z)$ 在有向光滑曲面 Σ 上连续时,第二类曲面积分是存在的,以后总假定 P、Q 与 R 在 Σ 上连续.

为方便,可把

$$\iint\limits_{\Sigma} P(x,y,z)\mathrm{d}y\mathrm{d}z + \iint\limits_{\Sigma} Q(x,y,z)\mathrm{d}z\mathrm{d}x + \iint\limits_{\Sigma} R(x,y,z)\mathrm{d}x\mathrm{d}y$$

写成

$$\iint\limits_{\Sigma} P(x,y,z)\mathrm{d}y\mathrm{d}z + Q(x,y,z)\mathrm{d}z\mathrm{d}x + R(x,y,z)\mathrm{d}x\mathrm{d}y.$$

例如,上述流向 Σ 指定侧的流量 Φ 可表示为

$$\Phi = \iint\limits_{\Sigma} P(x,y,z)\mathrm{d}y\mathrm{d}z + Q(x,y,z)\mathrm{d}z\mathrm{d}x + R(x,y,z)\mathrm{d}x\mathrm{d}y.$$

第二类曲面积分具有如下一些性质.

(1) 若把 Σ 分成 Σ_1 和 Σ_2,则

$$\iint\limits_{\Sigma} P\mathrm{d}y\mathrm{d}z + Q\mathrm{d}z\mathrm{d}x + R\mathrm{d}x\mathrm{d}y$$

$$= \iint\limits_{\Sigma_1} P\mathrm{d}y\mathrm{d}z + Q\mathrm{d}z\mathrm{d}x + R\mathrm{d}x\mathrm{d}y + \iint\limits_{\Sigma_2} P\mathrm{d}y\mathrm{d}z + Q\mathrm{d}z\mathrm{d}x + R\mathrm{d}x\mathrm{d}y. \tag{1}$$

公式(1)可以推广到把 Σ 分成 $\Sigma_1, \Sigma_2, \cdots, \Sigma_n$ 几部分的情形.

(2) 设 Σ 是有向曲面,Σ^- 表示与 Σ 取相反侧的有向曲面,则

$$\iint\limits_{\Sigma^-} P(x,y,z)\mathrm{d}y\mathrm{d}z = -\iint\limits_{\Sigma} P(x,y,z)\mathrm{d}y\mathrm{d}z,$$

$$\iint\limits_{\Sigma^-} Q(x,y,z)\mathrm{d}z\mathrm{d}x = -\iint\limits_{\Sigma} Q(x,y,z)\mathrm{d}z\mathrm{d}x,$$

$$\iint\limits_{\Sigma^-} R(x,y,z)\mathrm{d}x\mathrm{d}y = -\iint\limits_{\Sigma} R(x,y,z)\mathrm{d}x\mathrm{d}y.$$

以上三式表示,关于第二类曲面积分,我们必须注意积分曲面所取的侧.
这些性质的证明从略.

11.5.2 第二类曲面积分的计算

设曲面积分 Σ 是由方程 $z=z(x,y)$ 所给出的曲面上侧,Σ 在 xOy 面上的投影区域为 D_{xy},函数 $z=z(x,y)$ 在 D_{xy} 上具有一阶连续偏导数,被积函数 $R(x,y,z)$ 在 Σ 上连续.

根据第二类曲面积分的定义,有

$$\iint_{\Sigma} R(x,y,z)\mathrm{d}x\mathrm{d}y = \lim_{\lambda \to 0} \sum_{i=1}^{n} R(\xi_i,\eta_i,\zeta_i)(\Delta S_i)_{xy}.$$

因为 Σ 取上侧,$\cos\gamma > 0$,所以

$$(\Delta S_i)_{xy} = (\Delta \sigma_i)_{xy}.$$

又因 (ξ_i,η_i,ζ_i) 是 Σ 上的一点,故 $\zeta_i = z(\xi_i,\eta_i)$. 从而

$$\sum_{i=1}^{n} R(\xi_i,\eta_i,\zeta_i)(\Delta S_i)_{xy} = \sum_{i=1}^{n} R[\xi_i,\eta_i,z(\xi_i,\eta_i)](\Delta \sigma_i)_{xy}.$$

令 $\lambda = \max\limits_{1 \leq i \leq n}\{(\Delta S_i)_{xy}$ 的直径$\} \to 0$ 取上式两端的极限,得到

$$\iint_{\Sigma} R(x,y,z)\mathrm{d}x\mathrm{d}y = \iint_{D_{xy}} R[x,y,z(x,y)]\mathrm{d}x\mathrm{d}y. \tag{2}$$

这就是把第二类曲面积分化为二重积分的公式.

若曲面积分取在 Σ 的下侧,这时 $\cos\gamma < 0$,则

$$(\Delta S_i)_{xy} = -(\Delta \sigma_i)_{xy},$$

从而

$$\iint_{\Sigma} R(x,y,z)\mathrm{d}x\mathrm{d}y = -\iint_{D_{xy}} R[x,y,z(x,y)]\mathrm{d}x\mathrm{d}y. \tag{2'}$$

类似地,若 Σ 由 $x = x(y,z)$ 给出,则

$$\iint_{\Sigma} P(x,y,z)\mathrm{d}y\mathrm{d}z = \pm \iint_{D_{yz}} P[x(y,z),y,z]\mathrm{d}y\mathrm{d}z, \tag{3}$$

等式右端的符号这样决定:积分曲面 Σ 是由方程 $x = x(y,z)$ 给出的曲面前侧,即 $\cos\alpha > 0$,应取正号;反之,Σ 取后侧,即 $\cos\alpha < 0$,应取负号.

若 Σ 由 $y = y(z,x)$ 给出,则

$$\iint_{\Sigma} Q(x,y,z)\mathrm{d}z\mathrm{d}x = \pm \iint_{D_{zx}} Q[x,y(z,x),z]\mathrm{d}z\mathrm{d}x, \tag{4}$$

等式右端的符号这样决定:积分曲面 Σ 是由方程 $y = y(z,x)$ 给出的曲面右侧,即 $\cos\beta > 0$,应取正号;反之,Σ 取左侧,即 $\cos\beta < 0$,应取负号.

例1 求 $\iint\limits_{\Sigma} x^2 dydz + y^2 dzdx + z^2 dxdy$,

其中 Σ 是长方体 Ω 的整个表面的外侧, $\Omega = \{(x,y,z) | 0 \leqslant x \leqslant a, 0 \leqslant y \leqslant b, 0 \leqslant z \leqslant c\}$.

解 把有向曲面 Σ 分成以下六部分:

$\Sigma_1 : z = c (0 \leqslant x \leqslant a, 0 \leqslant y \leqslant b)$ 的上侧;

$\Sigma_2 : z = 0 (0 \leqslant x \leqslant a, 0 \leqslant y \leqslant b)$ 的下侧;

$\Sigma_3 : x = a (0 \leqslant y \leqslant b, 0 \leqslant z \leqslant c)$ 的前侧;

$\Sigma_4 : x = 0 (0 \leqslant y \leqslant b, 0 \leqslant z \leqslant c)$ 的后侧;

$\Sigma_5 : y = b (0 \leqslant x \leqslant a, 0 \leqslant z \leqslant c)$ 的右侧;

$\Sigma_6 : y = 0 (0 \leqslant x \leqslant a, 0 \leqslant z \leqslant c)$ 的左侧.

除 Σ_3、Σ_4 外,其余四片曲面在 yOz 面上的投影为零,因此

$$\iint\limits_{\Sigma} x^2 dydz = \iint\limits_{\Sigma_3} x^2 dydz + \iint\limits_{\Sigma_4} x^2 dydz.$$

应用公式(4)就有

$$\iint\limits_{\Sigma} x^2 dydz = \iint\limits_{D_{yz}} a^2 dydz - \iint\limits_{D_{yz}} 0^2 dydz = a^2 bc.$$

类似地可得

$$\iint\limits_{\Sigma} y^2 dzdx = b^2 ac, \quad \iint\limits_{\Sigma} z^2 dxdy = c^2 ab.$$

于是所求曲面积分为 $(a+b+c)abc$.

例2 求 $I = \iint\limits_{\Sigma} (x+1) dydz + ydzdx + dxdy$,其中 Σ 是四面体 $OABC$ 的曲面(图 11-23),且设积分沿曲面的外侧.

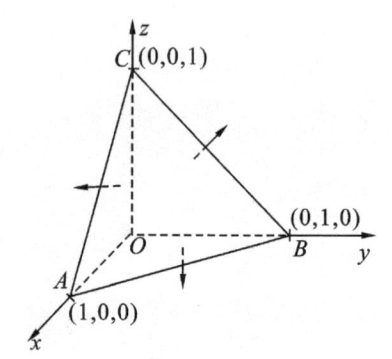

解 显然

$$I = \left\{ \iint\limits_{OBA} + \iint\limits_{OCB} + \iint\limits_{OAC} + \iint\limits_{ABC} \right\} (x+1) dydz + ydzdx + dxdy.$$

先计算

$$I_1 = \iint\limits_{OBA} (x+1) dydz + ydzdx + dxdy.$$

因为平面 OBA 在坐标面 yOz 上的投影 $dydz = 0$,在坐标面 zOx 上的投影 $dzdx = 0$. 此外 OBA 为下侧,故

$$I_1 = \iint\limits_{OBA} dxdy = -\iint\limits_{\sigma_{xy}} dxdy = -\frac{1}{2}.$$

其次计算

$$I_2 = \iint\limits_{OCB} (x+1)\,\mathrm{d}y\mathrm{d}z + y\,\mathrm{d}z\mathrm{d}x + \mathrm{d}x\mathrm{d}y,$$

因为平面 OCB 在坐标面 zOx 上的投影 $\mathrm{d}z\mathrm{d}x = 0$,在坐标面 xOy 上的投影 $\mathrm{d}x\mathrm{d}y = 0$,此外 OCB 为后侧,故

$$I_2 = \iint\limits_{OCB} (x+1)\,\mathrm{d}y\mathrm{d}z = -\iint\limits_{\delta_{yz}} \mathrm{d}y\mathrm{d}z = -\frac{1}{2}.$$

再计算

$$I_3 = \iint\limits_{OAC} (x+1)\,\mathrm{d}y\mathrm{d}z + y\,\mathrm{d}z\mathrm{d}x + \mathrm{d}x\mathrm{d}y,$$

因为平面 OAC 在坐标面 yOz 上的投影 $\mathrm{d}y\mathrm{d}z = 0$,在坐标面 xOy 上的投影 $\mathrm{d}x\mathrm{d}y = 0$,此外 OAC 为左侧,故

$$I_3 = -\iint\limits_{\sigma_{zx}} y\,\mathrm{d}z\mathrm{d}x = 0.$$

最后计算在 ABC 上的积分,对投影 $\mathrm{d}y\mathrm{d}z$ 而言,ABC 是前侧,对投影 $\mathrm{d}z\mathrm{d}x$ 而言,ABC 是右侧,对投影 $\mathrm{d}x\mathrm{d}y$ 而言,ABC 是上侧,故有

$$\iint\limits_{ABC} (x+1)\,\mathrm{d}y\mathrm{d}z = \iint\limits_{\sigma_{yz}} (2-y-z)\,\mathrm{d}y\mathrm{d}z$$
$$= \int_0^1 \mathrm{d}y \int_0^{1-y} (2-y-z)\,\mathrm{d}z = \frac{2}{3},$$

$$\iint\limits_{ABC} y\,\mathrm{d}z\mathrm{d}x = \iint\limits_{\sigma_{zx}} (1-x-z)\,\mathrm{d}z\mathrm{d}x$$
$$= \int_0^1 \mathrm{d}x \int_0^{1-x} (1-x-z)\,\mathrm{d}z\mathrm{d}x = \frac{1}{6},$$

$$\iint\limits_{ABC} \mathrm{d}x\mathrm{d}y = \iint\limits_{\sigma_{xy}} \mathrm{d}x\mathrm{d}y = \frac{1}{2},$$

故得

$$I = -\frac{1}{2} + \left(-\frac{1}{2}\right) + 0 + \frac{2}{3} + \frac{1}{6} + \frac{1}{2} = \frac{1}{3}.$$

例 3 求

$$I = \iint\limits_{\Sigma} x^2\,\mathrm{d}y\mathrm{d}z + y^2\,\mathrm{d}z\mathrm{d}x + z^2\,\mathrm{d}x\mathrm{d}y,$$

其中 Σ 是球面 $(x-a)^2 + (y-b)^2 + (z-c)^2 = R^2$,且设积分沿球面外侧.

解 先计算 $I_3 = \iint\limits_{\Sigma} z^2\,\mathrm{d}x\mathrm{d}y = \iint\limits_{\Sigma_2} z^2\,\mathrm{d}x\mathrm{d}y + \iint\limits_{\Sigma_1} z^2\,\mathrm{d}x\mathrm{d}y,$

其中 Σ_2 及 Σ_1 分别表示上半球面及下半球面,即

$$\Sigma_2 : z - c = +\sqrt{R^2 - (x-a)^2 - (y-b)^2},$$
$$\Sigma_1 : z - c = -\sqrt{R^2 - (x-a)^2 - (y-b)^2}.$$

因 $z^2 = (z-c)^2 + 2c(z-c) + c^2$，于是

$$I_3 = \iint\limits_{\Sigma_2} \left[(z-c)^2 + 2c(z-c) + c^2 \right] dxdy + \iint\limits_{\Sigma_1} \left[(z-c)^2 + 2c(z-c) + c^2 \right] dxdy.$$

又

$$\iint\limits_{\Sigma_2} (z-c)^2 dxdy = \iint\limits_{(x-a)^2+(y-b)^2 \leqslant R^2} \left[R^2 - (x-a)^2 - (y-b)^2 \right] dxdy,$$

$$\iint\limits_{\Sigma_1} (z-c)^2 dxdy = - \iint\limits_{(x-a)^2+(y-b)^2 \leqslant R^2} \left[R^2 - (x-a)^2 - (y-b)^2 \right] dxdy,$$

故

$$\iint\limits_{\Sigma_1} (z-c)^2 dxdy + \iint\limits_{\Sigma_2} (z-c)^2 dxdy = 0,$$

同理

$$\iint\limits_{\Sigma_2} c^2 dxdy + \iint\limits_{\Sigma_1} c^2 dxdy = 0.$$

又

$$\iint\limits_{\Sigma_2} (z-c) dxdy = \iint\limits_{(x-a)^2+(y-b)^2 \leqslant R^2} \sqrt{R^2 - (x-a)^2 - (y-b)^2} dxdy,$$

$$\iint\limits_{\Sigma_1} (z-c) dxdy = - \iint\limits_{(x-a)^2+(y-b)^2 \leqslant R^2} \left[-\sqrt{R^2 - (x-a)^2 - (y-b)^2} \right] dxdy = \iint\limits_{\Sigma_2} (z-c) dxdy,$$

最后得

$$I_3 = 4c \iint\limits_{(x-a)^2+(y-b)^2 \leqslant R^2} \sqrt{R^2 - (x-a)^2 - (y-b)^2} dxdy = 4c \int_0^{2\pi} d\varphi \int_0^R \sqrt{R^2 - r^2}\, r dr = \frac{8\pi c R^3}{3}.$$

同理可得

$$I_1 = \iint\limits_{\Sigma} x^2 dydz = \frac{8\pi a R^3}{3},$$

$$I_2 = \iint\limits_{\Sigma} y^2 dzdx = \frac{8\pi b R^3}{3},$$

故

$$I = I_1 + I_2 + I_3 = \frac{8\pi R^3 (a+b+c)}{3}.$$

11.5.3 两类曲面积分之间的联系

设有向曲面 Σ 由方程 $z = z(x,y)$ 给出，Σ 在 xOy 面上的投影区域为 D_{xy}，函数 $z = z(x,y)$ 在 D_{xy} 上具有一阶连续偏导数，$R(x,y,z)$ 在 Σ 上连续. 如果 Σ 取上侧，那么

$$\iint\limits_{\Sigma} R(x,y,z) dxdy = \iint\limits_{D_{xy}} R[x,y,z(x,y)] dxdy.$$

另一方面，因上述有向曲面 Σ 的法向量的方向余弦为

$$\cos\alpha = \frac{-z_x}{\sqrt{1+z_x^2+z_y^2}}, \cos\beta = \frac{-z_y}{\sqrt{1+z_x^2+z_y^2}}, \cos\gamma = \frac{1}{\sqrt{1+z_x^2+z_y^2}},$$

故有
$$\iint_{\Sigma} R(x,y,z)\cos\gamma \mathrm{d}S = \iint_{D_{xy}} R[x,y,z(x,y)]\mathrm{d}x\mathrm{d}y.$$

可见,有
$$\iint_{\Sigma} R(x,y,z)\mathrm{d}x\mathrm{d}y = \iint_{\Sigma} R(x,y,z)\cos\gamma \mathrm{d}S. \tag{5}$$

若 Σ 取下侧,则由式(2′)有
$$\iint_{\Sigma} R(x,y,z)\mathrm{d}x\mathrm{d}y = -\iint_{D_{xy}} R[x,y,z(x,y)]\mathrm{d}x\mathrm{d}y.$$

但这时 $\cos\gamma = \dfrac{-1}{\sqrt{1+z_x^2+z_y^2}}$,因此(5)式仍成立.

类似地可推得
$$\iint_{\Sigma} P(x,y,z)\mathrm{d}y\mathrm{d}z = \iint_{\Sigma} P(x,y,z)\cos\alpha \mathrm{d}S, \tag{6}$$

$$\iint_{\Sigma} Q(x,y,z)\mathrm{d}z\mathrm{d}x = \iint_{\Sigma} Q(x,y,z)\cos\beta \mathrm{d}S. \tag{7}$$

因此,得两类曲面积分之间有如下联系:
$$\iint_{\Sigma} P\mathrm{d}y\mathrm{d}z + Q\mathrm{d}z\mathrm{d}x + R\mathrm{d}x\mathrm{d}y = \iint_{\Sigma} (P\cos\alpha + Q\cos\beta + R\cos\gamma)\mathrm{d}S, \tag{8}$$

其中 $\cos\alpha$、$\cos\beta$ 与 $\cos\gamma$ 是有向曲面 Σ 在点 (x,y,z) 处的法向量的方向余弦.

两类曲面积分之间的联系也可写成如下的向量形式:
$$\iint_{\Sigma} \boldsymbol{A} \cdot \mathrm{d}\boldsymbol{S} = \iint_{\Sigma} \boldsymbol{A} \cdot \boldsymbol{n}\mathrm{d}S \tag{9}$$

或
$$\iint_{\Sigma} \boldsymbol{A} \cdot \mathrm{d}\boldsymbol{S} = \iint_{\Sigma} A_n \mathrm{d}S \tag{9′}$$

其中 $\boldsymbol{A} = (P,Q,R)$,$\boldsymbol{n} = (\cos\alpha,\cos\beta,\cos\gamma)$ 为有向曲面 Σ 在点 (x,y,z) 处的单位法向量,$\mathrm{d}\boldsymbol{S} = \boldsymbol{n}\mathrm{d}S = (\mathrm{d}y\mathrm{d}z,\mathrm{d}z\mathrm{d}x,\mathrm{d}x\mathrm{d}y)$ 称为**有向曲面元**,A_n 为向量 $\boldsymbol{A}$ 在向量 $\boldsymbol{n}$ 上的投影.

例 4 求曲面积分 $\iint_{\Sigma}(z^2+x)\mathrm{d}y\mathrm{d}z - z\mathrm{d}x\mathrm{d}y$,其中 Σ 是旋转抛物面 $z = \dfrac{1}{2}(x^2+y^2)$ 介于平面 $z = 0$ 及 $z = 2$ 之间的部分的下侧.

解 由两类曲面积分之间的联系(8),可得
$$\iint_{\Sigma}(z^2+x)\mathrm{d}y\mathrm{d}z = \iint_{\Sigma}(z^2+x)\cos\alpha \mathrm{d}S = \iint_{\Sigma}(z^2+x)\frac{\cos\alpha}{\cos\gamma}\mathrm{d}x\mathrm{d}y.$$

在曲面 Σ 上,有
$$\cos\alpha = \frac{x}{\sqrt{1+x^2+y^2}},\cos\gamma = \frac{-1}{\sqrt{1+x^2+y^2}},$$

故
$$\iint_\Sigma (z^2+x)\mathrm{d}y\mathrm{d}z - z\mathrm{d}x\mathrm{d}y = \iint_\Sigma [(z^2+x)(-x)-z]\mathrm{d}x\mathrm{d}y.$$

根据第二类曲面积分的计算,有

$$\iint_\Sigma (z^2+x)\mathrm{d}y\mathrm{d}z - z\mathrm{d}x\mathrm{d}y$$
$$= -\iint_{D_{xy}} \left\{\left[\frac{1}{4}(x^2+y^2)^2+x\right]\cdot(-x)-\frac{1}{2}(x^2+y^2)\right\}\mathrm{d}x\mathrm{d}y.$$

注意到 $\iint_{D_{xy}} \frac{1}{4}x(x^2+y^2)^2\mathrm{d}x\mathrm{d}y = 0$, 故

$$\iint_\Sigma (z^2+x)\mathrm{d}y\mathrm{d}z - z\mathrm{d}x\mathrm{d}y = \iint_{D_{xy}} \left[x^2+\frac{1}{2}(x^2+y^2)\right]\mathrm{d}x\mathrm{d}y$$
$$= \int_0^{2\pi}\mathrm{d}\theta \int_0^2 \left(\rho^2\cos^2\theta+\frac{1}{2}\rho^2\right)\rho\mathrm{d}\rho = 8\pi.$$

习题 11-5

1. 求下列第二类曲面积分:

(1) $\iint_\Sigma z\mathrm{d}x\mathrm{d}y + x\mathrm{d}y\mathrm{d}z + y\mathrm{d}z\mathrm{d}x$, 其中 Σ 是柱面 $x^2+y^2=1$ 被平面 $z=0$ 及 $z=3$ 所截得的在第 I 卦限内的部分的前侧;

(2) $\iint_\Sigma xyz\mathrm{d}x\mathrm{d}y$, 其中 Σ 是球面 $x^2+y^2+z^2=1$ 外侧在 $x\geq 0, y\geq 0$ 的部分;

(3) $\iint_\Sigma yz\mathrm{d}z\mathrm{d}x$, 其中 Σ 是 $\frac{x^2}{a^2}+\frac{y^2}{b^2}+\frac{z^2}{c^2}=1$ 的上半表面的上侧;

(4) $\iint_\Sigma x^3\mathrm{d}y\mathrm{d}z + y^3\mathrm{d}z\mathrm{d}x + z^3\mathrm{d}x\mathrm{d}y$, 其中 Σ 为球面 $x^2+y^2+z^2=a^2$ 的外侧.

2. 把第二类曲面积分

$$\oiint_\Sigma xz\mathrm{d}x\mathrm{d}y + xy\mathrm{d}y\mathrm{d}z + yz\mathrm{d}z\mathrm{d}x$$

化成第一类曲面积分, 其中 Σ 是平面 $x=0, y=0, z=0, x+y+z=1$ 所围成的空间区域的整个边界曲面的外侧.

3. 计算第二类曲面积分

$$I = \iint_S f(x)\mathrm{d}y\mathrm{d}z + g(y)\mathrm{d}z\mathrm{d}x + h(z)\mathrm{d}x\mathrm{d}y,$$

其中 S 是平行六面体 $0\leq x\leq a, 0\leq y\leq b, 0\leq z\leq c$ 的表面, 并取外侧为正向, $f(x)$、

$g(y)$、$h(z)$ 为 S 上的连续函数.

4. 按对坐标的曲面积分的定义证明公式

$$\iint_{\Sigma}[P_1(x,y,z) \pm P_2(x,y,z)]\mathrm{d}y\mathrm{d}z = \iint_{\Sigma}P_1(x,y,z)\mathrm{d}y\mathrm{d}z \pm \iint_{\Sigma}P_2(x,y,z)\mathrm{d}y\mathrm{d}z.$$

5. 当 Σ 为 xOy 面内的一个闭区域时,曲面积分 $\iint_{\Sigma}R(x,y,z)\mathrm{d}x\mathrm{d}y$ 与二重积分有什么关系?

11.6　高斯公式　*通量与散度

11.6.1　高斯公式

高斯(Gauss)公式建立了空间闭区域上的三重积分与其边界曲面上的曲面积分之间的关系,具体如下.

定理 1　设空间闭区域 Ω 是由分片光滑的闭曲面 Σ 所围成,若函数 $P(x,y,z)$、$Q(x,y,z)$ 与 $R(x,y,z)$ 在 Ω 上具有一阶连续偏导数,则有

$$\iiint_{\Omega}\left(\frac{\partial P}{\partial x}+\frac{\partial Q}{\partial y}+\frac{\partial R}{\partial z}\right)\mathrm{d}v = \oiint_{\Sigma} P\mathrm{d}y\mathrm{d}z + Q\mathrm{d}z\mathrm{d}x + R\mathrm{d}x\mathrm{d}y, \tag{1}$$

或

$$\iiint_{\Omega}\left(\frac{\partial P}{\partial x}+\frac{\partial Q}{\partial y}+\frac{\partial R}{\partial z}\right)\mathrm{d}v = \oiint_{\Sigma}(P\cos\alpha + Q\cos\beta + R\cos\gamma)\mathrm{d}S, \tag{1'}$$

这里 Σ 是 Ω 的整个边界曲面的外侧,$\cos\alpha$、$\cos\beta$ 与 $\cos\gamma$ 是 Σ 在点 (x,y,z) 处的法向量的方向余弦. 公式(1)或(1')叫作**高斯公式**.

证明　由 11.5.3 中公式(9)可知,上述公式(1)及(1')的右端是相等的,因此只须证明公式(1).

设闭区域 Ω 在 xOy 面上的投影区域为 D_{xy}. 假定穿过 Ω 内部且平行于 z 轴的直线与 Ω 的边界曲面 Σ 的交点恰好是两个. 这样,可设 Σ 由 Σ_1、Σ_2 和 Σ_3 三部分组成(图 11-24),其中 Σ_1 和 Σ_2 分别由方程 $z=z_1(x,y)$ 和 $z=z_2(x,y)$ 给定,这里 $z_1(x,y) \leqslant z_2(x,y)$,$\Sigma_1$ 取下侧,Σ_2 取上侧,Σ_3 是以 D_{xy} 的边界曲线为准线而母线平行于 z 轴的柱面上的一部分,取外侧.

根据三重积分的计算,有

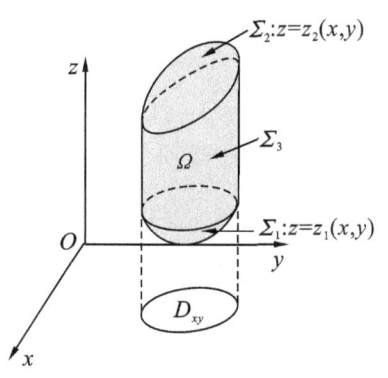

图 11-24

$$\iiint_\Omega \frac{\partial R}{\partial z} \mathrm{d}v = \iint_{D_{xy}} \left\{ \int_{z_1(x,y)}^{z_2(x,y)} \frac{\partial R}{\partial z} \mathrm{d}z \right\} \mathrm{d}x\mathrm{d}y$$

$$= \iint_{D_{xy}} \{ R[x,y,z_2(x,y)] - R[x,y,z_1(x,y)] \} \mathrm{d}x\mathrm{d}y. \tag{2}$$

根据曲面积分的计算,有

$$\iint_{\Sigma_1} R(x,y,z) \mathrm{d}x\mathrm{d}y = -\iint_{D_{xy}} R[x,y,z_1(x,y)] \mathrm{d}x\mathrm{d}y,$$

$$\iint_{\Sigma_2} R(x,y,z) \mathrm{d}x\mathrm{d}y = \iint_{D_{xy}} R[x,y,z_2(x,y)] \mathrm{d}x\mathrm{d}y.$$

因为 Σ_3 上任意一块曲面在 xOy 面上的投影为零,于是

$$\iint_{\Sigma_3} R(x,y,z) \mathrm{d}x\mathrm{d}y = 0.$$

把以上三式相加,得

$$\iint_\Sigma R(x,y,z) \mathrm{d}x\mathrm{d}y = \iint_{D_{xy}} \{ R[x,y,z_2(x,y)] - R[x,y,z_1(x,y)] \} \mathrm{d}x\mathrm{d}y. \tag{3}$$

比较(2)(3)两式,得

$$\iiint_\Omega \frac{\partial R}{\partial z} \mathrm{d}v = \oiint_\Sigma R(x,y,z) \mathrm{d}x\mathrm{d}y.$$

若穿过 Ω 内部且平行于 x 轴的直线以及平行于 y 轴的直线与 Ω 的边界曲面的交点也恰好是两个,则类似地有

$$\iiint_\Omega \frac{\partial P}{\partial x} \mathrm{d}v = \oiint_\Sigma P(x,y,z) \mathrm{d}y\mathrm{d}z,$$

$$\iiint_\Omega \frac{\partial Q}{\partial y} \mathrm{d}v = \oiint_\Sigma Q(x,y,z) \mathrm{d}z\mathrm{d}x,$$

把以上三式两端分别相加,即得高斯公式(1).

若 Ω 不满足上述条件,则引进几张辅助曲面把 Ω 分为有限个闭区域,使得每个闭区域满足上述条件,证明方法与格林公式相似,因此公式(1)对于这样的闭区域仍然是正确的.

例1 利用高斯公式计算曲面积分

$$\oiint_\Sigma (x-y) \mathrm{d}x\mathrm{d}y + (y-z)x \mathrm{d}y\mathrm{d}z,$$

其中 Σ 为柱面 $x^2 + y^2 = 1$ 及平面 $z=0, z=3$ 所围成的空间闭区域 Ω 的整个边界曲面的外侧(图 11-25).

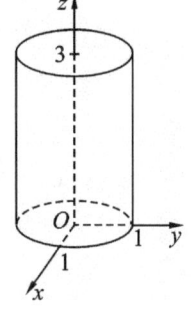

图 11-25

解 因 $P = (y-z)x, Q = 0, R = x - y, \dfrac{\partial P}{\partial x} = y - z, \dfrac{\partial Q}{\partial y} = 0,$

$\dfrac{\partial R}{\partial z} = 0$,利用高斯公式把所给曲面积分化为三重积分,得

$$\oiint_{\Sigma} (x-y)\mathrm{d}x\mathrm{d}y + (y-z)x\mathrm{d}y\mathrm{d}z$$
$$= \iiint_{\Omega} (y-z)\mathrm{d}x\mathrm{d}y\mathrm{d}z = \iiint_{\Omega} (\rho\sin\theta - z)\rho\mathrm{d}\rho\mathrm{d}\theta\mathrm{d}z$$
$$= \int_0^{2\pi} \mathrm{d}\theta \int_0^1 \rho\mathrm{d}\rho \int_0^3 (\rho\sin\theta - z)\mathrm{d}z = -\dfrac{9\pi}{2}.$$

例2 求 $\iint_{\Sigma} x\mathrm{d}y\mathrm{d}z + y\mathrm{d}z\mathrm{d}x + z\mathrm{d}x\mathrm{d}y$,其中 Σ 为球面 $x^2 + y^2 + z^2 = R^2$ 的外侧.

解 利用高斯公式

$$\iint_{\Sigma} x\mathrm{d}y\mathrm{d}z + y\mathrm{d}z\mathrm{d}x + z\mathrm{d}x\mathrm{d}y$$
$$= \iiint_{x^2+y^2+z^2 \leqslant R^2} (1+1+1)\mathrm{d}x\mathrm{d}y\mathrm{d}z$$
$$= 4\pi R^3.$$

例3 利用高斯公式求曲面积分

$$\iint_{\Sigma} (x^2\cos\alpha + y^2\cos\beta + z^2\cos\gamma)\mathrm{d}S,$$

其中 Σ 为锥面 $x^2 + y^2 = z^2$ 介于平面 $z = 0$ 及 $z = h(h > 0)$ 之间的部分的下侧, $\cos\alpha$、$\cos\beta$ 与 $\cos\gamma$ 是 Σ 在点 (x,y,z) 处的法向量的方向余弦.

解 设 Σ_1 为 $z = h(x^2 + y^2 \leqslant h^2)$ 的上侧,则 Σ 与 Σ_1 一起构成一个封闭曲面,记它们围成的空间闭区域为 Ω,利用高斯公式,便得

$$\oiint_{\Sigma + \Sigma_1} (x^2\cos\alpha + y^2\cos\beta + z^2\cos\gamma)\mathrm{d}S$$
$$= 2\iiint_{\Omega} (x+y+z)\mathrm{d}v = 2\iint_{D_{xy}} \mathrm{d}x\mathrm{d}y \int_{\sqrt{x^2+y^2}}^{h} (x+y+z)\mathrm{d}z,$$

其中 $D_{xy} = \{(x,y) \mid x^2 + y^2 \leqslant h^2\}$. 注意到

$$\iint_{D_{xy}} \mathrm{d}x\mathrm{d}y \int_{\sqrt{x^2+y^2}}^{h} (x+y)\mathrm{d}z = 0,$$

即得

$$\oiint_{\Sigma + \Sigma_1} (x^2\cos\alpha + y^2\cos\beta + z^2\cos\gamma)\mathrm{d}S = \iint_{D_{xy}} (h^2 - x^2 - y^2)\mathrm{d}x\mathrm{d}y = \dfrac{1}{2}\pi h^4.$$

而
$$\iint_{\Sigma_1}(x^2\cos\alpha+y^2\cos\beta+z^2\cos\gamma)\mathrm{d}S=\iint_{\Sigma_1}z^2\mathrm{d}S=\iint_{D_{xy}}h^2\mathrm{d}x\mathrm{d}y=\pi h^4,$$

因此
$$\iint_{\Sigma}(x^2\cos\alpha+y^2\cos\beta+z^2\cos\gamma)\mathrm{d}S=\frac{1}{2}\pi h^4-\pi h^4=-\frac{1}{2}\pi h^4.$$

*11.6.2 沿任意闭曲面的曲面积分为零的条件

在什么条件下,曲面积分

$$\iint_{\Sigma}P\mathrm{d}y\mathrm{d}z+Q\mathrm{d}z\mathrm{d}x+R\mathrm{d}x\mathrm{d}y$$

与曲面 Σ 无关而只取决于 Σ 的边界曲线？即在什么条件下,沿任意闭曲面的曲面积分为零？

首先,引进空间二维单连通区域及一维单连通区域的概念. 对空间区域 G,若 G 内任一闭曲面所围成的区域全属于 G,则称 G 是空间二维单连通区域;若 G 内任一闭曲线总可以张成一片完全属于 G 的曲面,则称 G 为空间一维单连通区域. 例如曲面所围成的区域既是空间二维单连通的,又是空间一维单连通的;环面所围成的区域是空间二维单连通的,但不是空间一维单连通的;两个同心球面之间的区域是空间一维单连通的,但不是空间二维单连通的.

定理 2 设 G 是空间二维单连通区域,若 $P(x,y,z)$、$Q(x,y,z)$ 与 $R(x,y,z)$ 在 G 内具有一阶连续偏导数,则曲面积分

$$\iint_{\Sigma}P\mathrm{d}y\mathrm{d}z+Q\mathrm{d}z\mathrm{d}x+R\mathrm{d}x\mathrm{d}y$$

在 G 内与所取曲面 Σ 无关而只取决于 Σ 的边界曲线(或沿 G 内任一闭曲面的曲面积分为零)的充分必要条件是

$$\frac{\partial P}{\partial x}+\frac{\partial Q}{\partial y}+\frac{\partial R}{\partial z}=0 \qquad(4)$$

在 G 内恒成立.

证明 若等式(4)在 G 内恒成立,则由高斯公式(1)可知沿 G 内的任意闭曲面的曲面积分为零,所以条件(4)是充分的. 反之,设沿 G 的任一闭曲面的曲面积分为零,若等式(4)在 G 内不恒成立,则在 G 内至少有一点 M_0 使得

$$\left(\frac{\partial P}{\partial x}+\frac{\partial Q}{\partial y}+\frac{\partial R}{\partial z}\right)_{M_0}\neq 0,$$

仿照 11.3.2 中所用的方法,就可得出 G 内存在着闭曲面使得沿该闭曲面的曲面积分不等于零,这与假设相矛盾. 因此条件(4)是必要的. 证毕.

*11.6.3 通量与散度

设有向量场
$$\boldsymbol{A}(x,y,z) = P(x,y,z)\boldsymbol{i} + Q(x,y,z)\boldsymbol{j} + R(x,y,z)\boldsymbol{k},$$
其中函数 P、Q、R 均具有一阶连续偏导数,Σ 是场内一片有向曲面,$\boldsymbol{n}$ 是 Σ 在点 (x,y,z) 处的单位法向量,则积分
$$\iint_\Sigma \boldsymbol{A} \cdot \boldsymbol{n} \mathrm{d}S$$
称为向量场 $\boldsymbol{A}$ 通过曲面 Σ 向着指定侧的通量(或流量).

由两类曲面积分的关系,通量又可表达为
$$\iint_\Sigma \boldsymbol{A} \cdot \boldsymbol{n} \mathrm{d}S = \iint_\Sigma \boldsymbol{A} \cdot \mathrm{d}\boldsymbol{S} = \iint_\Sigma P\mathrm{d}y\mathrm{d}z + Q\mathrm{d}z\mathrm{d}x + R\mathrm{d}x\mathrm{d}y.$$

下面解释高斯公式
$$\iiint_\Omega \left(\frac{\partial P}{\partial x} + \frac{\partial Q}{\partial y} + \frac{\partial R}{\partial z}\right)\mathrm{d}v = \oiint_\Sigma P\mathrm{d}y\mathrm{d}z + Q\mathrm{d}z\mathrm{d}x + R\mathrm{d}x\mathrm{d}y \qquad (1)$$
的物理意义.

设在闭区域 Ω 上有稳定流动的、不可压缩的流体(假定流体的密度为 1)的速度场
$$\boldsymbol{v}(x,y,z) = P(x,y,z)\boldsymbol{i} + Q(x,y,z)\boldsymbol{j} + R(x,y,z)\boldsymbol{k},$$
其中函数 P、Q、R 均具有一阶连续偏导数,Σ 是闭区域 Ω 的边界曲面的外侧,$\boldsymbol{n}$ 是曲面 Σ 在点 (x,y,z) 处的单位法向量,则单位时间内流体经过 Σ 流向指定侧的流体总质量是
$$\iint_\Sigma \boldsymbol{A} \cdot \boldsymbol{n} \mathrm{d}S = \iint_\Sigma v_n \mathrm{d}S = \iint_\Sigma P\mathrm{d}y\mathrm{d}z + Q\mathrm{d}z\mathrm{d}x + R\mathrm{d}x\mathrm{d}y.$$

所以,高斯公式(1)的右端可解释为流体在单位时间内离开闭区域 Ω 的总质量,左端可解释为分布在 Ω 内的源头在单位时间所产生的流体的总质量.

为简便起见,把高斯公式(1)改写成
$$\iiint_\Omega \left(\frac{\partial P}{\partial x} + \frac{\partial Q}{\partial y} + \frac{\partial R}{\partial z}\right)\mathrm{d}v = \oiint_\Sigma v_n \mathrm{d}S.$$

以闭区域 Ω 的体积 V 除上式两端,得
$$\frac{1}{V}\iiint_\Omega \left(\frac{\partial P}{\partial x} + \frac{\partial Q}{\partial y} + \frac{\partial R}{\partial z}\right)\mathrm{d}v = \frac{1}{V}\oiint_\Sigma v_n \mathrm{d}S.$$

上式左端表示 Ω 内的源头在单位时间单位体积内所产生的流体质量的平均值. 应用

积分中值定理于上式左端,得
$$\left(\frac{\partial P}{\partial x}+\frac{\partial Q}{\partial y}+\frac{\partial R}{\partial z}\right)\bigg|_{(\xi,\eta,\zeta)}=\frac{1}{V}\oiint_{\Sigma}v_n\mathrm{d}S,$$
其中(ξ,η,ζ)是Ω内的某个点. 令Ω缩向一点$M(x,y,z)$,取上式的极限,得
$$\frac{\partial P}{\partial x}+\frac{\partial Q}{\partial y}+\frac{\partial R}{\partial z}=\lim_{\Omega\to M}\frac{1}{V}\oiint_{\Sigma}v_n\mathrm{d}S.$$
上式左端称为速度场$\boldsymbol{v}$在点M的通量密度或散度,记作$\mathrm{div}\,\boldsymbol{v}(M)$,即
$$\mathrm{div}\,\boldsymbol{v}(M)=\frac{\partial P}{\partial x}+\frac{\partial Q}{\partial y}+\frac{\partial R}{\partial z}.$$
$\mathrm{div}\,\boldsymbol{v}(M)$在这里可看作稳定流动的不可压缩流体在点$M$的源头强度. 在$\mathrm{div}\,\boldsymbol{v}(M)>0$的点处,流体从该点向外发散,表示在该点处有正源;在$\mathrm{div}\,\boldsymbol{v}(M)<0$的点处,流体向该点汇聚,表示流体在该点处有吸收流体的负源;在$\mathrm{div}\,\boldsymbol{v}(M)=0$的点处,表示流体在该点处无源.

对于一般的向量场
$$\boldsymbol{A}(x,y,z)=P(x,y,z)\boldsymbol{i}+Q(x,y,z)\boldsymbol{j}+R(x,y,z)\boldsymbol{k},$$
$\frac{\partial P}{\partial x}+\frac{\partial Q}{\partial y}+\frac{\partial R}{\partial z}$叫作向量场$\boldsymbol{A}$的散度,记作$\mathrm{div}\,\boldsymbol{A}$,即
$$\mathrm{div}\,\boldsymbol{A}=\frac{\partial P}{\partial x}+\frac{\partial Q}{\partial y}+\frac{\partial R}{\partial z}.$$
利用向量微分算子∇,$\boldsymbol{A}$的散度$\mathrm{div}\,\boldsymbol{A}$也可表达为$\nabla\cdot\boldsymbol{A}$,即
$$\mathrm{div}\,\boldsymbol{A}=\nabla\cdot\boldsymbol{A}.$$
若$\boldsymbol{A}$的散度$\mathrm{div}\,\boldsymbol{A}$处处为零,则称向量场$\boldsymbol{A}$为无源场.

利用向量场的通量和散度,高斯公式可以写成下面的向量形式
$$\iiint_{\Omega}\mathrm{div}\,\boldsymbol{A}\,\mathrm{d}v=\iint_{\Sigma}A_n\mathrm{d}S \tag{5}$$
或
$$\iiint_{\Omega}\nabla\cdot\boldsymbol{A}\,\mathrm{d}S=\iint_{\Sigma}A_n\mathrm{d}S \tag{5'}$$

高斯公式(5)表示,向量场$\boldsymbol{A}$通过闭曲面Σ流向外侧的通量等于向量场$\boldsymbol{A}$的散度在闭曲面Σ所围闭区域Ω上的积分.

例4 求向量场$\boldsymbol{A}=(2x-z)\boldsymbol{i}+x^2y\boldsymbol{j}-xz^2\boldsymbol{k}$,穿过曲面$\Sigma$流向外侧的通量,其中$\Sigma$为立方体$0\leqslant x\leqslant a,0\leqslant y\leqslant a,0\leqslant z\leqslant a$的全表面.

解 通量$\Phi=\iint_{\Sigma}\boldsymbol{A}\cdot\mathrm{d}\boldsymbol{S}=\iiint_{\Omega}\mathrm{div}\,\boldsymbol{A}\,\mathrm{d}v$
$$=\iiint_{\Omega}\left[\frac{\partial(2x-z)}{\partial x}+\frac{\partial(x^2y)}{\partial y}+\frac{\partial(-xz^2)}{\partial z}\right]\mathrm{d}v$$

$$= \iiint_{\Omega} (2 + x^2 - 2xz) dv$$

$$= 2a^3 + \int_0^a dx \int_0^a dy \int_0^a (x^2 - 2xz) dz$$

$$= 2a^3 - \frac{a^5}{6} = a^3 \left(2 - \frac{a^2}{6}\right).$$

例 5 求向量场 $\mathbf{A} = (x^2 + yz)\mathbf{i} + (y^2 + xz)\mathbf{j} + (z^2 + xy)\mathbf{k}$ 的散度.

解 $P = x^2 + yz, Q = y^2 + xz, R = z^2 + xy,$

$$\text{div } \mathbf{A} = \frac{\partial P}{\partial x} + \frac{\partial Q}{\partial y} + \frac{\partial R}{\partial z} = 2x + 2y + 2z.$$

习题 11-6

1. 利用高斯公式变换以下积分：

（1）$\iint_{\Sigma} xy dxdy + xz dxdz + yz dydz;$

（2）$\iint_{\Sigma} \left(\frac{\partial u}{\partial x}\cos \alpha + \frac{\partial u}{\partial y}\cos \beta + \frac{\partial u}{\partial z}\cos \gamma\right) dS,$ 其中 $\cos \alpha、\cos \beta、\cos \gamma$ 是曲面的外法线方向余弦.

2. 利用高斯公式计算曲面积分：

（1）$\oiint_{\Sigma} xy dxdy + xz dxdz + yz dydz,$ 其中 Σ 是单位球面 $x^2 + y^2 + z^2 = 1$ 的外侧；

（2）$\oiint_{\Sigma} x^2 dydz + y^2 dzdx + z^2 dxdy,$ 其中 Σ 是立方体 $0 \leq x, y, z \leq a$ 表面的外侧；

（3）$\oiint_{\Sigma} x^2 dydz + y^2 dzdx + z^2 dxdy,$ 其中 Σ 是锥面 $x^2 + y^2 = z^2$ 与平面 $z = h$ 所围空间区域 $(0 \leq z \leq h)$ 的表面, 方向取外侧；

（4）$\oiint_{\Sigma} x^3 dydz + y^3 dzdx + z^3 dxdy,$ 其中 Σ 是单位球面 $x^2 + y^2 + z^2 = 1$ 的外侧.

*3. 求下列向量 $\mathbf{A}$ 穿过曲面 Σ 流向指定侧的通量：

（1）$\mathbf{A} = yz\mathbf{i} + xz\mathbf{j} + xy\mathbf{k}, \Sigma$ 为圆柱 $x^2 + y^2 \leq a^2 (0 \leq z \leq h)$ 的全表面, 流向外侧；

（2）$\mathbf{A} = (2x + 3z)\mathbf{i} - (xz + y)\mathbf{j} + (y^2 + 2z)\mathbf{k}, \Sigma$ 是以点 $(3, -1, 2)$ 为球心, 半径 $R = 3$ 的球面, 流向外侧.

4. 设函数 $u(x, y, z)$ 和 $v(x, y, z)$ 在闭区域 Ω 上具有一阶及二阶连续偏导数, 证明

$$\iiint_{\Omega} u \Delta v dxdydz = \oiint_{\Sigma} u \frac{\partial v}{\partial n} dS - \iiint_{\Omega} \left(\frac{\partial u}{\partial x}\frac{\partial v}{\partial x} + \frac{\partial u}{\partial y}\frac{\partial v}{\partial y} + \frac{\partial u}{\partial z}\frac{\partial v}{\partial z}\right) dxdydz,$$

其中 Σ 是闭区域 Ω 的整个边界曲面,$\dfrac{\partial v}{\partial n}$ 为函数 $v(x,y,z)$ 沿 Σ 的外法线方向的方向导数,符号 $\Delta=\dfrac{\partial^2}{\partial x^2}+\dfrac{\partial^2}{\partial y^2}+\dfrac{\partial^2}{\partial z^2}$ 称为**拉普拉斯(Laplace)算子**. 这个公式叫作**格林第一公式**.

11.7 斯托克斯公式　*环流量与旋度

11.7.1 斯托克斯公式

斯托克斯(Stokes)公式是把曲面 Σ 上的曲面积分与沿着 Σ 的边界曲线的曲线积分联系起来. 具体可陈述如下.

定理 1　设 Γ 为分段光滑的空间有向闭曲线,Σ 是以 Γ 为边界的分段光滑的有向曲面,Γ 的正向与 Σ 的侧符合右手规则[①],若函数 $P(x,y,z)$、$Q(x,y,z)$ 与 $R(x,y,z)$ 在曲面 Σ (连同边界 Γ) 上具有一阶连续偏导数,则有

$$\iint_{\Sigma}\left(\dfrac{\partial R}{\partial y}-\dfrac{\partial Q}{\partial z}\right)\mathrm{d}y\mathrm{d}z+\left(\dfrac{\partial P}{\partial z}-\dfrac{\partial R}{\partial x}\right)\mathrm{d}z\mathrm{d}x+\left(\dfrac{\partial Q}{\partial x}-\dfrac{\partial P}{\partial y}\right)\mathrm{d}x\mathrm{d}y$$
$$=\oint_{\Gamma}P\mathrm{d}x+Q\mathrm{d}y+R\mathrm{d}z. \tag{1}$$

公式 (1) 叫作**斯托克斯公式**.

证明　先设 Σ 与平行于 z 轴的直线相交不多于一点,并设 Σ 为曲面 $z=f(x,y)$ 的上侧,Σ 的正向边界曲线 Γ 在 xOy 面上的投影为平面有向曲线 C,C 所围成的闭区域为 D_{xy} (图 11-26).

根据第一类和第二类曲面积分之间的联系,有

$$\iint_{\Sigma}\dfrac{\partial P}{\partial z}\mathrm{d}z\mathrm{d}x-\dfrac{\partial P}{\partial y}\mathrm{d}x\mathrm{d}y=\iint_{\Sigma}\left(\dfrac{\partial P}{\partial z}\cos\beta-\dfrac{\partial P}{\partial y}\cos\gamma\right)\mathrm{d}S. \tag{2}$$

注意到,有向曲面 Σ 的法向量的方向余弦为

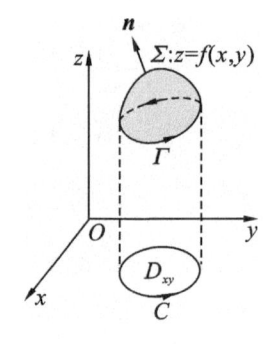

图 11-26

$$\cos\alpha=\dfrac{-f_x}{\sqrt{1+f_x^2+f_y^2}},\cos\beta=\dfrac{-f_y}{\sqrt{1+f_x^2+f_y^2}},\cos\gamma=\dfrac{1}{\sqrt{1+f_x^2+f_y^2}},$$

[①] 就是说,当右手除拇指外的四指依 Γ 的绕行方向时,拇指所指的方向与 Σ 上法向量的指向相同. 这时称 Γ 是有向曲面 Σ 的正向边界曲线.

$\cos\beta = -f_y\cos\gamma$. 因此,把它代入(2)式得

$$\iint_\Sigma \frac{\partial P}{\partial z}\mathrm{d}z\mathrm{d}x - \frac{\partial P}{\partial y}\mathrm{d}x\mathrm{d}y = -\iint_\Sigma \left(\frac{\partial P}{\partial y} + \frac{\partial P}{\partial z}f_y\right)\cos\gamma\mathrm{d}S,$$

即

$$\iint_\Sigma \frac{\partial P}{\partial z}\mathrm{d}z\mathrm{d}x - \frac{\partial P}{\partial y}\mathrm{d}x\mathrm{d}y = -\iint_\Sigma \left(\frac{\partial P}{\partial y} + \frac{\partial P}{\partial z}f_y\right)\mathrm{d}x\mathrm{d}y. \tag{3}$$

因为

$$\frac{\partial}{\partial y}P[x,y,f(x,y)] = \frac{\partial P}{\partial y} + \frac{\partial P}{\partial z}\cdot f_y.$$

所以,(3)式可写成

$$\iint_\Sigma \frac{\partial P}{\partial z}\mathrm{d}z\mathrm{d}x - \frac{\partial P}{\partial y}\mathrm{d}x\mathrm{d}y = -\iint_{D_{xy}} \frac{\partial}{\partial y}P[x,y,f(x,y)]\mathrm{d}x\mathrm{d}y.$$

上式右端的二重积分可化为沿闭区域 D_{xy} 的边界 C 的曲线积分

$$-\iint_{D_{xy}} \frac{\partial}{\partial y}P[x,y,f(x,y)]\mathrm{d}x\mathrm{d}y = \oint_C P[x,y,f(x,y)]\mathrm{d}x,$$

于是

$$\iint_\Sigma \frac{\partial P}{\partial z}\mathrm{d}z\mathrm{d}x - \frac{\partial P}{\partial y}\mathrm{d}x\mathrm{d}y = \oint_C P[x,y,f(x,y)]\mathrm{d}x.$$

因为函数 $P[x,y,f(x,y)]$ 在曲线 C 上点 (x,y) 处的值与函数 $P(x,y,z)$ 在曲线 Γ 上对应点 (x,y,z) 处的值是一样的,并且两曲线上的对应小弧段在 x 轴上的投影也一样. 因此,

$$\iint_\Sigma \frac{\partial P}{\partial z}\mathrm{d}z\mathrm{d}x - \frac{\partial P}{\partial y}\mathrm{d}x\mathrm{d}y = \oint_\Gamma P(x,y,z)\mathrm{d}x. \tag{4}$$

若 Σ 取下侧,Γ 也相应地改成相反的方向,则(4)式两端同时改变符号,因此(4)式仍成立.

其次,若曲面与平行于 z 轴的直线的交点多于一个,则可作辅助曲线把曲面分成几部分,然后应用公式(4)并相加. 因此对于这一类曲面公式(4)也成立.

同样可证

$$\iint_\Sigma \frac{\partial Q}{\partial x}\mathrm{d}x\mathrm{d}y - \frac{\partial Q}{\partial z}\mathrm{d}y\mathrm{d}z = \oint_\Gamma Q\mathrm{d}y,$$

$$\iint_\Sigma \frac{\partial R}{\partial y}\mathrm{d}y\mathrm{d}z - \frac{\partial R}{\partial x}\mathrm{d}z\mathrm{d}x = \oint_\Gamma R\mathrm{d}z.$$

把它们与公式(4)相加即得公式(1). 证毕.

利用行列式记号把公式(1)写成

$$\iint_{\Sigma} \begin{vmatrix} \mathrm{d}y\mathrm{d}z & \mathrm{d}z\mathrm{d}x & \mathrm{d}x\mathrm{d}y \\ \dfrac{\partial}{\partial x} & \dfrac{\partial}{\partial y} & \dfrac{\partial}{\partial z} \\ P & Q & R \end{vmatrix} = \oint_{\Gamma} P\mathrm{d}x + Q\mathrm{d}y + R\mathrm{d}z,$$

把 $\dfrac{\partial}{\partial y}$ 与 R 的"积"理解为 $\dfrac{\partial R}{\partial y}$，$\dfrac{\partial}{\partial z}$ 与 Q 的"积"理解为 $\dfrac{\partial Q}{\partial z}$ 等等，所以这个行列式就"等于"

$$\left(\dfrac{\partial R}{\partial y} - \dfrac{\partial Q}{\partial z}\right)\mathrm{d}y\mathrm{d}z + \left(\dfrac{\partial P}{\partial z} - \dfrac{\partial R}{\partial x}\right)\mathrm{d}z\mathrm{d}x + \left(\dfrac{\partial Q}{\partial x} - \dfrac{\partial P}{\partial y}\right)\mathrm{d}x\mathrm{d}y.$$

这恰好是公式(1)左端的被积表达式.

利用两类曲面积分间的联系，可得

$$\iint_{\Sigma} \begin{vmatrix} \cos\alpha & \cos\beta & \cos\gamma \\ \dfrac{\partial}{\partial x} & \dfrac{\partial}{\partial y} & \dfrac{\partial}{\partial z} \\ P & Q & R \end{vmatrix} \mathrm{d}S = \oint_{\Gamma} P\mathrm{d}x + Q\mathrm{d}y + R\mathrm{d}z,$$

其中 $\boldsymbol{n} = (\cos\alpha, \cos\beta, \cos\gamma)$ 为有向曲面 Σ 在点 (x, y, z) 处的单位法向量.

例1 利用斯托克斯公式求曲线积分 $\oint_{\Gamma} z\mathrm{d}x + x\mathrm{d}y + y\mathrm{d}z$，其中 Γ 为平面 $x + y + z = 1$ 被三个坐标面所截成的三角形的整个边界，它的正向与这个平面三角形 Σ 上侧的法向量之间符合右手规则(图 11 - 27).

解 根据斯托克斯公式，得

$$\oint_{\Gamma} z\mathrm{d}x + x\mathrm{d}y + y\mathrm{d}z = \iint_{\Sigma} \mathrm{d}y\mathrm{d}z + \mathrm{d}z\mathrm{d}x + \mathrm{d}x\mathrm{d}y.$$

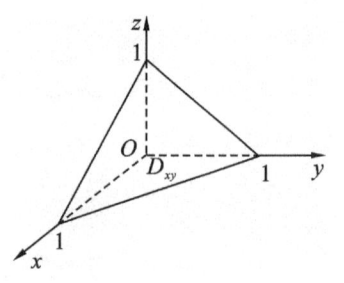

图 11 - 27

而

$$\iint_{\Sigma} \mathrm{d}y\mathrm{d}z = \iint_{D_{yz}} \mathrm{d}\sigma = \dfrac{1}{2},$$

$$\iint_{\Sigma} \mathrm{d}z\mathrm{d}x = \iint_{D_{zx}} \mathrm{d}\sigma = \dfrac{1}{2},$$

$$\iint_{\Sigma} \mathrm{d}x\mathrm{d}y = \iint_{D_{xy}} \mathrm{d}\sigma = \dfrac{1}{2}.$$

其中 D_{yz}、D_{zx} 与 D_{xy} 分别为 Σ 在 yOz、zOx 与 xOy 面上的投影区域，从而

$$\oint_{\Gamma} z\mathrm{d}x + x\mathrm{d}y + y\mathrm{d}z = \dfrac{3}{2}.$$

例2 利用斯托克斯公式求曲线积分

$$\oint_L y\mathrm{d}x + z\mathrm{d}y + x\mathrm{d}z,$$

其中 Γ 为圆周 $x^2+y^2+z^2=a^2$, $x+y+z=0$, 从 x 轴的正向看去,圆周为逆时针方向.

解 如图 11-28 所示,取 Σ 为平面 $x+y+z=0$ 的上侧被 Γ 所围成的部分,则 Σ 的面积为 πa^2, Σ 的单位法向量为

$$\boldsymbol{n} = (\cos\alpha, \cos\beta, \cos\gamma) = \left(\frac{1}{\sqrt{3}}, \frac{1}{\sqrt{3}}, \frac{1}{\sqrt{3}}\right).$$

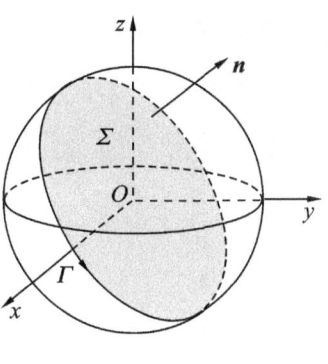

图 11-28

由斯托克斯公式得

$$\oint_\Gamma y\mathrm{d}x + z\mathrm{d}y + x\mathrm{d}z = \iint_\Sigma \begin{vmatrix} \frac{1}{\sqrt{3}} & \frac{1}{\sqrt{3}} & \frac{1}{\sqrt{3}} \\ \frac{\partial}{\partial x} & \frac{\partial}{\partial y} & \frac{\partial}{\partial z} \\ y & z & x \end{vmatrix} \mathrm{d}S$$

$$= \iint_\Sigma \left(-\frac{1}{\sqrt{3}} - \frac{1}{\sqrt{3}} - \frac{1}{\sqrt{3}}\right)\mathrm{d}S = -\frac{3}{\sqrt{3}}\iint_\Sigma \mathrm{d}S$$

$$= -\sqrt{3}\pi a^2.$$

*11.7.2 空间曲线积分与路径无关的条件

定理 2 设空间区域 G 是一维单连通域,若函数 $P(x,y,z)$、$Q(x,y,z)$ 与 $R(x,y,z)$ 在 G 内具有一阶连续偏导数,则空间曲线积分 $\int_\Gamma P\mathrm{d}x + Q\mathrm{d}y + R\mathrm{d}z$ 在 G 内与路径无关(或沿 G 内任意闭曲线的曲线积分为零)的充分必要条件是

$$\frac{\partial P}{\partial y} = \frac{\partial Q}{\partial x}, \frac{\partial Q}{\partial z} = \frac{\partial R}{\partial y}, \frac{\partial R}{\partial x} = \frac{\partial P}{\partial z} \tag{5}$$

在 G 内恒成立.

证明 充分性. 若等式(5)在 G 内恒成立,则由斯托克斯公式(1)得出,沿闭曲线的曲线积分为零.

必要性. 设沿 G 内任意闭曲线的曲线积分为零,若 G 内有一点 M_0 使(5)式中的三个等式不完全成立,例如 $\frac{\partial P}{\partial y} \neq \frac{\partial Q}{\partial x}$. 不妨设

$$\left(\frac{\partial P}{\partial y} - \frac{\partial Q}{\partial x}\right)_{M_0} = \eta \neq 0.$$

过点 $M_0(x_0,y_0,z_0)$ 作平面 $z=z_0$,并在平面 $z=z_0$ 上取一个以 M_0 为圆心、半径足够小

的圆形闭区域 K,使得在 K 上恒有

$$\frac{\partial Q}{\partial x} - \frac{\partial P}{\partial y} \geq \frac{\eta}{2}.$$

设 γ 是 K 的正向边界曲线. 由于 γ 在平面 $z=z_0$ 上,于是

$$\oint_\gamma P\mathrm{d}x + Q\mathrm{d}y + R\mathrm{d}z = \oint_\gamma P\mathrm{d}x + Q\mathrm{d}y.$$

又由(1)式有

$$\oint_\gamma P\mathrm{d}x + Q\mathrm{d}y + R\mathrm{d}z = \iint_K \left(\frac{\partial Q}{\partial x} - \frac{\partial P}{\partial y}\right)\mathrm{d}x\mathrm{d}y \geq \frac{\eta}{2} \cdot \sigma,$$

其中 σ 是 K 的面积,因为 $\eta > 0, \sigma > 0$,从而

$$\oint_\gamma P\mathrm{d}x + Q\mathrm{d}y + R\mathrm{d}z > 0.$$

这与假设矛盾,因此(5)式在 G 内恒成立. 证毕.

应用定理 2 并仿照 11.3 定理 3 的证法,可以得到如下定理.

定理 3 设区域 G 是空间一维单连通区域,若函数 $P(x,y,z)$、$Q(x,y,z)$ 与 $R(x,y,z)$ 在 G 内具有一阶连续偏导数,则表达式 $P\mathrm{d}x + Q\mathrm{d}y + R\mathrm{d}z$ 在 G 内成为某一函数 $u(x,y,z)$ 的全微分的充分必要条件是等式(5)在 G 内恒成立;当条件(5)满足时,这函数(不计一常数之差)可用下式求出:

$$u(x,y,z) = \int_{(x_0,y_0,z_0)}^{(x,y,z)} P\mathrm{d}x + Q\mathrm{d}y + R\mathrm{d}z, \quad (6)$$

或用定积分表示为(按图 11-29 取积分路径,且此积分路径在 G 内)

$$u(x,y,z) = \int_{x_0}^x P(x,y_0,z_0)\mathrm{d}x + \int_{y_0}^y Q(x,y,z_0) + \int_{z_0}^z R(x,y,z)\mathrm{d}z, \quad (6')$$

其中 $M_0(x_0,y_0,z_0)$ 为 G 内某一定点,点 $M(x,y,z) \in G$.

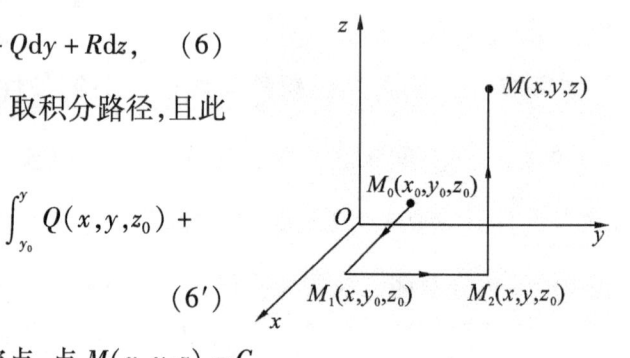

图 11-29

*11.7.3 环流量与旋度

设有向量场

$$\boldsymbol{A}(x,y,z) = P(x,y,z)\boldsymbol{i} + Q(x,y,z)\boldsymbol{j} + R(x,y,z)\boldsymbol{k},$$

其中函数 P、Q、R 均连续,$\varGamma$ 为 $\boldsymbol{A}$ 的定义域内的一条分段光滑的有向闭曲线,$\boldsymbol{\tau}$ 是 $\varGamma$ 在点 (x,y,z) 处的单位切向量,则

$$\oint_\varGamma \boldsymbol{A} \cdot \boldsymbol{\tau}\mathrm{d}s$$

称为 $\boldsymbol{A}$ 沿有向闭曲线 $\varGamma$ 的**环流量**.

由两类曲线积分的关系,可把环流量表达为

$$\oint_\Gamma \boldsymbol{A} \cdot \boldsymbol{\tau} \mathrm{d}s = \oint_\Gamma \boldsymbol{A} \cdot \mathrm{d}\boldsymbol{r} = \oint_\Gamma P\mathrm{d}x + Q\mathrm{d}y + R\mathrm{d}z.$$

例3 求向量场 $\boldsymbol{A} = (x^2 - y)\boldsymbol{i} + 4z\boldsymbol{j} + x^2\boldsymbol{k}$ 沿闭曲线 Γ 的环流量,其中 Γ 为锥面 $z = \sqrt{x^2 + y^2}$ 和平面 $z = 2$ 的交线,从 z 轴正向看 Γ 为逆时针方向.

解 Γ 的向量方程为

$$\boldsymbol{r} = 2\cos\theta\boldsymbol{i} + 2\sin\theta\boldsymbol{j} + 2\boldsymbol{k}, 0 \leqslant \theta \leqslant 2\pi.$$

于是

$$\boldsymbol{A} = (x^2 - y)\boldsymbol{i} + 4z\boldsymbol{j} + x^2\boldsymbol{k} = (4\cos^2\theta - 2\sin\theta)\boldsymbol{i} + 8\boldsymbol{j} + 4\cos^2\theta\boldsymbol{k},$$

$$\mathrm{d}\boldsymbol{r} = (-2\sin\theta\mathrm{d}\theta)\boldsymbol{i} + (2\cos\theta\mathrm{d}\theta)\boldsymbol{j},$$

$$\oint_\Gamma \boldsymbol{A} \cdot \boldsymbol{\tau} \mathrm{d}s = \oint_\Gamma \boldsymbol{A} \cdot \mathrm{d}\boldsymbol{r} = \int_0^{2\pi}(-8\cos^2\theta\sin\theta + 4\sin^2\theta + 16\cos\theta)\mathrm{d}\theta = 4\pi.$$

由向量场 $\boldsymbol{A}$ 沿一闭曲线的环流量可引出 $\boldsymbol{A}$ 在一点的环量密度或旋度. 定义如下:

$$\boldsymbol{A}(x,y,z) = P(x,y,z)\boldsymbol{i} + Q(x,y,z)\boldsymbol{j} + R(x,y,z)\boldsymbol{k},$$

其中 P、Q、R 均具有一阶连续偏导数,则

$$\left(\frac{\partial R}{\partial y} - \frac{\partial Q}{\partial z}\right)\boldsymbol{i} + \left(\frac{\partial P}{\partial z} - \frac{\partial R}{\partial x}\right)\boldsymbol{j} + \left(\frac{\partial Q}{\partial x} - \frac{\partial P}{\partial y}\right)\boldsymbol{k}$$

称为 $\boldsymbol{A}$ 的旋度,记作 **rot** $\boldsymbol{A}$,即

$$\textbf{rot } \boldsymbol{A} = \left(\frac{\partial R}{\partial y} - \frac{\partial Q}{\partial z}\right)\boldsymbol{i} + \left(\frac{\partial P}{\partial z} - \frac{\partial R}{\partial x}\right)\boldsymbol{j} + \left(\frac{\partial Q}{\partial x} - \frac{\partial P}{\partial y}\right)\boldsymbol{k}. \tag{7}$$

利用向量微分算子 ∇,向量场 $\boldsymbol{A}$ 的旋度 **rot** $\boldsymbol{A}$ 可表示为 $\nabla \times \boldsymbol{A}$,即

$$\textbf{rot } \boldsymbol{A} = \nabla \times \boldsymbol{A} = \begin{vmatrix} \boldsymbol{i} & \boldsymbol{j} & \boldsymbol{k} \\ \dfrac{\partial}{\partial x} & \dfrac{\partial}{\partial y} & \dfrac{\partial}{\partial z} \\ P & Q & R \end{vmatrix}.$$

例4 求向量场 $\boldsymbol{A} = (2z - 3y)\boldsymbol{i} + (3x - z)\boldsymbol{j} + (y - 2x)\boldsymbol{k}$ 的旋度.

解

$$\textbf{rot } \boldsymbol{A} = \nabla \times \boldsymbol{A} = \begin{vmatrix} \boldsymbol{i} & \boldsymbol{j} & \boldsymbol{k} \\ \dfrac{\partial}{\partial x} & \dfrac{\partial}{\partial y} & \dfrac{\partial}{\partial z} \\ 2z - 3y & 3x - z & y - 2x \end{vmatrix} = 2\boldsymbol{i} + 4\boldsymbol{j} + 6\boldsymbol{k}.$$

设斯托克斯公式中的有向曲面 Σ 在点 (x,y,z) 处的单位法向量为

$$\boldsymbol{n} = \cos\alpha\boldsymbol{i} + \cos\beta\boldsymbol{j} + \cos\gamma\boldsymbol{k},$$

则

$$\mathbf{rot}\,\mathbf{A}\cdot\mathbf{n} = \nabla\times\mathbf{A}\cdot\mathbf{n} = \begin{vmatrix} \cos\alpha & \cos\beta & \cos\gamma \\ \dfrac{\partial}{\partial x} & \dfrac{\partial}{\partial y} & \dfrac{\partial}{\partial z} \\ P & Q & R \end{vmatrix}.$$

所以,

$$\iint_{\Sigma} \mathbf{rot}\,\mathbf{A}\cdot\mathbf{n}\,\mathrm{d}S = \oint_{\Gamma} \mathbf{A}\cdot\boldsymbol{\tau}\,\mathrm{d}s, \tag{8}$$

或

$$\iint_{\Sigma} (\mathbf{rot}\,\mathbf{A})_n\,\mathrm{d}S = \oint_{\Gamma} A_\tau\,\mathrm{d}s. \tag{8'}$$

斯托克斯公式(8)表示,向量场 $\mathbf{A}$ 沿有向闭曲线 Γ 的环流量等于向量场 $\mathbf{A}$ 的旋度通过曲面 Σ 的通量,其中 Γ 的正向与 Σ 的侧应符合右手规则.

最后,从力学角度来对 $\mathbf{rot}\,\mathbf{A}$ 的含义作些解释.

设有刚体绕定轴 l 转动,角速度为 ω,M 为刚体内任意一点. 在定轴 l 上任取一点 O 为坐标原点,作空间直角坐标系,使 z 轴与定轴 l 重合,则 $\boldsymbol{\omega} = \omega\mathbf{k}$,而点 M 可用 $\mathbf{r} = \overrightarrow{OM} = (x,y,z)$ 来确定. 因为,点 M 的线速度 $\mathbf{v}$ 可表示为

$$\mathbf{v} = \boldsymbol{\omega}\times\mathbf{r}.$$

由此有

$$\mathbf{v} = \begin{vmatrix} \mathbf{i} & \mathbf{j} & \mathbf{k} \\ 0 & 0 & \omega \\ x & y & z \end{vmatrix} = (-\omega y, \omega x, 0),$$

而

$$\mathbf{v} = \begin{vmatrix} \mathbf{i} & \mathbf{j} & \mathbf{k} \\ \dfrac{\partial}{\partial x} & \dfrac{\partial}{\partial y} & \dfrac{\partial}{\partial z} \\ -\omega y & \omega x & 0 \end{vmatrix} = (0,0,2\omega) = 2\boldsymbol{\omega}.$$

从速度场 $\mathbf{v}$ 的旋度与旋转角速度的这个关系,可见"旋度"这一名词的由来.

习题 11-7

1. 利用斯托克斯公式,计算下列曲线积分:

(1) $\oint_L (y^2+z^2)\mathrm{d}x + (x^2+z^2)\mathrm{d}y + (x^2+y^2)\mathrm{d}z$,其中 Γ 为 $x+y+z=1$ 与三坐标面的交线,它的走向使所围平面区域上侧在曲线的左侧;

(2) $\oint_L x^2 y^3 \mathrm{d}x + \mathrm{d}y + z\mathrm{d}z$,其中 Γ 为 $y^2 + z^2 = 1, x = y$ 所交的椭圆的正向;

(3) $\oint_L (y-z)\mathrm{d}x + (z-x)\mathrm{d}y + (x-y)\mathrm{d}z$,其中 Γ 为椭圆 $x^2 + y^2 = a^2, \dfrac{x}{a} + \dfrac{z}{b} = 1$ $(a>0, b>0)$,若从 x 轴正向看去,椭圆取逆时针反方向;

(4) $\oint_L 3y\mathrm{d}x - xz\mathrm{d}y + yz^2 \mathrm{d}z$,其中 Γ 为圆周 $x^2 + y^2 = 2z, z = 2$,若从 z 轴正向看去,圆周取逆时针方向;

(5) $\oint_L (z-y)\mathrm{d}x + (x-z)\mathrm{d}y + (y-x)\mathrm{d}z$,$\Gamma$ 是从 $(a,0,0)$ 经 $(0,a,0)$ 和 $(0,0,a)$ 回到 $(a,0,0)$ 的三角形.

*2. 求下列向量场 A 的旋度:

(1) $A = (y^2 + z^2)\boldsymbol{i} + (z^2 + x^2)\boldsymbol{j} + (x^2 + y^2)\boldsymbol{k}$;

(2) $A = x^2 yz\boldsymbol{i} + xy^2 z\boldsymbol{j} + xyz^2 \boldsymbol{k}$;

(3) $A = (z + \sin y)\boldsymbol{i} - (z - x\cos y)\boldsymbol{j}$.

*3. 设流速 $A = -y\boldsymbol{i} + x\boldsymbol{j} + c\boldsymbol{k}$($c$ 为常数),求环流量:

(1) 沿圆周 $x^2 + y^2 = 1, z = 0$;

(2) 沿圆周 $(x-2)^2 + y^2 = 1, z = 0$.

4. 求抛物面壳 $z = \dfrac{1}{2}(x^2 + y^2)$ $(0 \le z \le 1)$ 的质量,此壳的面密度为 $\mu = z$.

总复习题 11 A 组

1. 求下列曲线积分:

(1) $\oint_L (x^2 + y^2)^n \mathrm{d}s$,其中 L 为圆周 $x = a\cos t, y = a\sin t$ $(0 \le t \le 2\pi)$;

(2) $\int_L (x^2 + y^2)\mathrm{d}s$,其中 L 为以原点为中心,半径为 R 的左半圆周;

(3) $\oint_L x\mathrm{d}s$,其中 L 为由直线 $y = x$ 及抛物线 $y = x^2$ 所围成的区域的整个边界;

(4) $\int_L \dfrac{z^2}{x^2 + y^2} \mathrm{d}s$,其中 L 为螺旋线 $x = a\cos t, y = a\sin t, z = at$ $(0 \le t \le 2\pi)$;

(5) $\oint_L (x^2 + y^2)\mathrm{d}x + (x^2 - y^2)\mathrm{d}y$,其中 L 为以 $A(1,0)$、$B(2,0)$、$C(2,1)$、$D(1,1)$ 为顶点的正方形,正向;

(6) $\int_L x\mathrm{d}x + y\mathrm{d}y + (x + y - 1)\mathrm{d}z$,其中 L 是从点 $(1,1,1)$ 到点 $(2,3,4)$ 的一段

直线.

2. 计算下列曲面积分：

（1）$\oiint_{\Sigma} x^2 \mathrm{d}y\mathrm{d}z + y^2 \mathrm{d}z\mathrm{d}x + z^2 \mathrm{d}x\mathrm{d}y$，其中 Σ 为平面 $x=0, y=0, z=0, x=a, y=a, z=a$ 所围成的立体的表面的外侧；

*（2）$\oiint_{\Sigma} x^3 \mathrm{d}y\mathrm{d}z + y^3 \mathrm{d}z\mathrm{d}x + z^3 \mathrm{d}x\mathrm{d}y$，其中 Σ 为球面 $x^2 + y^2 + z^2 = a^2$ 的外侧；

*（3）$\oiint_{\Sigma} xz^2 \mathrm{d}y\mathrm{d}z + (x^2 y - z^3) \mathrm{d}z\mathrm{d}x + (2xy + y^2 z) \mathrm{d}x\mathrm{d}y$，其中 Σ 为上半球体 $0 \leqslant z \leqslant \sqrt{a^2 - x^2 - y^2}, x^2 + y^2 \leqslant a^2$ 的表面积的外侧；

（4）$\iint_{\Sigma} x^2 y^2 z \mathrm{d}x\mathrm{d}y$，其中 Σ 是球面 $x^2 + y^2 + z^2 = R^2$ 的下半部分的下侧.

3. 利用斯托克斯公式把曲面积分 $\iint_{\Sigma} \mathbf{rot}\, \mathbf{A} \cdot \mathbf{n} \mathrm{d}S$ 化为曲线积分，并计算积分值，其中 $\mathbf{A}$、Σ 及 $\mathbf{n}$ 分别如下：

（1）$\mathbf{A} = y^2 \mathbf{i} + xy \mathbf{j} + xz \mathbf{k}$，$\Sigma$ 为上半球面 $z = \sqrt{1 - x^2 - y^2}$ 的上侧，$\mathbf{n}$ 是 Σ 的单位法向量；

（2）$\mathbf{A} = (y - z)\mathbf{i} + yz\mathbf{j} - xz\mathbf{k}$，$\Sigma$ 为立方体 $\{(x,y,z) \mid 0 \leqslant x \leqslant 2, 0 \leqslant y \leqslant 2, 0 \leqslant z \leqslant 2\}$ 的表面外侧去掉 xOy 面上的那个底面，$\mathbf{n}$ 是 Σ 的单位法向量.

4. 设有一变力在坐标轴上的投影为 $X = x^2 + y^2, Y = 2xy - 8$，这变力确定了一个力场. 证明质点在此场内移动时，场力所做的功与路径无关.

5. 确定常数 λ，使在右半平面 $x > 0$ 上的向量
$$\mathbf{A}(x,y) = 2xy(x^4 + y^2)^{\lambda} \mathbf{i} - x^2(x^4 + y^2)^{\lambda} \mathbf{j}$$
为某二元函数 $u(x,y)$ 的梯度，并求 $u(x,y)$.

6. 确定正向闭曲线 C，使曲线积分 $\oint_C \left(x + \dfrac{y^3}{3}\right) \mathrm{d}x + \left(y + x - \dfrac{2}{3} x^3\right) \mathrm{d}y$ 达到最大值.

*7. 证明 $\mathbf{rot}(\mathbf{a} + \mathbf{b}) = \mathbf{rot}\, \mathbf{a} + \mathbf{rot}\, \mathbf{b}$.

*8. 设 $u = u(x,y,z)$ 具有二阶连续偏导数，求 $\mathbf{rot}(\mathbf{grad}\, u)$.

9. 把对坐标的曲面积分
$$\iint_{\Sigma} P(x,y,z) \mathrm{d}y\mathrm{d}z + Q(x,y,z) \mathrm{d}z\mathrm{d}x + R(x,y,z) \mathrm{d}x\mathrm{d}y$$
化成对面积的曲面积分，其中：

（1）Σ 是平面 $3x + 2y + 2\sqrt{3} z = 6$ 在第 I 卦限部分的上侧；

(2) Σ 是抛物面 $z = 8 - (x^2 - y^2)$ 在 xOy 面上方部分的上侧.

10. 利用高斯公式计算曲面积分:

(1) $\int_{\Sigma} dydz + y^2 dzdx + z^2 dxdy$,其中 Σ 为平面 $x = 0, y = 0, z = 0, x = a, y = a, z = a$ 所围成的立体的表面的外侧;

(2) $\oiint_{\Sigma} xz^2 dydz + (x^2y - z^3) dzdx + (2xy + y^2z) dxdy$,其中 Σ 为上半球体 $0 \leq z \leq \sqrt{a^2 - x^2 - y^2}, x^2 + y^2 \leq a^2$ 的表面外侧;

(3) $\oiint_{\Sigma} xdydz + ydzdx + zdxdy$,其中 Σ 是介于 $z = 0$ 和 $z = 3$ 之间的圆柱体 $x^2 + y^2 \leq 9$ 的整个表面外侧;

(4) $\oiint_{\Sigma} 4xzdydz + y^2 dzdx + yzdxdy$,其中 Σ 为平面 $x = 0, y = 0, z = 0, x = 1, y = 1, z = 1$ 所围成的立方体的全表面的外侧.

11. 求向量 $\boldsymbol{A}$ 穿过曲面 Σ 流向指定侧的通量,其中 $\boldsymbol{A} = (2x - z)\boldsymbol{i} + x^2 y \boldsymbol{j} - xz^2 \boldsymbol{k}$,$\Sigma$ 为立方体 $0 \leq x \leq a, 0 \leq y \leq a, 0 \leq z \leq a$ 的全表面,流向外侧.

12. 求下列向量场 $\boldsymbol{A}$ 的散度:

(1) $\boldsymbol{A} = (x^2 + yz)\boldsymbol{i} + (y^2 + xz)\boldsymbol{j} + (z^2 + xy)\boldsymbol{k}$;

(2) $\boldsymbol{A} = y^2 \boldsymbol{i} + xy \boldsymbol{j} + xz \boldsymbol{k}$.

13. 利用高斯公式推证阿基米德原理:浸没在液体中的物体所受液体的压力的合力(即浮力)的方向铅直向上,其大小等于这物体所排开的液体的重力.

总复习题 11　B 组

1. 计算曲线积分 $\oint_C (z - y) dx + (x - z) dy + (x - y) dz$,其中 C 是曲线 $\begin{cases} x^2 + y^2 = 1, \\ x + y - z = 2, \end{cases}$ 从 z 轴正向往 z 轴负向看 C 的方向是顺时针的.

2. 求 $I = [e^x \sin y - b(x + y)] dx + (e^x \cos y - ax) dy$,其中 a、b 为正的常数,l 为从点 $A(2a, 0)$ 沿曲线 $y = \sqrt{2ax - x^2}$ 到点 $O(0, 0)$ 的弧.

3. 计算曲线积分 $I = \dfrac{xdy - ydx}{4x^2 + y^2}$,其中 L 是以点 $(1, 0)$ 为中心,R 为半径的圆周($R > 1$),取逆时针方向.

4. 计算 $I = (y^2 - z^2) dx + (2z^2 - x^2) dy + (3x^2 - y^2) dz$,其中 L 是平面 $x + y + z = 3$ 与柱面 $|x| + |y| = 1$ 的交线,从 z 轴正向看去,L 为逆时针方向.

5. 设函数 $f(x)$ 在 $(-\infty, +\infty)$ 内具有一阶连续导数,L 是上半平面 $(y>0)$ 内的有向分段光滑曲线,其起点为 (a,b),终点为 (c,d). 记 $I = \int_L \frac{1}{y}[1+y^2f(xy)]dx + \frac{x}{y^2}[y^2f(xy)-1]dy$.

(1) 证明曲线积分 I 与路径 L 无关;

(2) 当 $ab=cd$ 时,求 I 的值.

6. 设函数 $\varphi(y)$ 具有连续导数,在围绕原点的任意分段光滑简单闭曲线 L 上,曲线积分 $\oint_L \frac{\varphi(y)dx + 2xydy}{2x^2+y^4}$ 的值恒为同一常数.

(1) 证明:对右半平面 $x>0$ 内的任意分段光滑简单闭曲线 C,有 $\oint_L \frac{\varphi(y)dx + 2xydy}{2x^2+y^4} = 0$;

(2) 求函数 $\varphi(y)$ 的表达式.

7. 设在上半平面 $D = \{(x,y) | y>0\}$ 内,函数 $f(x,y)$ 具有连续偏导数,且对任意的 $t>0$ 都有 $f(tx,ty) = t^{-2}f(x,y)$,证明:对 D 内的任意分段光滑的有向简单闭曲线 L,都有 $\oint_L yf(x,y)dx - xf(x,y)dy = 0$.

8. 计算曲线积分 $\int_L \sin 2x\,dx + 2(x^2-1)y\,dy$,其中 L 是曲线 $y = \sin x$ 上从点 $(0,0)$ 到点 $(\pi,0)$ 的一段.

第 12 章 无穷级数

无穷级数无论在理论上还是在实际应用中都是一种重要且方便的数学工具. 因为我们能够借助级数来表示许多有用的非初等函数. 另外, 将函数展开为级数后, 即可借助级数来研究函数及其性质, 也为计算函数提供了简单可行的办法. 本章先讨论数项级数及其一些基本内容, 然后介绍函数项级数, 最后讨论如何将函数展开成级数的问题.

12.1 数项级数

12.1.1 数项级数的概念和性质

人们往往通过一个由近似到精确的过程认识事物的数量特征. 在这一认识过程中, 会遇到由有限个数量的和到无穷多个数量的和的问题.

对于有限个实数 $u_1, u_2, \cdots, u_n$ 相加后还是一个实数, 那么"无限个实数相加"会有什么结果呢? 请看下面的几个例子.

《庄子·天下篇》"一尺之棰, 日取其半, 万世不竭"的例子中, 将每天截下那一部分的长度"加"起来是

$$\frac{1}{2} + \frac{1}{2^2} + \frac{1}{2^3} + \cdots + \frac{1}{2^n} + \cdots,$$

由于前 n 项相加的和是 $1 - \frac{1}{2^n}$, 可以推测这"无限个数相加"的结果应该是 1. 又如下面由"无限个数相加"的表达式

$$1 + (-1) + 1 + (-1) + \cdots$$

中,如果将其写作
$$(1-1)+(1-1)+(1-1)+\cdots = 0+0+0+\cdots,$$
结果肯定是0,而写作
$$1+[(-1)+1]+[(-1)+1]+\cdots = 1+0+0+0+\cdots,$$
则结果是1. 两个结果的不同向我们提出了两个基本问题:"无限个数相加"是否存在"和";如果存在,"和"等于什么?由此可见,"无限个数相加"不能简单地与有限个数相加作简单的类比,需要建立新的理论.

例如,求半径为 r 的圆面积 A,具体方法如下:作圆的内接正六边形,算出其面积 a_1,则 $A \approx a_1$. 为了比较准确地计算出 A 的值,以此正六边形的每条边为底分别作一个顶点在圆周上的等腰三角形(图12-1),算出此六边形的面积之和 a_2,那么内接正十二边形的面积 $a_1 + a_2$ 就是 A 的一个较好的近似值. 同样地,在这正十二边形的每条边上分别作一个顶点在圆周上的等腰三角形,算出此十二个等腰三角形的面积之和 a_3,那么内接正二十四边形的面积 $a_1 + a_2 + a_3$ 是 A 的一个更好的近似值. 如此继续下去,内接正 3×2^n 边形的面积就逐步逼近圆面积:

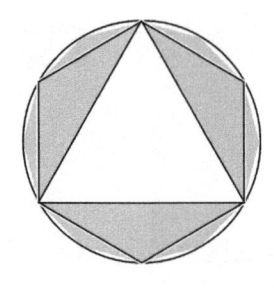

图 12-1

$$A \approx a_1, A \approx a_1 + a_2, A \approx a_1 + a_2 + a_3, \cdots,$$
$$A \approx a_1 + a_2 + a_3 + \cdots + a_n.$$

如果 n 无限增大,即内接正多边形的边数无限增多,那么和 $a_1 + a_2 + a_3 + \cdots + a_n$ 的极限就是所要求的圆面积 A,这时和式中的项数无限增多,于是出现了无穷多个数量依次相加的数学式子.

1. 级数的定义

一般地,如果给定一个数列
$$u_1, u_2, u_3, \cdots, u_n, \cdots,$$
那么由此数列的各项构成的表达式
$$u_1 + u_2 + u_3 + \cdots + u_n + \cdots \tag{1}$$
叫作(数项)无穷级数,简称(数项)级数,记为 $\sum_{i=1}^{\infty} u_i$,即
$$\sum_{i=1}^{\infty} u_i = u_1 + u_2 + u_3 + \cdots + u_n + \cdots,$$
其中第 n 项 u_n 叫作级数的一般项(或通项).

例如
$$\frac{3}{10} + \frac{3}{100} + \frac{3}{1000} + \cdots + \frac{3}{10^n} + \cdots$$

是一个级数,其相邻两项之比是常数 $\frac{1}{10}$,此级数又称等比(几何)级数,或写为

$$\sum_{n=1}^{\infty} \frac{3}{10^n},$$

一般项为 $a_n = \frac{3}{10^n}$.

又如

$$\sum_{i=1}^{\infty} i = 1 + 2 + 3 + \cdots + n + \cdots$$

是一级数,其相邻两项之差为 1,称为等差级数,一般项为 $a_n = n$.

$$\sum_{i=1}^{\infty} (-1)^{i-1} = 1 - 1 + 1 - 1 + \cdots + (-1)^{n-1} + \cdots$$

也是级数,一般项为 $a_n = (-1)^{n-1}$.

上述级数的定义只是形式上的定义,怎样理解级数中无穷多个数量的和呢?联系上面计算圆面积的例子,可以从有限项的和出发,观察它们的变化趋势,由此来理解无穷多个数量的和的含义.

例 1 $\frac{3}{10} + \frac{3}{100} + \frac{3}{1000} + \cdots + \frac{3}{10^n} + \cdots$

解 第一项用 s_1 表示 $\quad s_1 = \frac{3}{10} = 0.3,$

前两项和用 s_2 表示 $\quad s_2 = \frac{3}{10} + \frac{3}{100} = 0.3 + 0.03 = 0.33,$

前三项和用 s_3 表示 $\quad s_3 = \frac{3}{10} + \frac{3}{100} + \frac{3}{1000}$

$$= 0.3 + 0.03 + 0.003 = 0.333,$$

如此下去,前 n 项和

$$s_n = \frac{3}{10} + \frac{3}{100} + \frac{3}{1000} + \cdots + \frac{3}{10^n}$$

$$= 0.3 + 0.03 + 0.003 + 0.\overbrace{000\cdots03}^{n-1\text{位}}$$

$$= 0.\overbrace{333\cdots3}^{n\text{位}},$$

当 $n \to \infty$ 时,我们知道级数 $\sum_{n=1}^{\infty} \frac{3}{10^n}$ 无限项累加的结果是循环小数 $0.\dot{3}$,即

$$\lim_{n \to \infty} s_n = 0.\dot{3} = \frac{1}{3}.$$

极限值 $\frac{1}{3}$ 称为级数 $\sum_{n=1}^{\infty} \frac{3}{10^n}$ 的"和".

例2 $1+2+3+\cdots+n+\cdots$

解 依次逐项累加有
$$s_1 = 1,$$
$$s_2 = 1+2 = 3,$$
$$\vdots$$
$$s_n = 1+2+3+\cdots+n = \frac{n(n+1)}{2},$$
$$\lim_{n\to\infty} s_n = \lim_{n\to\infty} \frac{n(n+1)}{2} = \infty.$$

我们说级数 $\sum_{n=1}^{\infty} n$ 没有"和".

例3 $1-1+1-1+\cdots+(-1)^{n-1}+\cdots$

解 依次逐项累加有
$$s_1 = 1,$$
$$s_2 = 1-1 = 0,$$
$$s_3 = 1-1+1 = 1,$$
$$\vdots$$
$$s_n = 1-1+1-1+\cdots+(-1)^{n-1} = \begin{cases} 1, \text{当 } n \text{ 为奇数}, \\ 0, \text{当 } n \text{ 为偶数}. \end{cases}$$

数列 $\{s_n\}$ 永远在 1 和 0 两个数间跳来跳去,不趋近于一个确定的常数,即级数 $\sum_{n=1}^{\infty}(-1)^{n-1}$ 没有"和".

由上面三个例子可知,级数的各项无限相加的结果有两种情况:(1)级数的前 n 项之和 s_n 随 $n\to\infty$ 而趋向于常数 s,即 s_n 以 s 为极限,这个常数就是级数的"和".(2)级数的前 n 项之和 s_n 当 $n\to\infty$ 时不趋于一个确定的数,这种级数没有"和".

作(数项)级数(1)的前 n 项的和
$$s_n = u_1+u_2+u_3+\cdots+u_n = \sum_{i=1}^{n} u_i, \qquad (2)$$

s_n 称为级数(1)的部分和.当 n 依次取 $1,2,3,\cdots$ 时,它们构成一个新的数列
$$s_1 = u_1, s_2 = u_1+u_2, s_3 = u_1+u_2+u_3, \cdots,$$
$$s_n = u_1+u_2+u_3+\cdots+u_n, \cdots.$$

根据这个数列有没有极限,引进级数(1)的收敛与发散的概念.

定义 如果级数 $\sum_{i=1}^{\infty} u_i$ 的部分和数列 $\{s_n\}$ 有极限,即
$$\lim_{n\to\infty} s_n = s,$$

那么称级数 $\sum_{i=1}^{\infty} u_i$ 收敛,这时极限 s 叫作级数 $\sum_{i=1}^{\infty} u_i$ 的和,并写成

$$s = u_1 + u_2 + u_3 + \cdots + u_n + \cdots;$$

如果 $\{s_n\}$ 没有极限,那么称级数 $\sum_{i=1}^{\infty} u_i$ 发散.

当级数 $\sum_{i=1}^{n} u_i$ 收敛时,其部分和 s_n 是和 s 的近似值,它们的差值

$$r_n = s - s_n = u_{n+1} + u_{n+2} + \cdots$$

叫作级数 $\sum_{i=1}^{\infty} u_i$ 的余项. 用近似值 s_n 代替和 s 所产生的误差是这个余项的绝对值,即误差是 $|r_n|$.

从上述定义可知,级数与数列极限有紧密的联系. 给定级数 $\sum_{i=1}^{\infty} u_i$,就有部分和数列 $\{s_n = \sum_{i=1}^{\infty} u_i\}$;反之,给定数列 $\{s_n\}$,就有以 $\{s_n\}$ 为部分和数列的级数

$$s_1 + (s_2 - s_1) + \cdots + (s_i - s_{i-1}) + \cdots = s_1 + \sum_{i=2}^{\infty} (s_i - s_{i-1}) = \sum_{i=1}^{\infty} u_i,$$

其中 $u_1 = s_1, u_n = s_n - s_{n-1} (n \geq 2)$. 按定义,级数 $\sum_{i=1}^{\infty} u_i$ 与数列 $\{s_n\}$ 同时收敛或同时发散,且当收敛时,有

$$\sum_{i=1}^{\infty} u_i = \lim_{n \to \infty} s_n,$$

即

$$\sum_{i=1}^{\infty} u_i = \lim_{n \to \infty} \sum_{i=1}^{n} u_i.$$

由定义可知,上面讨论的三个级数中 $\sum_{n=1}^{\infty} \frac{3}{10^n}$ 收敛,$\sum_{n=1}^{\infty} n$ 和 $\sum_{n=1}^{\infty} (-1)^{n-1}$ 均发散.

例4 级数

$$\sum_{i=0}^{\infty} aq^i = a + aq + aq^2 + \cdots + aq^i + \cdots \tag{3}$$

叫作等比级数(又称几何级数),其中 $a \neq 0$,q 叫作级数的公比. 试讨论级数(3)的敛散性.

解 如果 $q \neq 1$,则部分和

$$s_n = a + aq + \cdots + aq^{n-1} = \frac{a(1-q^n)}{1-q} = \frac{a}{1-q} - \frac{aq^n}{1-q}.$$

当 $|q| < 1$ 时,由于 $\lim_{n \to \infty} q^n = 0$,从而 $\lim_{n \to \infty} s_n = \frac{a}{1-q}$,因此级数(3)收敛,其和为 $\frac{a}{1-q}$. 当

$|q|>1$ 时，由于 $\lim\limits_{n\to\infty}q^n=\infty$，从而 $\lim\limits_{n\to\infty}s_n=\infty$，这时级数(3)发散.

如果 $|q|=1$，那么当 $q=1$ 时，$\lim\limits_{n\to\infty}s_n=\lim\limits_{n\to\infty}na=\infty$，因此级数发散；当 $q=-1$ 时，级数(3)成为

$$a-a+a-a+\cdots,$$

显然 s_n 随着 n 为奇数或偶数而等于 a 或 0，从而 s_n 的极限不存在，这时级数(3)也发散.

综上所述，如果等比级数(3)的公比的绝对值 $|q|<1$，那么级数收敛；如果 $|q|\geq 1$，那么级数发散.

例 5 判定级数

$$\frac{1}{1\cdot 2}+\frac{1}{2\cdot 3}+\cdots+\frac{1}{n\cdot(n+1)}+\cdots$$

的敛散性.

解 由于

$$u_n=\frac{1}{n\cdot(n+1)}=\frac{1}{n}-\frac{1}{n+1},$$

因此

$$s_n=\frac{1}{1\cdot 2}+\frac{1}{2\cdot 3}+\cdots+\frac{1}{n\cdot(n+1)}$$

$$=\left(1-\frac{1}{2}\right)+\left(\frac{1}{2}-\frac{1}{3}\right)+\cdots+\left(\frac{1}{n}-\frac{1}{n+1}\right)=1-\frac{1}{n+1}.$$

从而

$$\lim_{n\to\infty}s_n=\lim_{n\to\infty}\left(1-\frac{1}{n+1}\right)=1,$$

所以级数收敛，它的和是 1.

2. 收敛级数的基本性质

根据级数的敛散性以及和的概念，可得出收敛级数的几个基本性质.

性质 1 如果级数 $\sum\limits_{n=1}^{\infty}u_n$ 收敛于和 s，那么级数 $\sum\limits_{n=1}^{\infty}ku_n$ 也收敛，且其和为 ks.

证明 设级数 $\sum\limits_{n=1}^{\infty}u_n$ 与级数 $\sum\limits_{n=1}^{\infty}ku_n$ 的部分和分别为 s_n 与 σ_n，则

$$\sigma_n=ku_1+ku_2+\cdots+ku_n=ks_n,$$

于是

$$\lim_{n\to\infty}\sigma_n=\lim_{n\to\infty}ks_n=k\lim_{n\to\infty}s_n=ks,$$

即级数 $\sum\limits_{n=1}^{\infty}ku_n$ 收敛，且其和为 ks.

由关系式 $\sigma_n = ks_n$ 可知,如果 $\{s_n\}$ 没有极限且 $k \neq 0$,那么 $\{\sigma_n\}$ 也不可能有极限.因此可得到如下结论:级数的每一项同乘一个非零的常数后,它的敛散性不会改变.

性质2 如果级数 $\sum_{n=1}^{\infty} u_n$ 与 $\sum_{n=1}^{\infty} v_n$ 分别收敛于和 s 与 σ,那么级数 $\sum_{n=1}^{\infty}(u_n \pm v_n)$ 也收敛,且其和为 $s \pm \sigma$.

证明 设级数 $\sum_{n=1}^{\infty} u_n$ 与 $\sum_{n=1}^{\infty} v_n$ 的部分和分别为 s_n 与 σ_n,则级数 $\sum_{n=1}^{\infty}(u_n \pm v_n)$ 的部分和

$$\tau_n = (u_1 \pm v_1) + (u_2 \pm v_2) + \cdots + (u_n \pm v_n)$$
$$= (u_1 + u_2 + \cdots + u_n) \pm (v_1 + v_2 + \cdots + v_n) = s_n \pm \sigma_n,$$

于是

$$\lim_{n \to \infty} \tau_n = \lim_{n \to \infty}(s_n \pm \sigma_n) = s \pm \sigma,$$

即级数 $\sum_{n=1}^{\infty}(u_n \pm v_n)$ 收敛,且其和为 $s \pm \sigma$.

性质2也可说成:两个收敛级数可以逐项相加与逐项相减.

性质3 在级数中去掉、加上或改变有限项,不会改变级数的敛散性.

证明 我们只需证明"在级数的前面部分去掉或加上有限项,不会改变级数的敛散性",因为其他情形(即在级数中任意去掉、加上或改变有限项的情形)都可以看成在级数的前面部分先去掉有限项,然后再加上有限项的结果.

设将级数

$$u_1 + u_2 + \cdots + u_k + u_{k+1} + \cdots + u_{k+n} + \cdots$$

的前 k 项去掉,则得级数

$$u_{k+1} + u_{k+2} + \cdots + u_{k+n} + \cdots,$$

于是新得的级数的部分和为

$$\sigma_n = u_{k+1} + u_{k+2} + \cdots + u_{k+n} = s_{k+n} - s_k,$$

其中 s_{k+n} 是原来级数的前 $k+n$ 项的和. 因为 s_k 是常数,所以当 $n \to \infty$ 时,σ_n 与 s_{k+n} 同时有极限,或同时没有极限.

类似地,可证在级数的前面加上有限项的情况.

性质4 如果级数 $\sum_{n=1}^{\infty} u_n$ 收敛,那么对这级数的项任意加括号后所成的级数

$$(u_1 + \cdots + u_{n_1}) + (u_{n_1+1} + \cdots + u_{n_2}) + \cdots + (u_{n_{k-1}+1} + \cdots + u_{n_k}) + \cdots \tag{4}$$

仍收敛,且其和不变.

证明 设级数 $\sum_{n=1}^{\infty} u_n$ 的部分和数列为 $\{s_n\}$,加括号后所成的级数(4)的部分和数列为 $\{A_k\}$,则

$$A_1 = u_1 + \cdots + u_{n_1} = s_{n_1},$$
$$A_2 = (u_1 + \cdots + u_{n_1}) + (u_{n_1+1} + \cdots + u_{n_2}) = s_{n_2},$$
$$\cdots$$
$$A_k = (u_1 + \cdots + u_{n_1}) + (u_{n_1+1} + \cdots + u_{n_2}) + \cdots + (u_{n_{k-1}+1} + \cdots + u_{n_k}) = s_{n_k},$$
$$\cdots$$

可见,数列 $\{A_k\}$ 是数列 $\{s_n\}$ 的一个子数列. 由数列 $\{s_n\}$ 的收敛性以及收敛数列与其子列的关系可知,数列 $\{A_k\}$ 必定收敛,且有

$$\lim_{k \to \infty} A_k = \lim_{n \to \infty} s_n,$$

即加括号后所得到的级数收敛,且其和不变.

注意:如果加括号后所得到的级数收敛,那么不能断定原来(加括号前)的级数也收敛. 例如,级数

$$(1-1) + (1-1) + \cdots$$

收敛于零,但级数

$$1 - 1 + 1 - 1 + \cdots + (-1)^{n-1} + \cdots$$

却是发散的.

根据性质4可得如下推论:如果加括号后所得的级数发散,那么原来的级数也发散.

事实上,若原来的级数收敛,则根据性质4可知,加括号后的级数就应该是收敛的.

性质5(级数收敛的必要条件) 如果级数 $\sum\limits_{n=1}^{\infty} u_n$ 收敛,那么它的一般项 u_n 趋于零,即

$$\lim_{n \to \infty} u_n = 0.$$

证明 设级数 $\sum\limits_{n=1}^{\infty} u_n$ 的部分和为 s_n,且 $\lim\limits_{n \to \infty} s_n = s$,则

$$\lim_{n \to \infty} u_n = \lim_{n \to \infty} (s_n - s_{n-1}) = \lim_{n \to \infty} s_n - \lim_{n \to \infty} s_{n-1} = s - s = 0.$$

由性质5知,如果级数的一般项不趋于零,那么此级数必定发散. 例如,级数

$$\frac{1}{2} - \frac{2}{3} + \frac{3}{4} - \cdots + (-1)^{n-1} \frac{n}{n+1} + \cdots,$$

它的一般项 $u_n = (-1)^{n-1} \dfrac{n}{n+1}$ 当 $n \to \infty$ 时不趋于零,因此该级数是发散的.

注意:级数的一般项趋于零是级数收敛的必要非充分条件. 例如,调和级数

$$1 + \frac{1}{2} + \frac{1}{3} + \cdots + \frac{1}{n} + \cdots, \tag{5}$$

虽然它的一般项 $\lim\limits_{n\to\infty} u_n = \lim\limits_{n\to\infty} \dfrac{1}{n} = 0$，但它是发散的.

若级数(5)收敛，设它的部分和为 s_n，且 $\lim\limits_{n\to\infty} s_n = s$. 显然，对级数(5)的部分和 s_{2n}，也有 $\lim\limits_{n\to\infty} s_{2n} = s$. 于是

$$\lim_{n\to\infty}(s_{2n} - s_n) = s - s = 0.$$

但另一方面

$$s_{2n} - s_n = \frac{1}{n+1} + \frac{1}{n+2} + \cdots + \frac{1}{2n} > \underbrace{\frac{1}{2n} + \frac{1}{2n} + \cdots + \frac{1}{2n}}_{n\text{项}} = \frac{1}{2},$$

故

$$\lim_{n\to\infty}(s_{2n} - s_n) \neq 0,$$

与假设矛盾，说明级数(5)必定发散.

12.1.2 柯西收敛准则

怎样判定一个级数的敛散性呢？根据数列和级数的关系可得到以下判别级数敛散性的方法.

定理（柯西收敛准则） 级数 $\sum\limits_{n=1}^{\infty} u_n$ 收敛的充分必要条件为，对于任意给定的正数 ε，总存在正整数 N，使得当 $n > N$ 时，对于任意的正整数 p，都有

$$|u_{n+1} + u_{n+2} + \cdots + u_{n+p}| < \varepsilon$$

成立.

证明 设级数 $\sum\limits_{n=1}^{\infty} u_n$ 的部分和为 s_n，因为

$$|u_{n+1} + u_{n+2} + \cdots + u_{n+p}| = |s_{n+p} - s_n|,$$

所以由数列的柯西收敛准则（第2章），可得本定理结论.

例6 利用柯西收敛准则判定级数 $\sum\limits_{n=1}^{\infty} \dfrac{1}{n^2}$ 的敛散性.

解 因为对任何正整数 p，

$$|u_{n+1} + u_{n+2} + u_{n+3} + \cdots + u_{n+p}|$$
$$= \frac{1}{(n+1)^2} + \frac{1}{(n+2)^2} + \cdots + \frac{1}{(n+p)^2}$$
$$< \frac{1}{n(n+1)} + \frac{1}{(n+1)(n+2)} + \cdots + \frac{1}{(n+p-1)(n+p)}$$
$$= \left(\frac{1}{n} - \frac{1}{n+1}\right) + \left(\frac{1}{n+1} - \frac{1}{n+2}\right) + \cdots + \left(\frac{1}{n+p-1} - \frac{1}{n+p}\right)$$

$$= \frac{1}{n} - \frac{1}{n+p} < \frac{1}{n},$$

所以对于任意给定的正数 ε,取正整数 $N > \frac{1}{\varepsilon}$,则当 $n > N$ 时,对任何正整数 p,都有

$$|u_{n+1} + u_{n+2} + u_{n+3} + \cdots + u_{n+p}| < \varepsilon$$

成立. 根据柯西收敛准则,级数 $\sum\limits_{n=1}^{\infty} \frac{1}{n^2}$ 收敛.

习题 12-1

1. 写出下列级数的前五项:

(1) $\sum\limits_{n=1}^{\infty} \frac{n}{n^2+1}$;

(2) $\sum\limits_{n=1}^{\infty} \frac{1}{2 \cdot 4 \cdot 6 \cdot \cdots \cdot 2n}$;

(3) $\sum\limits_{n=1}^{\infty} \frac{(-1)^{n-1}}{6^n}$;

(4) $\sum\limits_{n=1}^{\infty} \frac{n!}{n^n}$.

2. 求下列级数的和:

(1) $\sum\limits_{n=1}^{\infty} \frac{1}{n(n+1)}$;

(2) $\sum\limits_{n=1}^{\infty} \frac{1}{(2n-1)(2n+1)}$;

(3) $\sum\limits_{n=1}^{\infty} \frac{n}{(n+1)(n+2)(n+3)}$;

(4) $\sum\limits_{n=1}^{\infty} \frac{2n-1}{2^n}$.

3. 根据级数收敛与发散的定义判定下列级数的敛散性:

(1) $\sum\limits_{n=1}^{\infty} (\sqrt{n+1} - \sqrt{n})$;

(2) $\frac{1}{1 \cdot 3} + \frac{1}{3 \cdot 5} + \frac{1}{5 \cdot 7} + \cdots + \frac{1}{(2n-1) \cdot (2n+1)} + \cdots$;

(3) $\sum\limits_{n=1}^{\infty} \frac{1}{(5n-4)(5n+1)}$;

(4) $\sum\limits_{n=1}^{\infty} \ln\left(1 + \frac{1}{n}\right)$.

4. 判定下列级数的敛散性:

(1) $\sum\limits_{n=1}^{\infty} \left(-\frac{2}{7}\right)^n$;

(2) $\sum\limits_{n=1}^{\infty} \frac{1}{3n}$;

(3) $\sum\limits_{n=1}^{\infty} \cos \frac{\pi}{2n+1}$;

(4) $\sum\limits_{n=1}^{\infty} \frac{3^n}{2^n}$;

(5) $\sum_{n=1}^{\infty} \left(\frac{1}{2^n} + \frac{1}{3^n}\right)$.

5. 利用柯西收敛准则判定下列级数的敛散性：

(1) $\sum_{n=1}^{\infty} \frac{(-1)^{n+1}}{n^2}$; (2) $\sum_{n=1}^{\infty} \frac{1}{n}$; (3) $\sum_{n=1}^{\infty} \frac{\sin nx}{2^n}$.

6. 证明：若级数 $\sum_{n=1}^{\infty} u_n$ 与 $\sum_{n=1}^{\infty} v_n$ 收敛，且
$$u_n \leqslant c_n \leqslant v_n, n = 1, 2, \cdots,$$
则级数 $\sum_{n=1}^{\infty} c_n$ 也收敛.（提示：应用级数的柯西收敛准则.）

7. 证明：若级数 $\sum_{n=1}^{\infty} u_n$ 收敛，级数 $\sum_{n=1}^{\infty} v_n$ 发散，则级数 $\sum_{n=1}^{\infty} (u_n + v_n)$ 发散.

12.2　正项级数

根据级数敛散性的定义,可判断级数是否收敛,即要看它的部分和有无极限. 但部分和的极限一般很难求(如调和级数). 因此需要讨论判断级数敛散性的判别法. 为此先引进正项级数的概念. 这种级数特别重要,以后将看到很多级数的敛散性问题都可归结为正项级数的敛散性问题.

数项级数的各项一般是正数、负数或零. 下面讨论各项都是正数或零的级数. 这种级数称为正项级数.

设级数
$$u_1 + u_2 + \cdots + u_n + u_{n+1} + \cdots \tag{1}$$
是一个正项级数,它的部分和为 s_n. 显然,数列 $\{s_n\}$ 是一个单调增加数列
$$s_1 \leqslant s_2 \leqslant \cdots \leqslant s_n \leqslant \cdots.$$
如果数列 $\{s_n\}$ 有界,即 s_n 总不大于某一常数 M,根据数列的单调有界准则,级数(1)必收敛于和 s,且 $s_n \leqslant s \leqslant M$. 反之,如果正项级数(1)收敛于和 s,即 $\lim_{n \to \infty} s_n = s$,根据数列极限的性质,数列 $\{s_n\}$ 有界. 因此,得到如下重要的结论.

定理 1　正项级数 $\sum_{n=1}^{\infty} u_n$ 收敛的充分必要条件是它的部分和数列 $\{s_n\}$ 有界.

由定理 1 可知,如果正项级数 $\sum_{n=1}^{\infty} u_n$ 发散,那么它的部分和数列 $s_n \to +\infty (n \to \infty)$,即 $\sum_{n=1}^{\infty} u_n = +\infty$.

12.2.1 比较判别法

根据定理1可得关于正项级数的一个基本的判别法.

定理2(比较判别法) 设 $\sum_{n=1}^{\infty} u_n$ 和 $\sum_{n=1}^{\infty} v_n$ 都是正项级数,且 $u_n \leq v_n$(从某一项开始). 若级数 $\sum_{n=1}^{\infty} v_n$ 收敛,则级数 $\sum_{n=1}^{\infty} u_n$ 收敛;反之,若级数 $\sum_{n=1}^{\infty} u_n$ 发散,则级数 $\sum_{n=1}^{\infty} v_n$ 发散.

证明 不妨设从第一项开始有 $u_n \leq v_n$,又设级数 $\sum_{n=1}^{\infty} v_n$ 收敛于和 σ,则级数 $\sum_{n=1}^{\infty} u_n$ 的部分和

$$s_n = u_1 + u_2 + \cdots + u_n \leq v_1 + v_2 + \cdots + v_n \leq \sigma \ (n = 1, 2, \cdots),$$

即部分和数列 $\{s_n\}$ 有界,由定理1知级数 $\sum_{n=1}^{\infty} u_n$ 收敛.

反之,设级数 $\sum_{n=1}^{\infty} u_n$ 发散,则级数 $\sum_{n=1}^{\infty} v_n$ 必发散. 因为若级数 $\sum_{n=1}^{\infty} v_n$ 收敛,由以上证明,将有级数 $\sum_{n=1}^{\infty} u_n$ 也收敛,与假设矛盾.

注意到级数的每一项同乘 $k(k \neq 0)$ 以及去掉级数前面部分的有限项不会影响级数的敛散性,可得如下推论.

推论1 设 $\sum_{n=1}^{\infty} u_n$ 和 $\sum_{n=1}^{\infty} v_n$ 都是正项级数,如果级数 $\sum_{n=1}^{\infty} v_n$ 收敛,且存在正整数 N,使当 $n \geq N$ 时有 $u_n \leq k v_n (k > 0)$ 成立,那么级数 $\sum_{n=1}^{\infty} u_n$ 收敛;如果级数 $\sum_{n=1}^{\infty} v_n$ 发散,且当 $n \geq N$ 时有 $u_n \geq k v_n (k > 0)$ 成立,那么级数 $\sum_{n=1}^{\infty} u_n$ 发散.

例1 讨论 p 级数 $\sum_{n=1}^{\infty} \dfrac{1}{n^p}$ 的敛散性,其中常数 $p > 0$.

解 设 $p \leq 1$. 则 $\dfrac{1}{n^p} \geq \dfrac{1}{n}$,但调和级数发散,因此根据比较判别法可知,当 $p \leq 1$ 时 p 级数发散.

设 $p > 1$. 因为当 $k - 1 \leq x \leq k$ 时,有 $\dfrac{1}{x^p} \geq \dfrac{1}{k^p}$,所以

$$\dfrac{1}{k^p} = \int_{k-1}^{k} \dfrac{1}{k^p} dx \leq \int_{k-1}^{k} \dfrac{1}{x^p} dx \ (k = 2, 3, \cdots),$$

从而 p 级数的部分和

$$s_n = 1 + \sum_{k=2}^{n} \dfrac{1}{k^p} \leq 1 + \sum_{k=2}^{n} \int_{k-1}^{k} \dfrac{1}{x^p} dx = 1 + \int_{1}^{n} \dfrac{1}{x^p} dx$$

$$= 1 + \frac{1}{p-1}\left(1 - \frac{1}{n^{p-1}}\right) < 1 + \frac{1}{p-1} \quad (n = 2, 3, \cdots),$$

这表明数列 $\{s_n\}$ 有界,因此 p 级数收敛.

综合上述结果,p 级数当 $p > 1$ 时收敛,当 $p \leq 1$ 时发散.

例 2 证明级数 $\sum_{n=1}^{\infty} \frac{1}{\sqrt{n(n+1)}}$ 是发散的.

证明 因为 $n(n+1) < (n+1)^2$,所以 $\frac{1}{\sqrt{n(n+1)}} > \frac{1}{n+1}$. 而级数

$$\sum_{n=1}^{\infty} \frac{1}{n+1} = \frac{1}{2} + \frac{1}{3} + \cdots + \frac{1}{n+1} + \cdots$$

是发散的. 根据比较判别法知所给级数也是发散的.

为方便应用,下面给出比较判别法的极限形式.

定理 3(比较判别法的极限形式) 设 $\sum_{n=1}^{\infty} u_n$ 和 $\sum_{n=1}^{\infty} v_n$ 都是正项级数,且 $\lim_{n \to \infty} \frac{u_n}{v_n} = l$,

(1) 如果 $0 \leq l < \infty$,且级数 $\sum_{n=1}^{\infty} v_n$ 收敛,则级数 $\sum_{n=1}^{\infty} u_n$ 收敛;

(2) 如果 $0 < l \leq \infty$,且级数 $\sum_{n=1}^{\infty} v_n$ 发散,则级数 $\sum_{n=1}^{\infty} u_n$ 发散.

证明 (1) 由极限定义可知,对 $\varepsilon = 1$,存在正整数 N,当 $n > N$ 时,有

$$\frac{u_n}{v_n} < l + 1,$$

即 $u_n < (l+1)v_n$. 而级数 $\sum_{n=1}^{\infty} v_n$ 收敛,根据推论 1 知级数 $\sum_{n=1}^{\infty} u_n$ 收敛.

(2) 由已知条件知 $\lim_{n \to \infty} \frac{u_n}{v_n}$ 存在,如果级数 $\sum_{n=1}^{\infty} u_n$ 收敛,那么由结论(1)必有级数 $\sum_{n=1}^{\infty} v_n$ 收敛,但已知级数 $\sum_{n=1}^{\infty} v_n$ 发散,因此级数 $\sum_{n=1}^{\infty} u_n$ 不可能收敛,即级数 $\sum_{n=1}^{\infty} u_n$ 发散. 对于 $\lim_{n \to \infty} \frac{u_n}{v_n} = +\infty$ 的情形,留给读者证明.

比较判别法的极限形式,在两个正项级数的一般项均趋于零的情况下,其实是比较它们的一般项作为无穷小量的阶. 定理表明,当 $n \to \infty$ 时,如果 u_n 是与 v_n 同阶或是比 v_n 高阶的无穷小,而级数 $\sum_{n=1}^{\infty} v_n$ 收敛,那么级数 $\sum_{n=1}^{\infty} u_n$ 收敛;如果 u_n 是与 v_n 同阶或是比 v_n 低阶的无穷小,而级数 $\sum_{n=1}^{\infty} v_n$ 发散,那么级数 $\sum_{n=1}^{\infty} u_n$ 发散.

例3 判定级数 $\sum_{n=1}^{\infty} \sin \dfrac{1}{n}$ 的收敛性.

解 因为

$$\lim_{n\to\infty}\frac{\sin\dfrac{1}{n}}{\dfrac{1}{n}}=1>0,$$

而级数 $\sum_{n=1}^{\infty}\dfrac{1}{n}$ 发散,根据定理3知此级数发散.

用比较判别法判断时,需要适当地选取一个已知其敛散性的级数 $\sum_{n=1}^{\infty} v_n$ 作为比较的基准. 最常选作基准级数的是等比级数和 p 级数.

将所给正项级数与等比级数比较,能得到比值判别法(达朗贝尔判别法)和根值判别法(柯西判别法).

12.2.2 达朗贝尔判别法与柯西判别法

定理4(比值判别法,达朗贝尔(D'Alembert)判别法) 设 $\sum_{n=1}^{\infty} u_n$ 为正项级数,如果

$$\lim_{n\to\infty}\frac{u_{n+1}}{u_n}=\rho,$$

那么当 $\rho<1$ 时级数收敛,$\rho>1$(或 $\lim\limits_{n\to\infty}\dfrac{u_{n+1}}{u_n}=+\infty$)时级数发散,$\rho=1$ 时级数可能收敛也可能发散.

证明 (1) 当 $\rho<1$ 时取一个适当小的正数 ε,使得 $\rho+\varepsilon=r<1$,根据极限定义,存在正整数 m,当 $n\geqslant m$ 时有不等式

$$\frac{u_{n+1}}{u_n}<\rho+\varepsilon=r.$$

因此

$$u_{m+1}<ru_m, u_{m+2}<ru_{m+1}<r^2 u_m, \cdots, u_{m+k}<r^k u_m, \cdots$$

而级数 $\sum_{k=1}^{\infty} r^k u_m$ 收敛(公比 $r<1$),根据推论1知级数 $\sum_{n=1}^{\infty} u_n$ 收敛.

(2) 当 $\rho>1$ 时. 取一个适当小的正数 ε,使得 $\rho-\varepsilon>1$. 根据极限定义,当 $n\geqslant m$ 时有不等式

$$\frac{u_{n+1}}{u_n}>\rho-\varepsilon>1,$$

也就是
$$u_{n+1} > u_n.$$
所以当 $n \geq m$ 时,级数的一般项 u_n 是逐渐增大的,从而 $\lim\limits_{n\to\infty} u_n \neq 0$,由级数收敛的必要条件知级数 $\sum\limits_{n=1}^{\infty} u_n$ 发散.

类似地,可证 $\lim\limits_{n\to\infty} \dfrac{u_{n+1}}{u_n} = +\infty$ 时,级数 $\sum\limits_{n=1}^{\infty} u_n$ 发散.

(3) 当 $\rho = 1$ 时级数可能收敛也可能发散. 例如 p 级数,不论 p 为何值都有
$$\lim_{n\to\infty} \frac{u_{n+1}}{u_n} = \lim_{n\to\infty} \frac{\dfrac{1}{(n+1)^p}}{\dfrac{1}{n^p}} = 1.$$

但我们知道,当 $p > 1$ 时级数收敛,当 $p \leq 1$ 时级数发散,因此只根据 $\rho = 1$ 不能判定级数的敛散性.

例4 证明级数
$$1 + \frac{1}{1} + \frac{1}{1\cdot 2} + \frac{1}{1\cdot 2\cdot 3} + \cdots + \frac{1}{(n-1)!} + \cdots$$
是收敛的,并估计以级数的部分和 s_n 近似代替和 s 所产生的误差.

证明 因为
$$\lim_{n\to\infty} \frac{u_{n+1}}{u_n} = \lim_{n\to\infty} \frac{(n-1)!}{n!} = \lim_{n\to\infty} \frac{1}{n} = 0 < 1,$$
根据比值判别法知此级数收敛.

以级数的部分和 s_n 近似代替和 s 所产生的误差为
$$|r_n| = \frac{1}{n!} + \frac{1}{(n+1)!} + \frac{1}{(n+2)!} + \cdots$$
$$= \frac{1}{n!}\left(1 + \frac{1}{n+1} + \frac{1}{(n+1)(n+2)} + \cdots\right)$$
$$< \frac{1}{n!}\left(1 + \frac{1}{n} + \frac{1}{n^2} + \cdots\right)$$
$$= \frac{1}{n!} \frac{1}{1-\dfrac{1}{n}} = \frac{1}{(n-1)(n-1)!}.$$

例5 判定级数
$$\frac{1}{9} + \frac{1\cdot 2}{9^2} + \frac{1\cdot 2\cdot 3}{9^3} + \cdots + \frac{n!}{9^n} + \cdots$$
的敛散性.

解 因为

$$\frac{u_{n+1}}{u_n} = \frac{(n+1)!}{9^{n+1}} \cdot \frac{9^n}{n!} = \frac{n+1}{9},$$

$$\lim_{n \to \infty} \frac{u_{n+1}}{u_n} = \lim_{n \to \infty} \frac{n+1}{9} = \infty,$$

根据比值判别法知此级数发散.

定理 5(根值判别法,柯西判别法) 设 $\sum_{n=1}^{\infty} u_n$ 为正项级数,如果

$$\lim_{n \to \infty} \sqrt[n]{u_n} = \rho,$$

那么当 $\rho < 1$ 时级数收敛,$\rho > 1$(或 $\lim_{n \to \infty} \sqrt[n]{u_n} = +\infty$)时级数发散,$\rho = 1$ 时级数可能收敛也可能发散.

定理 5 的证明与定理 4 类似,这里从略.

例 6 验证级数 $\sum_{n=1}^{\infty} \left(\frac{n}{2n+1}\right)^n$ 收敛.

证明 因为

$$\lim_{n \to \infty} \sqrt[n]{u_n} = \lim_{n \to \infty} \sqrt[n]{\left(\frac{n}{2n+1}\right)^n} = \lim_{n \to \infty} \frac{n}{2n+1} = \frac{1}{2} < 1,$$

因此,由根值判别法知级数 $\sum_{n=1}^{\infty} \left(\frac{n}{2n+1}\right)^n$ 收敛.

将所给正项级数与 p 级数作比较,可得极限判别法.

定理 6(极限判别法) 设 $\sum_{n=1}^{\infty} u_n$ 为正项级数,

(1) 如果 $\lim_{n \to \infty} n u_n = l > 0$(或 $\lim_{n \to \infty} n u_n = +\infty$),那么级数 $\sum_{n=1}^{\infty} u_n$ 发散;

(2) 如果 $p > 1$,而 $\lim_{n \to \infty} n^p u_n = l (0 \leq l < +\infty)$,那么级数 $\sum_{n=1}^{\infty} u_n$ 收敛.

证明 (1) 在比较判别法的极限形式中,取 $v_n = \frac{1}{n}$,由调和级数 $\sum_{n=1}^{\infty} \frac{1}{n}$ 发散知结论成立.

(2) 在比较判别法的极限形式中,取 $v_n = \frac{1}{n^p}$,当 $p > 1$ 时,p 级数 $\sum_{n=1}^{\infty} \frac{1}{n^p}$ 收敛,故结论成立.

例 7 判定级数 $\sum_{n=1}^{\infty} \ln\left(1 + \frac{1}{n^2}\right)$ 的敛散性.

解 因

$$\lim_{n\to\infty} n^2 u_n = \lim_{n\to\infty} n^2 \ln\left(1+\frac{1}{n^2}\right) = \lim_{n\to\infty} n^2 \cdot \frac{1}{n^2} = 1,$$

故根据极限判别法知此级数收敛.

12.2.3 柯西积分判别法

定理 7（柯西积分判别法） 对于正项级数 $\sum_{n=1}^{\infty} u_n$，设 $\{u_n\}$ 为单调减少的数列，作一个连续的单调减少的正值函数 $f(x)(x>0)$，使得当 x 等于自然数 n 时，其函数值恰为 u_n，即 $f(n)=u_n$，令 $A_n = \int_1^n f(x)\,dx$，那么级数 $\sum_{n=1}^{\infty} u_n$ 与数列 $\{A_n\}$ 同时收敛或同时发散.

（证明略）

例 8 证明级数 $\sum_{n=2}^{\infty} \frac{1}{n\ln n}$ 发散.

证明 作 $f(x) = \frac{1}{x\ln x}$，则

$$\lim_{n\to\infty} \int_2^n \frac{1}{x\ln x}\,dx = \lim_{n\to\infty}[\ln\ln n - \ln\ln 2] = \infty,$$

所以级数 $\sum_{n=2}^{\infty} \frac{1}{n\ln n}$ 是发散的.

习题 12-2

1. 用比较判别法或比较判别法的极限形式判定下列级数的敛散性：

   (1) $\sum_{n=1}^{\infty} \frac{1}{2n-1}$；

   (2) $\sum_{n=1}^{\infty} \frac{1}{(n+1)(n+4)}$；

   (3) $\sum_{n=1}^{\infty} \frac{1}{n \cdot n!}$；

   (4) $\sum_{n=1}^{\infty} \sin\frac{\pi}{2^n}$；

   (5) $\sum_{n=1}^{\infty} \frac{1}{\sqrt[3]{n^2-1}}$；

   (6) $\sum_{n=1}^{\infty} \frac{1}{\sqrt{n(1+n^2)}}$.

2. 用比值判别法判定下列级数的敛散性：

   (1) $\sum_{n=1}^{\infty} \frac{5^n}{n \cdot 2^n}$；

   (2) $\sum_{n=1}^{\infty} \frac{n^2}{2^n}$；

   (3) $\sum_{n=1}^{\infty} \frac{3^n n!}{n^n}$；

   (4) $\sum_{n=1}^{\infty} n\tan\frac{\pi}{2^{n+1}}$.

3. 用根值判别法判定下列级数的敛散性：

(1) $\sum_{n=1}^{\infty} \left(1 - \frac{1}{n}\right)^{n^2}$;

(2) $\sum_{n=1}^{\infty} \frac{1}{[\ln(n+1)]^n}$;

(3) $\sum_{n=1}^{\infty} \left(\frac{n}{3n-1}\right)^{2n-1}$;

(4) $\sum_{n=1}^{\infty} \left(\frac{b}{a_n}\right)^n$, 其中 $a_n \to a\,(n \to \infty)$, a_n、b、a 均为正数.

4. 判定下列级数的敛散性：

(1) $\sum_{n=1}^{\infty} n\left(\frac{2}{3}\right)^n$;

(2) $\sum_{n=1}^{\infty} \frac{n^3}{n!}$;

(3) $\sum_{n=1}^{\infty} \frac{n+1}{n(n+2)}$;

(4) $\sum_{n=1}^{\infty} 2^n \sin \frac{\pi}{3^n}$;

(5) $\sum_{n=1}^{\infty} \sqrt{\frac{n+1}{n}}$;

(6) $\sum_{n=1}^{\infty} \frac{5^n}{n^5}$.

5. 证明下列极限：

(1) $\lim_{n \to \infty} \frac{a^n}{n!} = 0$;

(2) $\lim_{n \to \infty} \frac{n^n}{(n!)^2} = 0$.

12.3 任意项级数

先介绍特殊的级数：交错级数.

12.3.1 交错级数的敛散性

若级数的各项是正负交错的，即可写成下面的形式：
$$u_1 - u_2 + u_3 - u_4 + \cdots, \tag{1}$$
或
$$-u_1 + u_2 - u_3 + u_4 - \cdots, \tag{2}$$

其中 $u_1, u_2, \cdots$ 都是正数，则称此级数为交错级数. 我们按级数(1)的形式来给出关于交错级数的一个判别法.

定理 1(莱布尼茨定理)   如果交错级数 $\sum_{n=1}^{\infty}(-1)^{n-1} u_n$ 满足条件：

(1) $u_n \geq u_{n+1}\,(n = 1, 2, 3, \cdots)$;

(2) $\lim_{n \to \infty} u_n = 0$,

那么级数收敛，且其和 $s \leq u_1$，其余项 r_n 的绝对值 $|r_n| \leq u_{n+1}$.

证明   先证明前 $2n$ 项的和 s_{2n} 的极限存在. 为此把 s_{2n} 写成两种形式：

$$s_{2n} = (u_1 - u_2) + (u_3 - u_4) + \cdots + (u_{2n-1} - u_{2n}),$$

及

$$s_{2n} = u_1 - (u_2 - u_3) - (u_4 - u_5) - \cdots - (u_{2n-2} - u_{2n-1}) - u_{2n}.$$

根据条件(1)知所有括号中的差都是非负的. 由 s_{2n} 的第一种形式可知数列 $\{s_{2n}\}$ 是单调增加的, 由 s_{2n} 的第二种形式可知 $s_{2n} < u_1$. 于是, 根据数列的单调有界准则知,

$$\lim_{n \to \infty} s_{2n} = s < u_1.$$

再证明前 $2n+1$ 项的和 s_{2n+1} 的极限也是 s. 事实上, 有

$$s_{2n+1} = s_{2n} + u_{2n+1}.$$

由条件(2)知 $\lim_{n \to \infty} u_{2n+1} = 0$, 因此

$$\lim_{n \to \infty} s_{2n+1} = \lim_{n \to \infty}(s_{2n} + u_{2n+1}) = s.$$

由于级数的前偶数项的和 s_{2n} 与奇数项的和 s_{2n+1} 趋于同一极限 s, 故级数 $\sum_{n=1}^{\infty}(-1)^{n-1}u_n$ 的部分和 s_n 当 $n \to \infty$ 时具有极限 s. 这就证明了级数 $\sum_{n=1}^{\infty}(-1)^{n-1}u_n$ 收敛于和 s, 且 $s \leq u_1$.

最后, 余项 r_n 可写成

$$r_n = \pm(u_{n+1} - u_{n+2} + \cdots),$$

其绝对值

$$|r_n| = u_{n+1} - u_{n+2} + \cdots$$

是一个交错级数, 它也满足定理的两个条件, 所以其和小于级数的第一项, 即

$$|r_n| \leq u_{n+1}.$$

例如, 交错级数

$$1 - \frac{1}{2} + \frac{1}{3} - \frac{1}{4} + \cdots + (-1)^{n-1}\frac{1}{n}\cdots$$

满足条件

$$u_n = \frac{1}{n} > \frac{1}{n+1} = u_{n+1}(n = 1, 2, 3, \cdots)$$

及

$$\lim_{n \to \infty} u_n = \lim_{n \to \infty} \frac{1}{n} = 0,$$

所以它是收敛的, 且其和 $s < 1$, 如果取前 n 项的和

$$s_n = 1 - \frac{1}{2} + \frac{1}{3} - \frac{1}{4} + \cdots + (-1)^{n-1}\frac{1}{n}$$

作为 s 的近似值, 所产生的误差 $|r_n| \leq \frac{1}{n+1}$.

12.3.2 绝对收敛与条件收敛

下面讨论一般的级数

$$u_1 + u_2 + \cdots + u_n + u_{n+1} \cdots,$$

它的各项为任意实数. 如果级数 $\sum\limits_{n=1}^{\infty} u_n$ 各项的绝对值所构成的正项级数 $\sum\limits_{n=1}^{\infty} |u_n|$ 收敛,那么称级数 $\sum\limits_{n=1}^{\infty} u_n$ 绝对收敛;如果级数 $\sum\limits_{n=1}^{\infty} u_n$ 收敛,而级数 $\sum\limits_{n=1}^{\infty} |u_n|$ 发散,那么称级数 $\sum\limits_{n=1}^{\infty} u_n$ 条件收敛. 易知,级数 $\sum\limits_{n=1}^{\infty} (-1)^{n-1} \dfrac{1}{n^2}$ 是绝对收敛级数,而级数 $\sum\limits_{n=1}^{\infty} (-1)^{n-1} \dfrac{1}{n}$ 是条件收敛级数.

级数的绝对收敛性与收敛性有以下重要关系.

定理 2 如果级数 $\sum\limits_{n=1}^{\infty} u_n$ 绝对收敛,那么级数 $\sum\limits_{n=1}^{\infty} u_n$ 必定收敛.

证明 令

$$v_n = \frac{1}{2}(u_n + |u_n|) \quad (n = 1, 2, \cdots).$$

显然 $v_n \geq 0$ 且 $v_n \leq |u_n|$ $(n = 1, 2, \cdots)$,因级数 $\sum\limits_{n=1}^{\infty} |u_n|$ 收敛,故由比较判别法知级数 $\sum\limits_{n=1}^{\infty} v_n$ 收敛,从而级数 $\sum\limits_{n=1}^{\infty} 2v_n$ 也收敛. 而 $u_n = 2v_n - |u_n|$,由收敛级数的基本性质知

$$\sum_{n=1}^{\infty} u_n = \sum_{n=1}^{\infty} 2v_n - \sum_{n=1}^{\infty} |u_n|$$

收敛.

上述证明中引入的级数 $\sum\limits_{n=1}^{\infty} v_n$,其一般项

$$v_n = \frac{1}{2}(u_n + |u_n|) = \begin{cases} u_n, & u_n > 0, \\ 0, & u_n \leq 0, \end{cases}$$

可见级数 $\sum\limits_{n=1}^{\infty} v_n$ 是把级数 $\sum\limits_{n=1}^{\infty} u_n$ 中的负项换成 0 而得的,它也就是级数 $\sum\limits_{n=1}^{\infty} u_n$ 中的全体正项所构成的级数. 类似可知,令

$$\omega_n = \frac{1}{2}(|u_n| - u_n),$$

则 $\sum\limits_{n=1}^{\infty} \omega_n$ 为级数 $\sum\limits_{n=1}^{\infty} u_n$ 中全体负项的绝对值所构成级数. 如果级数 $\sum\limits_{n=1}^{\infty} u_n$ 绝对收敛,那么级数 $\sum\limits_{n=1}^{\infty} v_n$ 与 $\sum\limits_{n=1}^{\infty} \omega_n$ 都收敛;如果级数条件收敛(即 $\sum\limits_{n=1}^{\infty} u_n$ 收敛,而

$\sum\limits_{n=1}^{\infty}|u_n|$发散),那么级数$\sum\limits_{n=1}^{\infty}v_n$与$\sum\limits_{n=1}^{\infty}\omega_n$都发散.

定理2说明,对于一般的级数$\sum\limits_{n=1}^{\infty}u_n$,如果用正项级数的判别法判定级数$\sum\limits_{n=1}^{\infty}|u_n|$收敛,那么此级数收敛.这就解决了一大类级数的敛散性判定问题,即可转化成正项级数的敛散性判定问题.

一般来说,如果级数$\sum\limits_{n=1}^{\infty}|u_n|$发散,我们不能断定级数$\sum\limits_{n=1}^{\infty}u_n$也发散.但是,如果我们用比值判别法或根值判别法根据$\lim\limits_{n\to\infty}\left|\dfrac{u_{n+1}}{u_n}\right|=\rho>1$或$\lim\limits_{n\to\infty}\sqrt[n]{|u_n|}=\rho>1$判定级数$\sum\limits_{n=1}^{\infty}|u_n|$发散,那么可以断定级数$\sum\limits_{n=1}^{\infty}u_n$必定发散.这是因为,从$\rho>1$可推知$\lim\limits_{n\to\infty}|u_n|\neq 0$,因此级数$\sum\limits_{n=1}^{\infty}u_n$是发散的.

例1 判定级数$\sum\limits_{n=1}^{\infty}\dfrac{\cos na}{n^2}$的敛散性.

解 因为$\left|\dfrac{\cos na}{n^2}\right|\leqslant\dfrac{1}{n^2}$,而级数$\sum\limits_{n=1}^{\infty}\dfrac{1}{n^2}$收敛,所以级数$\sum\limits_{n=1}^{\infty}\left|\dfrac{\cos na}{n^2}\right|$也收敛.由定理2知,级数$\sum\limits_{n=1}^{\infty}\dfrac{\cos na}{n^2}$收敛.

例2 判定级数$\sum\limits_{n=1}^{\infty}(-1)^n\dfrac{1}{2^n}\left(1+\dfrac{1}{n}\right)^{n^2}$的敛散性.

解 这是交错级数.记$u_n=\dfrac{1}{2^n}\left(1+\dfrac{1}{n}\right)^{n^2}$,有

$$\lim_{n\to\infty}\sqrt[n]{u_n}=\lim_{n\to\infty}\dfrac{1}{2}\left(1+\dfrac{1}{n}\right)^n=\dfrac{1}{2}\mathrm{e},$$

而$\dfrac{1}{2}\mathrm{e}>1$,可知$\lim\limits_{n\to\infty}|u_n|\neq 0$,因此所给级数发散.

定理3(狄利克雷判别法) 若级数$\sum\limits_{n=1}^{\infty}a_nb_n$满足下面两个条件:

(1)数列$\{a_n\}$单调递减,且$\lim\limits_{n\to\infty}a_n=0$;

(2)级数$\sum\limits_{n=1}^{\infty}b_n$的部分和数列$\{B_n\}$有界,即$\exists M>0$,$\forall n\in\mathbf{N}^+$有

$$|B_n|=|b_1+b_2+\cdots+b_n|\leqslant M,$$

则级数$\sum\limits_{n=1}^{\infty}a_nb_n$收敛.

(证明略)

定理 4（阿贝尔判别法） 若级数 $\sum_{n=1}^{\infty} a_n b_n$ 满足下面两个条件：

(1) 数列 $\{a_n\}$ 单调有界；

(2) 级数 $\sum_{n=1}^{\infty} b_n$ 收敛，

则级数 $\sum_{n=1}^{\infty} a_n b_n$ 收敛.

（证明略）

例 3 设数列 $\{a_n\}$ 单调递减，且 $\lim_{n\to\infty} a_n = 0$，讨论级数 $\sum_{n=1}^{\infty} a_n \sin nx$ 的敛散性.

解 求级数 $\sum_{n=1}^{\infty} \sin nx$ 的部分和 $s_n = \sum_{k=1}^{n} \sin kx$.

$$s_n = \sum_{k=1}^{n} \sin kx = \frac{1}{2\sin\frac{x}{2}} \sum_{k=1}^{n} 2\sin kx \sin\frac{x}{2}$$

$$= \frac{1}{2\sin\frac{x}{2}} \sum_{k=1}^{n} \left[\cos\left(k-\frac{1}{2}\right)x - \cos\left(k+\frac{1}{2}\right)x\right]$$

$$= \frac{\cos\frac{1}{2}x - \cos\left(n+\frac{1}{2}\right)x}{2\sin\frac{x}{2}}.$$

$\forall x \neq 2k\pi (k \in \mathbf{Z})$ 有

$$|s_n| = \left|\sum_{k=1}^{n} \sin kx\right| = \left|\frac{\cos\frac{1}{2}x - \cos\left(n+\frac{1}{2}\right)x}{2\sin\frac{x}{2}}\right| \leqslant \left|\frac{1}{\sin\frac{x}{2}}\right|,$$

即 $x \neq 2k\pi (k \in \mathbf{Z})$ 时部分和数列 $\{s_n\}$ 有界. 根据狄利克雷判别法，级数 $\sum_{n=1}^{\infty} a_n \sin nx$ 收敛.

例 4 判别级数 $\sum_{n=1}^{\infty} (-1)^n \frac{n+2}{n+1} \cdot \frac{1}{\sqrt[3]{n}}$ 是绝对收敛还是条件收敛.

解 正项级数 $\sum_{n=1}^{\infty} \left|(-1)^n \frac{n+2}{n+1} \cdot \frac{1}{\sqrt[3]{n}}\right| = \sum_{n=1}^{\infty} \frac{n+2}{n+1} \cdot \frac{1}{\sqrt[3]{n}}$ 发散. 事实上，有

$$\lim_{n\to\infty} \left(\frac{\frac{n+2}{n+1} \cdot \frac{1}{\sqrt[3]{n}}}{\frac{1}{\sqrt[3]{n}}}\right) = \lim_{n\to\infty} \frac{n+2}{n+1} = 1.$$

已知级数 $\sum\limits_{n=1}^{\infty} \dfrac{1}{\sqrt[3]{n}}$ 发散,由 11.2 中定理 3 知,正项级数 $\sum\limits_{n=1}^{\infty} \left|(-1)^n \dfrac{n+2}{n+1} \cdot \dfrac{1}{\sqrt[3]{n}}\right|$ 发散.

已知交错级数 $\sum\limits_{n=1}^{\infty} \dfrac{(-1)^n}{\sqrt[3]{n}}$ 收敛,而数列 $\left\{\dfrac{n+2}{n+1}\right\} = \left\{1 + \dfrac{1}{n+1}\right\}$ 严格减少且有界. 根据阿贝尔判别法,级数 $\sum\limits_{n=1}^{\infty} (-1)^n \dfrac{n+2}{n+1} \cdot \dfrac{1}{\sqrt[3]{n}}$ 收敛. 因此该级数条件收敛.

习题 12-3

1. 判定下列级数是否收敛. 如果是收敛的,是绝对收敛还是条件收敛?

(1) $\sum\limits_{n=1}^{\infty} \dfrac{(-1)^{n-1}}{\sqrt[3]{n}}$; (2) $\sum\limits_{n=1}^{\infty} \dfrac{\sin nx}{n^2}$;

(3) $\sum\limits_{n=1}^{\infty} (-1)^{n-1} \dfrac{1}{3} \dfrac{1}{4^n}$; (4) $\sum\limits_{n=1}^{\infty} (-1)^{n+1} \dfrac{3^{n^2}}{n!}$.

2. 设数列 $\{a_n\}$ 单调递减,且 $\lim\limits_{n\to\infty} a_n = 0$. 讨论级数 $\sum\limits_{n=1}^{\infty} a_n \cos nx$ 的敛散性.

3. 判别级数 $\sum\limits_{n=1}^{\infty} \dfrac{\sin nx}{n^p}$ (p 是参数,且 $p > 0, 0 < x < \pi$) 是绝对收敛还是条件收敛.

12.4 绝对收敛级数的性质

已知有限和的运算满足结合律、交换律和分配律. 级数是无限和,那么收敛级数的运算是否满足结合律、交换律和分配律呢?[①]

12.4.1 结合律

由 12.1 中性质 4 知,收敛级数满足结合律.

12.4.2 交换律

一般来说,收敛级数不满足交换律和分配律.

例如,已知交错级数 $\sum\limits_{n=1}^{\infty} (-1)^{n-1} \dfrac{1}{n}$ 收敛,设其和为 A,即

---

① 这里所说的"交换"是指交换级数中无限个项的位置."分配"是指两个级数相乘.

$$A = 1 - \frac{1}{2} + \frac{1}{3} - \frac{1}{4} + \frac{1}{5} - \frac{1}{6} + \cdots + (-1)^{n-1}\frac{1}{n} + \cdots,$$

如果作如下交换:按此级数原有的顺序,一项正两项负交替排列,即

$$1 - \frac{1}{2} - \frac{1}{4} + \frac{1}{3} - \frac{1}{6} - \frac{1}{8} + \frac{1}{5} - \frac{1}{10} - \frac{1}{12} + \cdots.$$

将此级数作如下的结合:

$$\left(1 - \frac{1}{2}\right) - \frac{1}{4} + \left(\frac{1}{3} - \frac{1}{6}\right) - \frac{1}{8} + \left(\frac{1}{5} - \frac{1}{10}\right) - \frac{1}{12} + \cdots$$

$$= \frac{1}{2} - \frac{1}{4} + \frac{1}{6} - \frac{1}{8} + \frac{1}{10} - \frac{1}{12} + \cdots$$

$$= \frac{1}{2}\left(1 - \frac{1}{2} + \frac{1}{3} - \frac{1}{4} + \frac{1}{5} - \frac{1}{6} + \cdots\right) = \frac{1}{2}A,$$

即交换其项后得到的新级数的和是 $\frac{1}{2}A$. 由此可见,收敛级数不满足交换律. 这是有限和与无限和(收敛级数)的区别之一. 交错级数 $\sum_{n=1}^{\infty}(-1)^{n-1}\frac{1}{n}$ 不满足交换律,因为它是条件收敛的.

定理1 绝对收敛级数改变项的位置后构成的级数也收敛,且与原级数有相同的和(即绝对收敛级数具有可交换性).

证明 (1)先证对于收敛的正项级数定理是成立的.

设级数

$$u_1 + u_2 + \cdots + u_n + \cdots$$

为收敛的正项级数,其部分和为 s_n,和为 s. 并设级数

$$u_1^* + u_2^* + \cdots + u_n^* + \cdots$$

为改变项的位置后所构成的级数,其部分和为 s_n^*.

对于任何 n,当它固定后,取 m 足够大,使 $u_1^*, u_2^*, \cdots, u_n^*$ 各项都出现在

$$s_m = u_1 + u_2 + \cdots + u_m$$

中,于是得

$$s_n^* \leqslant s_m \leqslant s,$$

所以,单调增加的数列 $\{s_n^*\}$ 不超过定数 s,根据数列的单调有界准则(第2章), $\lim_{n\to\infty} s_n^*$ 存在,即级数 $\sum_{n=1}^{\infty} u_n^*$ 收敛,且

$$\lim_{n\to\infty} s_n^* = s^* \leqslant s.$$

另一方面,如果把原来级数 $\sum_{n=1}^{\infty} u_n$ 看成级数 $\sum_{n=1}^{\infty} u_n^*$ 改变项的位置以后所构成的

级数,那么应用刚才证得的结论,又有
$$s^* \geqslant s.$$
要使得上面两个不等式同时成立,必定有
$$s^* = s.$$

(2)再证对一般的绝对收敛级数定理是成立的.

设级数 $\sum\limits_{n=1}^{\infty}|u_n|$ 收敛,在 11.3 中定理 2 的证明中已得
$$u_n = 2v_n - |u_n|,$$
而 $\sum\limits_{n=1}^{\infty} v_n$ 是收敛的正项级数. 故有
$$\sum_{n=1}^{\infty} u_n = \sum_{n=1}^{\infty} 2v_n - \sum_{n=1}^{\infty} |u_n|.$$

若级数 $\sum\limits_{n=1}^{\infty} u_n$ 改变项的位置后的级数为 $\sum\limits_{n=1}^{\infty} u_n^*$,则相应的 $\sum\limits_{n=1}^{\infty} v_n$ 变为 $\sum\limits_{n=1}^{\infty} v_n^*$,$\sum\limits_{n=1}^{\infty} |u_n|$ 变为 $\sum\limits_{n=1}^{\infty} |u_n^*|$,由(1)证得的结论可知
$$\sum_{n=1}^{\infty} v_n = \sum_{n=1}^{\infty} v_n^*, \quad \sum_{n=1}^{\infty} |u_n| = \sum_{n=1}^{\infty} |u_n^*|.$$

所以
$$\sum_{n=1}^{\infty} u_n^* = \sum_{n=1}^{\infty} 2v_n^* - \sum_{n=1}^{\infty} |u_n^*| = \sum_{n=1}^{\infty} 2v_n - \sum_{n=1}^{\infty} |u_n| = \sum_{n=1}^{\infty} u_n.$$

由此可见,虽然级数的条件收敛与绝对收敛都是收敛,但是二者收敛的机制却是不同的. 条件收敛级数不满足交换律,而绝对收敛级数满足交换律.

12.4.3 分配律(级数的乘法、无穷乘法)

下面讨论两个级数的乘积. 两个级数的乘积是两个有限和乘积的推广.

设级数 $\sum\limits_{n=1}^{\infty} u_n$ 和 $\sum\limits_{n=1}^{\infty} v_n$ 都收敛,仿照有限项之和相乘的规则,作出这两个级数的项的所有可能的乘积 $u_i v_k (i, k = 1, 2, \cdots)$. 这些乘积是

$$u_1 v_1, u_1 v_2, \cdots, u_1 v_i, \cdots$$
$$u_2 v_1, u_2 v_2, \cdots, u_2 v_i, \cdots$$
$$u_3 v_1, u_3 v_2, \cdots, u_3 v_i, \cdots$$
$$\vdots$$
$$u_k v_1, u_k v_2, \cdots, u_k v_i, \cdots$$
$$\vdots$$

这些乘积可以用很多的方式将它们排列成一个数列. 例如可以按"对角线法"或"正方形法"将它们排列成下面形状的数列(图 12-2):

(对角线法)$u_1v_1; u_1v_2, u_2v_1; \cdots; u_1v_n, u_2v_{n-1}, \cdots, u_nv_1; \cdots$.

(正方形法)$u_1v_1; u_1v_2, u_2v_2, u_2v_1; \cdots; u_1v_n, u_2v_n, \cdots, u_nv_n, u_nv_{n-1}, \cdots, u_nv_1; \cdots$.

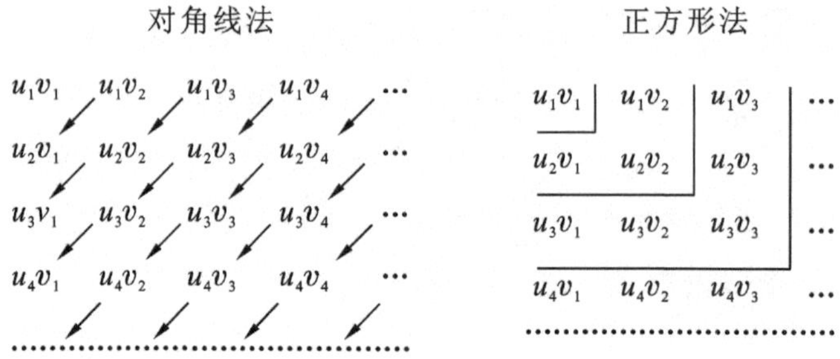

对角线法　　　　　　正方形法

图 12-2

把上面排好的数列用加号相连,就构成无穷级数. 我们称按"对角线法"排列所构成的级数

$$u_1v_1 + (u_1v_2 + u_2v_1) + \cdots + (u_1v_n + u_2v_{n-1} + \cdots + u_nv_1) + \cdots$$

为两级数 $\sum_{n=1}^{\infty} u_n$ 和 $\sum_{n=1}^{\infty} v_n$ 的柯西乘积.

定理 2(绝对收敛级数的乘法)　设级数 $\sum_{n=1}^{\infty} u_n$ 和 $\sum_{n=1}^{\infty} v_n$ 都绝对收敛,其和分别为 s 和 σ,则它们的柯西乘积

$$u_1v_1 + (u_1v_2 + u_2v_1) + \cdots + (u_1v_n + u_2v_{n-1} + \cdots + u_nv_1) + \cdots \tag{1}$$

也是绝对收敛的,且其和为 $s\sigma$.

证明　考虑把级数(1)的括号去掉后所成的级数

$$u_1v_1 + u_1v_2 + u_2v_1 + \cdots + u_nv_n + \cdots. \tag{2}$$

如果级数(2)绝对收敛且其和为 w,那么由收敛级数的基本性质 4 及比较判别法可知,级数(1)也绝对收敛且其和为 w. 因此只要证明级数(2)绝对收敛且其和 $w = s\sigma$ 就可以了.

(1)先证级数(2)绝对收敛.

设 w_m 为级数(2)的前 m 项分别取绝对值后所成的和,又设

$$\sum_{n=1}^{\infty} |u_n| = A, \quad \sum_{n=1}^{\infty} |v_n| = B,$$

则显然有

$$w_m \leqslant \sum_{n=1}^{\infty} |u_n| \cdot \sum_{n=1}^{\infty} |v_n| = AB.$$

由此可见单调增加数列$\{w_m\}$不超过定数AB,所以级数(2)绝对收敛.

(2)再证级数(2)的和$w = s\sigma$.

把级数(2)的各项位置重新排列并加上括号使它成为按"正方形法"排列所构成的级数

$$u_1v_1 + (u_1v_2 + u_2v_2 + u_2v_1) + \cdots + (u_1v_n + u_2v_n + \cdots + u_nv_n + u_nv_{n-1} + \cdots + u_nv_1) + \cdots, \quad (3)$$

根据定理1及收敛级数的基本性质4可知,对于绝对收敛级数(2)这样做是不会改变其和的. 容易看出,级数(3)的前n项的和恰好为

$$(u_1 + u_2 + \cdots + u_n) \cdot (v_1 + v_2 + \cdots + v_n) = s_n\sigma_n,$$

因此

$$w = \lim_{n \to \infty}(s_n\sigma_n) = s\sigma.$$

定理1和定理2指出:绝对收敛级数满足交换律和分配律. 换句话说,绝对收敛级数这种无限和具有较多有限和的性质. 条件收敛的级数,则在某些方面与有限和差异较大.

习题 12-4

1. 证明:将收敛级数$\sum\limits_{n=1}^{\infty} u_n$相邻的奇偶项交换位置得到的新级数也收敛,且和不变.

2. 交换条件收敛级数$\sum\limits_{n=1}^{\infty}(-1)^{n-1}\dfrac{1}{n}$的各项,使交换项之后的新级数发散到正无穷大.

3. 证明:若$|q| < 1$,有

$$\left(\sum_{n=1}^{\infty} q^n\right)^2 = \sum_{n=0}^{\infty}(n+1)q^n.$$

4. 证明:级数$\sum\limits_{n=1}^{\infty}(-1)^{n-1}\dfrac{1}{n}$自乘的柯西乘积收敛.

5. 研究下列交错级数的敛散性:

(1) $\sum\limits_{n=1}^{\infty}\dfrac{(-1)^n}{\sqrt{n}+(-1)^n}$;

(2) $\sum\limits_{n=1}^{\infty}\sin(\pi\sqrt{n^2+k^2})$.

12.5 函数项级数

在前几节中研究了数项级数,接下来研究级数的各项是某个自变量的函数的情况,即函数项级数.

12.5.1 函数项级数的定义

如果给定一个定义在区间 I 上的函数列
$$u_1(x), u_2(x), \cdots, u_n(x), \cdots$$
那么由此函数列构成的表达式
$$u_1(x) + u_2(x) + \cdots + u_n(x) + \cdots \tag{1}$$
称为定义在区间 I 上的(函数项)无穷级数,简称(函数项)级数.

对于每一个确定的值 $x_0 \in I$,函数项级数(1)称为常数项级数
$$u_1(x_0) + u_2(x_0) + \cdots + u_n(x_0) + \cdots. \tag{2}$$
级数(2)可能收敛也可能发散.如果级数(2)收敛,就称点 x_0 是函数项级数(1)的收敛点;如果级数(2)发散,就称点 x_0 是函数项级数(1)的发散点.函数项级数(1)的收敛点的全体称为它的收敛域,发散点的全体称为它的发散域.若收敛域是一个区间,则称此区间是函数项级数(1)的收敛区间.

对应于收敛域内的任意一个数 x,函数项级数称为收敛的常数项级数,因而有确定的和 s.这样,在收敛域上,函数项级数的和是 x 的函数 $s(x)$,通常称 $s(x)$ 为函数项级数的和函数,函数 $s(x)$ 的定义域就是函数项级数(1)的收敛域,并写成
$$s(x) = u_1(x) + u_2(x) + \cdots + u_n(x) + \cdots.$$
把函数项级数(1)的前 n 项的部分和记作 $s_n(x)$,则在收敛域上有
$$\lim_{n \to \infty} s_n(x) = s(x).$$
记 $r_n(x) = s(x) - s_n(x)$,$r_n(x)$ 叫作函数项级数的余项[当然,只有 x 在收敛域上 $r_n(x)$ 才有意义],并有
$$\lim_{n \to \infty} r_n(x) = 0.$$

例 1 讨论函数项级数 $\sum_{n=1}^{\infty} x^n$ 的收敛域.

解 函数项级数 $\sum_{n=1}^{\infty} x^n$ 是几何级数,公比是 x.当 $|x| \geq 1$ 时,函数项级数 $\sum_{n=1}^{\infty} x^n$

发散;当$|x|<1$时,函数项级数$\sum_{n=1}^{\infty}x^n$收敛,和函数$s(x)=\dfrac{1}{1-x}$,即

$$\frac{1}{1-x}=1+x+x^2+\cdots+x^n+\cdots.$$

于是,它的收敛域是$(-1,1)$.

12.5.2 函数项级数的一致收敛性及其判别法

1. 一致收敛的定义

根据函数的连续性、可导性和可积性,若有限个函数具有连续性、可导性和可积性,则其和函数仍然分别具有连续性、可导性和可积性. 那么对于无穷多个函数的和是否也具有这些性质呢? 换句话说,无穷多个连续函数的和$s(x)$是否仍然具有连续性? 无穷多个函数的导数及积分的和是否仍然分别等于它们的和函数的导数及积分呢? 对于一般的函数项级数,回答是否定的. 下面来看一个例子.

例 2 函数项级数

$$x+(x^2-x)+(x^3-x^2)+\cdots+(x^n-x^{n-1})+\cdots$$

的每一项都在$[0,1]$上连续,其前n项之和为$s_n(x)=x^n$,因此和函数为

$$s(x)=\lim_{n\to\infty}s_n(x)=\begin{cases}0,0\leqslant x<1,\\ 1,x=1.\end{cases}$$

$s(x)$在$x=1$处间断. 由此可见,函数项级数的每一项在$[a,b]$上连续,并且级数在$[a,b]$上收敛,但其和函数不一定在$[a,b]$上连续.

也可以举出这样的例子,函数项级数的每一项的导数及积分所构成的级数的和并不等于它们的和函数的导数及积分. 那么可提出这样的一个问题:对什么样的级数,能够从级数每一项的连续性得到它的和函数的连续性,从级数的每一项的导数及积分所构成的级数之和得出原来级数的和函数的导数及积分呢? 要回答这个问题,就需要引入下面的函数项级数的一致收敛性概念.

设函数项级数

$$u_1(x)+u_2(x)+\cdots+u_n(x)+\cdots$$

在区间I上收敛于和$s(x)$. 也就是对于区间I上的每一个值x_0,数项级数$\sum_{n=1}^{\infty}u_n(x_0)$收敛于$s(x_0)$,即级数的部分和所构成的数列

$$\lim_{n\to\infty}s_n(x_0)=\lim_{n\to\infty}\sum_{i=1}^{n}u_i(x_0)=s(x_0).$$

按数列极限的定义,$\forall\varepsilon>0$以及区间I上的每一个值x_0,都存在着一个正整数N,使得当$n>N$时,有

$$|s(x_0) - s_n(x_0)| < \varepsilon,$$

即

$$|r_n(x_0)| = \left|\sum_{i=n+1}^{\infty} u_i(x_0)\right| < \varepsilon.$$

这个数 N 一般来说不仅依赖于 ε，而且也依赖于 x_0，我们记它为 $N(x_0, \varepsilon)$，如果对于某一函数项级数能够找到只依赖于 ε 而不依赖于 x_0 的一个正整数 N，也就是对区间 I 上的每一个值 x_0 都能适用的 $N(\varepsilon)$，这就是下面的一致收敛的定义.

定义 设有函数项级数 $\sum\limits_{n=1}^{\infty} u_n(x)$. 如果对于任意给定的正数 ε，都存在着一个只依赖于 ε 的正整数 N，使得当 $n > N$ 时，对区间 I 上的一切 x，都有不等式

$$|r_n(x)| = |s(x) - s_n(x)| < \varepsilon$$

成立，那么称函数项级数 $\sum\limits_{n=1}^{\infty} u_n(x)$ 在区间 I 上一致收敛于和 $s(x)$，也称函数序列 $\{s_n(x)\}$ 在区间 I 上一致收敛于 $s(x)$.

一致收敛的定义在几何上可解释为：只要 n 充分大 ($n > N$)，在区间 I 上的所有曲线 $y = s_n(x)$ 将位于曲线

$$y = s(x) + \varepsilon \text{ 与 } y = s(x) - \varepsilon$$

之间(图 12-3).

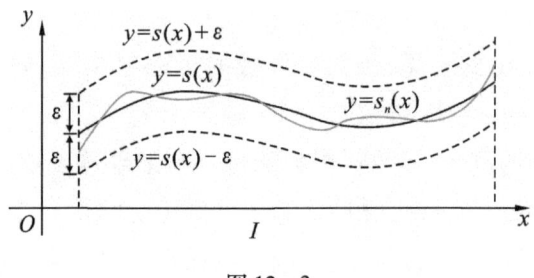

图 12-3

例 3 研究级数

$$\frac{1}{x+1} + \left(\frac{1}{x+2} - \frac{1}{x+1}\right) + \cdots + \left(\frac{1}{x+n} - \frac{1}{x+n-1}\right) + \cdots$$

在区间 $[0, +\infty)$ 上的一致收敛性.

解 级数的前 n 项和 $s_n(x) = \dfrac{1}{x+n}$，因此级数的和

$$s(x) = \lim_{n\to\infty} s_n(x) = \lim_{n\to\infty} \frac{1}{x+n} = 0 \quad (0 \leq x < +\infty).$$

于是，余项的绝对值

$$|r_n(x)| = |s(x) - s_n(x)| = \frac{1}{x+n} \leq \frac{1}{n} \quad (0 \leq x < +\infty).$$

对于任给 $\varepsilon>0$,取正整数 $N\geqslant\dfrac{1}{\varepsilon}$,则当 $n>N$ 时,对于区间 $[0,+\infty)$ 上的一切有
$$|r_n(x)|<\varepsilon.$$
根据定义,所给级数在区间 $[0,+\infty)$ 上一致收敛于 $s(x)=0$.

例 4 研究例 2 中的级数
$$x+(x^2-x)+(x^3-x^2)+\cdots+(x^n-x^{n-1})+\cdots$$
在区间 $(0,1)$ 内的一致收敛性.

解 这级数在区间 $(0,1)$ 内处处收敛于和 $s(x)=0$,但并不一致收敛. 事实上, 这个级数的部分和 $s_n(x)=x^n$,对于任意一个正整数 n,取 $x_n=\dfrac{1}{\sqrt[n]{2}}$,于是
$$s_n(x_n)=x_n^n=\dfrac{1}{2},$$
但 $s(x_n)=0$,从而
$$|r_n(x_n)|=|s(x_n)-s_n(x_n)|=\dfrac{1}{2}.$$

所以,只要取 $\varepsilon>\dfrac{1}{2}$,不论 n 多么大,在 $(0,1)$ 内总存在这样的点 x_n,使得 $|r_n(x_n)|>\varepsilon$,因此所给级数在 $(0,1)$ 内不一致收敛. 这表明虽然函数序列 $s_n(x)=x^n$ 在 $(0,1)$ 内处处收敛于 $s(x)=0$ 但 $s_n(x)$ 在 $(0,1)$ 内各点处收敛于零的"快慢"程度是不一致的,从图 12-4 中我们也可以看出这一情形.

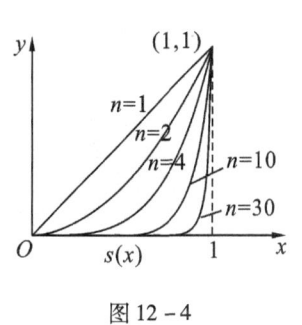

图 12-4

可是对于任意正数 $r<1$,这级数在 $[0,r]$ 上一致收敛. 这是因为当 $x=0$ 时,显然
$$|r_n(x)|=x^n<\varepsilon.$$
当 $0<x\leqslant r$ 时,要使 $x^n<\varepsilon$(不妨设 $\varepsilon<1$),只要 $n\ln x<\ln\varepsilon$ 或 $n>\dfrac{\ln\varepsilon}{\ln x}$,而 $\dfrac{\ln\varepsilon}{\ln x}$ 在 $(0,r]$ 上的最大值为 $\dfrac{\ln\varepsilon}{\ln r}$,故取正整数 $N\geqslant\dfrac{\ln\varepsilon}{\ln r}$,则当 $n>N$ 时,对 $[0,r]$ 上的一切 x 都有 $x^n<\varepsilon$.

2. 一致收敛的判别法

上述例子也说明了一致收敛性与所讨论的区间有关. 上述例子都是直接根据定义来判定级数的一致收敛性的,现在介绍一个在实用上比较方便的判别法.

定理 1(魏尔斯特拉斯(Weierstrass)判别法) 如果函数项级数 $\sum\limits_{n=1}^{\infty}u_n(x)$ 在区间 I 上满足条件:

(1) $|u_n(x)| \leq a_n (n=1,2,\cdots)$；

(2) 正项级数 $\sum_{n=1}^{\infty} a_n$ 收敛，

那么函数项级数 $\sum_{n=1}^{\infty} u_n(x)$ 在区间 I 上一致收敛.

证明 由条件(2)，对任意给定的 $\varepsilon > 0$，根据柯西收敛准则(12.1)，存在正整数 N，使得当 $n > N$ 时，对任意的正整数 p，都有

$$a_{n+1} + a_{n+2} + \cdots + a_{n+p} < \frac{\varepsilon}{2}.$$

由条件(1)，对任何 $x \in I$，都有

$$|u_{n+1}(x) + u_{n+2}(x) + \cdots + u_{n+p}(x)|$$
$$\leq |u_{n+1}(x)| + |u_{n+2}(x)| + \cdots + |u_{n+p}(x)|$$
$$\leq a_{n+1} + a_{n+2} + \cdots + a_{n+p} < \frac{\varepsilon}{2}.$$

令 $p \to \infty$，则由上式得

$$|r_n(x)| \leq \frac{\varepsilon}{2} < \varepsilon.$$

因此函数项级数 $\sum_{n=1}^{\infty} u_n(x)$ 在区间 I 上一致收敛.

例5 证明级数

$$\frac{\sin x}{1^2} + \frac{\sin 2^2 x}{2^2} + \cdots + \frac{\sin n^2 x}{n^2} + \cdots$$

在 $(-\infty, +\infty)$ 内一致收敛.

证明 因为在 $(-\infty, +\infty)$ 内

$$\left|\frac{\sin n^2 x}{n^2}\right| \leq \frac{1}{n^2} (n=1,2,\cdots),$$

而 $\sum_{n=1}^{\infty} \frac{1}{n^2}$ 收敛，故由魏尔斯特拉斯判别法，所给级数在 $(-\infty, +\infty)$ 内一致收敛.

定理2（柯西一致收敛准则） 函数项级数 $\sum_{n=1}^{\infty} u_n(x)$ 在区间 I 一致收敛当且仅当 $\forall \varepsilon > 0, \exists N \in \mathbf{N}^+, \forall n > N, \forall p \in \mathbf{N}^+, \forall x \in I$，有

$$|u_{n+1}(x) + u_{n+2}(x) + \cdots + u_{n+p}(x)| < \varepsilon.$$

证明 必要性. 设函数项级数 $\sum_{n=1}^{\infty} u_n(x)$ 在区间 I 一致收敛于和函数 $s(x)$，则 $\forall \varepsilon > 0, \exists N = N(\varepsilon) \in \mathbf{N}^+, \forall n > N, \forall p \in \mathbf{N}^+, \forall x \in I$，有

$$|s(x) - s_n(x)| < \frac{\varepsilon}{2}.$$

也有
$$|s(x)-s_{n+p}(x)|<\frac{\varepsilon}{2}.$$

于是
$$|u_{n+1}(x)+u_{n+2}(x)+\cdots+u_{n+p}(x)|$$
$$=|s_{n+p}(x)-s_n(x)|$$
$$=|s_{n+p}(x)-s(x)+s(x)-s_n(x)|$$
$$\leqslant|s(x)-s_{n+p}(x)|+|s(x)-s_n(x)|$$
$$<\frac{\varepsilon}{2}+\frac{\varepsilon}{2}=\varepsilon.$$

充分性. 已知 $\forall \varepsilon>0, \exists N=N(\varepsilon)\in \mathbf{N}^+, \forall n>N, \forall p\in \mathbf{N}^+, \forall x\in I$,有
$$|u_{n+1}(x)+u_{n+2}(x)+\cdots+u_{n+p}(x)|$$
$$=|s_{n+p}(x)-s_n(x)|<\varepsilon.$$

从而,函数项级数 $\sum\limits_{n=1}^{\infty}u_n(x)$ 在区间 I 收敛,设其和函数是 $s(x)$. 因为 p 是任意正整数,所以当 $p\to\infty$ 时,上述不等式有
$$|s(x)-s_n(x)|\leqslant\varepsilon,$$

即函数项级数 $\sum\limits_{n=1}^{\infty}u_n(x)$ 在区间 I 一致收敛.

在上面定理 2 中,取 $p=1$,即

$\forall \varepsilon>0, \exists N=N(\varepsilon)\in \mathbf{N}^+, \forall n>N, \forall p\in \mathbf{N}^+, \forall x\in I$,有 $|u_{n+1}(x)|<\varepsilon.$

就得到函数项级数一致收敛的一个必要条件:函数项级数 $\sum\limits_{n=1}^{\infty}u_n(x)$ 在区间 I 上一致收敛的必要条件是它的通项 $u_n(x)$ 在 I 上一致收敛于 0.

这个必要条件常被用来判别函数项级数的非一致收敛性,非常方便.

例 6 证明函数项级数 $\sum\limits_{n=1}^{\infty}n\mathrm{e}^{-nx}$ 在 $(0,+\infty)$ 上非一致收敛.

证明 只需证明它的通项
$$u_n(x)=n\mathrm{e}^{-nx}$$
在 $(0,+\infty)$ 上非一致收敛于 0.

对于 $\varepsilon_0=1, \forall N\in \mathbf{N}^+$,取 $n_0=N+3$,则 $n_0>N$,再取 $x_0=\dfrac{1}{n_0}$,则 $x_0\in(0,+\infty)$ 且
$$u_{n_0}\left(\frac{1}{n_0}\right)=n_0\mathrm{e}^{-n_0\frac{1}{n_0}}=n_0\mathrm{e}^{-1}\geqslant 1.$$

于是函数项级数 $\sum\limits_{n=1}^{\infty}n\mathrm{e}^{-nx}$ 在 $(0,+\infty)$ 上非一致收敛.

注意:定理1是判别函数项级数一致收敛的很简便的判别法,但是这个方法有很大的局限性.凡能用魏尔斯特拉斯判别法判别的函数项级数必是一致收敛,此函数项级数必然是绝对收敛;如果函数项级数是一致收敛,而非绝对收敛,即条件收敛,那么就不能使用魏尔斯特拉斯判别法.对于条件收敛的函数项级数,判别其一致收敛,有下面的狄利克雷判别法和阿贝尔判别法.

首先给出几个概念.

定义 设函数列 $\{u_n(x)\}$ 的每个函数 $u_n(x)$ 都在数集 A 上有定义.

(1) 若 $\forall x \in A$,数列 $\{u_n(x)\}$ 单调递增(单调递减),则称函数列 $\{u_m(x)\}$ 在 A 上单调递增(单调递减).单调递增或单调递减,统称为单调.

(2) 若 $\exists M > 0, \forall n \in \mathbf{N}^+, \forall x \in A$,有 $|u_n(x)| \leqslant M$,则称函数列 $\{u_n(x)\}$ 在 A 上一致有界.

前面有数项级数条件收敛的狄利克雷判别法和阿贝尔判别法,完全类似地有判别函数项级数一致收敛的狄利克雷判别法和阿贝尔判别法.

定理3(狄利克雷判别法) 若级数 $\sum_{n=1}^{\infty} a_n(x) b_n(x)$ 满足下面两个条件:

(1) 函数列 $\{a_n(x)\}$ 对每个 $x \in I$ 是单调的,且在区间 I 上一致收敛于 0;

(2) 函数项级数 $\sum_{n=1}^{\infty} b_n(x)$ 的部分和函数列 $\{B_n(x)\}$ 在区间 I 上一致有界,

则函数项级数 $\sum_{n=1}^{\infty} a_n(x) b_n(x)$ 在区间 I 上一致收敛.

(证明略)

定理4(阿贝尔判别法) 若级数 $\sum_{n=1}^{\infty} a_n(x) b_n(x)$ 满足下面两个条件:

(1) 函数列 $\{a_n(x)\}$ 对每个 $x \in I$ 是单调的,且在区间 I 上一致有界;

(2) 函数项级数 $\sum_{n=1}^{\infty} b_n(x)$ 在区间 I 上一致收敛,

则函数项级数 $\sum_{n=1}^{\infty} a_n(x) b_n(x)$ 在区间 I 上一致收敛.

(证明略)

例7 证明函数项级数 $\sum_{n=1}^{\infty} \frac{\sin nx}{n}$ 在 $[\delta, 2\pi - \delta]$ $(0 < \delta < \pi)$ 上一致收敛.

证明 有 $\forall x \in [\delta, 2\pi - \delta], \forall n \in \mathbf{N}^+$,有

$$\left| \sum_{k=1}^{n} \sin kx \right| = \left| \frac{1}{2\sin \frac{x}{2}} \sum_{k=1}^{n} 2\sin kx \sin \frac{x}{2} \right|$$

$$= \left|\frac{1}{2\sin\frac{x}{2}}\sum_{k=1}^{n}\left[\cos\left(k-\frac{1}{2}\right)x - \cos\left(k+\frac{1}{2}\right)x\right]\right|$$

$$= \left|\frac{\cos\frac{1}{2}x - \cos\left(n+\frac{1}{2}\right)x}{2\sin\frac{x}{2}}\right|$$

$$\leqslant \left|\frac{1}{2\sin\frac{x}{2}}\right| \leqslant \frac{1}{\sin\frac{\delta}{2}} = M.$$

即函数项级数 $\sum_{n=1}^{\infty}\sin nx$ 的部分和函数列在 $[\delta, 2\pi-\delta]$ 上一致有界,而数列 $\left\{\frac{1}{n}\right\}$ 单调递减趋近于 0(当然在 $[\delta, 2\pi-\delta]$ 上也是一致收敛于 0).根据狄利克雷判别法,函数项级数 $\sum_{n=1}^{\infty}\frac{\sin nx}{n}$ 在区间 $[\delta, 2\pi-\delta]$ 上一致收敛.

3. 一致收敛级数的基本性质

一致收敛级数有如下基本性质.

定理 5 如果级数 $\sum_{n=1}^{\infty}u_n(x)$ 的各项 $u_n(x)$ 在区间 $[a,b]$ 上都连续,且 $\sum_{n=1}^{\infty}u_n(x)$ 在区间 $[a,b]$ 上一致收敛于 $s(x)$,那么 $s(x)$ 在 $[a,b]$ 上也连续.

证明 设 x_0、x 为 $[a,b]$ 上任意两点,由等式

$$s(x) = s_n(x) + r_n(x), s(x_0) = s_n(x_0) + r_n(x_0)$$

得

$$|s(x) - s(x_0)| = |s_n(x) - s_n(x_0) + r_n(x) - r_n(x_0)|$$
$$\leqslant |s_n(x) - s_n(x_0)| + |r_n(x) - r_n(x_0)|. \tag{3}$$

因为级数 $\sum_{n=1}^{\infty}u_n(x)$ 一致收敛于 $s(x)$,所以对任意给定的正数 ε,必有正整数 $N = N(\varepsilon)$,使得当 $n > N$ 时,对 $[a,b]$ 上的一切 x,都有

$$|r_n(x)| < \frac{\varepsilon}{3}. \tag{4}$$

当然,也有 $|r_n(x_0)| < \frac{\varepsilon}{3}$.选定满足大于 N 的 n 之后,$s_n(x)$ 是有限项连续函数之和,故 $s_n(x)$ 在点 x_0 连续,从而必存在 $\delta > 0$,当 $|x - x_0| < \delta$ 时,总有

$$|s_n(x) - s_n(x_0)| < \frac{\varepsilon}{3}. \tag{5}$$

由(3)(4)(5)式可见,对任给 $\varepsilon>0$,必有 $\delta>0$,当 $|x-x_0|<\delta$ 时,有
$$|s(x)-s(x_0)|<\varepsilon.$$
所以 $s(x)$ 在点 x_0 处连续,而 x_0 是 $[a,b]$ 上的任意点,因此 $s(x)$ 在 $[a,b]$ 上连续.

定理 6 如果级数 $\sum_{n=1}^{\infty} u_n(x)$ 的各项 $u_n(x)$ 在区间 $[a,b]$ 上连续,且 $\sum_{n=1}^{\infty} u_n(x)$ 在 $[a,b]$ 上一致收敛于 $s(x)$,那么级数 $\sum_{n=1}^{\infty} u_n(x)$ 在 $[a,b]$ 上可以逐项积分,即

$$\int_{x_0}^{x} s(x)\,\mathrm{d}x = \sum_{n=1}^{\infty} \int_{x_0}^{x} u_n(x)\,\mathrm{d}x, \tag{6}$$

其中 $a \leqslant x_0 < x \leqslant b$,并且上式右端的级数在 $[a,b]$ 上也一致收敛.

证明 因为级数 $\sum_{n=1}^{\infty} u_n(x)$ 在 $[a,b]$ 上一致收敛,由定理 5, $s(x)$、$r_n(x)$ 都在 $[a,b]$ 上连续,所以积分 $\int_{x_0}^{x} s(x)\,\mathrm{d}x$、$\int_{x_0}^{x} r_n(x)\,\mathrm{d}x$ 存在,从而有

$$\left| \int_{x_0}^{x} s(x)\,\mathrm{d}x - \int_{x_0}^{x} s_n(x)\,\mathrm{d}x \right| = \left| \int_{x_0}^{x} r_n(x)\,\mathrm{d}x \right| \leqslant \int_{x_0}^{x} |r_n(x)|\,\mathrm{d}x.$$

又由级数的一致收敛性,对任给正数 ε,必有 $N = N(\varepsilon)$,使得当 $n > N$ 时,对 $[a,b]$ 上的一切 x 都有

$$|r_n(x)| < \frac{\varepsilon}{b-a}.$$

于是,当 $n > N$ 时有

$$\left| \int_{x_0}^{x} s(x)\,\mathrm{d}x - \int_{x_0}^{x} s_n(x)\,\mathrm{d}x \right| \leqslant \int_{x_0}^{x} |r_n(x)|\,\mathrm{d}x < \frac{\varepsilon}{b-a}(x-x_0) \leqslant \varepsilon.$$

根据极限的定义,有

$$\int_{x_0}^{x} s(x)\,\mathrm{d}x = \lim_{n\to\infty} \int_{x_0}^{x} s_n(x)\,\mathrm{d}x = \lim_{n\to\infty} \sum_{i=1}^{n} \int_{x_0}^{x} u_i(x)\,\mathrm{d}x,$$

即

$$\int_{x_0}^{x} s(x)\,\mathrm{d}x = \sum_{i=1}^{\infty} \int_{x_0}^{x} u_i(x)\,\mathrm{d}x.$$

由于 N 只依赖于 ε 而与 x_0、x 无关,所以级数 $\sum_{i=1}^{\infty} \int_{x_0}^{x} u_i(x)\,\mathrm{d}x$ 在 $[a,b]$ 上一致收敛.

定理 7 如果级数 $\sum_{n=1}^{\infty} u_n(x)$ 在区间 $[a,b]$ 上收敛于和 $s(x)$,它的各项 $u_n(x)$ 都具有连续导数 $u_n'(x)$,并且级数 $\sum_{n=1}^{\infty} u_n'(x)$ 在 $[a,b]$ 上一致收敛,那么级数 $\sum_{n=1}^{\infty} u_n(x)$ 在 $[a,b]$ 上也一致收敛,且可逐项求导,即

$$s'(x) = \sum_{n=1}^{\infty} u_n'(x). \tag{7}$$

证明 先证等式(7). 由于 $\sum_{n=1}^{\infty} u_n'(x)$ 在 $[a,b]$ 上一致收敛,设其和为 $\varphi(x)$,即 $\sum_{n=1}^{\infty} u_n'(x) = \varphi(x)$,欲证(7)只需证 $\varphi(x) = s'(x)$.

根据定理 5 知,$\varphi(x)$ 在 $[a,b]$ 上连续,根据定理 6,级数 $\sum_{n=1}^{\infty} u_n'(x)$ 可逐项积分,故有

$$\int_{x_0}^{x} \varphi(x) \mathrm{d}x = \sum_{n=1}^{\infty} \int_{x_0}^{x} u_n'(x) \mathrm{d}x = \sum_{n=1}^{\infty} [u_n(x) - u_n(x_0)],$$

而

$$\sum_{n=1}^{\infty} u_n(x) = s(x), \quad \sum_{n=1}^{\infty} u_n(x_0) = s(x_0),$$

故

$$\sum_{n=1}^{\infty} [u_n(x) - u_n(x_0)] = s(x) - s(x_0),$$

从而有

$$\int_{x_0}^{x} \varphi(x) \mathrm{d}x = s(x) - s(x_0),$$

其中 $a \leq x_0 < x \leq b$. 上式两端求导,即得关系式

$$\varphi(x) = s'(x).$$

再证级数 $\sum_{n=1}^{\infty} u_n(x)$ 在 $[a,b]$ 上也一致收敛.

根据定理 6,级数 $\sum_{n=1}^{\infty} \int_{x_0}^{x} u_n'(x) \mathrm{d}x$ 在 $[a,b]$ 上一致收敛,而

$$\sum_{n=1}^{\infty} \int_{x_0}^{x} u_n'(x) \mathrm{d}x = \sum_{n=1}^{\infty} u_n(x) - \sum_{n=1}^{\infty} u_n(x_0),$$

所以

$$\sum_{n=1}^{\infty} u_n(x) = \sum_{n=1}^{\infty} \int_{x_0}^{x} u_n'(x) \mathrm{d}x + \sum_{n=1}^{\infty} u_n(x_0),$$

由此即得所要证的结论.

必须注意,级数一致收敛并不能保证可以逐项求导. 例如,在例 5 中我们已证明了级数

$$\frac{\sin x}{1^2} + \frac{\sin 2^2 x}{2^2} + \cdots + \frac{\sin n^2 x}{n^2} + \cdots$$

在任何区间 $[a,b]$ 上都是一致收敛的,但逐项求导后的级数

$$\cos x + \cos 2^2 x + \cdots + \cos n^2 x + \cdots,$$

其一般项不趋于零,所以对任意值 x 都是发散的,因此原级数不可以逐项求导.

习题 12-5

1. 求下列函数项级数的收敛域：

   (1) $\sum_{n=1}^{\infty} \dfrac{x^n}{1+x^{2n}}$；

   (2) $\sum_{n=1}^{\infty} \dfrac{n}{n+1}\left(\dfrac{x}{2x+1}\right)^n$.

2. 已知级数 $x^2 + \dfrac{x^2}{1+x^2} + \dfrac{x^2}{(1+x^2)^2} + \cdots$ 在 $[a,b]$ 上收敛．

   (1) 求出该级数的和；

   (2) 问 $N(\varepsilon,x)$ 取多大，能使当 $n > N$ 时，级数的余项 r_n 的绝对值小于正数 ε；

   (3) 分别讨论级数在区间 $[0,1]$，$\left[\dfrac{1}{2},1\right]$ 上的一致收敛性．

3. 讨论下列级数在所给区间上的一致收敛性：

   (1) $\sum_{n=1}^{\infty}(-1)^{n-1}\dfrac{x^2}{(1+x^2)^n}$, $-\infty < x < +\infty$；

   (2) $\sum_{n=1}^{\infty}(-1)^{n-1}\dfrac{x^n}{n}$, $0 \leqslant x \leqslant 1$；

4. 利用魏尔斯特拉斯判别法证明下列级数在所给区间上的一致收敛性：

   (1) $\sum_{n=1}^{\infty} \dfrac{\sin nx}{2^n}$, $-\infty < x < +\infty$；

   (2) $\sum_{n=1}^{\infty} \dfrac{\cos nx}{\sqrt[2]{n^4+x^4}}$, $-\infty < x < +\infty$；

   (3) $\sum_{n=1}^{\infty} x^2 e^{-nx}$, $0 \leqslant x < \infty$；

   (4) $\sum_{n=1}^{\infty} (-1)^n \dfrac{1-e^{-nx}}{x^2+n^2}$, $0 \leqslant x < \infty$.

5. 证明：若函数项级数 $\sum_{n=1}^{\infty} |b_n(x)|$ 在区间 I 上一致收敛，则函数项级数 $\sum_{n=1}^{\infty} b_n(x)$ 在区间 I 上也一致收敛．反之是否成立？考虑函数项级数

$$\sum_{n=1}^{\infty}(-1)^n(1-x)x^n,\ x \in [0,1].$$

6. 证明：若函数项级数 $\sum_{n=1}^{\infty} a_n(x)$ 与 $\sum_{n=1}^{\infty} b_n(x)$ 在区间 I 上都一致收敛，则函数项级数 $\sum_{n=1}^{\infty} [ua_n(x) + vb_n(x)]$ 在区间 I 上也一致收敛，其中 u 与 v 是常数．

7. 证明：若函数项级数 $\sum_{n=1}^{\infty} f_n(x)$ 在区间 $[a,b]$ 上一致收敛，且函数 $\varphi(x)$ 在 $[a,b]$ 上有界，则函数项级数 $\sum_{n=1}^{\infty} \varphi(x)f_n(x)$ 在 $[a,b]$ 上也一致收敛．

8. 证明：若函数项级数 $\sum_{n=1}^{\infty} |f_n(x)|$ 在区间 I 上一致收敛，函数列 $\{g_n(x)\}$ 在区间

I 上一致有界,则函数项级数 $\sum_{n=1}^{\infty} f_n(x)g_n(x)$ 在区间 I 上一致收敛.

12.6 幂级数

下面介绍一种简单而常用的函数项级数.

12.6.1 幂级数的定义

函数项级数的各项都是常数与幂函数的乘积时称此函数项级数为幂级数,它的形式是

$$\sum_{n=0}^{\infty} a_n x^n = a_0 + a_1 x + a_2 x^2 + \cdots + a_n x^n + \cdots, \tag{1}$$

其中常数 $a_0, a_1, a_2, \cdots, a_n, \cdots$ 叫作幂级数的系数. 例如

$$1 + x + x^2 + \cdots + x^n + \cdots,$$

$$1 + x + \frac{1}{2!}x^2 + \cdots + \frac{1}{n!}x^n + \cdots$$

都是幂级数.

12.6.2 幂级数的收敛半径与收敛域

对于一个给定的幂级数,它的收敛域与发散域是怎样的? 即 x 取数轴上哪些点时幂级数收敛,取哪些点时幂级数发散? 这就是幂级数的敛散性问题.

先看一个例子. 考察幂级数

$$1 + x + x^2 + \cdots + x^n + \cdots$$

的收敛性. 由 12.1 中例 4 知道,当 $|x|<1$ 时,级数收敛于和 $\dfrac{1}{1-x}$;当 $|x|\geq 1$ 时,级数发散. 因此,此幂级数的收敛域是开区间 $(-1,1)$,发散域是 $(-\infty,-1]$ 及 $[1,+\infty)$,并有

$$\frac{1}{1-x} = 1 + x + x^2 + \cdots + x^n + \cdots \quad (-1 < x < 1).$$

在本例中幂级数的收敛域是一个区间. 对于一般的幂级数有如下结论.

定理 1(阿贝尔(Abel)定理) 如果级数 $\sum_{n=0}^{\infty} a_n x^n$ 当 $x = x_0 (x_0 \neq 0)$ 时收敛,那么满足不等式 $|x| < |x_0|$ 的一切 x 使这幂级数绝对收敛. 反之,如果级数 $\sum_{n=0}^{\infty} a_n x^n$ 当 $x =$

x_0 时发散,那么满足不等式 $|x| > |x_0|$ 的一切 x 使这幂级数发散.

证明 先设 x_0 是幂级数(1)的收敛点,即级数

$$a_0 + a_1 x_0 + a_2 x_0^2 + \cdots + a_0 x_0^n + \cdots$$

收敛. 根据级数收敛的必要条件有

$$\lim_{n \to \infty} a_n x_0^n = 0.$$

于是存在一个常数 M,使得

$$|a_n x_0^n| \leqslant M (n = 0, 1, 2, \cdots).$$

这样级数(1)的一般项的绝对值

$$|a_n x^n| = \left| a_n x_0^n \cdot \frac{x^n}{x_0^n} \right| = |a_n x_0^n| \cdot \left| \frac{x}{x_0} \right|^n \leqslant M \left| \frac{x}{x_0} \right|^n.$$

因为当 $|x| < |x_0|$ 时,等比级数 $\sum_{n=0}^{\infty} M \left| \frac{x}{x_0} \right|^n$ 收敛(公比 $\left| \frac{x}{x_0} \right| < 1$),所以级数 $\sum_{n=0}^{\infty} |a_n x^n|$ 收敛,也就是级数 $\sum_{n=0}^{\infty} a_n x^n$ 绝对收敛.

可用反证法证明定理的第二部分. 假设当 $x = x_0$ 时幂级数发散而有一点 x_1 适合 $|x_1| > |x_0|$ 使级数收敛,则根据本定理的第一部分,当 $x = x_0$ 时级数应收敛,这与假设矛盾. 定理得证.

定理1表明,如果幂级数在 $x = x_0$ 处收敛,那么对于开区间 $(-|x_0|, |x_0|)$ 内的任何 x,幂级数都收敛;如果幂级数在 $x = x_0$ 处发散,那么对于闭区间 $[-|x_0|, |x_0|]$ 外的任何 x,幂级数都发散.

设已给幂级数在数轴上既有收敛点(不仅是原点)也有发散点. 现在从原点沿数轴向右方走,最初只遇到收敛点,然后就只遇到发散点. 这两部分的界点可能是收敛点也可能是发散点. 从原点沿数轴向左方走情形也是如此. 两个界点 P 与 P' 在原点的两侧,且由定理1可证它们到原点的距离是一样的(图12-5).

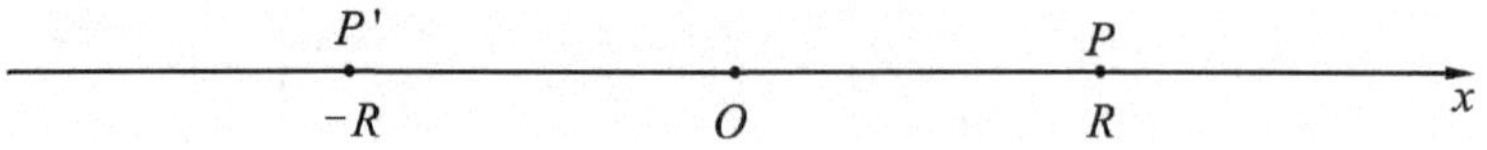

图12-5

从以上的几何说明,得出如下重要推论.

推论 如果幂级数 $\sum_{n=0}^{\infty} a_n x^n$ 不是仅在 $x = 0$ 一点收敛,也不是在整个数轴上都收敛,那么必有一个确定的正数 R 存在,使得:

当 $|x| < R$ 时,幂级数绝对收敛;

当 $|x| > R$ 时,幂级数发散;

当 $x = R$ 与 $x = -R$ 时,幂级数可能收敛也可能发散.

正数 R 通常叫作幂级数(1)的收敛半径. 开区间 $(-R,R)$ 叫作幂级数(1)的收敛区间. 再由幂级数在 $x=\pm R$ 处的敛散性就可以决定它的收敛域是 $(-R,R)$, $[-R,R)$, $(-R,R]$ 或 $[-R,R]$ 这四个区间之一.

如果幂级数(1)只在 $x=0$ 处收敛,这时收敛域只有一点 $x=0$,但为了方便起见,规定这时收敛半径 $R=0$;如果幂级数(1)对一切 x 都收敛,则规定收敛半径 $R=+\infty$,这时收敛域是 $(-\infty,+\infty)$. 这两种情形确实都是存在的,见下面的例 2 及例 3.

关于幂级数的收敛半径的求法,有下面的定理.

定理 2 如果

$$\lim_{n\to\infty}\left|\frac{a_{n+1}}{a_n}\right|=\rho,$$

其中 a_n、a_{n+1} 是幂级数 $\sum_{n=0}^{\infty}a_nx^n$ 的相邻两项的系数,那么这幂级数的收敛半径

$$R=\begin{cases}\dfrac{1}{\rho},&\rho\ne 0,\\+\infty,&\rho=0,\\0,&\rho=+\infty.\end{cases}$$

证明 考察幂级数(1)的各项取绝对值所成的级数

$$|a_0|+|a_1x|+|a_2x^2|+\cdots+|a_nx^n|+\cdots \tag{2}$$

该级数相邻两项之比为

$$\left|\frac{a_{n+1}x^{n+1}}{a_nx^n}\right|=\left|\frac{a_{n+1}}{a_n}\right||x|.$$

(1) 如果 $\lim\limits_{n\to\infty}\left|\dfrac{a_{n+1}}{a_n}\right|=\rho(\rho\ne 0)$ 存在,根据比值判别法,当 $\rho|x|<1$ 即 $|x|<\dfrac{1}{\rho}$ 时,级数(2)收敛,从而级数(1)绝对收敛;当 $\rho|x|>1$ 即 $|x|>\dfrac{1}{\rho}$ 时,级数(2)发散并且从某一个 n 开始

$$|a_{n+1}x^{n+1}|>|a_nx^n|,$$

因此一般项 $|a_nx^n|$ 不趋于零,所以 a_nx^n 也不能趋于零,从而级数(1)发散. 于是收敛半径 $R=\dfrac{1}{\rho}$;

(2) 如果 $\rho=0$,那么对于任何 $x\ne 0$,都有 $\lim\limits_{n\to\infty}\left|\dfrac{a_{n+1}x^{n+1}}{a_nx^n}\right|=0$,所以级数(2)收敛,从而级数(1)绝对收敛. 于是 $R=+\infty$;

(3) 如果 $\rho=+\infty$,那么对于除 $x=0$ 外的一切 x,级数(1)必发散,否则由定理 1 知将有点 $x\ne 0$ 使级数(2)收敛. 于是 $R=0$.

例1 求幂级数

$$x - \frac{x^2}{2^2} + \frac{x^3}{3^2} - \cdots + (-1)^{n-1}\frac{x^n}{n^2} + \cdots$$

的收敛半径与收敛域.

解 因为

$$\rho = \lim_{n\to\infty}\left|\frac{a_{n+1}}{a_n}\right| = \lim_{n\to\infty}\frac{\frac{1}{(n+1)^2}}{\frac{1}{n^2}} = 1,$$

所以收敛半径 $R = \frac{1}{\rho} = 1$.

对于端点 $x = -1$,级数成为

$$-1 - \frac{1}{2^2} - \frac{1}{3^2} - \cdots - \frac{1}{n^2} - \cdots,$$

此级数收敛.

对于端点 $x = 1$,级数成为交错级数

$$1 - \frac{1}{2^2} + \frac{1}{3^2} - \cdots + (-1)^{n-1}\frac{1}{n^2} + \cdots,$$

此级数收敛. 因此收敛域是 $[-1, 1]$.

例2 求幂级数

$$1 + x + \frac{1}{\sqrt{2!}}x^2 + \cdots + \frac{1}{\sqrt{n!}}x^n + \cdots$$

的收敛域.

解 因为

$$\rho = \lim_{n\to\infty}\left|\frac{a_{n+1}}{a_n}\right| = \lim_{n\to\infty}\frac{\frac{1}{\sqrt{(n+1)!}}}{\frac{1}{\sqrt{n!}}} = \lim_{n\to\infty}\frac{1}{\sqrt{n+1}} = 0,$$

所以收敛半径 $R = +\infty$,从而收敛域是 $(-\infty, +\infty)$.

例3 求幂级数 $\sum_{n=0}^{\infty} n!\, x^n$ 的收敛半径.

解 因为

$$\rho = \lim_{n\to\infty}\left|\frac{a_{n+1}}{a_n}\right| = \lim_{n\to\infty}\frac{(n+1)!}{n!} = +\infty,$$

所以收敛半径 $R = 0$,即级数仅在点 $x = 0$ 处收敛.

例 4 求幂级数 $\sum_{n=0}^{\infty} \dfrac{(2n)!}{(n!)^2} x^{2n}$ 的收敛半径.

解 级数缺少奇次幂的项,不能直接应用定理 2. 我们根据比值判别法来求收敛半径:

$$\lim_{n\to\infty}\left|\dfrac{\dfrac{[2(n+1)]!}{[(n+1)!]^2}x^{2(n+1)}}{\dfrac{(2n)!}{(n!)^2}x^{2n}}\right|=4|x|^2.$$

当 $4|x|^2<1$ 即 $|x|<\dfrac{1}{2}$ 时,级数收敛;当 $4|x|^2>1$ 即 $|x|>\dfrac{1}{2}$ 时,级数发散. 所以收敛半径 $R=\dfrac{1}{2}$.

例 5 求幂级数 $\sum_{n=1}^{\infty}\dfrac{(x-1)^n}{n\cdot 3^n}$ 的收敛域.

解 令 $t=x-1$,上述级数变为 $\sum_{n=1}^{\infty}\dfrac{t^n}{n\cdot 3^n}$.

因为

$$\rho=\lim_{n\to\infty}\left|\dfrac{a_{n+1}}{a_n}\right|=\lim_{n\to\infty}\dfrac{n\cdot 3^n}{(n+1)\cdot 3^{n+1}}=\dfrac{1}{3},$$

所以收敛半径 $R=3$. 收敛区间为 $|t|<3$,即 $-2<x<4$.

当 $x=-2$ 时,级数成为 $\sum_{n=1}^{\infty}\dfrac{(-1)^n}{n}$,这级数收敛;当 $x=4$ 时,级数成为 $\sum_{n=1}^{\infty}\dfrac{1}{n}$,这级数发散. 因此原级数的收敛域为 $[-2,4)$.

12.6.3 幂级数的运算与和函数的性质

设幂级数

$$a_0+a_1x+a_2x^2+\cdots+a_nx^n+\cdots$$

及

$$b_0+b_1x+b_2x^2+\cdots+b_nx^n+\cdots$$

分别在区间 $(-R,R)$ 及 $(-R',R')$ 内收敛,对于这两个幂级数,可以进行下列四则运算:

(1) 加法:

$$(a_0+a_1x+a_2x^2+\cdots+a_nx^n+\cdots)+(b_0+b_1x+b_2x^2+\cdots+b_nx^n+\cdots)$$
$$=(a_0+b_0)+(a_1+b_1)x+(a_2+b_2)x^2+\cdots+(a_n+b_n)x^n+\cdots.$$

(2) 减法:

$$(a_0 + a_1x + a_2x^2 + \cdots + a_nx^n + \cdots) - (b_0 + b_1x + b_2x^2 + \cdots + b_nx^n + \cdots)$$
$$= (a_0 - b_0) + (a_1 - b_1)x + (a_2 - b_2)x^2 + \cdots + (a_n - b_n)x^n + \cdots.$$

根据收敛级数的基本性质 2, 上面两式在 $(-R, R)$ 与 $(-R', R')$ 中较小的区间内成立.

(3) 乘法:

$$(a_0 + a_1x + a_2x^2 + \cdots + a_nx^n + \cdots)(b_0 + b_1x + b_2x^2 + \cdots + b_nx^n + \cdots)$$
$$= a_0b_0 + (a_0b_1 + a_1b_0)x + (a_0b_2 + a_1b_1 + a_2b_0)x^2 + \cdots + (a_0b_n + a_1b_{n-1} + \cdots + a_nb_0)x^n + \cdots.$$

这是两个幂级数的柯西乘积. 可证明上式在 $(-R, R)$ 及 $(-R', R')$ 中较小的区间内成立.

(4) 除法:

$$\frac{a_0 + a_1x + a_2x^2 + \cdots + a_nx^n + \cdots}{b_0 + b_1x + b_2x^2 + \cdots + b_nx^n + \cdots} = c_0 + c_1x + c_2x^2 + \cdots + c_nx^n + \cdots,$$

这里假设 $b_0 \neq 0$, 为了决定系数 $c_0, c_1, c_2, \cdots, c_n, \cdots$, 可以将级数 $\sum_{n=0}^{\infty} b_n x^n$ 与 $\sum_{n=0}^{\infty} c_n x^n$ 相乘, 并令乘积中各项的系数分别等于级数 $\sum_{n=0}^{\infty} a_n x^n$ 中同次幂的系数, 即得

$$a_0 = b_0 c_0,$$
$$a_1 = b_1 c_0 + b_0 c_1,$$
$$a_2 = b_2 c_0 + b_1 c_1 + b_0 c_2$$
$$\vdots$$

由这些方程就可以求出 $c_0, c_1, c_2, \cdots, c_n, \cdots$.

相除后所得到的幂级数 $\sum_{n=0}^{\infty} c_n x^n$ 的收敛区间可能比原来两级数的收敛区间小得多[①].

关于幂级数的和函数有下列重要的性质.

性质 1 幂级数 $\sum_{n=0}^{\infty} a_n x^n$ 的和函数 $s(x)$ 在其收敛域 I 上连续.

[①] 例如

$$\frac{1}{1-x} = 1 + x + x^2 + \cdots + x^n + \cdots,$$

级数 $\sum_{n=0}^{\infty} a_n x^n = 1 + 0x + \cdots + 0x^n + \cdots$ 与 $\sum_{n=0}^{\infty} b_n x^n = 1 - x + 0x^2 + \cdots + 0x^n + \cdots$ 在整个数轴上收敛, 但级数 $\sum_{n=0}^{\infty} c_n x^n = \sum_{n=0}^{\infty} x^n$ 仅在区间 $(-1, 1)$ 内收敛.

性质 2 幂级数 $\sum\limits_{n=0}^{\infty} a_n x^n$ 的和函数 $s(x)$ 在其收敛域 I 上可积,并有逐项积分公式

$$\int_0^x s(x)\,dx = \int_0^x \left[\sum_{n=0}^{\infty} a_n x^n\right]dx = \sum_{n=0}^{\infty} \int_0^x a_n x^n dx = \sum_{n=0}^{\infty} \frac{a_n}{n+1} x^{n+1} \quad (x \in I), \tag{3}$$

逐项积分后所得到的幂级数和级数 $\sum\limits_{n=0}^{\infty} a_n x^n$ 有相同的收敛半径.

性质 3 幂级数 $\sum\limits_{n=0}^{\infty} a_n x^n$ 的和函数 $s(x)$ 在其收敛区间 $(-R,R)$ 内可导,且有逐项求导公式

$$s'(x) = \left(\sum_{n=0}^{\infty} a_n x^n\right)' = \sum_{n=0}^{\infty} (a_n x^n)' = \sum_{n=1}^{\infty} n a_n x^{n-1} \quad (|x| < R), \tag{4}$$

逐项求导后所得到的幂级数和级数 $\sum\limits_{n=0}^{\infty} a_n x^n$ 有相同的收敛半径.

反复应用上述结论可得:幂级数 $\sum\limits_{n=0}^{\infty} a_n x^n$ 的和函数 $s(x)$ 在其收敛区间 $(-R,R)$ 内具有任意阶导数.

例 6 求幂级数 $\sum\limits_{n=0}^{\infty} n x^n$ 的和函数.

解 先求收敛域. 由

$$\rho = \lim_{n \to \infty} \left|\frac{a_{n+1}}{a_n}\right| = \lim_{n \to \infty} \frac{n+1}{n} = 1$$

得收敛半径 $R = 1$.

在端点 $x = -1$ 处,幂级数成为 $\sum\limits_{n=0}^{\infty} n(-1)^n$,是发散的级数;在端点 $x = 1$ 处,幂级数成为 $\sum\limits_{n=0}^{\infty} n$,是发散的. 因此收敛域为 $I = (-1,1)$.

设和函数为 $s(x)$,即

$$s(x) = \sum_{n=0}^{\infty} n x^n, \quad x \in (-1,1),$$

于是

$$\frac{s(x)}{x} = \sum_{n=1}^{\infty} n x^{n-1}.$$

利用性质 2,逐项积分,并由

$$\frac{1}{1-x} = 1 + x + x^2 + \cdots + x^n + \cdots \quad (-1 < x < 1)$$

得

$$\int_0^x \frac{s(x)}{x} dx = \sum_{n=1}^{\infty} x^n = \frac{x}{1-x} \quad (|x| < 1).$$

等式两端对 x 求导得

$$\frac{s(x)}{x} = \frac{1}{(1-x)^2},$$

即

$$s(x) = \frac{x}{(1-x)^2}.$$

所以当 $|x| < 1$ 时,有

$$\sum_{n=1}^{\infty} nx^n = \frac{x}{(1-x)^2}.$$

由此可求出一些数项级数的和,如

$$x = \frac{1}{2} \text{时,得} \sum_{n=1}^{\infty} \frac{n}{2^n} = 2.$$

$$x = \frac{1}{3} \text{时,得} \sum_{n=1}^{\infty} \frac{n}{3^n} = \frac{3}{4}.$$

12.6.4 初等函数的幂级数展开

前面讨论了幂级数的和函数的性质. 但在应用中,我们也需要考虑相反的问题:给定函数 $f(x)$,要考虑它能否在某个区间内"展开为幂级数". 即是否能找到一个幂级数,它在某区间内收敛,且其和恰好是给定的函数 $f(x)$. 如果能找到这样的幂级数,就说函数 $f(x)$ 在该区间内能展开成幂级数,而在该区间内这个幂级数就表达了函数 $f(x)$.

假设函数 $f(x)$ 在点 x_0 的某个邻域 $U(x_0)$ 内能展开成幂级数,即有

$$f(x) = a_0 + a_1(x-x_0) + a_2(x-x_0)^2 + \cdots + a_n(x-x_0)^n + \cdots, x \in U(x_0) \quad (5)$$

则根据和函数的性质,$f(x)$ 在 $U(x_0)$ 内应具有任意阶导数,且

$$f^{(n)}(x) = n!\, a_n + (n+1)!\, a_{n+1}(x-x_0) + \frac{(n+2)!}{2!} a_{n+2}(x-x_0)^2 + \cdots,$$

由此可得

$$f^{(n)}(x_0) = n!\, a_n,$$

于是

$$a_n = \frac{1}{n!} f^{(n)}(x_0) \ (n = 0, 1, 2, \cdots). \quad (6)$$

这就表明,如果函数 $f(x)$ 能展开成幂级数(5),那么该幂级数的系数 a_n 由公式(6)确定,即该幂级数必为

$$f(x_0) + f'(x_0)(x-x_0) + \frac{f''(x_0)}{2!}(x-x_0)^2 + \cdots + \frac{f^{(n)}(x_0)}{n!}(x-x_0)^n + \cdots$$

$$= \sum_{n=0}^{\infty} f^{(n)}(x_0) \frac{(x-x_0)^n}{n!}, \tag{7}$$

而展开式必为

$$f(x) = \sum_{n=0}^{\infty} f^{(n)}(x_0) \frac{(x-x_0)^n}{n!}, x \in U(x_0). \tag{8}$$

幂级数(7)叫作函数 $f(x)$ 在点 x_0 处的泰勒级数. 展开式(8)叫作函数 $f(x)$ 在点 x_0 处的泰勒展开式.

由以上的讨论可知,函数 $f(x)$ 在 $U(x_0)$ 内有幂级数展开式的充分必要条件是泰勒展开式(8)成立,也就是泰勒级数(7)在 $U(x_0)$ 内收敛,且收敛到 $f(x)$.

下面讨论泰勒展开式(8)成立的条件.

定理 3 设函数 $f(x)$ 在点 x_0 的某一邻域 $U(x_0)$ 内具有各阶导数,则在该邻域内 $f(x)$ 能展开成泰勒级数的充分必要条件是在该邻域内 $f(x)$ 的泰勒公式中的余项 $R_n(x)$ 当 $n \to \infty$ 时的极限为零,即

$$\lim_{n \to \infty} R_n(x) = 0, x \in U(x_0).$$

证明 $f(x)$ 的 n 阶泰勒公式为(见4.3)

$$f(x) = p_n(x) + R_n(x),$$

其中

$$p_n(x) = f(x_0) + f'(x_0)(x-x_0) + \frac{f''(x_0)}{2!}(x-x_0)^2 + \cdots + \frac{f^{(n)}(x_0)}{n!}(x-x_0)^n,$$

叫作函数 $f(x)$ 的 n 次泰勒多项式,而

$$R_n(x) = f(x) - p_n(x),$$

就是定理中所指的余项.

由于 n 次泰勒多项式 $p_n(x)$ 就是级数(7)的前 $n+1$ 项部分和,根据级数收敛的定义,即有

$$\sum_{n=1}^{\infty} f^{(n)}(x_0) \frac{(x-x_0)^n}{n!} = f(x), x \in U(x_0)$$

$$\Leftrightarrow \lim_{n \to \infty} p_n(x) = f(x), x \in U(x_0)$$

$$\Leftrightarrow \lim_{n \to \infty} [f(x) - p_n(x)] = 0, x \in U(x_0)$$

$$\Leftrightarrow \lim_{n \to \infty} R_n(x) = 0, x \in U(x_0).$$

下面着重讨论 $x_0 = 0$ 的情形. 在(7)式中,取 $x_0 = 0$,得

$$f(0) + f'(0)x + \cdots + f^{(n)}(0)\frac{x^n}{n!} + \cdots = \sum_{n=0}^{\infty} f^{(n)}(0) \frac{x^n}{n!}. \tag{9}$$

级数(9)称为函数 $f(x)$ 的麦克劳林级数. 若 $f(x)$ 能在 $(-R, R)$ 内展开成 x 的幂级数,则有

$$f(x) = \sum_{n=0}^{\infty} f^{(n)}(0) \frac{x^n}{n!} \quad (|x| < R). \tag{10}$$

(10)式称为函数$f(x)$的麦克劳林展开式.

要把函数$f(x)$展开成x的幂级数,可以按照下列步骤进行:

第一步,求出$f(x)$的各阶导数$f'(x), f''(x), \cdots, f^{(n)}(x), \cdots$,如果在$x=0$处某阶导数不存在,就停止进行,例如在$x=0$处,$f(x) = x^{\frac{7}{3}}$的三阶导数不存在,它就不能展开为$x$的幂级数.

第二步,求出函数及其各阶导数在$x=0$处的值:
$$f(0), f'(0), f''(0), \cdots, f^{(n)}(0), \cdots.$$

第三步,写出幂级数
$$f(0) + f'(0)x + \frac{f''(0)}{2!}x^2 + \cdots + \frac{f^{(n)}(0)}{n!}x^n + \cdots,$$
并求出收敛半径R.

第四步,利用余项$R_n(x)$的表达式$R_n(x) = \frac{1}{(n+1)!}f^{(n+1)}(\theta x)x^{n+1}\,(0 < \theta < 1)$,考察当$x$在区间$(-R, R)$内时余项$R_n(x)$的极限是否为零. 如果为零,那么函数$f(x)$在区间$(-R, R)$内的幂级数展开式为
$$f(x) = f(0) + f'(0)x + \frac{f''(0)}{2!}x^2 + \cdots + \frac{f^{(n)}(0)}{n!}x^n + \cdots\,(-R < x < R).$$

例7 将函数$f(x) = e^x$展开成x的幂级数.

解 所给函数的各阶导数为$f^{(n)}(x) = e^x\,(n = 1, 2, \cdots)$,因此$f^{(n)}(0) = 1\,(n = 1, 2, \cdots)$,这里$f^{(0)}(0) = f(0)$. 于是得级数
$$1 + x + \frac{x^2}{2!} + \cdots + \frac{x^n}{n!} + \cdots,$$
它的收敛半径$R = +\infty$.

对于任何有限的数x、ξ(ξ在0与x之间),余项的绝对值为
$$|R_n(x)| = \left|\frac{e^\xi}{(n+1)!}x^{n+1}\right| < e^{|x|} \cdot \frac{|x|^{n+1}}{(n+1)!}.$$

因$e^{|x|}$有限,而$\frac{|x|^{n+1}}{(n+1)!}$是收敛级数$\sum_{n=0}^{\infty}\frac{|x|^{n+1}}{(n+1)!}$的一般项,所以当$n \to \infty$时,$e^{|x|} \cdot \frac{|x|^{n+1}}{(n+1)!} \to 0$,即当$n \to \infty$时,有$|R_n(x)| \to 0$. 于是得展开式
$$e^x = 1 + x + \frac{x^2}{2!} + \cdots + \frac{x^n}{n!} + \cdots\,(-\infty < x < +\infty). \tag{11}$$

如果在$x=0$附近,用级数的部分和(即多项式)来近似代替e^x,那么随着项数的

增加,它们就越来越接近于 e^x,如图 12-6 所示.

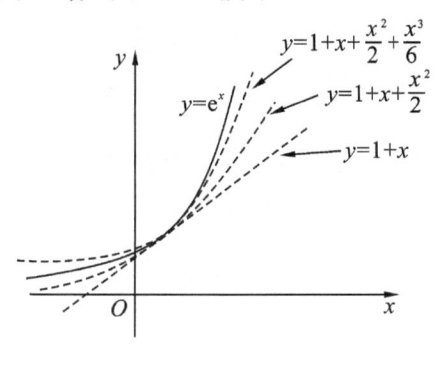

图 12-6

例 8 将函数 $f(x) = \sin x$ 展开成 x 的幂级数.

解 所给函数的各阶导数为

$$f^{(n)}(x) = \sin\left(x + n\frac{\pi}{2}\right)(n = 1, 2, \cdots),$$

$f^{(n)}(0)$ 顺序循环地取 $0, 1, 0, -1, \cdots (n = 0, 1, 2, \cdots)$,于是得级数

$$x - \frac{x^3}{3!} + \frac{x^5}{5!} - \cdots + (-1)^n \frac{x^{2n+1}}{(2n+1)!} + \cdots,$$

它的收敛半径 $R = +\infty$.

对于任何有限的数 x、ξ(ξ 在 0 与 x 之间),当 $n \to \infty$ 时余项的绝对值的极限为零.

$$|R_n(x)| = \left|\frac{\sin\left[\xi + \frac{n+1}{2}\pi\right]}{(n+1)!} x^{n+1}\right| \leq \frac{|x|^{n+1}}{(n+1)!} \to 0 (n \to \infty).$$

因此得展开式

$$\sin x = x - \frac{x^3}{3!} + \frac{x^5}{5!} - \cdots + (-1)^n \frac{x^{2n+1}}{(2n+1)!} + \cdots (-\infty < x < +\infty). \tag{12}$$

以上将函数展开成幂级数的例子,是直接按公式 $a_n = \dfrac{f^{(n)}(0)}{n!}$ 计算幂级数的系数,最后考察余项 $R_n(x)$ 是否趋于零.

这种直接展开的方法计算量较大,且研究其余项即使在初等函数中也绝非易事. 下面介绍间接展开的方法,即利用一些已知的函数展开式,通过幂级数的运算(如四则运算、逐项求导、逐项积分)以及变量代换等,将所给函数展开成幂级数. 这样做不但计算简单,而且可避免研究其余项.

前面已经求得的幂级数展开式有

$$e^x = \sum_{n=0}^{\infty} \frac{x^n}{n!} (-\infty < x < +\infty), \tag{13}$$

$$\sin x = \sum_{n=0}^{\infty} \frac{(-1)^n}{(2n+1)!}x^{2n+1}\ (-\infty < x < +\infty), \qquad (14)$$

$$\frac{1}{1+x} = \sum_{n=0}^{\infty} (-1)^n x^n\ (-1 < x < 1). \qquad (15)$$

利用这三个展开式,可以求得许多函数的幂级数展开式.

例如,对(15)式两边从 0 到 x 积分,可得

$$\ln(1+x) = \sum_{n=0}^{\infty} \frac{(-1)^n}{n+1}x^{n+1}\ (-1 < x \leqslant 1); \qquad (16)$$

对(14)式两边求导,即得

$$\cos x = \sum_{n=0}^{\infty} \frac{(-1)^n}{(2n)!}x^{2n}\ (-\infty < x < +\infty); \qquad (17)$$

把(13)式中的 x 换成 $x\ln a$ 可得

$$a^x = e^{x\ln a} = \sum_{n=0}^{\infty} \frac{(x\ln a)^n}{n!}\ (-\infty < x < +\infty);$$

把(15)式中的 x 换成 x^2,可得

$$\frac{1}{1+x^2} = \sum_{n=0}^{\infty} (-1)^n x^{2n}\ (-1 < x < 1),$$

对上式从 0 到 x 积分,可得

$$\arctan x = \sum_{n=0}^{\infty} \frac{(-1)^n}{2n+1}x^{2n+1}\ (-1 \leqslant x \leqslant 1).$$

(13)(14)(15)(16)(17)五个幂级数展开式是最常用的,记住前三个,也就掌握了后两个.

下面再举几个用间接法把函数展开成幂级数的例子.

例 9 把函数 $f(x) = (1+x^2)\ln(1+x)$ 展开成 x 的幂级数.

解 由 $\ln(1+x) = \sum\limits_{n=1}^{\infty} \frac{(-1)^{n-1}}{n}x^n\ (-1 < x \leqslant 1)$ 得

$$f(x) = (1+x^2)\sum_{n=1}^{\infty} \frac{(-1)^{n-1}}{n}x^n = \sum_{n=1}^{\infty} \frac{(-1)^{n-1}}{n}x^n + \sum_{n=1}^{\infty} \frac{(-1)^{n-1}}{n}x^{n+2}$$

$$= \sum_{n=1}^{\infty} \frac{(-1)^{n-1}}{n}x^n + \sum_{n=2}^{\infty} \frac{(-1)^n}{n-1}x^{n+1}\ (-1 < x \leqslant 1).$$

例 10 将函数 $\sin x$ 展开成 $x - \frac{\pi}{3}$ 的幂级数.

解 因为

$$\sin x = \sin\left[\frac{\pi}{3} + \left(x - \frac{\pi}{3}\right)\right]$$

$$= \sin\frac{\pi}{3}\cos\left(x - \frac{\pi}{3}\right) + \cos\frac{\pi}{3}\sin\left(x - \frac{\pi}{3}\right)$$

$$= \frac{1}{2}\left[\sqrt{3}\cos\left(x - \frac{\pi}{3}\right) + \sin\left(x - \frac{\pi}{3}\right)\right],$$

并且有
$$\cos\left(x - \frac{\pi}{3}\right) = \sum_{n=0}^{\infty} \frac{(-1)^n}{(2n)!}\left(x - \frac{\pi}{3}\right)^{2n} \quad (-\infty < x < +\infty),$$

$$\sin\left(x - \frac{\pi}{3}\right) = \sum_{n=0}^{\infty} \frac{(-1)^n}{(2n+1)!}\left(x - \frac{\pi}{3}\right)^{2n+1} \quad (-\infty < x < +\infty),$$

所以
$$\sin x = \frac{1}{2}\left[\sqrt{3} + \left(x - \frac{\pi}{3}\right) - \frac{\sqrt{3}\left(x - \frac{\pi}{3}\right)^2}{2!} - \frac{\left(x - \frac{\pi}{3}\right)^3}{3!} + \cdots + \right.$$
$$\left. \frac{(-1)^n}{(2n)!}\sqrt{3}\left(x - \frac{\pi}{3}\right)^{2n} + \frac{(-1)^n}{(2n+1)!}\left(x - \frac{\pi}{3}\right)^{2n+1} + \cdots\right] \quad (-\infty < x < +\infty).$$

例 11 将函数 $f(x) = \dfrac{1}{x^2 + 3x + 2}$ 展开成 $x - 1$ 的幂级数.

解 因为
$$f(x) = \frac{1}{x^2 + 3x + 2} = \frac{1}{(x+2)(x+1)} = \frac{1}{x+1} - \frac{1}{x+2}$$
$$= \frac{1}{2\left(1 + \frac{x-1}{2}\right)} - \frac{1}{3\left(1 + \frac{x-1}{3}\right)},$$

而
$$\frac{1}{2\left(1 + \frac{x-1}{2}\right)} = \frac{1}{2}\sum_{n=0}^{\infty} \frac{(-1)^n}{2^n}(x-1)^n \quad (-1 < x < 3),$$

$$\frac{1}{3\left(1 + \frac{x-1}{3}\right)} = \frac{1}{3}\sum_{n=0}^{\infty} \frac{(-1)^n}{3^n}(x-1)^n \quad (-2 < x < 4),$$

所以
$$f(x) = \frac{1}{x^2 + 3x + 2} = \sum_{n=0}^{\infty} (-1)^n\left(\frac{1}{2^{n+1}} - \frac{1}{3^{n+1}}\right)(x-1)^n \quad (-1 < x < 3).$$

再举一个用直接法展开的例子.

例 12 将函数 $f(x) = (1+x)^m$ 展开成 x 的幂级数,其中 m 为任意实数.

解 $f(x)$ 的各阶导数为
$$f'(x) = m(1+x)^{m-1},$$
$$f''(x) = m(m-1)(1+x)^{m-2},$$

$$\vdots$$
$$f^{(n)}(x) = m(m-1)\cdots(m-n+1)(1+x)^{m-n},$$
$$\vdots$$

所以
$$f(0) = 1, f'(0) = m, f''(0) = m(m-1),\cdots,$$
$$f^{(n)}(0) = m(m-1)\cdots(m-n+1),\cdots,$$

于是得级数
$$1 + mx + \frac{m(m-1)}{2!}x^2 + \cdots + \frac{m(m-1)\cdots(m-n+1)}{n!}x^n + \cdots.$$

这级数相邻两项的系数之比的绝对值
$$\left|\frac{a_{n+1}}{a_n}\right| = \left|\frac{m-n}{n+1}\right| \to 1 \, (n\to\infty),$$

因此,对于任何实数 m,此级数在开区间 $(-1,1)$ 内收敛.

为了避免直接研究余项,设级数在开区间 $(-1,1)$ 内收敛到函数 $F(x)$：
$$F(x) = 1 + mx + \frac{m(m-1)}{2!}x^2 + \cdots + \frac{m(m-1)\cdots(m-n+1)}{n!}x^n + \cdots \, (-1 < x < 1),$$

下面证明 $F(x) = (1+x)^m \, (-1 < x < 1)$.

逐项求导,得
$$F'(x) = m\left[1 + \frac{m-1}{1}x + \cdots + \frac{(m-1)\cdots(m-n+1)}{(n-1)!}x^{n-1} + \cdots\right],$$

两边各乘 $1+x$,并把含有 $x^n (n=1,2,\cdots)$ 的两项合并起来. 根据恒等式
$$\frac{(m-1)\cdots(m-n+1)}{(n-1)!} + \frac{(m-1)\cdots(m-n)}{n!} = \frac{m(m-1)\cdots(m-n+1)}{n!} \, (n=1,2,\cdots),$$

可得
$$(1+x)F'(x) = m\left[1 + mx + \frac{m(m-1)}{2!}x^2 + \cdots + \frac{m(m-1)\cdots(m-n+1)}{n!}x^n + \cdots\right]$$
$$= mF(x) \, (-1 < x < 1).$$

现在令 $\varphi(x) = \frac{F(x)}{(1+x)^m}$,于是 $\varphi(0) = F(0) = 1$,且
$$\varphi'(x) = \frac{(1+x)^m F'(x) - m(1+x)^{m-1} F(x)}{(1+x)^{2m}}$$
$$= \frac{(1+x)^{m-1}[(1+x)F'(x) - mF(x)]}{(1+x)^{2m}} = 0,$$

所以 $\varphi(x) = c$ (常数). 但是 $\varphi(0) = 1$,从而 $\varphi(x) = 1$,即
$$F(x) = (1+x)^m.$$

因此在区间$(-1,1)$内有展开式

$$(1+x)^m = 1 + mx + \frac{m(m-1)}{2!}x^2 + \cdots + \frac{m(m-1)\cdots(m-n+1)}{n!}x^n + \cdots \quad (-1 < x < 1). \tag{18}$$

在区间的端点,展开式是否成立要看m的数值而定.

公式(18)叫作二项展开式,特殊地,当m为正整数时,级数为x的m次多项式,这就是代数学中的二项式定理.

对应于$m = \frac{1}{2}$、$-\frac{1}{2}$的二项展开式分别为

$$\sqrt{1+x} = 1 + \frac{1}{2}x - \frac{1}{2\cdot 4}x^2 + \frac{1\cdot 3}{2\cdot 4\cdot 6}x^3 - \cdots +$$
$$(-1)^{n-1}\frac{1\cdot 3\cdot 5\cdots(2n-3)}{2\cdot 4\cdot 6\cdots(2n)}x^n + \cdots \quad (-1 \leqslant x \leqslant 1),$$

$$\frac{1}{\sqrt{1+x}} = 1 - \frac{1}{2}x + \frac{1\cdot 3}{2\cdot 4}x^2 - \frac{1\cdot 3\cdot 5}{2\cdot 4\cdot 6}x^3 + \cdots +$$
$$(-1)^n\frac{1\cdot 3\cdot 5\cdots(2n-1)}{2\cdot 4\cdot 6\cdots(2n)}x^n + \cdots \quad (-1 < x \leqslant 1).$$

12.6.5 幂级数的一致收敛性

下面讨论幂级数的一致收敛性.

定理 4 如果幂级数$\sum_{n=0}^{\infty} a_n x^n$的收敛半径为$R > 0$,那么此级数在$(-R,R)$内的任一闭区间$[a,b]$上一致收敛.

证明 记$r = \max\{|a|, |b|\}$,则对$[a,b]$上的一切x,都有
$$|a_n x^n| \leqslant |a_n r^n| \quad (n = 1, 2, \cdots),$$
而$0 < r < R$,根据定理 1 级数$\sum_{n=0}^{\infty} a_n x^n$绝对收敛,由魏尔斯特拉斯判别法即得所要证的结论.

进一步还可以证明,如果幂级数$\sum_{n=0}^{\infty} a_n x^n$在收敛区间的端点收敛,那么一致收敛的区间可扩大到包含端点.

利用定理 4 和 12.5 中的定理 5、定理 6 和定理 7 可以证明关于幂级数在其收敛区间内的和函数的连续性、逐项可导、逐项可积的结论.

12.6.6 函数的幂级数展开式的应用

1. 近似计算

有了函数的幂级数展开式,就可以用它来进行近似计算,即在幂级数展开式有效

的区间上,函数值可以利用这个级数按精确度要求近似计算出来.

例 13 计算 $\sqrt[5]{245}$ 的近似值,要求误差不超过 0.0001.

解 因为

$$\sqrt[5]{245} = \sqrt[5]{3^5+2} = 3\left(1+\frac{2}{3^5}\right)^{\frac{1}{5}},$$

所以在二项展开式(16)中取 $m=\frac{1}{5}, x=\frac{2}{3^5}$,即得

$$\sqrt[5]{245} = 3\left(1+\frac{1}{5}\cdot\frac{2}{3^5}+\frac{1}{5}\left(\frac{1}{5}-1\right)\frac{1}{2!}\cdot\left(\frac{2}{3^5}\right)^2+\cdots\right)$$

$$= 3\left(1+\frac{1}{5}\cdot\frac{2}{3^5}-\frac{1}{5}\cdot\frac{4}{5}\frac{1}{2!}\cdot\frac{4}{3^{10}}+\cdots\right).$$

此级数自第二项开始为交错级数,它满足莱布尼茨定理的两个条件. 如取前两项作近似值,则其余项估计式为

$$|R_2| \leqslant 3 \cdot \frac{1}{5} \cdot \frac{4}{5} \frac{1}{2!} \cdot \frac{4}{3^{10}} = \frac{3}{5^2} \cdot \frac{8}{3^{10}} < 0.0001,$$

于是取近似式为

$$\sqrt[5]{245} \approx 3\left(1+\frac{1}{5}\cdot\frac{2}{3^5}\right).$$

为了使"四舍五入"引起的误差(叫作舍入误差)与截断误差之和不超过 10^{-4},计算时应取五位小数,然后再四舍五入. 因此最后得

$$\sqrt[5]{245} \approx 3.0049.$$

利用幂级数不仅可以计算一些函数值的近似值,而且可以计算一些定积分的近似值. 具体地说,如果被积函数在积分区间能展开成幂级数,那么把这个幂级数逐项积分,用积分后的级数就可算出定积分的近似值.

例 14 计算定积分

$$\int_0^1 \frac{\sin x}{x} \mathrm{d}x$$

的近似值,要求误差不超过 0.0001.

解 由于 $\lim\limits_{x\to 0}\frac{\sin x}{x}=1$,因此所给积分不是反常积分. 若定义被积函数在 $x=0$ 处的值为 1,则它在积分区间 $[0,1]$ 上连续.

展开被积函数,有

$$\frac{\sin x}{x} = 1-\frac{x^2}{3!}+\frac{x^4}{5!}-\frac{x^6}{7!}+\cdots+\frac{(-1)^n x^{2n}}{(2n+1)!}+\cdots \quad (-\infty<x<+\infty).$$

在区间 $[0,1]$ 上逐项积分,得

$$\int_0^1 \frac{\sin x}{x}\mathrm{d}x = 1 - \frac{1}{3\cdot 3!} + \frac{1}{5\cdot 5!} - \frac{1}{7\cdot 7!} + \cdots + \frac{(-1)^n}{(2n+1)\cdot(2n+1)!} + \cdots.$$

因为第四项的绝对值

$$\frac{1}{7\cdot 7!} < \frac{1}{30000},$$

所以取前三项的和作为积分的近似值

$$\int_0^1 \frac{\sin x}{x}\mathrm{d}x \approx 1 - \frac{1}{3\cdot 3!} + \frac{1}{5\cdot 5!}.$$

算得

$$\int_0^1 \frac{\sin x}{x}\mathrm{d}x \approx 0.9461.$$

2. 欧拉公式

设有复数项级数为

$$(u_1 + v_1\mathrm{i}) + (u_2 + v_2\mathrm{i}) + \cdots + (u_n + v_n\mathrm{i}) + \cdots, \tag{19}$$

其中 u_n、v_n ($n=1,2,\cdots$) 为实常数或实函数. 如果实部所成的级数

$$u_1 + u_2 + \cdots + u_n + \cdots \tag{20}$$

收敛于和 u,并且虚部所成的级数

$$v_1 + v_2 + \cdots + v_n + \cdots \tag{21}$$

收敛于和 v,那么就说级数(19)收敛且其和为 $u+v\mathrm{i}$.

如果级数(19)各项的模所构成的级数

$$\sqrt{u_1^2 + v_1^2} + \sqrt{u_2^2 + v_2^2} + \cdots + \sqrt{u_n^2 + v_n^2} + \cdots$$

收敛,那么称级数(19)绝对收敛. 如果级数(19)绝对收敛,由于

$$|u_n| \leq \sqrt{u_n^2 + v_n^2},\ |v_n| \leq \sqrt{u_n^2 + v_n^2}\ (n=1,2,\cdots),$$

那么级数(20)与(21)绝对收敛,从而级数(19)收敛.

考察复数项

$$1 + z + \frac{z^2}{2!} + \cdots + \frac{z^n}{n!} + \cdots (z = x + y\mathrm{i}). \tag{22}$$

可以证明级数(22)在整个复平面上是绝对收敛的. 在 x 轴上($z=x$)它表示指数函数 e^x,在整个复平面上我们用它来定义复变量指数函数,记作 e^z,于是 e^z 定义为

$$\mathrm{e}^z = 1 + z + \frac{z^2}{2!} + \cdots + \frac{z^n}{n!} + \cdots\ (|z| < \infty). \tag{23}$$

当 $x=0$ 时,z 为纯虚数 $y\mathrm{i}$,(23)式成为

$$\mathrm{e}^{y\mathrm{i}} = 1 + y\mathrm{i} + \frac{(y\mathrm{i})^2}{2!} + \cdots + \frac{(y\mathrm{i})^n}{n!} + \cdots$$

$$= 1 + yi - \frac{y^2}{2!} - \frac{y^3}{3!}i + \frac{y^4}{4!} + \frac{y^5}{5!}i - \cdots$$

$$= \left(1 - \frac{y^2}{2!} + \frac{y^4}{4!} - \cdots\right) + \left(y - \frac{y^3}{3!} + \frac{y^5}{5!} - \cdots\right)i$$

$$= \cos y + i\sin y.$$

把 y 换为 x,上式变为

$$e^{xi} = \cos x + i\sin x, \tag{24}$$

这就是欧拉(Euler)公式.

应用公式(23),复数 z 可以表示为指数形式:

$$z = \rho(\cos\theta + i\sin\theta) = \rho e^{\theta i}, \tag{25}$$

其中 $\rho = |z|$ 是 z 的模, $\theta = \arg z$ 是 z 的辐角(图 12-7).

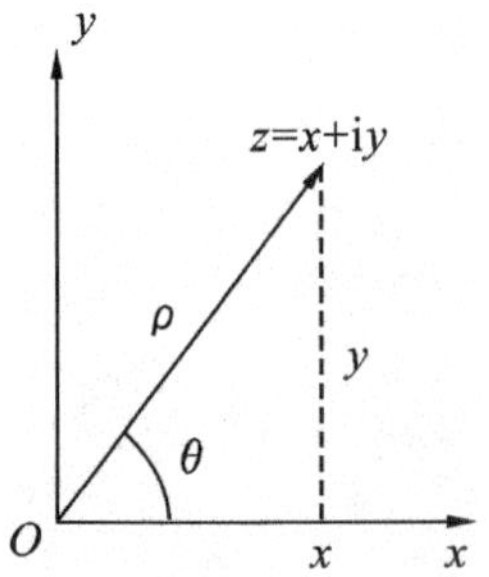

在(24)式中把 x 换成 $-x$,又有

$$e^{-xi} = \cos x - i\sin x.$$

把上式与(24)相加或相减,得

$$\begin{cases} \cos x = \dfrac{e^{ix} + e^{-ix}}{2}, \\ \sin x = \dfrac{e^{ix} - e^{-ix}}{2i}. \end{cases} \tag{26}$$

图 12-7

这两个式子也叫作欧拉公式.(24)式或(26)式揭示了三角函数与复变量指数函数之间的一种联系.

最后,根据定义式(23),并利用幂级数的乘法,我们不难验证

$$e^{z_1+z_2} = e^{z_1} \cdot e^{z_2}.$$

特殊地,取 z_1 为实数 x, z_2 为纯虚数 iy,则有

$$e^{x+iy} = e^x \cdot e^{iy} = e^x(\cos y + i\sin y),$$

这就是说,复变量指数函数 e^z 在 $z = x + iy$ 处的值是模为 e^x、辐角为 y 的复数.

习题 12-6

1. 求下列幂级数的收敛区间:

(1) $\displaystyle\sum_{n=1}^{\infty} \frac{1}{n!}x^n$;　　　(2) $1 - x + \dfrac{x^2}{2^3} - \cdots + (-1)^n \dfrac{x^n}{n^3} + \cdots$;

(3) $\dfrac{x}{2} + \dfrac{x^2}{2\cdot 4} + \dfrac{x^3}{2\cdot 4\cdot 6} + \cdots + \dfrac{x^n}{2\cdot 4\cdot 6\cdots (2n)} + \cdots$;

(4) $\displaystyle\sum_{n=1}^{\infty} (10x)^n$;　　　(5) $\displaystyle\sum_{n=1}^{\infty} \frac{2^n}{n^2+1}x^n$;　　　(6) $\displaystyle\sum_{n=1}^{\infty} (-1)^n \frac{x^{2n+1}}{2n+1}$;

(7) $\sum_{n=1}^{\infty} \frac{1}{n^2}(x-2)^2$；　　　　(8) $\sum_{n=1}^{\infty} \frac{(x-5)^n}{\sqrt{n}}$.

2. 利用逐项求导或逐项积分，求下列级数的和函数：

(1) $\sum_{n=1}^{\infty} nx^{n-1}$；　　　　(2) $\sum_{n=1}^{\infty} \frac{x^{3n+1}}{3n+1}$；

(3) $\sum_{n=1}^{\infty} \frac{x^{2n}}{2n+1}$；　　　　(4) $\sum_{n=1}^{\infty} \frac{x^n}{n(n+1)}$.

3. 求函数 $f(x) = \cos x$ 的泰勒级数，并验证它在整个数轴上收敛于这函数．

4. 将下列函数展开成 x 的幂级数，并求展开式成立的区间：

(1) $\operatorname{ch} x = \frac{e^x + e^{-x}}{2}$；　　　　(2) $\ln(1+x)$；

(3) $\frac{1}{2-x}$；　　　　(4) $\sin^2 x$；

(5) $(1+x)\ln(1+x)$；　　　　(6) $(1+x)e^{-x}$.

5. 将下列函数展开成 $x-1$ 的幂级数，并求展开式成立的区间：

(1) $\sqrt{x^5}$；　　　　(2) $\ln x$.

6. 将函数 $f(x) = \cos x$ 展开成 $x - \frac{\pi}{3}$ 的幂级数．

7. 将函数 $f(x) = \frac{1}{x}$ 展开成 $x - 2$ 的幂级数．

8. 利用函数的幂级数展开式求下列各数的近似值：

(1) $\ln 2$（误差不超过 0.0001）；　　　　(2) $\sqrt[3]{9}$（误差不超过 0.00001）．

9. 利用被积函数的幂级数展开式求下列定积分的近似值：

(1) $\int_0^{0.5} \frac{1}{1+x^4} dx$（误差不超过 0.0001）；

(2) $\frac{2}{\sqrt{\pi}} \int_0^{0.5} e^{-x^2} dx$（误差不超过 0.0001）．

10. 利用欧拉公式将函数 $e^x \cos x$ 展开成 x 的幂级数．

12.7　傅里叶级数

研究一个较复杂的函数时，往往把它化作一些简单函数的叠加．幂级数是最简单的函数——x 的各次幂函数的叠加．还有一种比较简单而其性质被研究得很彻底的函数——x 的正弦函数和余弦函数的叠加．本节讨论由三角函数组成的函数项级数，即所谓三角级数,主要研究如何把一个函数展开成三角级数的问题.

12.7.1 三角级数　三角函数系的正交性

据我们所知,周期函数反映的是客观世界中的周期运动.

正弦函数是一种简单而常见的周期函数. 例如,描述简谐振动的函数
$$y = A\sin(\omega t + \varphi)$$
就是一个以 $\dfrac{2\pi}{\omega}$ 为周期的正弦函数. 其中 y 表示动点的位置,t 表示时间,A 为振幅,ω 为角频率,φ 为初相.

在实际问题中,除了正弦函数外,还有非正弦周期函数,它们反映的是较复杂的周期运动. 如电子技术中经常用的周期为 T 的矩形波(图 12-8),就是一个非正弦周期函数的例子.

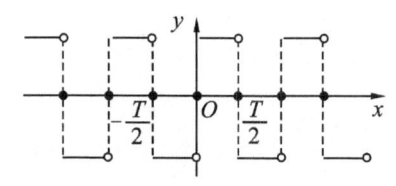

图 12-8

如何深入研究非正弦周期函数呢？联系到前面所介绍过的用幂级数展开式表示与讨论函数,我们也想将周期函数展开成由简单的周期函数所组成的级数. 具体地说,将周期为 $T\left(=\dfrac{2\pi}{\omega}\right)$ 的周期函数用一系列以 T 为周期的正弦函数 $A_n\sin(n\omega t + \varphi_n)$ 组成的级数来表示,记为
$$f(t) = A_0 + \sum_{n=1}^{\infty} A_n\sin(n\omega t + \varphi_n), \tag{1}$$
其中 A_0、A_n、φ_n($=1,2,\cdots$)都是常数.

将周期函数按上述方法展开,它的物理意义是很明确的,这就是把一个比较复杂的周期运动看成是许多不同频率的简谐振动的叠加. 在电工学上,这种展开称为谐波分析,其中常数项 A_0 称为 $f(t)$ 的直流分量,$A_1\sin(\omega t + \varphi_1)$ 称为一次谐波(又叫作基波),$A_2\sin(2\omega t + \varphi_2)$, $A_3\sin(3\omega t + \varphi_3)$, $\cdots$ 依次称为二次谐波,三次谐波,等等.

为了讨论方便起见,我们将正弦函数 $A_n\sin(n\omega t + \varphi_n)$ 按三角公式变形,得
$$A_n\sin(n\omega t + \varphi_n) = A_n\sin\varphi_n\cos n\omega t + A_n\cos\varphi_n\sin n\omega t,$$
并且令 $\dfrac{a_0}{2} = A_0, a_n = A_n\sin\varphi_n, b_n = A_n\cos\varphi_n, \omega = \dfrac{\pi}{l}$(即 $T = 2l$),则(1)式右端的级数就可以改写为
$$\frac{a_0}{2} + \sum_{n=1}^{\infty}\left(a_n\cos\frac{n\pi t}{l} + b_n\sin\frac{n\pi t}{l}\right). \tag{2}$$

形如(2)式的级数叫作三角级数,其中 a_0、a_n、b_n($n=1,2,3,\cdots$)都是常数.

令 $\dfrac{\pi t}{l} = x$,(2)式成为

$$\frac{a_0}{2} + \sum_{n=1}^{\infty}(a_n\cos nx + b_n\sin nx), \tag{3}$$

这就把以 $2l$ 为周期的三角级数转换成以 2π 为周期的三角级数.

下面我们讨论以 2π 为周期的三角级数(3).

如同讨论幂级数时一样,我们必须讨论三角级数(3)的收敛问题,以及如何将给定周期为 2π 的周期函数展开成三角级数(3). 为此,我们先介绍三角函数系的正交性.

所谓三角函数系

$$1, \cos x, \sin x, \cos 2x, \sin 2x, \cdots, \cos nx, \sin nx, \cdots \tag{4}$$

在区间 $[-\pi, \pi]$ 上正交,就是指在三角函数系(4)中任何两个不同的函数的乘积在区间 $[-\pi, \pi]$ 上的积分等于零,即

$$\int_{-\pi}^{\pi} \cos nx \, dx = 0 \, (n = 1, 2, 3, \cdots),$$

$$\int_{-\pi}^{\pi} \sin nx \, dx = 0 \, (n = 1, 2, 3, \cdots),$$

$$\int_{-\pi}^{\pi} \sin kx \cos nx \, dx = 0 \, (k, n = 1, 2, 3, \cdots),$$

$$\int_{-\pi}^{\pi} \cos kx \cos nx \, dx = 0 \, (k, n = 1, 2, 3, \cdots, k \neq n),$$

$$\int_{-\pi}^{\pi} \sin kx \sin nx \, dx = 0 \, (k, n = 1, 2, 3, \cdots, k \neq n).$$

以上等式,都可通过计算定积分来验证,现将第四式验证如下:

$$\cos kx \cos nx = \frac{1}{2}[\cos(k+n)x + \cos(k-n)x],$$

当 $k \neq n$ 时,有

$$\int_{-\pi}^{\pi} \cos kx \cos nx \, dx = \frac{1}{2}\int_{-\pi}^{\pi}[\cos(k+n)x + \cos(k-n)x] \, dx$$

$$= \frac{1}{2}\left[\frac{\sin(k+n)x}{k+n} + \frac{\sin(k-n)x}{k-n}\right]_{-\pi}^{\pi}$$

$$= 0 \, (k, n = 1, 2, \cdots, k \neq n).$$

请读者自行验证其余等式.

在三角函数系(4)中,两个相同函数的乘积在区间 $[-\pi, \pi]$ 上的积分不等于零,即

$$\int_{-\pi}^{\pi} 1^2 \, dx = 2\pi, \int_{-\pi}^{\pi} \sin^2 nx \, dx = \pi, \int_{-\pi}^{\pi} \cos^2 nx \, dx = \pi \, (n = 1, 2, 3, \cdots).$$

12.7.2 函数展开成傅里叶级数

设 $f(x)$ 是周期为 2π 的周期函数,且能展开成三角级数

$$f(x) = \frac{a_0}{2} + \sum_{k=1}^{\infty} (a_k \cos kx + b_k \sin kx), \tag{5}$$

那么系数 $a_0, a_1, b_1, \cdots$ 与函数 $f(x)$ 之间存在着怎样的关系? 换句话说,如何利用 $f(x)$ 把 $a_0, a_1, b_1, \cdots$ 表达出来? 为此,我们进一步假设(5)式右端的级数可逐项积分.

先求 a_0. 对(5)式从 $-\pi$ 到 π 积分,由于假设(5)式右端的级数可逐项积分,因此有

$$\int_{-\pi}^{\pi} f(x) dx = \int_{-\pi}^{\pi} \frac{a_0}{2} dx + \sum_{k=1}^{\infty} \left[a_k \int_{-\pi}^{\pi} \cos kx dx + b_k \int_{-\pi}^{\pi} \sin kx dx \right].$$

根据三角函数系(4)的正交性,除第一项外,等式右端的其余各项均为零,所以

$$\int_{-\pi}^{\pi} f(x) dx = \frac{a_0}{2} \cdot 2\pi,$$

于是得

$$a_0 = \frac{1}{\pi} \int_{-\pi}^{\pi} f(x) dx.$$

其次求 a_n. 用 $\cos nx$ 乘(5)式两端,再从 $-\pi$ 到 π 积分,我们得到

$$\int_{-\pi}^{\pi} f(x) \cos nx dx = \frac{a_0}{2} \int_{-\pi}^{\pi} \cos nx dx + \sum_{k=1}^{\infty} \left[a_k \int_{-\pi}^{\pi} \cos kx \cos nx dx + b_k \int_{-\pi}^{\pi} \sin kx \cos nx dx \right].$$

根据三角函数系(4)的正交性,等式右端除 $k=n$ 的一项外,其余各项均为零,所以

$$\int_{-\pi}^{\pi} f(x) \cos nx dx = a_n \int_{-\pi}^{\pi} \cos^2 nx dx = a_n \pi,$$

于是得

$$a_n = \frac{1}{\pi} \int_{-\pi}^{\pi} f(x) \cos nx dx \, (n = 1, 2, 3, \cdots).$$

类似地,用 $\sin nx$ 乘(5)式的两端,再从 $-\pi$ 到 π 积分,可得

$$b_n = \frac{1}{\pi} \int_{-\pi}^{\pi} f(x) \sin nx dx \, (n = 1, 2, 3, \cdots).$$

由于当 $n=0$ 时, a_n 的表达式正好给出 a_0,因此,已得结果可以合并写成

$$\left. \begin{array}{l} a_n = \dfrac{1}{\pi} \int_{-\pi}^{\pi} f(x) \cos nx dx \, (n = 0, 1, 2, 3, \cdots), \\ b_n = \dfrac{1}{\pi} \int_{-\pi}^{\pi} f(x) \sin nx dx \, (n = 1, 2, 3, \cdots). \end{array} \right\} \tag{6}$$

如果公式(6)中的积分都存在,这时它们求出的系数 $a_0, a_1, b_1, \cdots$ 叫作函数 $f(x)$ 的傅里叶(Fourier)系数,将这些系数代入(5)式右端,所得的三角级数

$$\frac{a_0}{2} + \sum_{n=1}^{\infty} (a_n \cos nx + b_n \sin nx)$$

叫作函数 $f(x)$ 的傅里叶级数.

一个定义在 $(-\infty, +\infty)$ 上周期为 2π 的函数 $f(x)$,如果它在一个周期区间上可积,那么一定可以作出 $f(x)$ 的傅里叶级数.然而,函数 $f(x)$ 的傅里叶级数是否一定收敛呢?如果它收敛,是否一定收敛于函数 $f(x)$?一般来说,答案都不是肯定的.那么,$f(x)$ 在怎样的条件下,它的傅里叶级数不仅是收敛的,而且收敛于 $f(x)$?也就是说,$f(x)$ 满足什么条件时可以展开成傅里叶级数?

下面的收敛定理给出了关于上述问题的一个重要结论.

定理(收敛定理,狄利克雷(Dirichlet)充分条件) 设 $f(x)$ 是周期为 2π 的周期函数,如果它满足:

(1) 在一个周期内连续或只有有限个第一类间断点;

(2) 在一个周期内至多只有有限个极值点,

那么 $f(x)$ 的傅里叶级数收敛,并且当 x 是 $f(x)$ 的连续点时,级数收敛于 $f(x)$;当 x 是 $f(x)$ 的间断点时,级数收敛于 $\frac{1}{2}[f(x^-) + f(x^+)]$.

由收敛定理,只要函数在 $[-\pi, \pi]$ 上至多有有限个第一类间断点,且不作无限次的震动,那么函数的傅里叶级数在连续点处就会收敛于该点的函数值,在间断点处会收敛于该点处的左极限与右极限的算术平均值,由此可见,函数展开成傅里叶级数的条件要比展开成幂级数的条件低得多.记

$$C = \left\{ x \mid f(x) = \frac{1}{2}[f(x^-) + f(x^+)] \right\},$$

在 C 上成立 $f(x)$ 的傅里叶级数展开式

$$f(x) = \frac{a_0}{2} + \sum_{n=1}^{\infty} (a_n \cos nx + b_n \sin nx), x \in C. \tag{7}$$

例 1 设 $f(x)$ 是周期为 2π 的周期函数,它在 $[-\pi, \pi)$ 上的表达式为

$$f(x) = \begin{cases} -1, & -\pi \leq x < 0, \\ 1, & 0 \leq x < \pi. \end{cases}$$

将 $f(x)$ 展开成傅里叶级数,并作出级数的和函数的图形.

解 函数在点 $x = k\pi (k = 0, \pm 1, \pm 2, \cdots)$ 处不连续,在其他点处连续,从而由收敛定理可知 $f(x)$ 的傅里叶级数收敛,且当 $x = k\pi$ 时级数收敛于

$$\frac{-1+1}{2} = \frac{1+(-1)}{2} = 0,$$

当 $x \neq k\pi$ 时级数收敛于 $f(x)$.

计算傅里叶系数如下：

$$a_n = \frac{1}{\pi}\int_{-\pi}^{\pi} f(x)\cos nx\,dx$$

$$= \frac{1}{\pi}\int_{-\pi}^{0}(-1)\cos nx\,dx + \frac{1}{\pi}\int_{0}^{\pi}\cos nx\,dx$$

$$= 0\,(n=0,1,2,\cdots);$$

$$b_n = \frac{1}{\pi}\int_{-\pi}^{\pi} f(x)\sin nx\,dx$$

$$= \frac{1}{\pi}\int_{-\pi}^{0}(-1)\sin nx\,dx + \frac{1}{\pi}\int_{0}^{\pi}\sin nx\,dx$$

$$= \frac{1}{\pi}\left[\frac{\cos nx}{n}\right]_{-\pi}^{0} + \frac{1}{\pi}\left[-\frac{\cos nx}{n}\right]_{0}^{\pi}$$

$$= \frac{1}{n\pi}[1-\cos n\pi-\cos n\pi+1] = \frac{2}{n\pi}[1-(-1)^n]$$

$$= \begin{cases} \dfrac{4}{n\pi},\ n=1,3,5,\cdots; \\ 0,\ n=2,4,6,\cdots. \end{cases}$$

将求得的系数代入(7)式，就得到 $f(x)$ 的傅里叶级数展开式为

$$f(x) = \frac{4}{\pi}\left[\sin x + \frac{1}{3}\sin 3x + \cdots + \frac{1}{2k-1}\sin(2k-1)x + \cdots\right]$$

$$= \frac{4}{\pi}\sum_{n=1}^{\infty}\frac{1}{2k-1}\sin(2k-1)x\,(-\infty < x < +\infty;x\neq 0,\pm\pi,\pm 2\pi,\cdots).$$

级数的和函数的图形如图 12-9 所示．

如果把例 1 中的函数理解为矩形波的波形函数（周期 $T=2\pi$，振幅 $E=1$，自变量 x 表示时间），那么上面所得到的展开式表明：矩形波是由一系列不同频率的正弦波叠加而成的，这些正弦波的频率依次为基波频率的奇数倍．

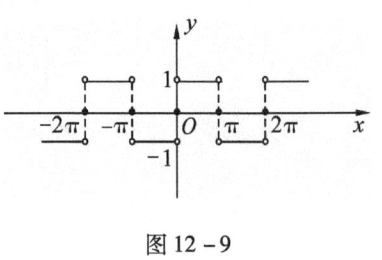

图 12-9

例 2 设 $f(x)$ 是周期为 2π 的周期函数，它在 $[-\pi,\pi)$ 上的表达式为

$$f(x) = \begin{cases} x, & -\pi \leq x < 0, \\ 0, & 0 \leq x < \pi. \end{cases}$$

将 $f(x)$ 展开成傅里叶级数，并作出级数的和函数的图形．

解 所给函数能满足收敛定理的条件，它在点 $x=(2k+1)\pi\,(k=0,\pm 1,\pm 2,\cdots)$ 处不连续．因此，$f(x)$ 的傅里叶级数在 $x=(2k+1)\pi$ 处收敛于

$$\frac{1}{2}[f(\pi^-)+f(-\pi^+)] = \frac{0-\pi}{2} = -\frac{\pi}{2},$$

在连续点 $x[x \neq (2k+1)\pi]$ 处收敛于 $f(x)$.

计算傅里叶级数如下：

$$a_n = \frac{1}{\pi}\int_{-\pi}^{\pi} f(x)\cos nx\,dx = \frac{1}{\pi}\int_{-\pi}^{0} x\cos nx\,dx$$

$$= \frac{1}{\pi}\left[\frac{x\sin nx}{n} + \frac{\cos nx}{n^2}\right]_{-\pi}^{0} = \frac{1}{n^2\pi}[1-\cos n\pi]$$

$$= \begin{cases} \dfrac{2}{n^2\pi}, & n=1,3,5,\cdots, \\ 0, & n=2,4,6,\cdots; \end{cases}$$

$$a_0 = \frac{1}{\pi}\int_{-\pi}^{\pi} f(x)\,dx = \frac{1}{\pi}\int_{-\pi}^{0} x\,dx = \frac{1}{\pi}\left[\frac{x^2}{2}\right]_{-\pi}^{0} = \frac{-\pi}{2};$$

$$b_n = \frac{1}{\pi}\int_{-\pi}^{\pi} f(x)\sin nx\,dx = \frac{1}{\pi}\int_{-\pi}^{0} x\sin nx\,dx$$

$$= \frac{1}{\pi}\left[-\frac{x\cos nx}{n} + \frac{\sin nx}{n^2}\right]_{-\pi}^{0}$$

$$= -\frac{\cos n\pi}{n} = \frac{(-1)^{n+1}}{n} \quad (n=1,2,3,\cdots).$$

将求得的系数代入(7)式,得到 $f(x)$ 的傅里叶级数展开式为

$$f(x) = -\frac{\pi}{4} + \left(\frac{2}{\pi}\cos x + \sin x\right) - \frac{1}{2}\sin 2x + \left(\frac{2}{3^2\pi}\cos 3x + \frac{1}{3}\sin 3x\right) -$$

$$\frac{1}{4}\sin 4x + \left(\frac{2}{5^2\pi}\cos 5x + \frac{1}{5}\sin 5x\right) - \cdots$$

$$= -\frac{\pi}{4} + \frac{2}{\pi}\sum_{k=1}^{\infty}\frac{1}{(2k-1)^2}\cos(2k-1)x +$$

$$\sum_{n=1}^{\infty}\frac{(-1)^{n-1}}{n}\sin nx \,(-\infty < x < +\infty; x \neq \pm\pi, \pm 3\pi, \cdots)$$

级数的和函数的图形如图 12-10 所示.

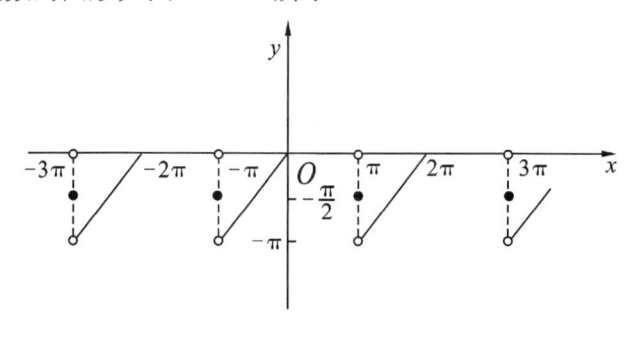

图 12-10

应注意,如果函数 $f(x)$ 只在 $[-\pi,\pi]$ 上有定义,并且满足收敛定理的条件,那么

$f(x)$ 也可展开成傅里叶级数. 事实上, 可在 $[-\pi,\pi)$ 或 $(-\pi,\pi]$ 外补充函数 $f(x)$ 的定义, 使它拓展成周期为 2π 的周期函数 $F(x)$. 按这种方式拓展函数的定义域的过程称为周期延拓. 再将 $F(x)$ 展开成傅里叶级数. 最后限制 x 在 $(-\pi,\pi)$ 内, 此时 $F(x) \equiv f(x)$, 这样便得到 $f(x)$ 的傅里叶级数展开式. 根据收敛定理, 这级数区间端点处收敛于

$$\frac{1}{2}[f(\pi^-) + f(-\pi^+)].$$

12.7.3 正弦级数与余弦级数

一般来说, 一个函数的傅里叶级数既含有正弦项, 又含有余弦项 (见 12.7.2 中例 2). 但是, 也有一些函数的傅里叶级数只含有正弦项 (见 12.7.2 中例 1) 或者只含有常数项和余弦项. 这是什么原因呢? 实际上, 这些情况与所给函数 $f(x)$ 的奇偶性有着密切关系. 对于周期为 2π 的函数 $f(x)$, 它的傅里叶系数计算公式为

$$a_n = \frac{1}{\pi}\int_{-\pi}^{\pi} f(x)\cos nx \, dx \quad (n=0,1,2,\cdots),$$

$$b_n = \frac{1}{\pi}\int_{-\pi}^{\pi} f(x)\sin nx \, dx \quad (n=1,2,3,\cdots).$$

由于奇函数在原点对称区间上的积分为零, 偶函数在原点对称区间上的积分等于半区间上积分的两倍, 因此, 当 $f(x)$ 为奇函数时, $f(x)\cos nx$ 是奇函数, $f(x)\sin nx$ 是偶函数, 故

$$\left.\begin{array}{l} a_n = 0 \quad (n=0,1,2,\cdots), \\ b_n = \dfrac{1}{\pi}\int_{-\pi}^{\pi} f(x)\sin nx \, dx \quad (n=1,2,3,\cdots). \end{array}\right\} \qquad (8)$$

即知奇函数的傅里叶级数是只含正弦项的正弦级数

$$\sum_{n=1}^{\infty} b_n \sin nx. \qquad (9)$$

当 $f(x)$ 为偶函数时, $f(x)\cos nx$ 是偶函数, $f(x)\sin nx$ 是奇函数, 故

$$\left.\begin{array}{l} a_n = \dfrac{1}{\pi}\int_{-\pi}^{\pi} f(x)\cos nx \, dx \quad (n=0,1,2,\cdots), \\ b_n = 0 \quad (n=1,2,3,\cdots). \end{array}\right\} \qquad (10)$$

即知偶函数的傅里叶级数是只含常数项和余弦项的余弦级数

$$\frac{a_0}{2} + \sum_{n=1}^{\infty} b_n \cos nx. \qquad (11)$$

例 3 设 $f(x)$ 是周期为 2π 的周期函数, 它在 $[-\pi,\pi)$ 上的表达式为 $f(x) = x$. 将 $f(x)$ 展开成傅里叶级数, 并作出级数的和函数的图形.

解 首先,所给函数 $f(x)$ 满足收敛定理的条件,它在点
$$x = (2k+1)\pi \quad (k = 0, \pm 1, \pm 2, \cdots)$$
处不连续,因此 $f(x)$ 的傅里叶级数在点 $x = (2k+1)\pi$ 处收敛于
$$\frac{1}{2}[f(\pi^-) + f(-\pi^+)] = \frac{\pi + (-\pi)}{2} = 0,$$
在连续点 $x[x \neq (2k+1)\pi]$ 处收敛于 $f(x)$.

其次,若不计 $x = (2k+1)\pi(k = 0, \pm 1, \pm 2, \cdots)$,则 $f(x)$ 是周期为 2π 的奇函数. 显然,此时(8)式仍成立. 按公式(8)有 $a_n = 0(n = 0, 1, 2, \cdots)$,而

$$b_n = \frac{2}{\pi}\int_0^\pi f(x)\sin nx\,dx = \frac{2}{\pi}\int_0^\pi x\sin nx\,dx$$

$$= \frac{2}{\pi}\left[-\frac{x\cos nx}{n} + \frac{\sin nx}{n^2}\right]_0^\pi$$

$$= -\frac{2\cos n\pi}{n} = \frac{2(-1)^{n+1}}{n} \quad (n = 1, 2, 3, \cdots).$$

将求得的 b_n 代入正弦级数(9),得 $f(x)$ 的傅里叶级数展开式为

$$f(x) = 2\left(\sin x - \frac{1}{2}\sin 2x + \frac{1}{3}\sin 3x - \frac{1}{4}\sin 4x + \cdots + \frac{(-1)^{n+1}}{n}\sin nx + \cdots\right)$$

$$= 2\sum_{n=1}^\infty \frac{(-1)^{n+1}}{n}\sin nx \quad (-\infty < x < +\infty; x \neq \pm\pi, \pm 3\pi, \cdots).$$

级数的和函数的图形如图 12-11 所示.

例 4 设 $f(x)$ 是周期为 2π 的周期函数,它在 $[-\pi, \pi)$ 上的表达式为 $|x|$,将 $f(x)$ 展开成傅里叶级数.

图 12-11

解 $f(x)$ 满足收敛定理的条件,它在 $(-\infty, +\infty)$ 上连续,因此 $f(x)$ 的傅里叶级数处处收敛于 $f(x)$.

因为 $f(x)$ 是偶函数,所以按公式(10),有 $b_n = 0(n = 1, 2, 3, \cdots)$,而

$$a_n = \frac{2}{\pi}\int_0^\pi f(x)\cos nx\,dx = \frac{2}{\pi}\int_0^\pi x\cos nx\,dx$$

$$= \frac{2}{\pi}\left[\frac{x\sin nx}{n} + \frac{\cos nx}{n^2}\right]_0^\pi = \frac{2}{n^2\pi}[\cos n\pi - 1]$$

$$= \begin{cases} -\dfrac{4}{n^2\pi}, & n = 1, 3, 5, \cdots, \\ 0, & n = 2, 4, 6, \cdots; \end{cases}$$

$$a_0 = \frac{2}{\pi}\int_0^\pi f(x)\,dx = \frac{2}{\pi}\int_0^\pi x\,dx = \pi.$$

将求得的系数 a_n 代入余弦级数(11),得 $f(x)$ 的傅里叶级数展开式为

$$f(x) = \frac{\pi}{2} - \frac{4}{\pi}\left(\cos x + \frac{1}{3^2}\cos 3x + \frac{1}{5^2}\cos 5x + \cdots\right.$$

$$\left. + \frac{1}{(2k-1)^2}\cos(2k-1)x + \cdots\right)$$

$$= \frac{\pi}{2} - \frac{4}{\pi}\sum_{k=1}^{\infty}\frac{1}{(2k-1)^2}\cos(2k-1)x \quad (-\infty < x < +\infty).$$

在实际应用(如研究某种波动问题,热的传导、扩散问题)中,有时还需要把定义在区间 $[0,\pi]$ 上的函数 $f(x)$ 展开成正弦级数或余弦级数.

根据前面讨论的结果,这类展开的问题可以按如下的方法解决:设函数 $f(x)$ 定义在区间 $[0,\pi]$ 上且满足收敛定理的条件,则在开区间 $(-\pi,0)$ 内补充函数 $f(x)$ 的定义,得到定义在 $(-\pi,\pi]$ 上的函数 $F(x)$,使它在 $(-\pi,\pi)$ 上为奇函数[①](偶函数).按这种方式拓展函数定义域的过程称为奇延拓(偶延拓).然后将奇延拓(偶延拓)后的函数展开成傅里叶级数,这个级数必定是正弦级数(余弦级数).再限制 x 在 $(0,\pi]$ 上,此时 $F(x) \equiv f(x)$,这样便得到 $f(x)$ 的正弦级数(余弦级数)展开式.

例如,将函数

$$\varphi(x) = x \,(0 \leq x \leq \pi)$$

作奇延拓,再作周期延拓,便成例 3 中的函数,按例 3 的结果,有

$$x = 2\sum_{n=1}^{\infty}\frac{(-1)^{n+1}}{n}\sin nx \,(0 \leq x < \pi);$$

将 $\varphi(x)$ 作偶延拓,再作周期延拓,便成例 4 中的函数,按例 4 的结果,有

$$x = \frac{\pi}{2} - \frac{4}{\pi}\sum_{k=1}^{\infty}\frac{1}{(2k-1)^2}\cos(2k-1)x \,(0 \leq x \leq \pi).$$

例 5 将函数

$$f(x) = \begin{cases} \cos x, 0 \leq x < \dfrac{\pi}{2}, \\ 0, \dfrac{\pi}{2} \leq x \leq \pi \end{cases}$$

分别展开成正弦级数和余弦级数.

解 先展开成正弦级数.为此对函数 $f(x)$ 作奇延拓(图 12-12).

按公式(8)有

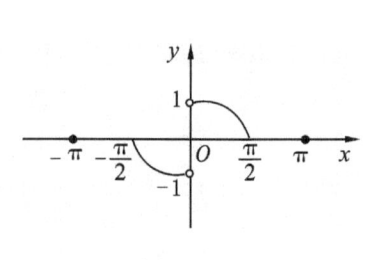

图 12-12

---

① 补充 $f(x)$ 的定义使它在 $(-\pi,\pi)$ 上成为奇函数时,若 $f(0) \neq 0$ 则规定 $F(0) = 0$.

$$b_n = \frac{2}{\pi}\int_0^\pi f(x)\sin nx\,dx = \frac{2}{\pi}\int_0^\pi \cos x\sin nx\,dx$$

$$= \frac{1}{\pi}\int_0^{\frac{\pi}{2}}[\sin(n-1)x + \sin(n+1)x]dx$$

$$= \frac{1}{\pi}\Big[-\frac{1}{n-1}\cos(n-1)x - \frac{1}{n+1}\cos(n+1)x\Big]_0^{\frac{\pi}{2}}$$

$$= \frac{1}{\pi}\Big[\frac{1}{n-1} + \frac{1}{n+1} - \frac{1}{n-1}\cos\frac{n-1}{2}\pi - \frac{1}{n+1}\cos\frac{n+1}{2}\pi\Big]$$

$$= \frac{1}{\pi}\Big[\frac{2n}{n^2-1} - \frac{1}{n-1}\sin\frac{n}{2}\pi + \frac{1}{n+1}\sin\frac{n}{2}\pi\Big]$$

$$= \frac{2}{\pi(n^2-1)}\Big(n - \sin\frac{n}{2}\pi\Big).$$

以上计算对 $n=1$ 不适合,b_1 需另行计算:

$$b_1 = \frac{2}{\pi}\int_0^\pi f(x)\sin x\,dx = \frac{2}{\pi}\int_0^\pi \cos x\sin x\,dx = \frac{1}{\pi}.$$

将求得的 b_n 代入(9)式,得 $f(x)$ 的正弦级数展开式为

$$f(x) = \frac{1}{\pi}\Big[\sin x + 2\sum_{n=2}^\infty \frac{1}{n^2-1}\Big(n - \sin\frac{n}{2}\pi\Big)\sin nx\Big] \quad (0 < x \leq \pi).$$

在端点 $x=0$ 处级数收敛到零,它不等于 $f(0)$.

再展开成余弦级数. 为此对函数 $f(x)$ 作偶延拓(图 12-13).

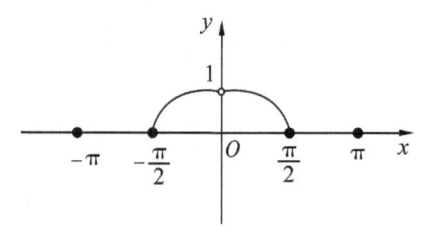

图 12-13

按公式(10)有

$$a_n = \frac{2}{\pi}\int_0^\pi f(x)\cos nx\,dx = \frac{2}{\pi}\int_0^\pi \cos x\cos nx\,dx$$

$$= \frac{1}{\pi}\int_0^{\frac{\pi}{2}}[\cos(n-1)x + \cos(n+1)x]dx$$

$$= \frac{1}{\pi}\Big[\frac{1}{n-1}\sin\frac{n-1}{2}\pi + \frac{1}{n+1}\sin\frac{n+1}{2}\pi\Big]$$

$$= \frac{2}{\pi(n^2-1)} \sin\frac{n-1}{2}\pi$$

$$= \begin{cases} \dfrac{2(-1)^{k-1}}{(4k^2-1)\pi}, n=2k, \\ 0, n=2k-1. \end{cases}$$

以上计算对 $n=1$ 不适合，a_1 需另行计算：

$$a_1 = \frac{2}{\pi}\int_0^{\frac{\pi}{2}} \cos^2 x\,dx = \frac{1}{\pi}\int_0^{\frac{\pi}{2}}(1+\cos 2x)\,dx = \frac{1}{2}.$$

将求得的 a_n 代入(11)式，得 $f(x)$ 的余弦级数展开式为

$$f(x) = \frac{1}{\pi} + \frac{1}{2}\cos x + \frac{2}{\pi}\sum_{k=1}^{\infty}\frac{(-1)^{k-1}}{(4k^2-1)}\cos 2kx\,(0\leq x\leq \pi).$$

利用函数的傅里叶级数展开式，有时可得一些特殊级数的和，例如按例 4 的结果，有

$$|x| = \frac{\pi}{2} - \frac{4}{\pi}\sum_{k=1}^{\infty}\frac{1}{(2k-1)^2}\cos(2k-1)x\,(-\pi\leq x\leq \pi),$$

在上式中令 $x=0$，便得

$$\sum_{k=1}^{\infty}\frac{1}{(2k-1)^2} = \frac{\pi^2}{8}.$$

习题 12-7

1. 下列周期函数 $f(x)$ 的周期为 2π，试将 $f(x)$ 展开成傅里叶级数，如果 $f(x)$ 在 $[-\pi,\pi)$ 上的表达式为：

(1) $f(x) = 2x^2+1\,(-\pi\leq x<\pi)$；　　(2) $f(x) = e^x\,(-\pi\leq x<\pi)$；

(3) $f(x) = \begin{cases} -\dfrac{\pi}{2}, -\pi\leq x<\dfrac{\pi}{2}, \\ x, \dfrac{-\pi}{2}\leq x<\dfrac{\pi}{2}, \\ \dfrac{\pi}{2}, \dfrac{\pi}{2}\leq x<\pi. \end{cases}$

2. 将下列函数 $f(x)$ 展开成傅里叶级数：

(1) $f(x) = 2\sin\dfrac{x}{4}\,(-\pi\leq x\leq \pi)$；　　(2) $f(x) = \begin{cases} 0, 0\leq x\leq \pi, \\ e^x, -\pi\leq x<0. \end{cases}$

3. 将函数 $f(x) = \dfrac{\pi - x}{3}(0 \leqslant x \leqslant \pi)$ 展开成正弦级数.

4. 将函数 $f(x) = e^x(0 \leqslant x \leqslant \pi)$ 展开成余弦级数.

5. 将函数 $f(x) = 2x^2(0 \leqslant x \leqslant \pi)$ 分别展开成正弦级数和余弦级数.

6. 设周期函数 $f(x)$ 的周期为 2π,证明:

(1) 若 $f(x-\pi) = -f(x)$,则 $f(x)$ 的傅里叶系数 $a_0 = 0, a_{2k} = 0, b_{2k} = 0(k = 1, 2, 3, \cdots)$;

(2) 若 $f(x-\pi) = f(x)$,则 $f(x)$ 的傅里叶系数 $a_{2k+1} = 0, b_{2k+1} = 0(k = 0, 1, 2, \cdots)$.

总复习题 12 A 组

1. 填空:

(1) 若级数 $\sum\limits_{n=1}^{\infty} u_n$ 收敛,则 $\lim\limits_{n \to \infty} u_n = $ _____;

(2) 正项级数 $\sum\limits_{n=1}^{\infty} u_n$ 收敛当且仅当部分和数列 $\{s_n\}$ _____;

(3) 若级数 $\sum\limits_{n=1}^{\infty} u_n$ 绝对收敛,则级数 $\sum\limits_{n=1}^{\infty} u_n$ 必定_____;若级数 $\sum\limits_{n=1}^{\infty} u_n$ 条件收敛,则级数 $\sum\limits_{n=1}^{\infty} |u_n|$ 必定_____.

2. 判定下列级数的收敛性:

(1) $\sum\limits_{n=1}^{\infty} \dfrac{1}{2^{\ln n}}$;

(2) $\sum\limits_{n=1}^{\infty} \dfrac{(n!)^2}{3^{n^2}}$;

(3) $\sum\limits_{n=1}^{\infty} \dfrac{n\cos^2 \dfrac{n\pi}{3}}{2^n}$;

(4) $\sum\limits_{n=3}^{\infty} \dfrac{1}{n \ln n \ln \ln n}$.

3. 设正项级数 $\sum\limits_{n=1}^{\infty} u_n$ 和 $\sum\limits_{n=1}^{\infty} v_n$ 都收敛,证明级数 $\sum\limits_{n=1}^{\infty} (u_n + v_n)^2$ 也收敛.

4. 设级数 $\sum\limits_{n=1}^{\infty} u_n$ 收敛,且 $\lim\limits_{n \to \infty} \dfrac{v_n}{u_n} = 1$.问级数 $\sum\limits_{n=1}^{\infty} v_n$ 是否也收敛?试说明理由.

5. 讨论下列级数的绝对收敛性与条件收敛性:

(1) $\sum\limits_{n=1}^{\infty} \dfrac{(-1)^n}{n^p}$;

(2) $\sum\limits_{n=1}^{\infty} (-1)^n \sin \dfrac{x}{n} (x \neq 0)$;

(3) $\sum\limits_{n=1}^{\infty} (-1)^n \dfrac{n}{(n+1)^2}$;

(4) $\sum\limits_{n=1}^{\infty} (-1)^n \dfrac{(n+1)!}{n^{n+1}}$.

6. 求下列极限：

(1) $\lim\limits_{n\to\infty}\dfrac{1}{n}\sum\limits_{k=1}^{n}\dfrac{1}{3^k}\left(1+\dfrac{1}{k}\right)^{k^2}$；

(2) $\lim\limits_{n\to\infty}[2^{\frac{1}{3}}\cdot 4^{\frac{1}{9}}\cdot 8^{\frac{1}{27}}\cdots\cdots(2^n)^{\frac{1}{3^n}}]$.

7. 求下列幂级数的和函数：

(1) $\sum\limits_{n=1}^{\infty}n(n+1)x^n$；

(2) $\sum\limits_{n=1}^{\infty}\dfrac{(-1)^{n-1}}{2n-1}x^{2n-1}$；

(3) $\sum\limits_{n=1}^{\infty}n(x-1)^n$.

8. 求下列数项级数的和：

(1) $\sum\limits_{n=1}^{\infty}\dfrac{1}{n(2n+1)}$；

(2) $\sum\limits_{n=0}^{\infty}(-1)^n\dfrac{n+1}{(2n+1)!}$.

9. 设 $f(x)$ 是周期为 2π 的函数，它在 $[-\pi,\pi]$ 上的表达式为

$$f(x)=\begin{cases}e^x, & 0\leq x<\pi,\\ 0, & -\pi\leq x<0,\end{cases}$$

试将 $f(x)$ 展开成傅里叶级数.

总复习题 12 B 组

1. 设 a 为常数，则级数 $\lim\limits_{n\to\infty}\dfrac{n}{u_n}=1$，则级数 $\sum\limits_{n=1}^{\infty}\left[\dfrac{\sin(na)}{n^2}-\dfrac{1}{\sqrt{n}}\right]$ (　　).

A. 发散 B. 绝对收敛
C. 条件收敛 D. 收敛性与 a 的取值有关

2. 级数 $\sum\limits_{n=1}^{\infty}(-1)^n\left[1-\cos\dfrac{\alpha}{n}\right]$（常数 $\alpha>0$）(　　).

A. 发散 B. 绝对收敛
C. 条件收敛 D. 收敛性与 α 的取值有关

3. 设常数 $\lambda>0$，且 $\sum\limits_{n=1}^{\infty}a_n^2$ 收敛，则级数 $\sum\limits_{n=1}^{\infty}(-1)^n\dfrac{|a_n|}{\sqrt{n^2+\lambda}}$ (　　).

A. 发散 B. 绝对收敛
C. 条件收敛 D. 收敛性与 λ 的取值有关

4. 设 $u_n=(-1)^n\ln\left(1+\dfrac{1}{\sqrt{n}}\right)$，则级数 (　　).

A. $\sum\limits_{n=1}^{\infty}u_n$ 与 $\sum\limits_{n=1}^{\infty}u_n^2$ 都收敛
B. $\sum\limits_{n=1}^{\infty}u_n$ 与 $\sum\limits_{n=1}^{\infty}u_n^2$ 都发散
C. $\sum\limits_{n=1}^{\infty}u_n$ 收敛而 $\sum\limits_{n=1}^{\infty}u_n^2$ 发散
D. $\sum\limits_{n=1}^{\infty}u_n$ 发散而 $\sum\limits_{n=1}^{\infty}u_n^2$ 收敛

5. 设 $a_n > 0 (n=1,2,3,\cdots)$ 且 $\sum\limits_{n=1}^{\infty} a_n$ 收敛,常数 $\lambda \in \left(0, \dfrac{\pi}{2}\right)$,则级数 $\sum\limits_{n=1}^{\infty} (-1)^n \left(n\tan\dfrac{\lambda}{n}\right) a_{2n}$ ( ).

  A. 发散   B. 绝对收敛

  C. 条件收敛   D. 收敛性与 λ 的取值有关

6. 设 $f(x) = \begin{cases} x, 0 \leqslant x \leqslant \dfrac{1}{2}, \\ 2-2x, \dfrac{1}{2} < x < 1, \end{cases}$ $s(x) = \dfrac{a_0}{2} + \sum\limits_{n=1}^{\infty} a_n \cos n\pi x, -\infty < x < +\infty$,其中 $a_n = 2\int_0^1 f(x)\cos n\pi x \, dx \ (n=0,1,2,\cdots)$,则 $s\left(-\dfrac{5}{2}\right) = ($).

  A. $\dfrac{1}{2}$ B. $-\dfrac{1}{2}$ C. $\dfrac{3}{4}$ D. $-\dfrac{3}{4}$

7. 将函数 $f(x) = 2 + |x| \ (-1 \leqslant x \leqslant 1)$ 展开成以 2 为周期的傅里叶级数,并由此求级数 $\sum\limits_{n=1}^{\infty} \dfrac{1}{n^2}$ 的和.

8. 设 $f(x) = \begin{cases} -1, -\pi < x \leqslant 0, \\ 1+x^2, 0 < x \leqslant \pi, \end{cases}$ 则其以 2π 为周期的傅里叶级数在点 $x = \pi$ 处收敛于 _____.

9. 设函数 $f(x) = \pi x + x^2 \ (-\pi < x < \pi)$ 的傅里叶级数展开式为
$$\dfrac{a_0}{2} + \sum\limits_{n=1}^{\infty} (a_n \cos nx + b_n \sin nx),$$
求 b_3 的值.

10. 设在点的某一邻域内具有二阶连续导数,且 $\lim\limits_{x \to 0} \dfrac{f(x)}{x} = 0$,证明级数 $\sum\limits_{n=1}^{\infty} f\left(\dfrac{1}{n}\right)$ 绝对收敛.

11. 将 $f(x) = x - 1 \ (0 \leqslant x \leqslant 2)$ 展开成以 4 为周期的余弦级数.

12. 设 $a_1 = 2, a_{n+1} = \dfrac{1}{2}\left(a_n + \dfrac{1}{a_n}\right) \ (n=1,2,3,\cdots)$,证明:

(1) $\lim\limits_{n \to \infty} a_n$ 存在;

(2) 级数 $\sum\limits_{n=1}^{\infty} \left(\dfrac{a_n}{a_{n+1}} - 1\right)$ 收敛.

13. 设正项数列 $\{a_n\}$ 单调减少,且 $\sum\limits_{n=1}^{\infty} (-1)^n a_n$ 发散,试问 $\sum\limits_{n=1}^{\infty} \left(\dfrac{1}{a_n+1}\right)^n$ 是否收敛?并说明理由.

14. 将函数 $f(x) = 1 - x^2 (0 \leq x \leq \pi)$ 展开成余弦级数,并求级数 $\sum\limits_{n=1}^{\infty} (-1)^{n-1} \dfrac{1}{n^2}$ 的和.

15. 将下列函数分别展开成正弦级数和余弦级数:

(1) $f(x) = \begin{cases} x, 0 \leq x \leq \dfrac{l}{2}, \\ l - x, \dfrac{l}{2} \leq x \leq l; \end{cases}$ \qquad (2) $f(x) = x^2$.